A-Z BRISTOL & BATH

CONTENTS

REFERENCE

Motorway	M5	Church or Chapel	†
A Road	A4	Electricity Transmission Line	⊠— — — —⊠
Under Construction		Fire Station	■
Proposed		Hospital	⊞
B Road	B4058	House Numbers (Selected Rds.)	4 22 36
Dual Carriageway		Information Centre	🇮
One Way Street	➡	National Grid Reference	360
Traffic flow on A Roads is indicated by a heavy line on the driver's left.		Places of Interest	
Pedestrianized Road		Police Station	▲
Restricted Access		Post Office	★
Track / Footpath	— — — —	Toilet	▽
Residential Walkway	....	Toilet with Disabled Facilities	♿

Railway — Tunnel / Level Crossing / Station

Built Up Area — HIGH STREET

Local Authority Boundary — · — · —

Posttown Boundary —

Postcode Boundary (Within Posttown) — — —

Map Continuation 12   Large Scale 4

Beaches

Car Park (Selected) P

Large Scale City Centres Only

One Way Roads	➡
Traffic flow is indicated by a blue arrow.	
Educational Establishments	
Hospitals & Health Centres	
Leisure & Recreational Facilities	
Places of Interest	
Public Buildings	
Shopping Centres & Markets	
Other Selected Buildings	

SCALE

Map Pages 6-95, 98-157
1:15,840 4 inches to 1 mile

0 — ¼ Mile
0 — 250 Metres

Map Pages 4-5, 96-97
1:7,920 8 inches to 1 mile

0 — ⅛ Mile
0 — 250 Metres

Copyright of Geographers' A-Z Map Company Limited

Head Office : Fairfield Road, Borough Green, Sevenoaks, Kent TN15 8PP Tel: 01732 781000
Showrooms : 44 Gray's Inn Road, London WC1X 8HX Tel: 0171 242 9246

The Maps in this Atlas are based upon the Ordnance Survey mapping with the permission of The Controller of Her Majesty's Stationery Office

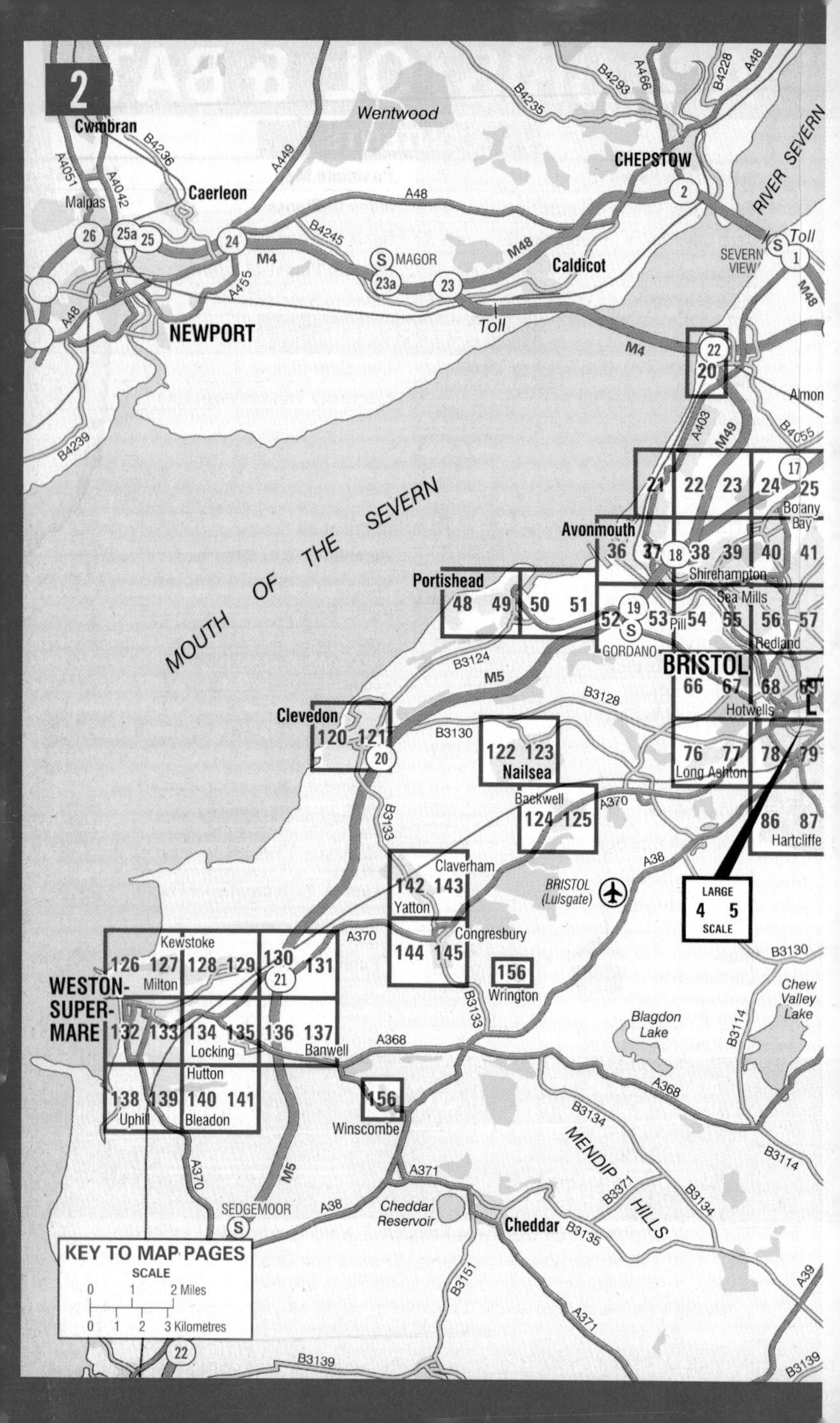

2
Cwmbran
Wentwood
Caerleon
Malpas
CHEPSTOW
RIVER SEVERN
MAGOR
Caldicot
SEVERN VIEW
Toll
NEWPORT
Almondsbury
MOUTH OF THE SEVERN
Avonmouth
Portishead
Shirehampton
Sea Mills
Pill
GORDANO
Redland
BRISTOL
Botany Bay
Hotwells
Clevedon
Nailsea
Backwell
Long Ashton
Hartcliffe
Claverham
Yatton
Congresbury
BRISTOL (Lulsgate)
LARGE 4 5 SCALE
Kewstoke
WESTON-SUPER-MARE
Milton
Locking
Banwell
Wrington
Hutton
Uphill
Bleadon
Winscombe
Blagdon Lake
Chew Valley Lake
MENDIP HILLS
SEDGEMOOR
Cheddar Reservoir
Cheddar
KEY TO MAP PAGES
SCALE
0 1 2 Miles
0 1 2 3 Kilometres

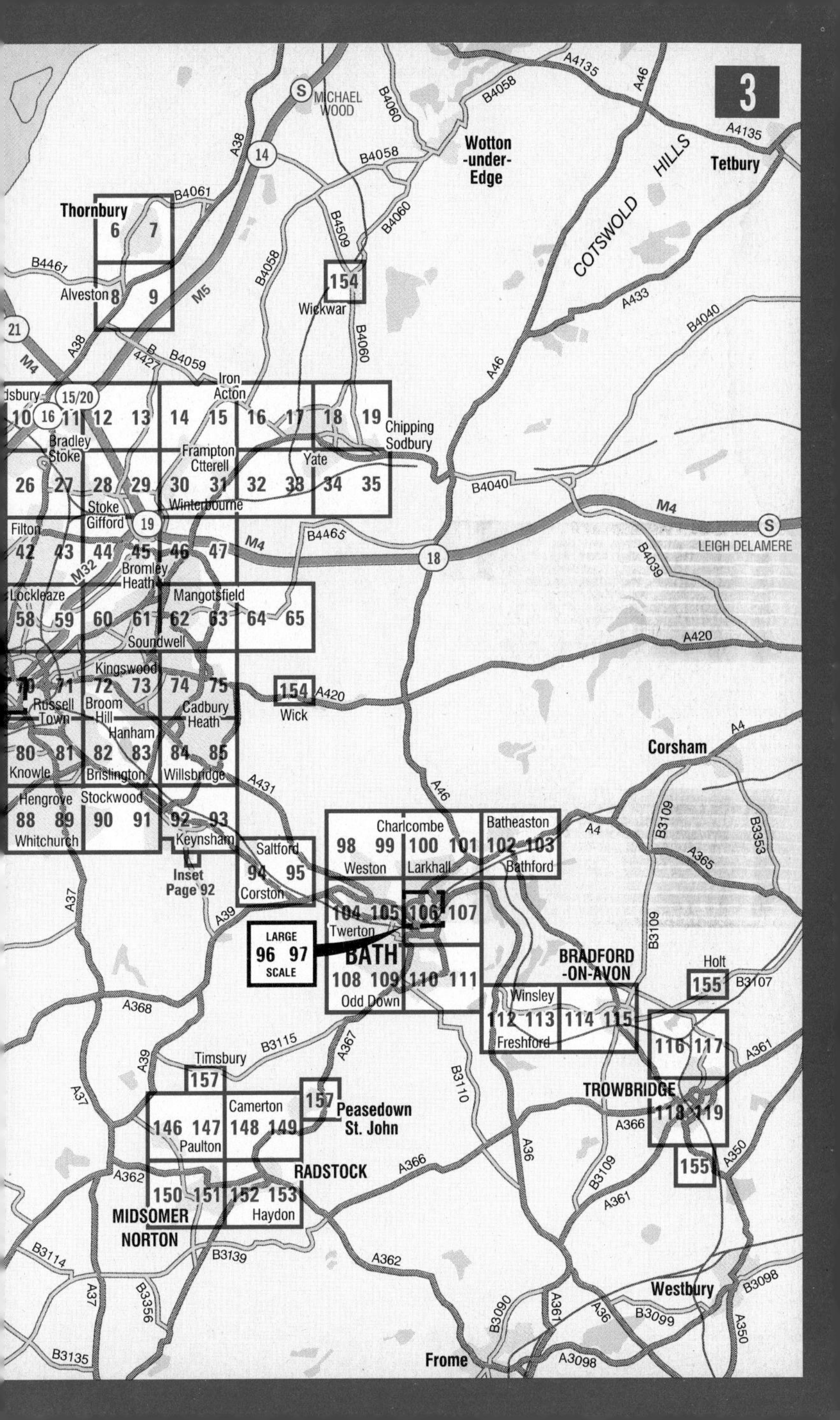

3

Tetbury

Wotton
-under-
Edge

COTSWOLD HILLS

Thornbury
6 | 7

Alveston 8 | 9

Wickwar **154**

Iron Acton

10 16 **11** 12 13 | 14 | 15 16 17 | 18 19 | Chipping Sodbury

Bradley Stoke

Frampton Ctterell

26 27 | 28 29 30 31 32 33 | 34 35

Stoke Gifford | Winterbourne | Yate

Filton

42 43 44 45 46 47

Bromley Heath

Lockleaze

58 59 60 61 62 63 64 65

Soundwell

Mangotsfield

Kingswood

70 71 72 73 74 75

Russell Town | Broom Hill | Cadbury Heath | Wick **154**

Hanham

80 81 82 83 84 85

Knowle | Brislington | Willsbridge

Hengrove Stockwood

88 89 90 91 92 93

Whitchurch | Keynsham

Inset Page 92

94 95

Corston

Saltford

Charlcombe | Batheaston

98 99 100 101 102 103

Weston | Larkhall | Bathford

**LARGE
96 97 SCALE**

104 105 106 107

Twerton

BATH

108 109 110 111

Odd Down

Corsham

Holt **155**

BRADFORD -ON-AVON

Winsley

112 113 114 115

Freshford

116 117

TROWBRIDGE

118 119

155

Timsbury **157**

Camerton **157** Peasedown St. John

146 147 148 149

Paulton

RADSTOCK

150 151 152 153

Haydon

MIDSOMER NORTON

Westbury

Frome

LEIGH DELAMERE

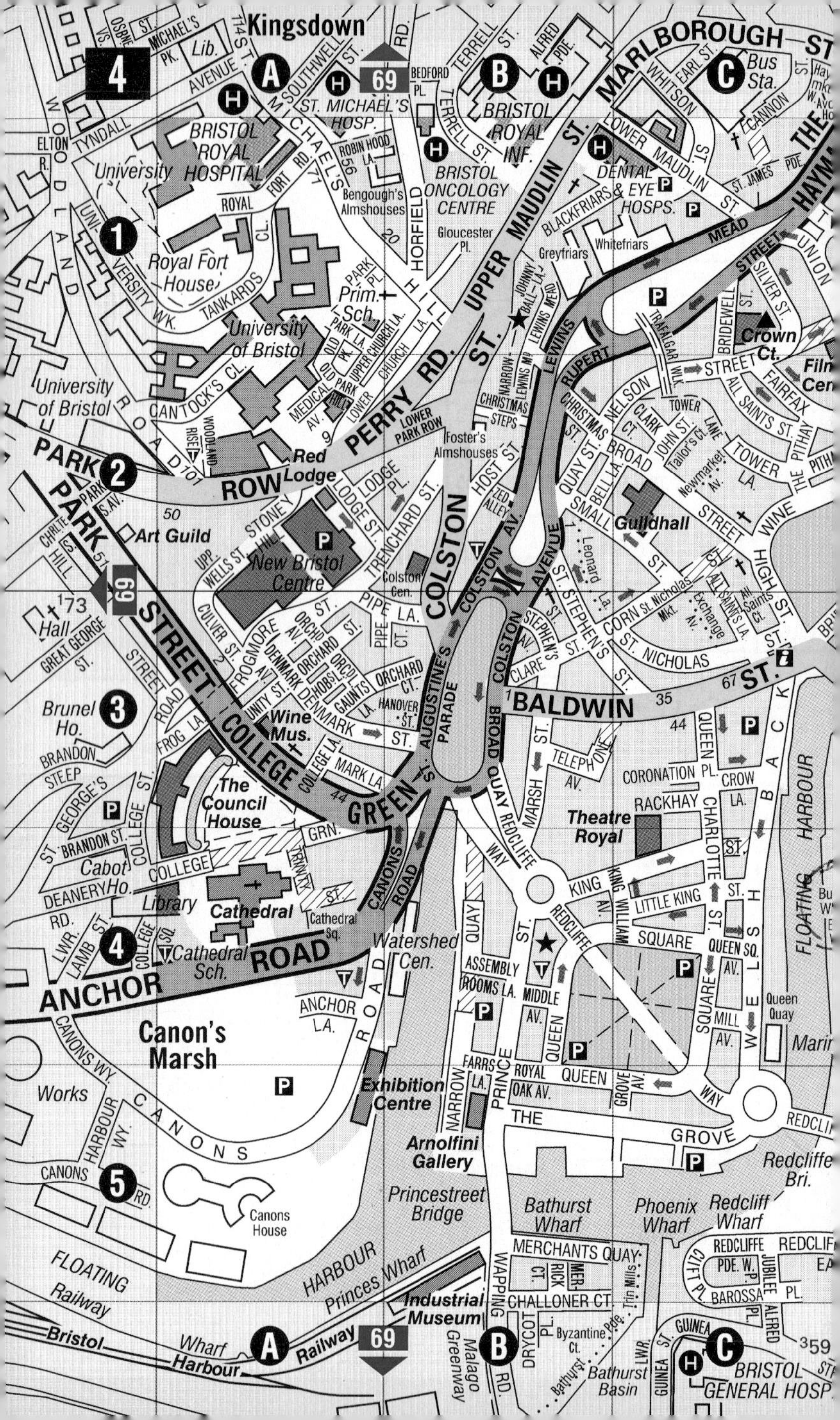
4
Kingsdown
69
A
B
C
MARLBOROUGH ST.
Bus Sta.
ST. MICHAEL'S HOSP.
BRISTOL ROYAL INF.
BRISTOL ROYAL HOSPITAL
BRISTOL ONCOLOGY CENTRE
DENTAL & EYE HOSPS.
University
Bengough's Almshouses
Gloucester Pl.
UPPER MAUDLIN ST.
Greyfriars
Whitefriars
Royal Fort House
University of Bristol
Prim. Sch.
PERRY RD.
Red Lodge
PARK ROW
Foster's Almshouses
Art Guild
New Bristol Centre
Colston Cen.
COLSTON ST.
COLSTON AV.
Crown Ct.
Guildhall
St. Nicholas Mkt.
Exchange Av.
ST. NICHOLAS ST.
BALDWIN ST.
PARK STREET
Hall
Brunel Ho.
COLLEGE GREEN
Wine Mus.
The Council House
Cabot Ho.
Library
Cathedral
Cathedral Sq.
Cathedral Sch.
ANCHOR ROAD
Watershed Cen.
Theatre Royal
QUEEN SQUARE
KING ST.
Canon's Marsh
Works
Exhibition Centre
Arnolfini Gallery
Canons House
Princestreet Bridge
Bathurst Wharf
Phoenix Wharf
Redcliff Wharf
Redcliffe Bri.
FLOATING HARBOUR
Princes Wharf
Industrial Museum
Bristol Harbour Railway
Malago Greenway
Bathurst Basin
BRISTOL GENERAL HOSP
Queen Quay
1
2
3
4
5

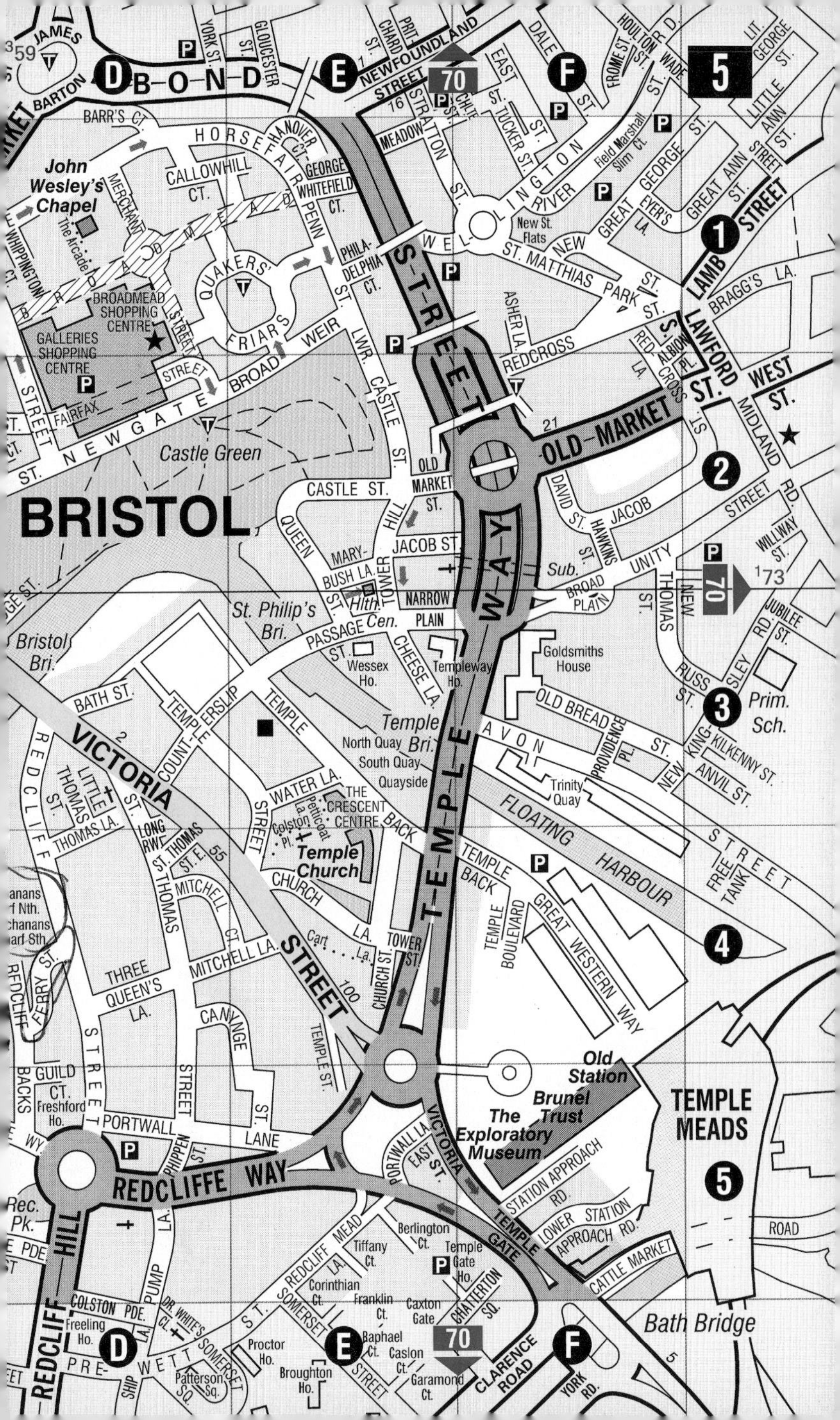

5
D
E
F
70
BOND
NEWFOUNDLAND STREET
JAMES BARTON
59
HORSEFAIR
John Wesley's Chapel
The Arcade
BROADMEAD
BROADMEAD SHOPPING CENTRE
GALLERIES SHOPPING CENTRE
QUAKERS' FRIARS
CALLOWHILL CT.
MERCHANT
PENN
WHITEFIELD CT.
PHILADELPHIA CT.
GEORGE
HANOVER CT.
BARR'S CT.
MEADOW
STRATTON ST.
EAST ST.
TUCKER ST.
DALE ST.
WELLINGTON
RIVER
Field Marshall Slim Ct.
New St. Flats
NEW ST.
ST. MATTHIAS PARK
GREAT GEORGE ST.
GREAT ANN ST.
EYER'S LA.
LAMB STREET
LITTLE GEORGE ST.
LITTLE ANN ST.
BRAGG'S LA.
LAWFORD ST.
WEST ST.
MIDLAND RD.
1
2
3
4
5
REDCROSS
ASHER LA.
RED CROSS LA.
ALBION PL.
OLD MARKET
21
STREET
BROAD WEIR
NEWGATE
FAIRFAX STREET
Castle Green
LWR. CASTLE ST.
OLD MARKET ST.
CASTLE ST.
BRISTOL
QUEEN ST.
TOWER HILL
JACOB ST.
MARY-BUSH LA.
Hlth. Cen.
NARROW PLAIN
WAY
Sub.
BROAD PLAIN
UNITY STREET
DAVID ST.
HAWKINS ST.
JACOB
THOMAS ST.
NEW ST.
WILLWAY ST.
JUBILEE RD.
173
St. Philip's Bri.
Bristol Bri.
PASSAGE ST.
Wessex Ho.
CHEESE LA.
Templeway Ho.
Goldsmiths House
OLD BREAD ST.
RUSSLEY ST.
Prim. Sch.
BATH ST.
TEMPLE
COUNTERSLIP
VICTORIA STREET
Temple Bri.
North Quay
South Quay
Quayside
AVON
PROVIDENCE PL.
Trinity Quay
NEW KING ST.
KILKENNY ST.
ANVIL ST.
WATER LA.
THE CRESCENT CENTRE
Petticoat La.
Colston Pl.
Temple Church
TEMPLE BACK
FLOATING HARBOUR
STREET
FREE TANK
REDCLIFF
LITTLE THOMAS ST.
THOMAS LA.
LONG RWE
ST. THOMAS ST.
ST. THOMAS ST. E.
55
MITCHELL CT.
MITCHELL LA.
CHURCH LA.
Cart La.
TOWER ST.
CHURCH ST.
TEMPLE BOULEVARD
GREAT WESTERN WAY
THREE QUEEN'S LA.
CANYNGE ST.
100
TEMPLE ST.
Old Station
Brunel Trust
The Exploratory Museum
TEMPLE MEADS
Buchanans Wharf Nth.
Buchanans Wharf Sth.
FERRY ST.
REDCLIFF BACKS
GUILD CT.
Freshford Ho.
PORTWALL LANE
PHIPPEN ST.
REDCLIFFE WAY
PORTWALL LA. EAST
ST.
VICTORIA ST.
STATION APPROACH RD.
LOWER STATION APPROACH RD.
TEMPLE GATE
CATTLE MARKET
ROAD
Rec. Pk.
PDE
REDCLIFF HILL
PUMP LA.
COLSTON PDE.
Freeling Ho.
DR. WHITE'S CL.
PREWETT ST.
SHIP LA.
SOMERSET SQ.
Patterson Sq.
Proctor Ho.
Broughton Ho.
REDCLIFF MEAD LA.
Tiffany Ct.
Berlington Ct.
Temple Gate Ho.
Corinthian Ct.
Franklin Ct.
Caxton Gate
Raphael Ct.
Caslon Ct.
Garamond Ct.
SOMERSET STREET
CHATTERTON SQ.
CLARENCE ROAD
YORK RD.
Bath Bridge

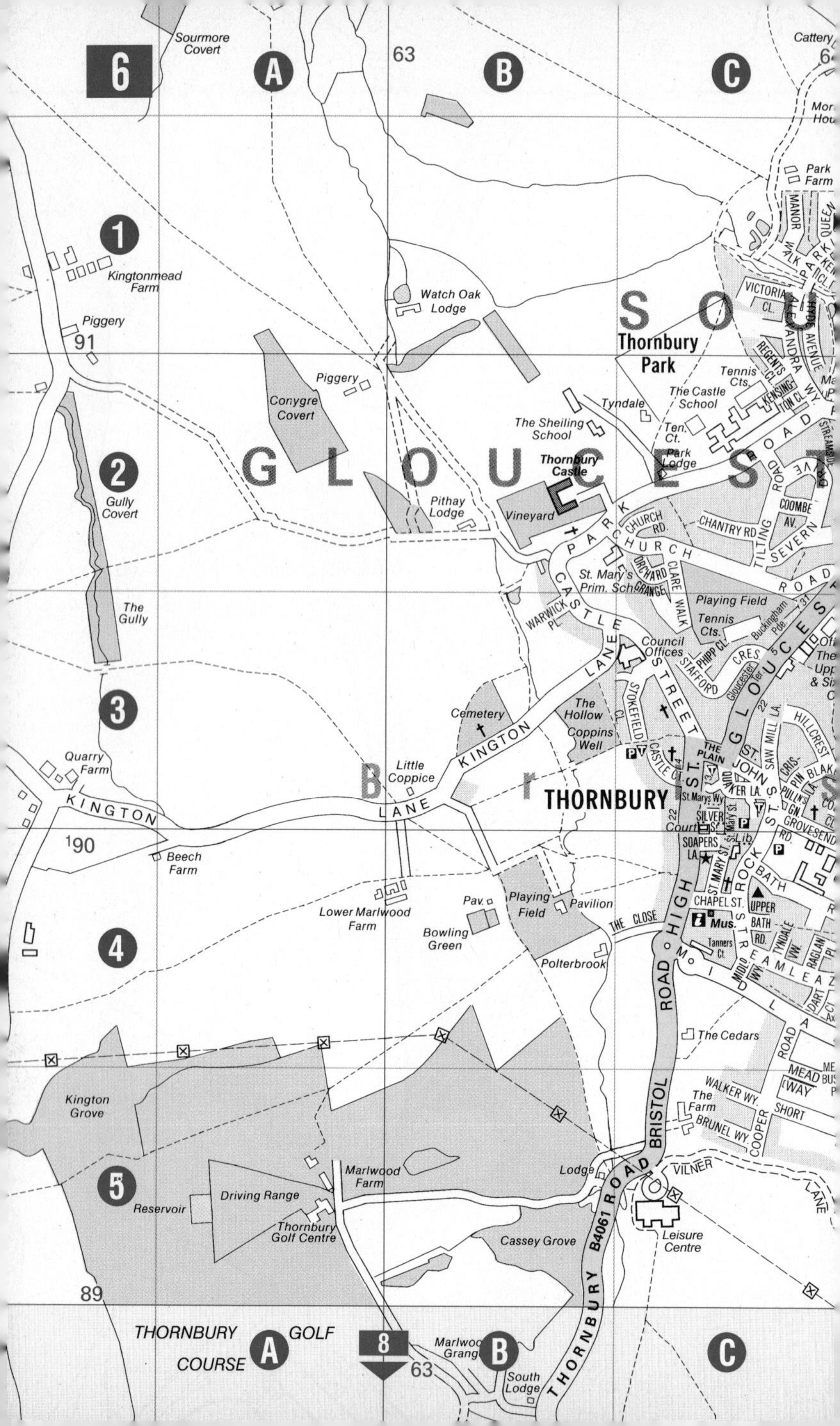

Sourmore Covert
Kingtonmead Farm
Piggery
Watch Oak Lodge
Thornbury Park
Conygre Covert
The Castle School
Tyndale
The Sheiling School
Park Lodge
Thornbury Castle
Gully Covert
Pithay Lodge
Vineyard
The Gully
St. Mary's Prim. Sch.
Playing Field
Council Offices
Quarry Farm
Cemetery
The Hollow
Coppins Well
Little Coppice
THORNBURY
KINGTON LANE
Beech Farm
Lower Marlwood Farm
Bowling Green
Playing Field
Pavilion
Polterbrook
The Cedars
Kington Grove
Marlwood Farm
Driving Range
Reservoir
Thornbury Golf Centre
Cassey Grove
Lodge
Leisure Centre
BRISTOL ROAD
THORNBURY ROAD B4061
HIGH ST.
CASTLE STREET
PARK ROAD
CHURCH ROAD
GLOUCESTER ROAD
THORNBURY GOLF COURSE
Marlwood Grange
South Lodge

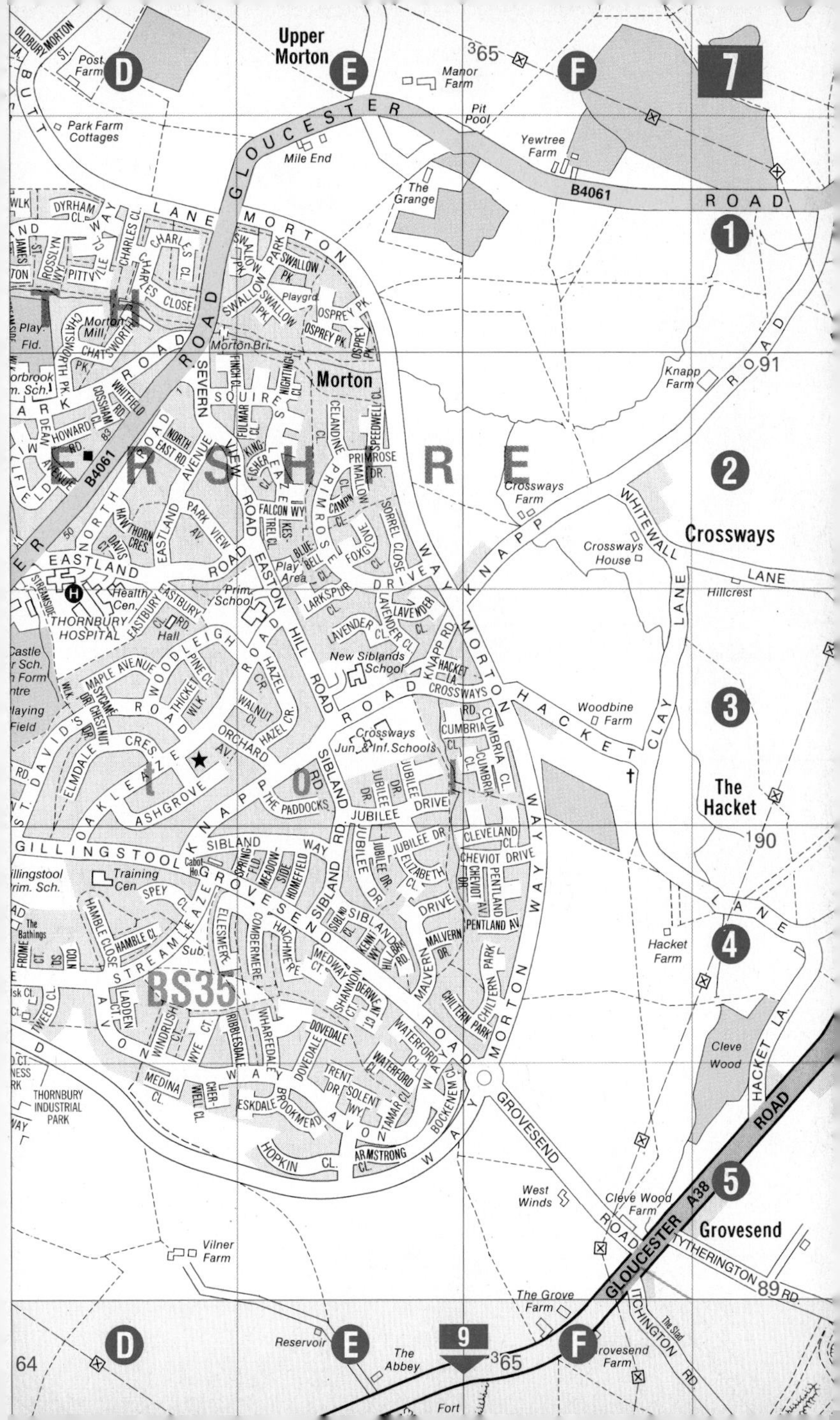

Upper Morton
Post Farm
Park Farm Cottages
Manor Farm
Pit Pool
Mile End
Yewtree Farm
The Grange
GLOUCESTER ROAD
B4061
MORTON LANE
Morton
Morton Mill
Morton Bri.
Knapp Farm
Crossways Farm
Crossways
Crossways House
Hillcrest
WHITEWALL LANE
KNAPP ROAD
THORNBURY HOSPITAL
Health Cen.
Prim. School
New Siblands School
Crossways Jun. & Inf. Schools
Woodbine Farm
The Hacket
HACKET LANE
CLAY LANE
MORTON WAY
Gillingstool Prim. Sch.
Training Cen.
The Bathings
BS35
THORNBURY INDUSTRIAL PARK
Hacket Farm
Cleve Wood
West Winds
Cleve Wood Farm
Grovesend
GROVESEND ROAD
TYTHERINGTON RD.
GLOUCESTER ROAD A38
Vilner Farm
The Grove Farm
Reservoir
The Abbey
Grovesend Farm
ITCHINGTON RD.
The Slad
Fort
D
E
F
1
2
3
4
5
7
9
64
365
190
89
91

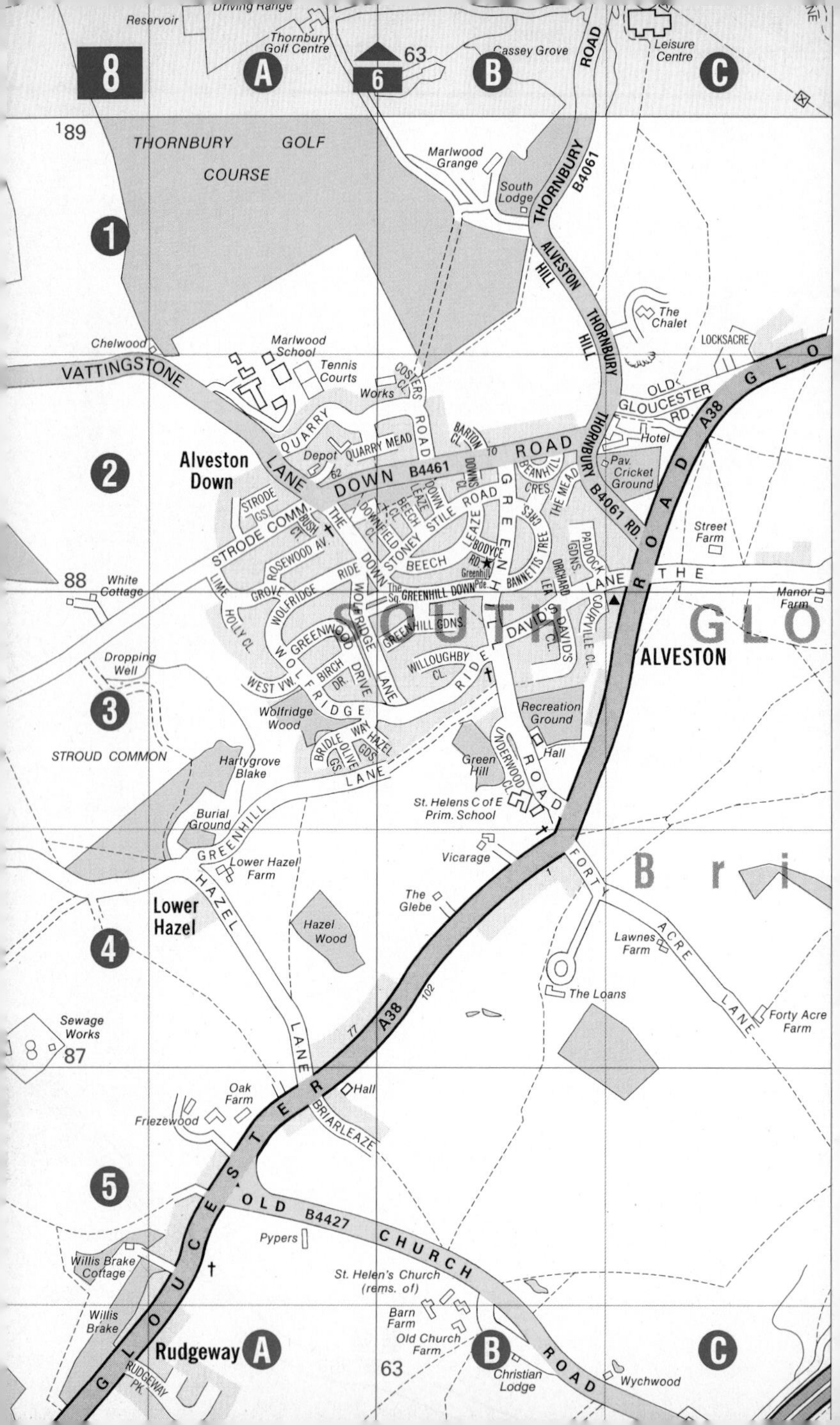
8
A
B
C
6
63
Driving Range
Reservoir
Thornbury Golf Centre
Cassey Grove
Leisure Centre
THORNBURY GOLF COURSE
Marlwood Grange
South Lodge
THORNBURY ROAD B4061
ALVESTON HILL
THORNBURY HILL
The Chalet
LOCKSACRE
Chelwood
Marlwood School
Tennis Courts
Works
VATTINGSTONE LANE
COSTERS CL.
ROAD
QUARRY
QUARRY MEAD
Depot
BARTON CL.
DOWN ROAD B4461
OLD GLOUCESTER RD.
Hotel
Pav.
Cricket Ground
Alveston Down
STRODE GS.
STRODE COMM.
BUSH CL.
THE DOWN
DOWNFIELD CL.
BEECH CL.
DOWN LEAZE
DOWNS CL.
BEANHILL CRES.
THE MEAD
STONEY STILE ROAD
BEECH LEAZE
BODYCE RD.
Greenhill Pde.
GREEN HILL
BANNETTS TREE CRES.
PADDOCK GDNS.
ORCHARD LEA
A38
GLOUCESTER ROAD
Street Farm
THE LANE
White Cottage
88
ROSEWOOD AV.
RIDE
LIME
GROVE
WOLFRIDGE
HOLLY CL.
The Sq.
GREENHILL DOWN
GREENHILL GDNS.
WOLFRIDGE LANE
DAVID'S CL.
DAVID'S LANE
COURTVILLE CL.
Manor Farm
SOUTH GLO
ALVESTON
Dropping Well
WEST VW.
GREENWOOD
BIRCH DR.
DRIVE
WOLFRIDGE RIDE
WILLOUGHBY CL.
Recreation Ground
Wolfridge Wood
BRIDLE WAY
HAZEL GDS.
OLIVE GS.
Hall
STROUD COMMON
Hartygrove Blake
Green Hill
UNDERWOOD CL.
St. Helens C of E Prim. School
GREENHILL LANE
Burial Ground
Vicarage
FORTY ACRE LANE
Bri
Lower Hazel Farm
HAZEL LANE
Lower Hazel
The Glebe
Lawnes Farm
Hazel Wood
The Loans
Forty Acre Farm
Sewage Works
87
Oak Farm
Hall
Friezewood
BRIARLEAZE
OLD B4427 CHURCH ROAD
Pypers
Willis Brake Cottage
St. Helen's Church (rems. of)
Willis Brake
Barn Farm
Old Church Farm
Rudgeway
RUDGEWAY PK.
Christian Lodge
Wychwood
1
89
2
3
4
5

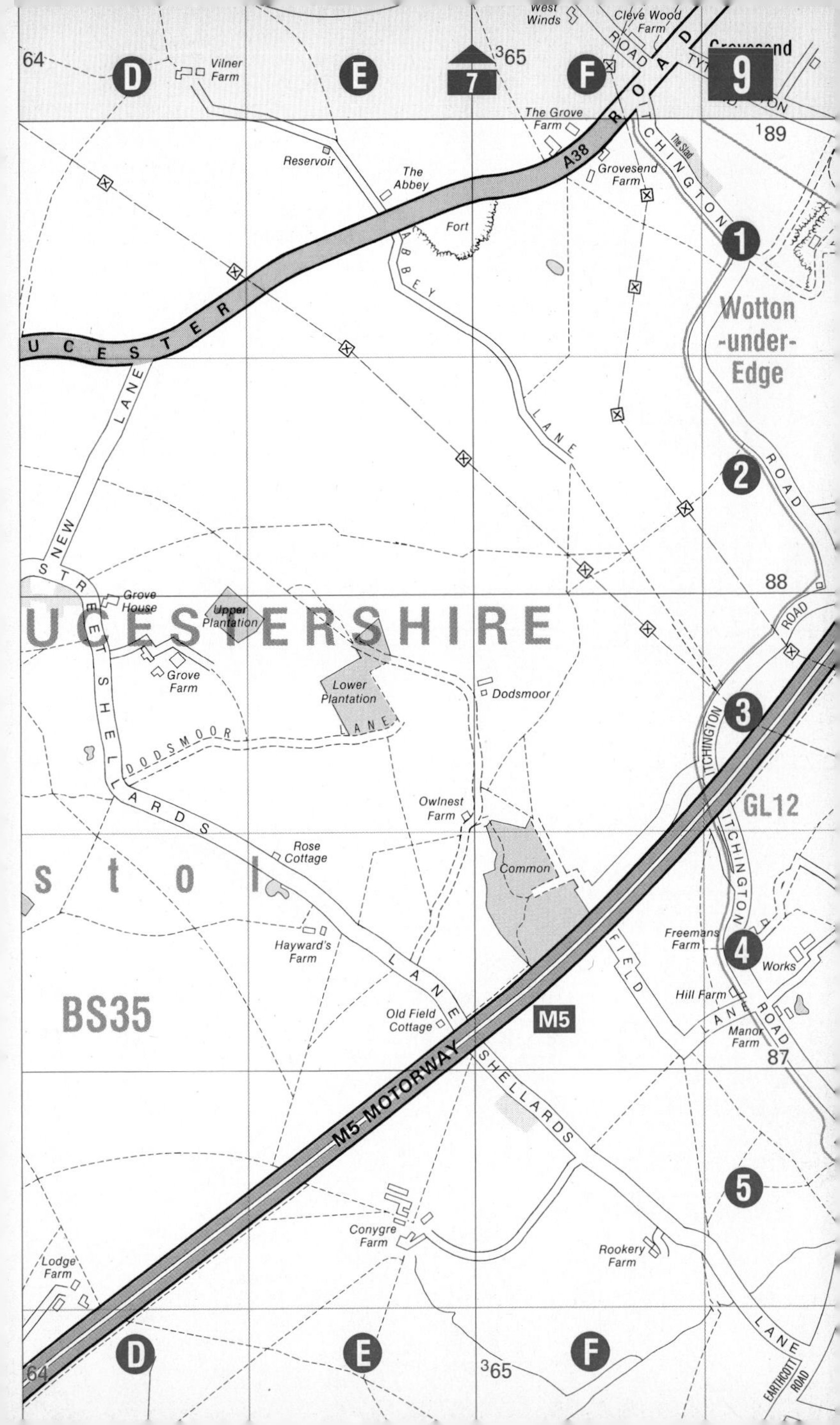

9
7
D
E
F
64
365
189
88
87
Vilner Farm
West Winds
Cleve Wood Farm
Grovesend
The Grove Farm
Grovesend Farm
The Slad
Reservoir
The Abbey
Fort
A38
GLOUCESTER ROAD
TYTHERINGTON ROAD
CHINGTON ROAD
ABBEY LANE
NEW LANE
STREET
Wotton -under- Edge
Grove House
Upper Plantation
Lower Plantation
GLOUCESTERSHIRE
Grove Farm
Dodsmoor
DODSMOOR LANE
SHELLARDS LANE
Owlnest Farm
Rose Cottage
Common
ITCHINGTON
ITCHINGTON ROAD
GL12
Bristol
Hayward's Farm
Freemans Farm
Works
Hill Farm
FIELD LANE
Manor Farm
BS35
Old Field Cottage
M5
M5 MOTORWAY
SHELLARDS LANE
Conygre Farm
Rookery Farm
Lodge Farm
EARTHCOTT ROAD
1
2
3
4
5

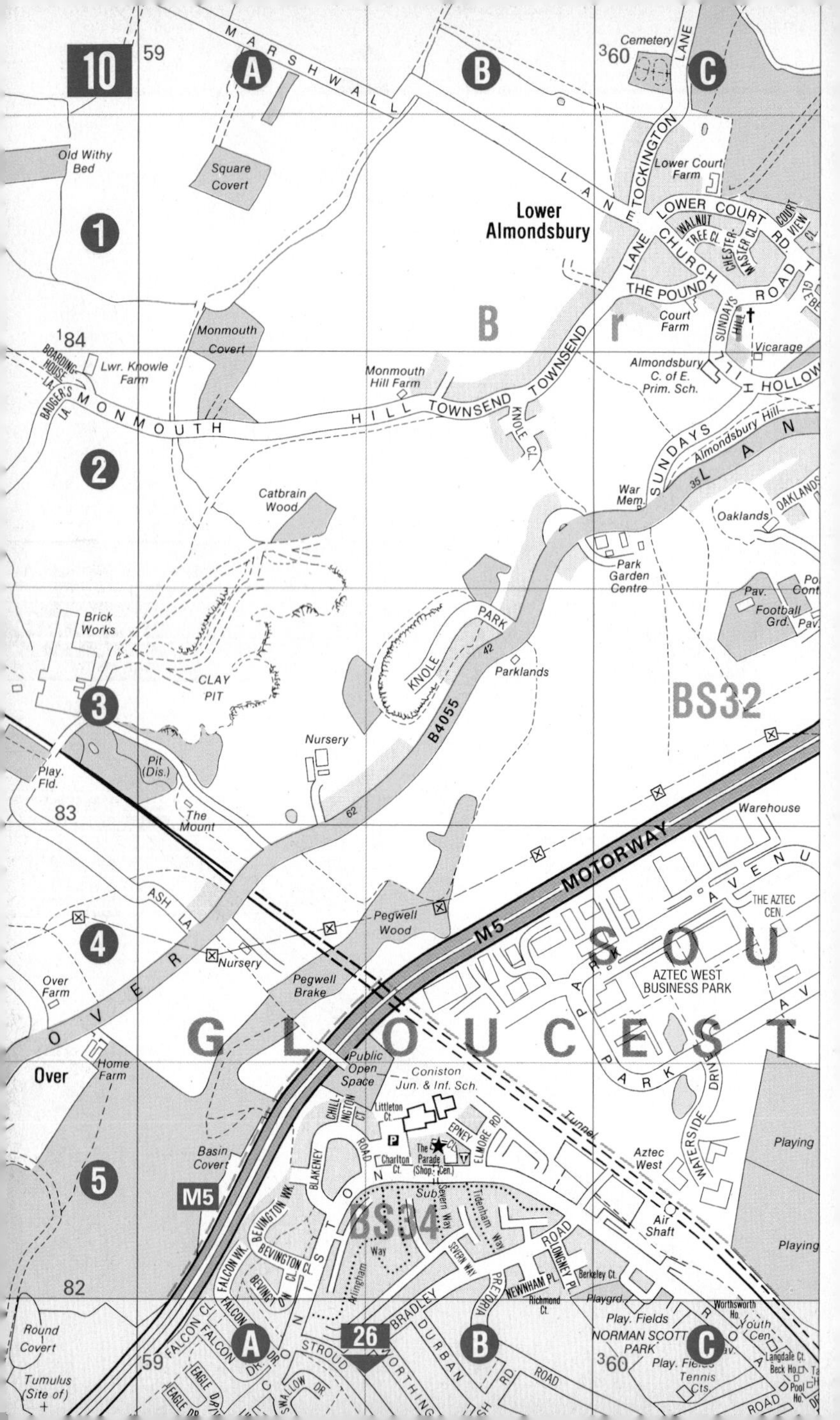

Marshwall Lane
Cemetery
Lane
Old Withy Bed
Square Covert
Tockington
Lower Court Farm
Lower Almondsbury
Lower Court Rd.
Court View Cl.
Walnut Tree Cl.
Chester-Master Cl.
Church Road
The Pound
Court Farm
Sundays Hill
Vicarage
Almondsbury C. of E. Prim. Sch.
Hollow
Monmouth Covert
Boarding House La.
Lwr. Knowle Farm
Badger's La.
Monmouth Hill
Townsend
Monmouth Hill Farm
Knole Cl.
Sundays
Almondsbury Hill
Lane
War Mem.
Oaklands
Catbrain Wood
Park Garden Centre
Pav.
Football Grd.
Brick Works
Knole Park
Parklands
Clay Pit
BS32
B4055
Nursery
Pit (Dis.)
Play. Fld.
The Mount
Warehouse
Motorway
Avenue
The Aztec Cen.
Ash La.
Pegwell Wood
M5
Over Road
Nursery
Over Farm
Pegwell Brake
Aztec West Business Park
Park Avenue
Gloucest
Home Farm
Over
Public Open Space
Coniston Jun. & Inf. Sch.
Chillington Ct.
Littleton Ct.
Epney Cl.
Elmore Rd.
Tunnel
Basin Covert
Blakeney
Road
Charlton Ct.
The Parade (Shop. Cen.)
Waterside Drive
Aztec West
Playing
Coniston
BS34
Severn Way
Tidenham Way
Bevington Wk.
Bevington Cl.
Air Shaft
Falcon Wk.
Arlingham Way
Longney Pl.
Berkeley Ct.
Newnham Pl.
Pretoria
Richmond Ct.
Playgrd.
Worthsworth Ho.
Play. Fields
Youth Cen.
Norman Scott Park
Round Covert
Falcon Cl.
Falcon Dr.
Stroud
Bradley
Durban
Northing
Rd
Road
Play. Fields
Tennis Cts.
Langdale Ct.
Beck Ho.
Pool Ho.
Tumulus (Site of)
Eagle Dr.
Swallow Dr.
59
360
184
83
82

26

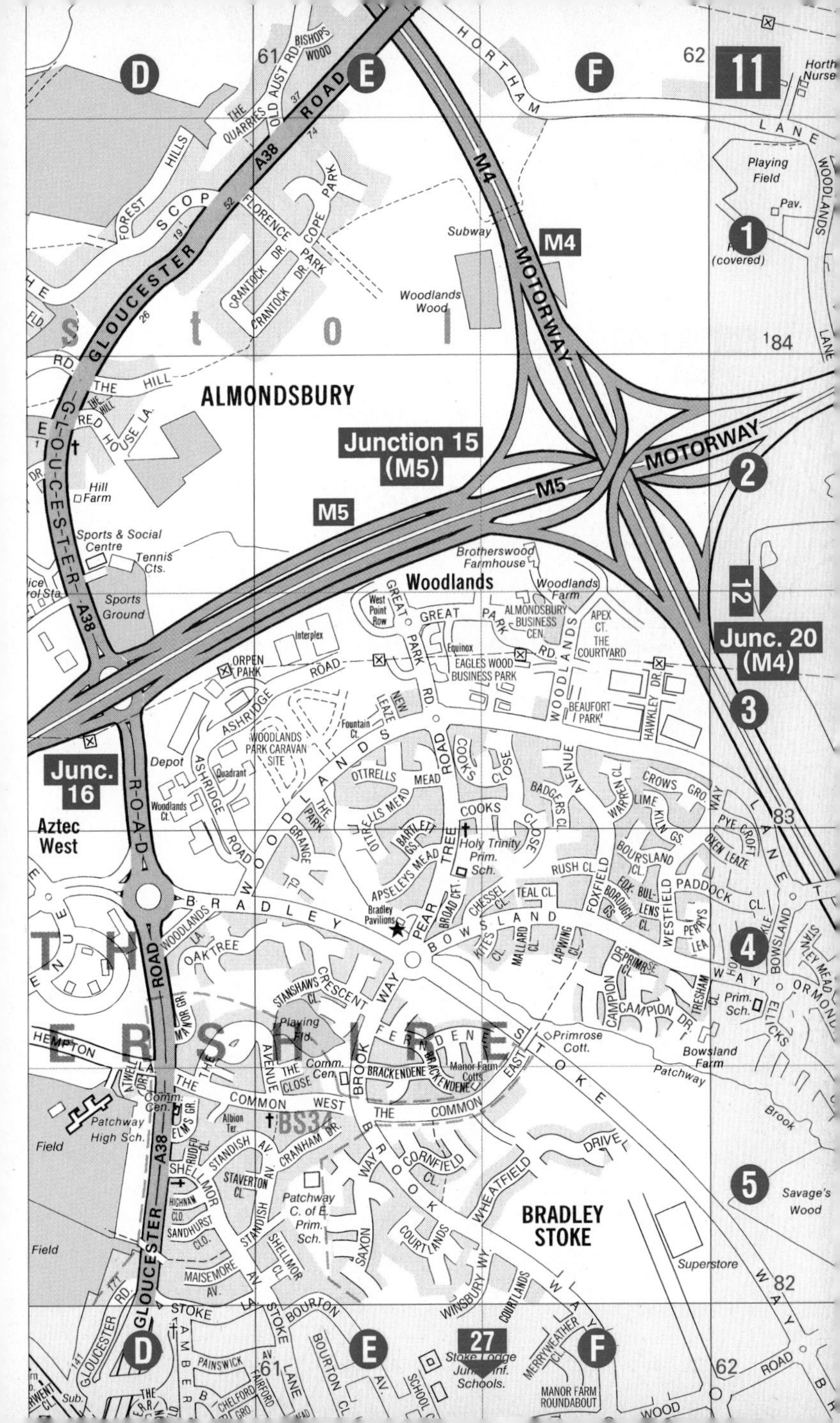

11
D
E
F
61
62
HORTHAM LANE
Playing Field
Pav.
(covered)
WOODLANDS LANE
184
BISHOPS WOOD
OLD AUST RD
THE QUARRIES
GLOUCESTER ROAD
A38
FOREST HILLS
SCOP
FLORENCE PARK
COPE PARK
CRANTOCK DR.
M4
M4 MOTORWAY
Subway
Woodlands Wood
ALMONDSBURY
THE HILL
RED HOUSE LA.
Junction 15 (M5)
M5
MOTORWAY
Hill Farm
Sports & Social Centre
Tennis Cts.
Sports Ground
Brotherswood Farmhouse
Woodlands
Woodlands Farm
12
Junc. 20 (M4)
West Point Row
GREAT PARK RD.
ALMONDSBURY BUSINESS CEN.
APEX CT.
THE COURTYARD
Interplex
Equinox
EAGLES WOOD BUSINESS PARK
ORPEN PARK
ASHRIDGE ROAD
BEAUFORT PARK
HAWKLEY DR.
NEW LEAZE
Fountain Ct.
WOODLANDS PARK CARAVAN SITE
Depot
Quadrant
Woodlands Ct.
Junc. 16
Aztec West
WOODLANDS ROAD
OTTRELLS MEAD
THE PARK
GRANGE CL.
COOKS CLOSE
AVENUE
BADGERS CL.
WARREN CL.
CROWS GRO.
LIME KILN GS.
PYE CROFT
OXEN LEAZE
BOURSLAND CL.
PADDOCK CL.
83
BARTLETT GS.
APSELEYS MEAD
PEAR TREE
Holy Trinity Prim. Sch.
RUSH CL.
TEAL CL.
CHESSEL CL.
BROAD CFT.
FOXFIELD
BOROUGH GS
FOX-BUL-LENS CL.
WESTFIELD
PERRYS LEA
Bradley Pavilions
BRADLEY
BOWSLAND WAY
KITES CL.
MALLARD CL.
LAPWING CL.
PRIMROSE CL.
CAMPION DR.
CAMPION
TRESHAM CL.
Prim. Sch.
BOWSLAND
STANLEY MEAD
ELLICKS
ORMOND
WOODLANDS LA.
OAKTREE
STANSHAWS CL.
CRESCENT
WAY
Playing Fld.
BROOK
FERNDENE
BRACKENDENE
Manor Farm Cotts
EAST
STOKE
Primrose Cott.
Bowsland Farm
Patchway Brook
HEMPTON
ATWELL
MANOR GR.
THE CLOSE
Comm. Cen.
THE COMMON WEST
THE COMMON EAST
BS34
Albion Ter.
Patchway High Sch.
Field
ELM'S GR.
RUDFORD
STANDISH AV.
CRANHAM DR.
SHELLMOR
STAVERTON CL.
HIGHNAM CLO.
SANDHURST CLO.
Patchway C. of E. Prim. Sch.
SAXON WAY
BROOK WAY
CORNFIELD CL.
WHEATFIELD DRIVE
BRADLEY STOKE
5
Savage's Wood
Superstore
COURTLANDS
WINSBURY WY.
MAISEMORE AV.
SHELLMOR CL.
GLOUCESTER RD.
STOKE LA.
STOKE LANE
BOURTON
AMBER
PAINSWICK
CHELFORD GRO
FAIRFORD
BOURTON CL.
SCHOOL
27
Stoke Lodge Jun. & Inf. Schools.
MERRYWEATHER CL.
MANOR FARM ROUNDABOUT
WOOD
ROAD
82
1
2
3
4

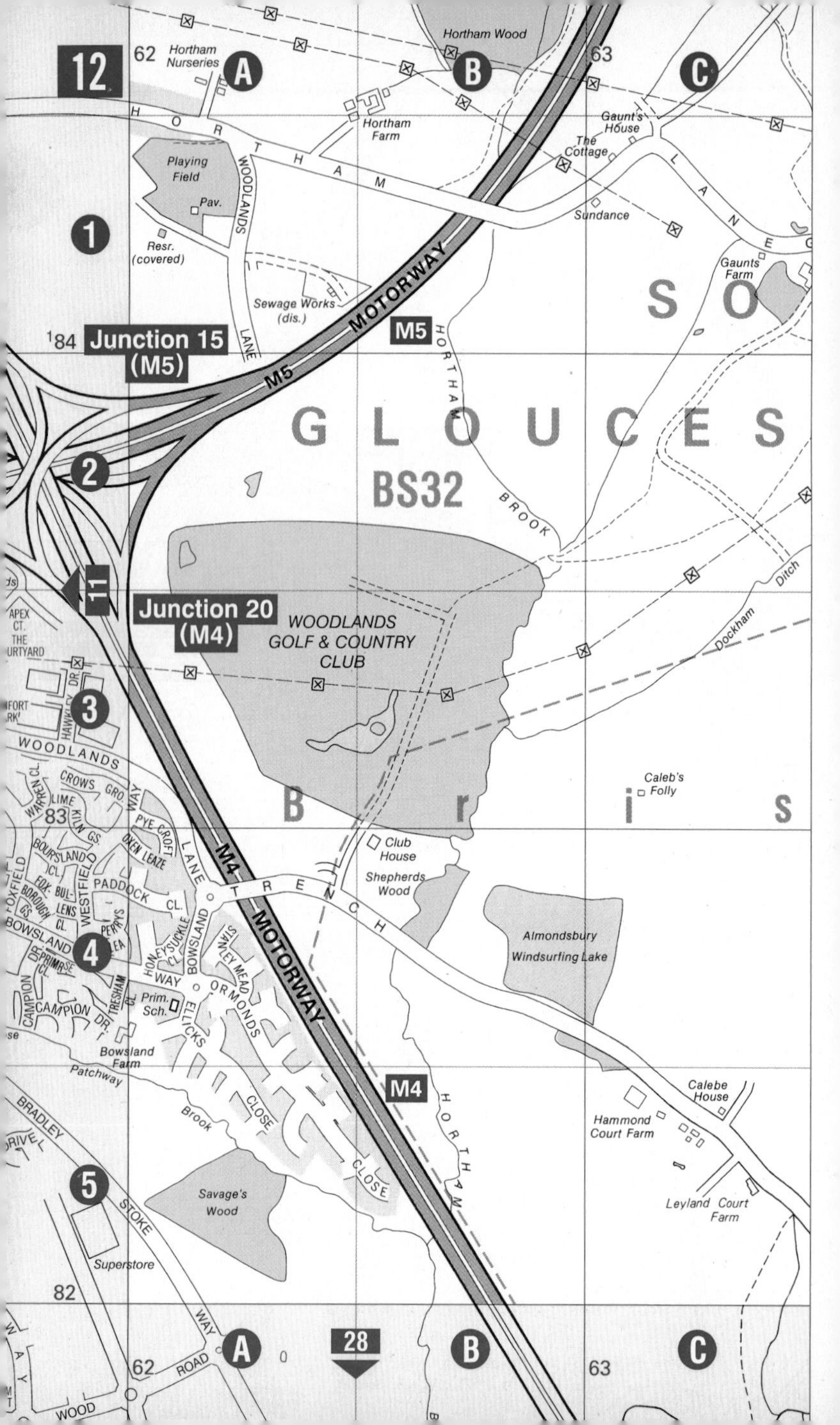

Hortham Wood
Hortham Nurseries
Hortham Farm
HORTHAM
LANE
Gaunt's House
The Cottage
Sundance
Gaunts Farm
Playing Field
Pav.
Resr. (covered)
WOODLANDS LANE
Sewage Works (dis.)
MOTORWAY
M5
Junction 15 (M5)
HORTHAM BROOK
GLOUCES
SO
BS32
Junction 20 (M4)
WOODLANDS GOLF & COUNTRY CLUB
Dockham Ditch
APEX CT.
THE COURTYARD
WOODLANDS WAY
HAWKLEY DR.
CROWS GRO.
WARREN CL.
LIME KILN GS.
PYE CROFT
OXEN LEAZE
BOURSLAND CL.
WESTFIELD
FOXFIELD
FOX BOROUGH GS.
BULLENS CL.
PADDOCK CL.
PERRYS LEA
BOWSLAND DR.
PRIMROSE CL.
CAMPION DR.
TRESHAM CL.
HONEYSUCKLE CL.
HONEYSUCKLE WAY
BOWSLAND WAY
STANLEY MEAD
ORMONDS CLOSE
ELLICKS CLOSE
Prim. Sch.
Bowsland Farm
Patchway Brook
TRENCH LANE
Club House
Shepherds Wood
Almondsbury Windsurfing Lake
Caleb's Folly
Bris
M4 MOTORWAY
M4
Calebe House
Hammond Court Farm
Leyland Court Farm
BRADLEY STOKE WAY
Savage's Wood
Superstore
ROAD
WOOD
CLOSE
62
63
184
83
82
A
B
C
1
2
3
4
5
11

28

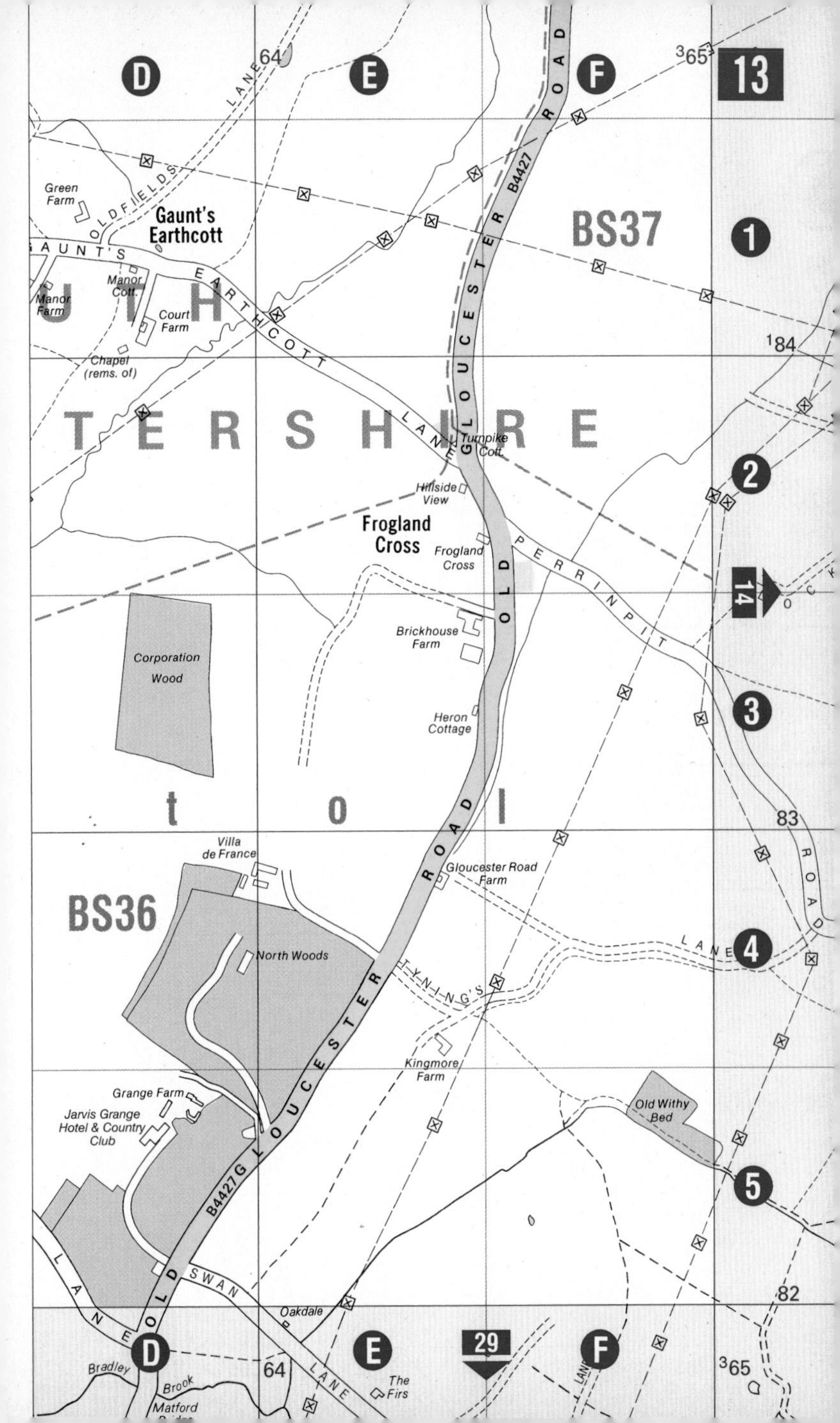

13
D
E
F
64
365
LANE
OLDFIELDS
Green Farm
Gaunt's Earthcott
GAUNT'S EARTHCOTT LANE
Manor Cott.
Manor Farm
Court Farm
Chapel (rems. of)
BS37
1
184
GLOUCESTER ROAD
B4427
Turnpike Cott.
Hillside View
2
Frogland Cross
Frogland Cross
PERRINPIT ROAD
14
Brickhouse Farm
Corporation Wood
3
Heron Cottage
83
Villa de France
Gloucester Road Farm
BS36
North Woods
TYNING'S LANE
4
Kingmore Farm
Grange Farm
Jarvis Grange Hotel & Country Club
Old Withy Bed
5
B4427 GLOUCESTER ROAD
OLD GLOUCESTER ROAD
SWAN LANE
LANE
82
Oakdale
29
Bradley Brook
64
The Firs
Matford
365

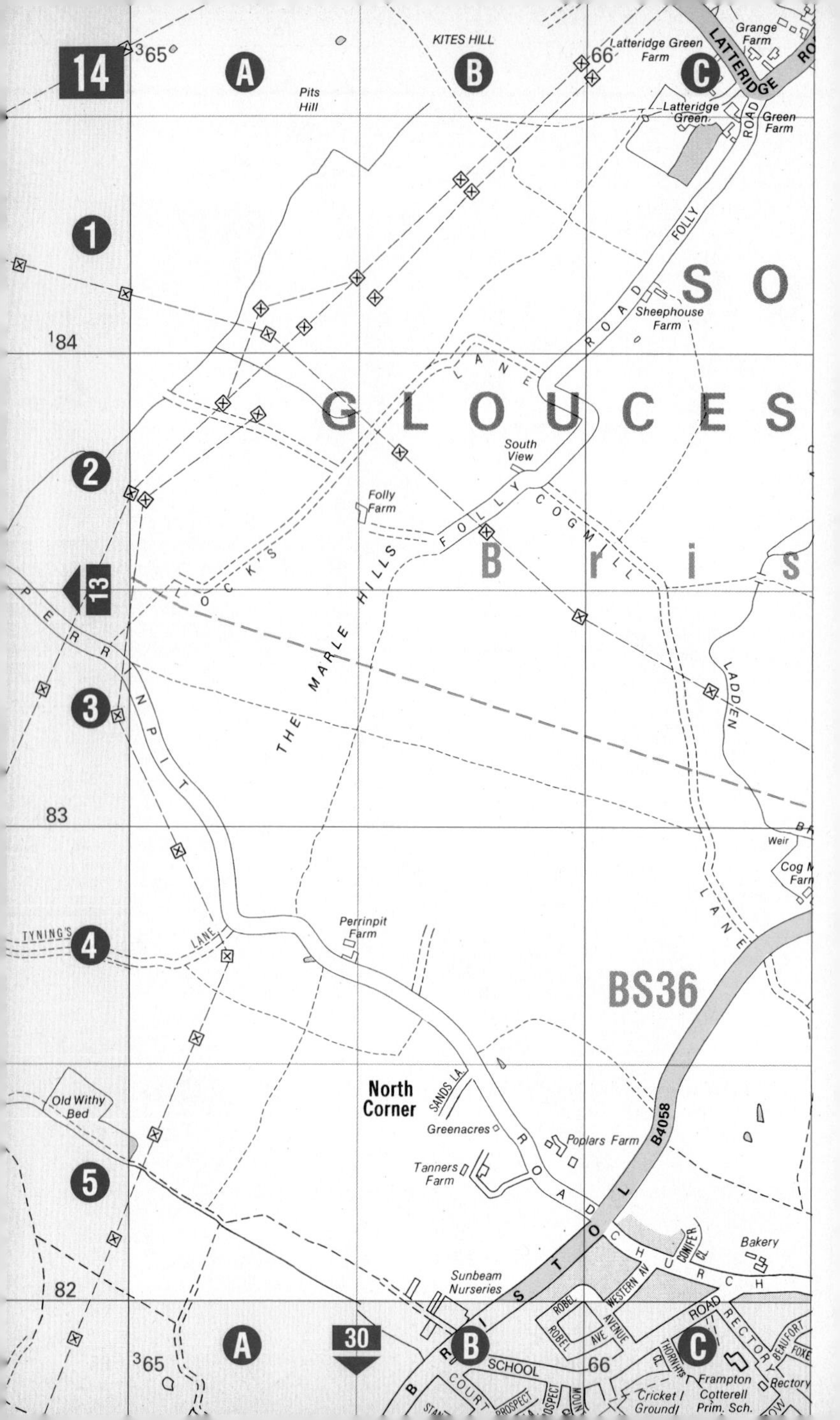

KITES HILL
Latteridge Green Farm
Grange Farm
LATTERIDGE ROAD
Pits Hill
Latteridge Green
Green Farm
FOLLY ROAD
SO
Sheephouse Farm
GLOUCES
South View
Folly Farm
FOLLY
COGMILL
LANE
OCK'S
THE MARLE HILLS
Bris
PERRINPIT LANE
LADDEN
Weir
Cog M Farm
TYNING'S LANE
Perrinpit Farm
BS36
North Corner
SANDS LA.
Old Withy Bed
Greenacres
Poplars Farm
B4058
Tanners Farm
BRISTOL ROAD
CHURCH
CONIFER CL.
Bakery
Sunbeam Nurseries
ROBEL AVE
WESTERN AV
AVENUE
ROAD
RECTORY
BEAUFORT
SCHOOL
COURT
PROSPECT
THORNHILLS CL.
Frampton Cotterell Prim. Sch.
Cricket Ground
Rectory

13
30

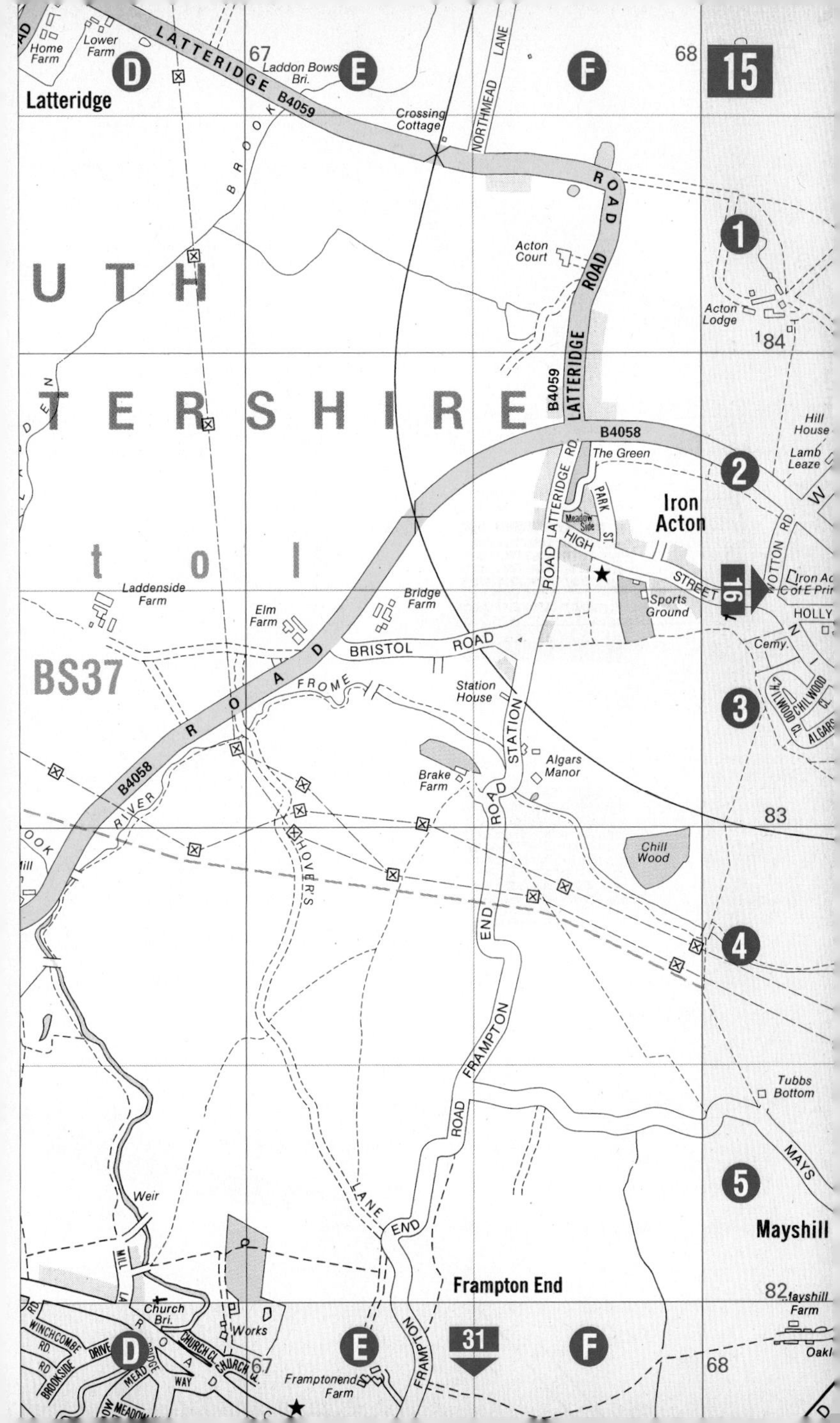

LATTERIDGE B4059

Home Farm
Lower Farm
D
Latteridge
67
Laddon Bows Bri.
E
Crossing Cottage
NORTHMEAD LANE
F
68
15

ROAD

Acton Court

1

Acton Lodge

184

UTH

TERSHIRE

Hill House

Lamb Leaze

B4058

2

BROOK

B4059

LATTERIDGE ROAD

The Green

LATTERIDGE RD

Iron Acton

PARK ST

WOTTON RD

Iron Ac C of E Prim

HOLLY

Meadow Side

HIGH

STREET

16

tol

Laddenside Farm

Elm Farm

Bridge Farm

ROAD

BRISTOL ROAD

Sports Ground

Cerny

3

BS37

FROME

Station House

STATION

Algars Manor

CHILWOOD

ALGARS

ROAD

RIVER

B4058

Brake Farm

Chill Wood

83

HOVERS

4

FRAMPTON

Tubbs Bottom

MAYS

5

Mayshill

Weir

ROAD

LANE END

END

Church Bri.

Works

WINCHCOMBE RD

BROOKSIDE DRIVE

MEAD

ROAD

CHURCH CL

PADDOCK

WAY

67

D

E

Framptonend Farm

31

FRAMPTON

F

82 Mayshill Farm

Oakl

68

Frampton End

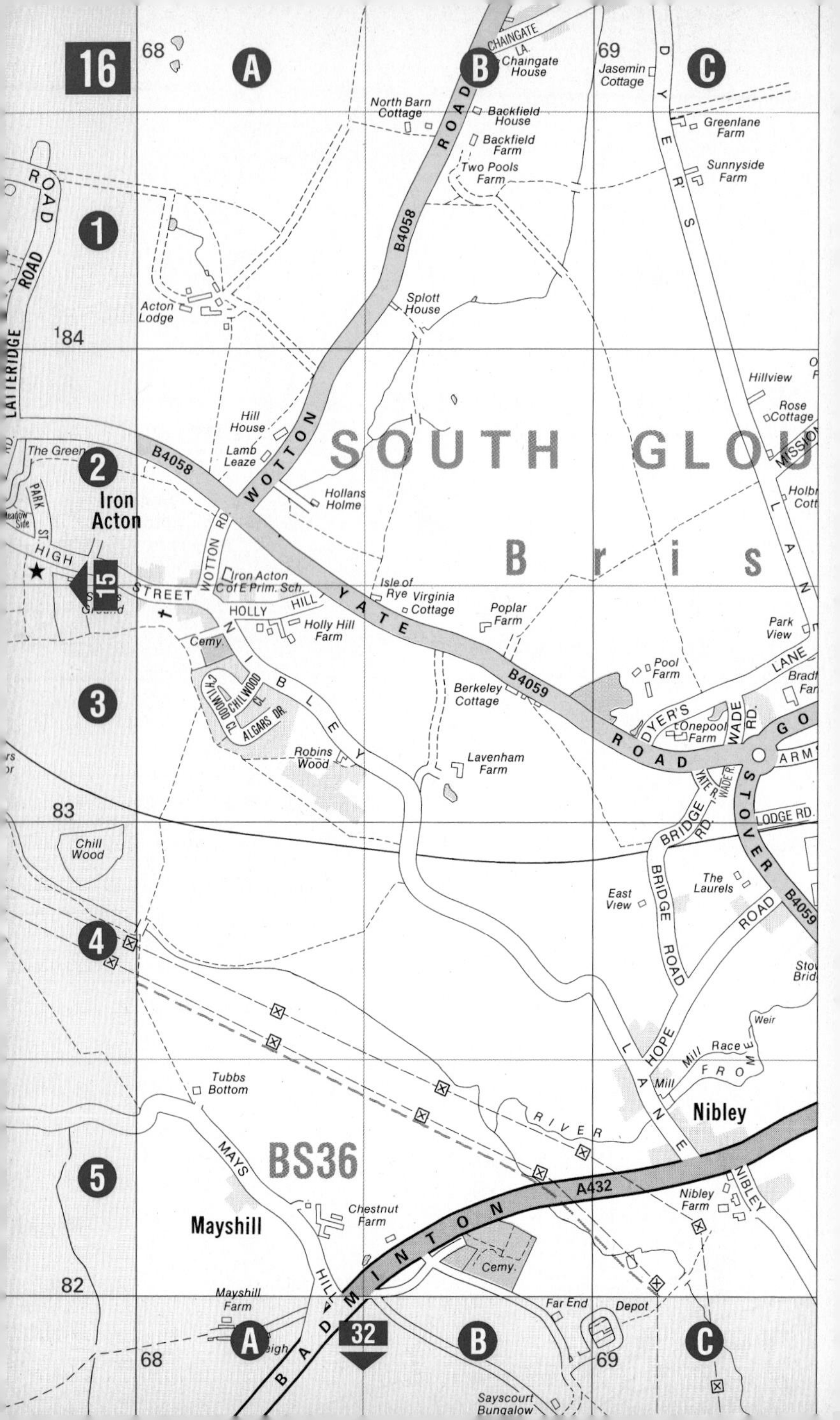

A
B
C
1
2
3
4
5
68
69
184
83
82
SOUTH GLOU
Bris
BS36
Iron Acton
Nibley
Mayshill
CHAINGATE LA.
Chaingate House
Jasemin Cottage
North Barn Cottage
Backfield House
Backfield Farm
Greenlane Farm
Sunnyside Farm
Two Pools Farm
DYERS LANE
WOTTON ROAD
B4058
LATTERIDGE ROAD
Acton Lodge
Splott House
Hillview
Rose Cottage
Hill House
Lamb Leaze
The Green
PARK ST.
Meadow Side
HIGH STREET
Hollans Holme
WOTTON RD.
Iron Acton C of E Prim. Sch.
Isle of Rye
Virginia Cottage
Poplar Farm
YATE ROAD
B4059
HOLLY HILL
Holly Hill Farm
Cemy.
Park View
NIBLEY
CHILWOOD CL.
ALGARS DR.
Pool Farm
Berkeley Cottage
DYER'S
Onepool Farm
WADE RD.
Robins Wood
Lavenham Farm
YATE RD.
WADE R.
STOVER ROAD
LODGE RD.
BRIDGE RD.
BRIDGE ROAD
Chill Wood
The Laurels
East View
HOPE LANE
Weir
Mill Race
FROME
Mill
Tubbs Bottom
RIVER
MAYS HILL
A432
Chestnut Farm
BADMINTON ROAD
Nibley Farm
Cemy.
Mayshill Farm
Far End
Depot
Sayscourt Bungalow

15
32

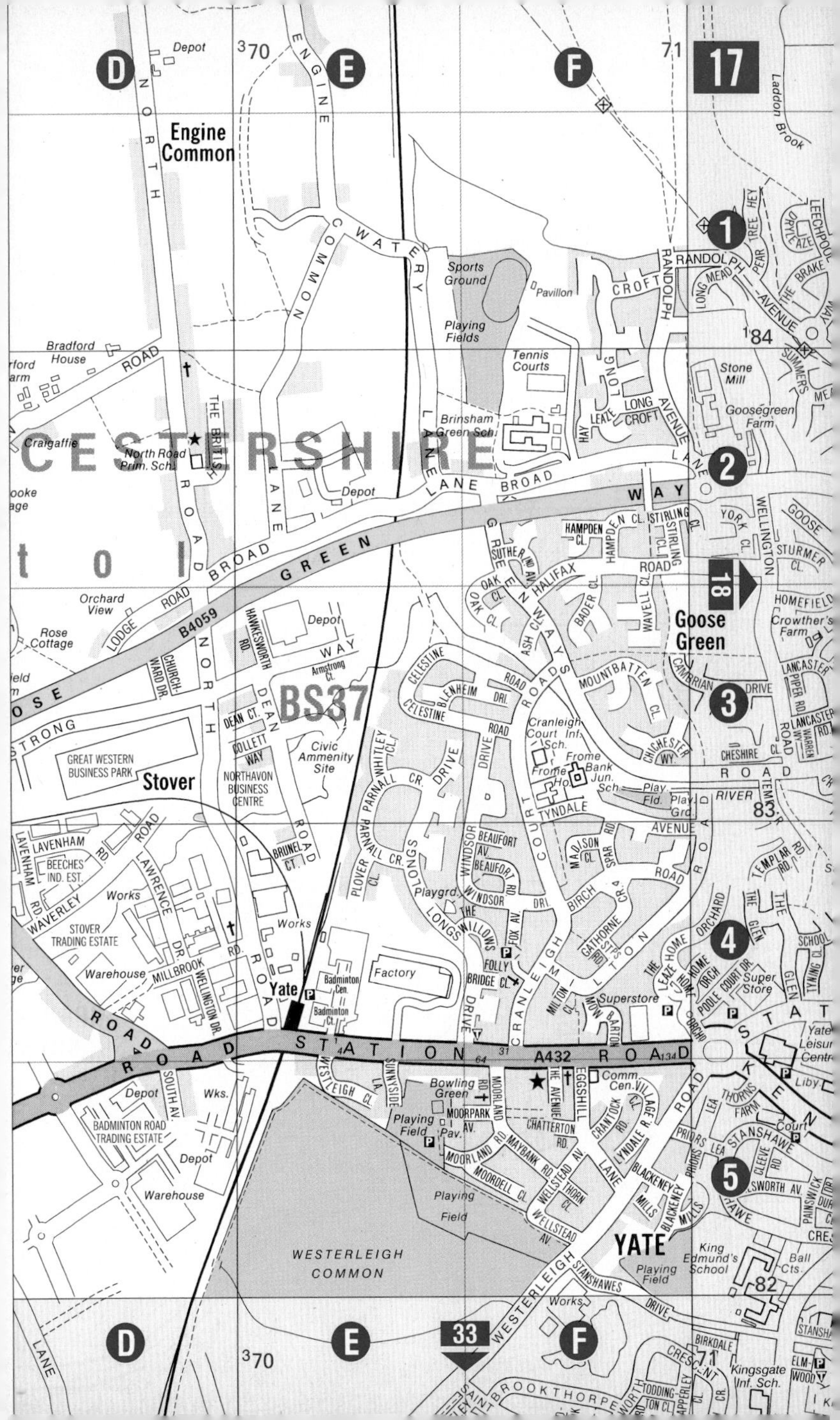

Engine Common
Goose Green
Stover
YATE
Yate
BS37
Depot
Sports Ground
Pavilion
Playing Fields
Tennis Courts
Brinsham Green Sch.
North Road Prim. Sch.
Craigaffie
Bradford House
Orchard View
Rose Cottage
GREAT WESTERN BUSINESS PARK
NORTHAVON BUSINESS CENTRE
Civic Ammenity Site
Armstrong Ct.
Cranleigh Court Inf. Sch.
Frome Bank Jun. Sch.
Frome Ho.
Play. Fld.
Play. Grd.
Stone Mill
Goosegreen Farm
Crowther's Farm
LAVENHAM RD.
BEECHES IND. EST.
WAVERLEY RD.
STOVER TRADING ESTATE
Warehouse
Works
Factory
Badminton Cen.
Badminton Ct.
Superstore
Super Store
Yate Leisure Centre
Liby
Court
Comm. Cen.
Bowling Green
Playing Field
Pav.
BADMINTON ROAD TRADING ESTATE
Wks.
WESTERLEIGH COMMON
King Edmund's School
Ball Cts.
Kingsgate Inf. Sch.
Playgrd.
B4059
A432
BROAD GREEN WAY
STATION ROAD
NORTH ROAD
ENGINE COMMON LANE
WATERY LANE
BROAD LANE
RANDOLPH AVENUE
LONG CROFT
LONG LEAZE
HAY LEAZE
CROFT
LADDON BROOK
LONG MEAD
TREE HEY
PEAR TREE
THE BRAKE
LEECHPOOL WAY
DRYLEAZE
SUMMERS MEAD
WELLINGTON ROAD
GOOSE
YORK CL.
STURMER CL.
HOMEFIELD
HAMPDEN CL.
STIRLING CL.
HALIFAX ROAD
SUTHERLAND AV.
GREEN WAYS
OAK CL.
ASH CL.
BADER CL.
WAVELL CL.
MOUNTBATTEN CL.
CAMBRIAN DRIVE
LANCASTER RD.
PIPER RD.
WARREN WAY
CHESHIRE CL.
CHICHESTER WY.
RIVER ROAD
TEMPLAR RD.
CELESTINE ROAD
BLENHEIM DRI.
COURT ROAD
CRANLEIGH COURT ROAD
DRIVE ROAD
TYNDALE AVENUE
MADISON CL.
SPAR RD.
BEAUFORT AV.
BEAUFORT RD.
WINDSOR DRIVE
BIRCH CR.
GATHORNE RD.
MILTON
HOME ORCHARD
POOLE COURT DR.
THE GLEN
SCHOOL
TYNING CL.
PARNALL CR.
PARNALL RD.
WHITLEY CL.
PLOVER CL.
LONGS DRIVE
THE WILLOWS
FOX AV.
FOLLY BRIDGE CL.
MILTON CL.
BARTON
HAWKESWORTH RD.
DEAN CT.
DEAN
COLLETT WAY
BRUNEL CT.
CHURCHWARD DR.
LODGE ROAD
BRADFORD ROAD
THE BRITISH
LAWRENCE DR.
MILLBROOK
WELLINGTON DR.
SOUTH AV.
WESTLEIGH CL.
SUNNYSIDE LA.
MOORLAND RD.
MOORPARK AV.
MAYBANK RD.
MOORDELL CL.
WELLSTEAD AV.
THORN CL.
THE AVENUE
EGGSHILL LANE
CHATTERTON RD.
CRANTOCK RD.
VILLAGE CL.
LYNDALE R.
BLACKENEY MILLS
PRIORS LEA
THORNS FARM
STANSHAWE
CLEEVE RD.
PAINSWICK
WESTERLEIGH ROAD
STANSHAWES DRIVE
BIRKDALE
CRESCENT
TODDINGTON CL.
BROOKTHORPE
ELM-WOOD
LANE
SAINT
KENNEDY WAY
GLOUCESTERSHIRE
Bristol
370
71
84
83
82
1
2
3
4
5
D
E
F
18
33

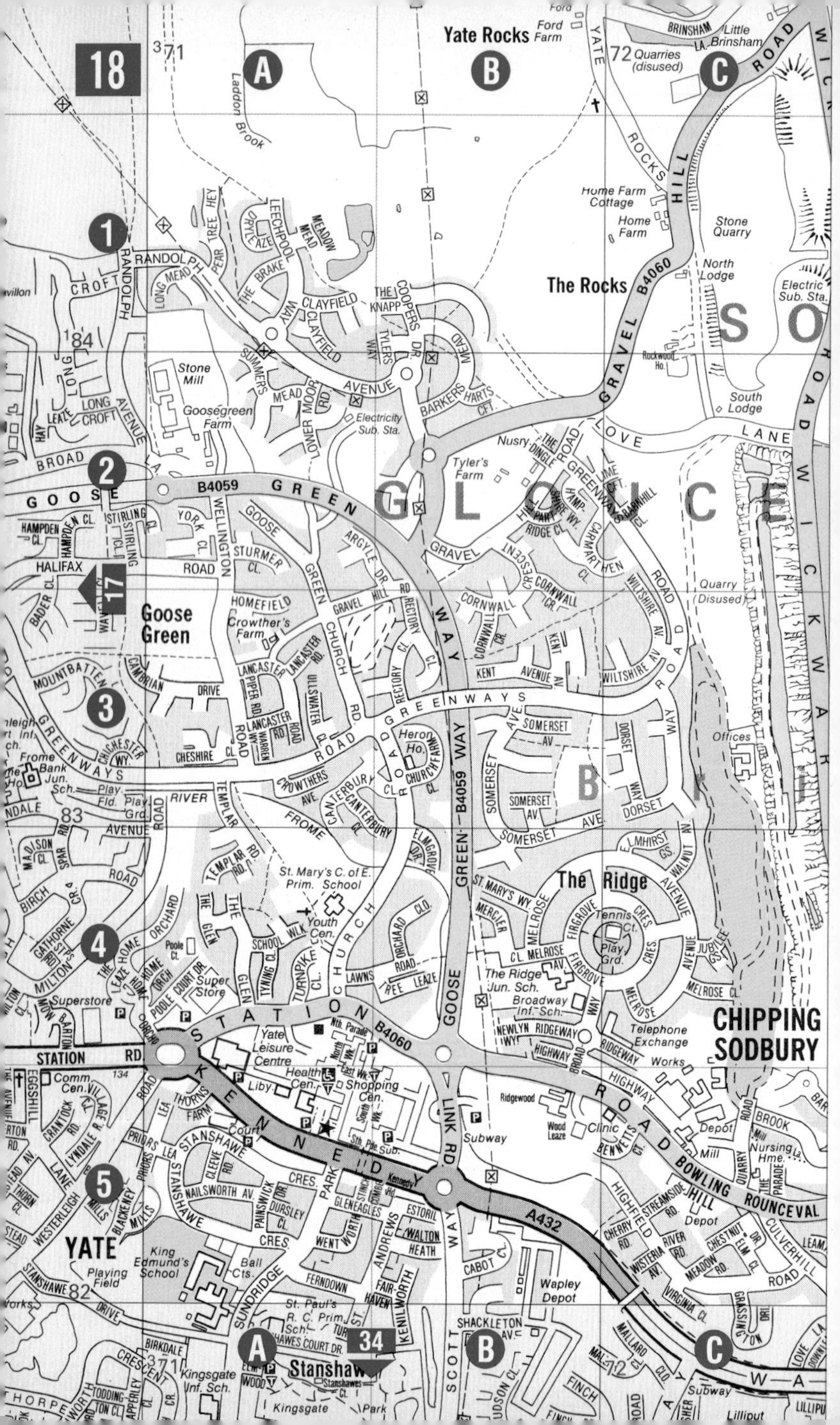

Yate Rocks
Ladden Brook
The Rocks
Home Farm Cottage
Home Farm
Stone Quarry
North Lodge
Electric Sub. Sta.
Rockwood Ho.
South Lodge
Stone Mill
Goosegreen Farm
Electricity Sub. Sta.
Tyler's Farm
Goose Green
Crowther's Farm
Quarry (Disused)
Offices
St. Mary's C. of E. Prim. School
Youth Cen.
The Ridge
The Ridge Jun. Sch.
Broadway Inf. Sch.
Telephone Exchange
CHIPPING SODBURY
Yate Leisure Centre
Health Cen.
Shopping Cen.
Liby.
Superstore
Super Store
Subway
Ridgewood
Wood Leaze
Clinic
Depot
Mill
Nursing Hme.
King Edmund's School
Playing Field
YATE
Wapley Depot
St. Paul's R. C. Prim. Sch.
Stanshawe
Kingsgate Inf. Sch.
GLOUCE
SO
B4059 GREEN WAY
GOOSE GREEN B4059 WAY
STATION B4060
KENNEDY
A432
GRAVEL HILL B4060
ROCKS ROAD
LOVE LANE
WICKWAR ROAD
GREENWAYS
STATION RD
BOWLING HILL
ROUNCEVAL
34
17

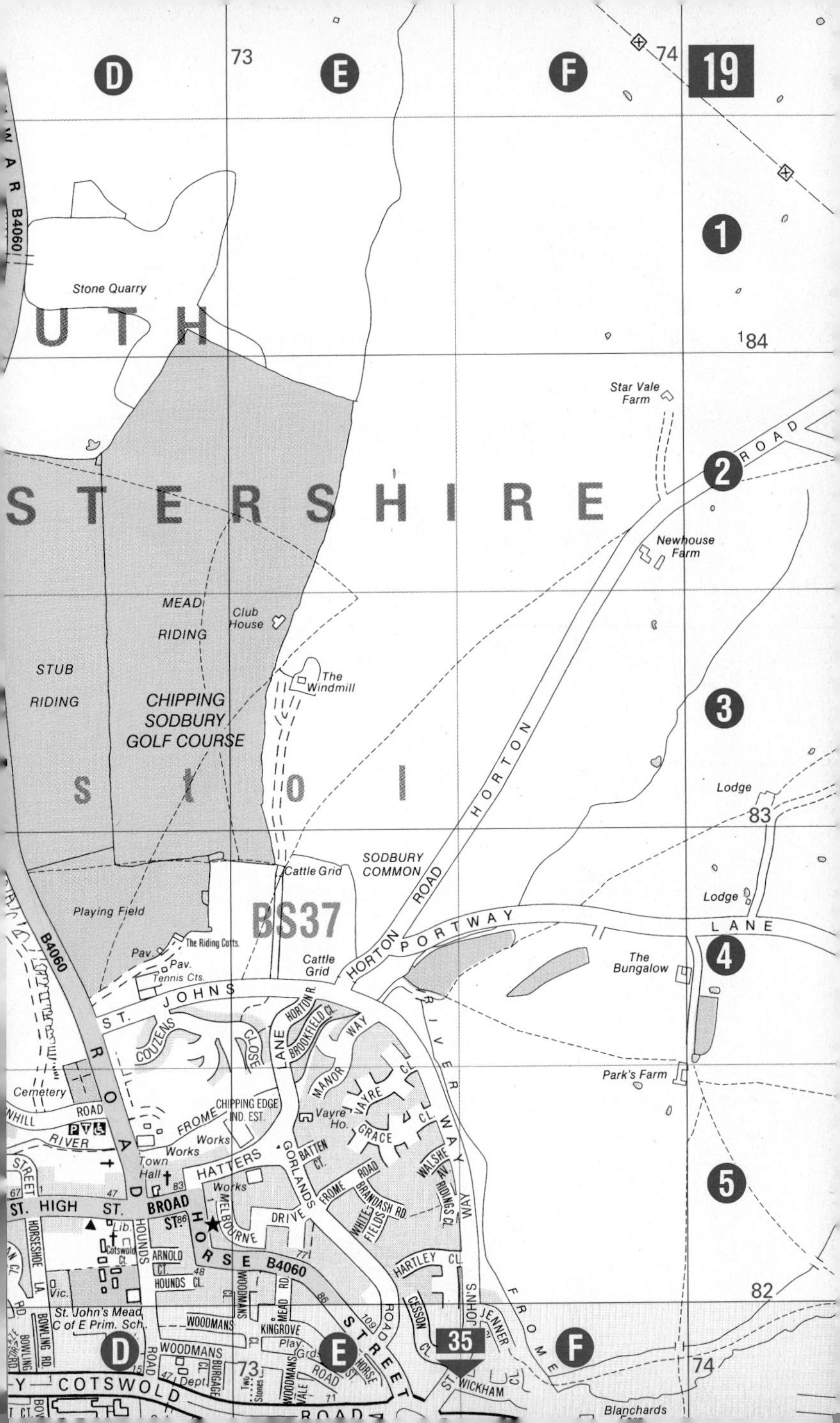

1

Stone Quarry

UTH

¹84

Star Vale Farm

2 ROAD

STERSHIRE

Newhouse Farm

MEAD RIDING

Club House

STUB RIDING

The Windmill

CHIPPING SODBURY GOLF COURSE

3

HORTON ROAD

Lodge

83

S I O I

Lodge

SODBURY COMMON

HORTON ROAD PORTWAY

LANE

4

Playing Field

BS37

The Bungalow

B4060

The Riding Cotts.

Cattle Grid

RIVER

Pav. Tennis Cts.

Cattle Grid

Pav.

ST. JOHNS

Park's Farm

COUZENS

LANE

COSE

HORTON R.

BROMFIELD CL.

Cemetery

ROAD

MANOR WAY

YAVRE CL.

FROME

CLUNE WAY

5

HWILL

RIVER

CHIPPING EDGE IND. EST.

Works

Vayre Ho.

GRACE

RIDINGS CL.

Town Hall

Works

HATTERS

GORLANDS RD.

BATTEN CT.

ROAD

WHITES FIELDS

BRANTASH RD.

WALSHE AV.

67

STREET

ST. HIGH ST.

47

Lib.

Cotswold Ct.

BROAD St.

MELBOURNE

DRIVE

FROME

HORSE

WAY

HORSESHOE LA.

Vic.

Arnold Ct.

HOUNDS CL.

B4060

RD.

771

HARTLEY CL.

BOWLING RD.

St. John's Mead C of E Prim. Sch.

D

KINGROVE

WOODMANS

BORGHE

WOODMANS ROAD

Dept.

73

E

GASSON RD.

ROAD

S.JENNER

FROME

S.JENNER

82

74

Y COTSWOLD

ROAD

WOODMANS VALE

Play Grd.

35

ST. WICKHAM

F

Blanchards

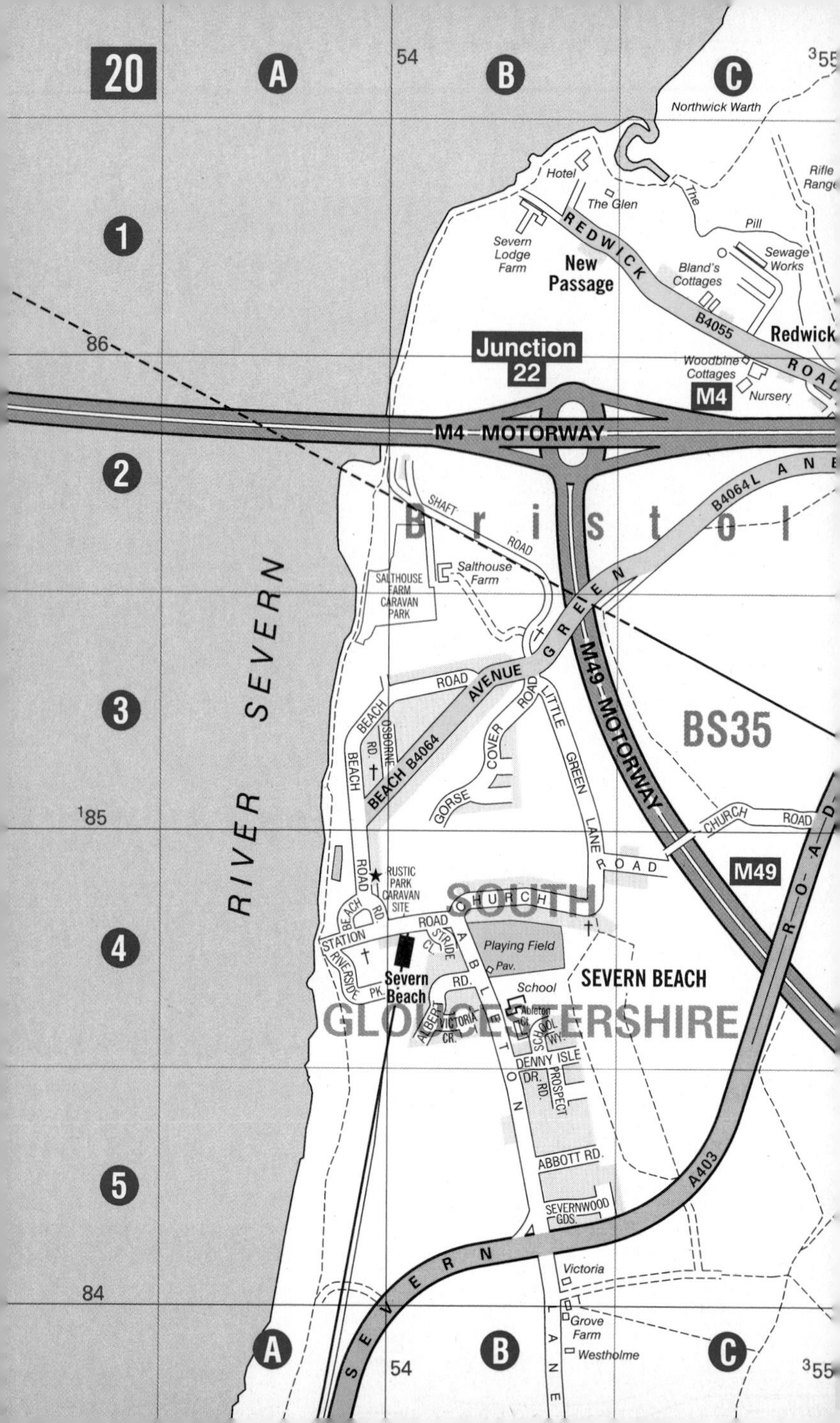

20

A 54 **B** **C** 355

Northwick Warth

1

Hotel

The Glen

Rifle
Range

REDWICK

The

Pill

Severn
Lodge
Farm

**New
Passage**

Bland's
Cottages

Sewage
Works

B4055

Redwick

86

Woodbine
Cottages

ROAD

M4

Nursery

**Junction
22**

M4 MOTORWAY

2

SHAFT

ROAD

Bristol

B4064 LANE

GREEN

M49 MOTORWAY

Salthouse
Farm

SALTHOUSE
FARM
CARAVAN
PARK

3

ROAD

AVENUE

COVER

ROAD

LITTLE

BS35

BEACH

OSBORNE
RD.

BEACH B4064

GORSE

ROAD

GREEN

CHURCH

ROAD

M49

¹85

BEACH

LANE

ROAD

RIVER SEVERN

ROAD

RUSTIC
PARK
CARAVAN
SITE

CHURCH

SOUTH

ROAD

R
O
A
D

4

STATION

RIVER BANK

PK.

CL.

STAUDE
RD.

Playing Field

Pav.

SEVERN BEACH

**Severn
Beach**

ALBERT

VICTORIA
CR.

School

GLOUCESTERSHIRE

Athletic

CROSS

WY.

STATION

DENNY ISLE
DR.

PROSPECT
RD.

ABBOTT RD.

A403

5

SEVERNWOOD
GDS.

SEVERN

Victoria

84

Grove
Farm

Westholme

A 54 **B** LANE **C** 355

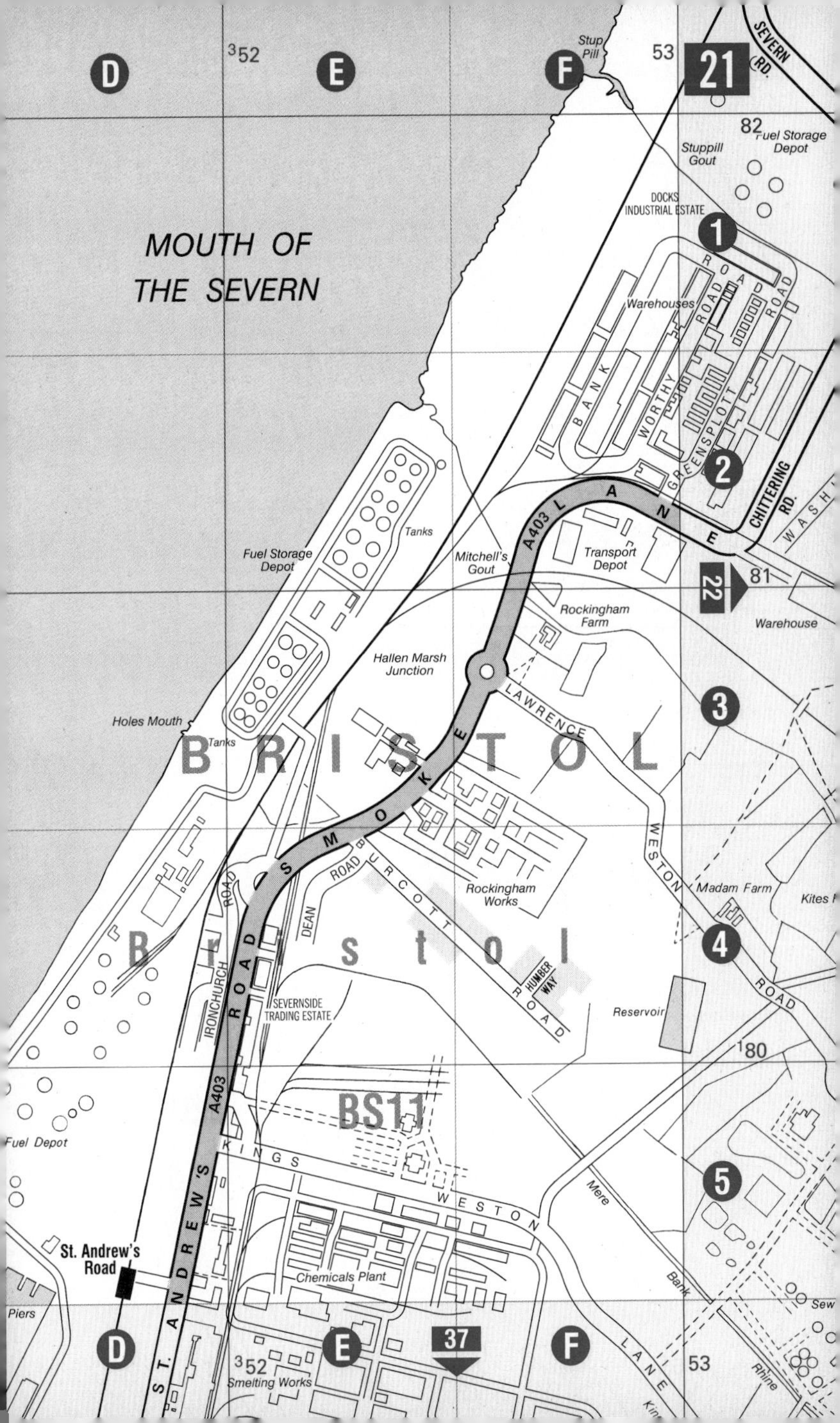

MOUTH OF
THE SEVERN

BRISTOL

Bristol

SEVERN RD.

Stup Pill

53

21

Stuppill Gout

82 Fuel Storage Depot

DOCKS INDUSTRIAL ESTATE

1

Warehouses

BANK ROAD

WORTHY ROAD

GREENSPLOTT ROAD

2

CHITTERING RD.

WASH

A403 LANE

Tanks

Fuel Storage Depot

Mitchell's Gout

Transport Depot

22

81

Warehouse

Rockingham Farm

Hallen Marsh Junction

Holes Mouth

Tanks

SMOKE LANE

LAWRENCE

3

WESTON ROAD

Madam Farm

Kites

DEAN ROAD

BURCOTT ROAD

IRONCHURCH ROAD

Rockingham Works

HUMBER WAY

4

ROAD

180

Reservoir

SEVERNSIDE TRADING ESTATE

A403

BS11

KINGS

WESTON

Mere

5

Fuel Depot

St. Andrew's Road

ST. ANDREW'S ROAD

Chemicals Plant

LANE

Bank

Sew

Rhine

Piers

D

E

352
Smelting Works

E

37

F

53

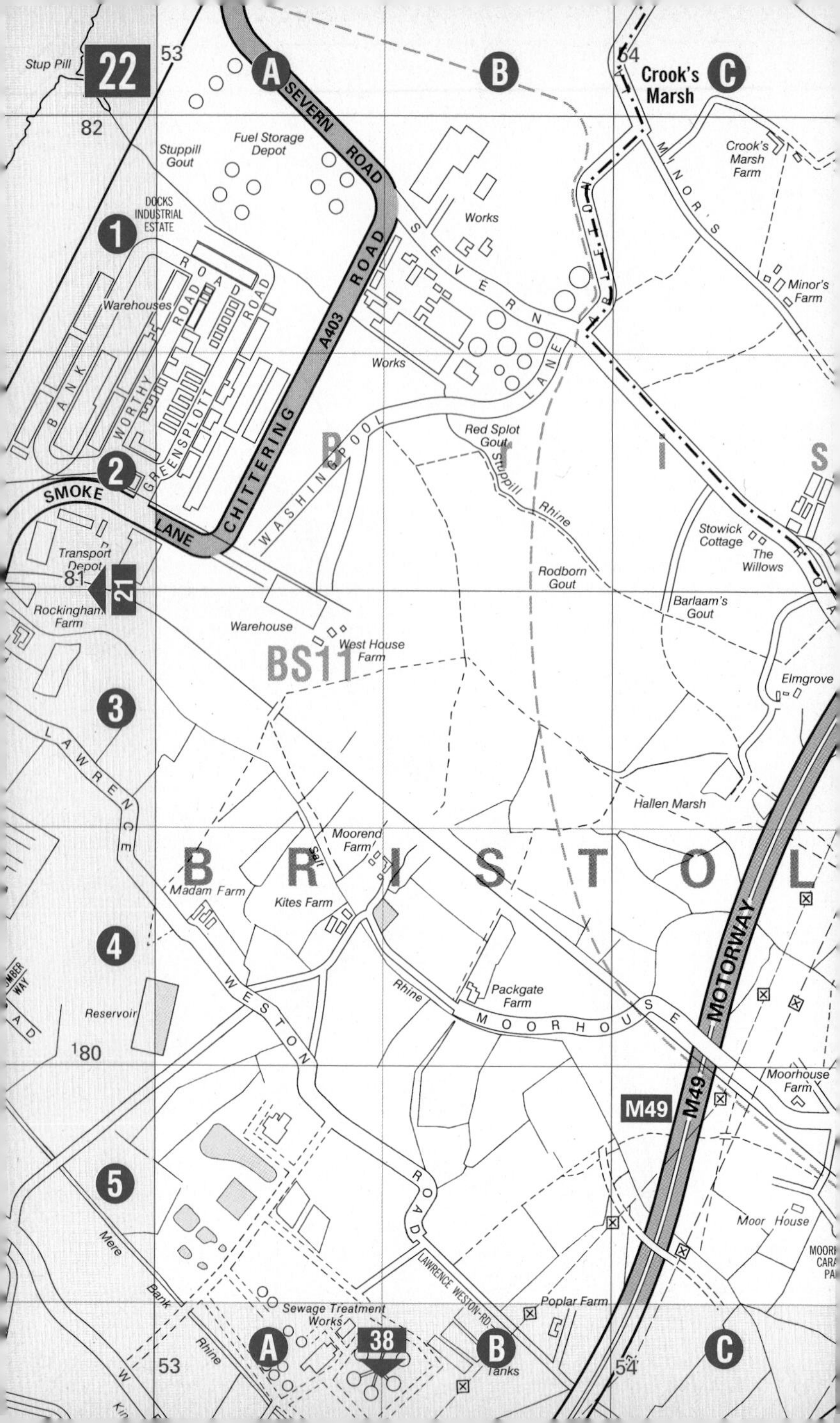
Stup Pill
Crook's Marsh
Fuel Storage Depot
Stuppill Gout
DOCKS INDUSTRIAL ESTATE
SEVERN ROAD
A403
CHITTERING ROAD
Works
Crook's Marsh Farm
MINOR'S
Minor's Farm
Warehouses
BANK ROAD
WORTHY ROAD
GREENSPLOTT ROAD
SEVERN
LANE
Works
WASHINGPOOL LANE
Red Splot Gout
Stuppill Rhine
SMOKE LANE
Transport Depot
Stowick Cottage
The Willows
Rodborn Gout
Barlaam's Gout
Rockingham Farm
Warehouse
West House Farm
BS11
Elmgrove
LAWRENCE WESTON ROAD
Hallen Marsh
Moorend Farm
Salt
BRISTOL
Madam Farm
Kites Farm
MOTORWAY
Packgate Farm
Rhine
Reservoir
MOORHOUSE LANE
M49
Moorhouse Farm
Moor House
Mere Bank Rhine
LAWRENCE WESTON RD.
Poplar Farm
Sewage Treatment Works
Tanks
53
54
82
81
180
21
38

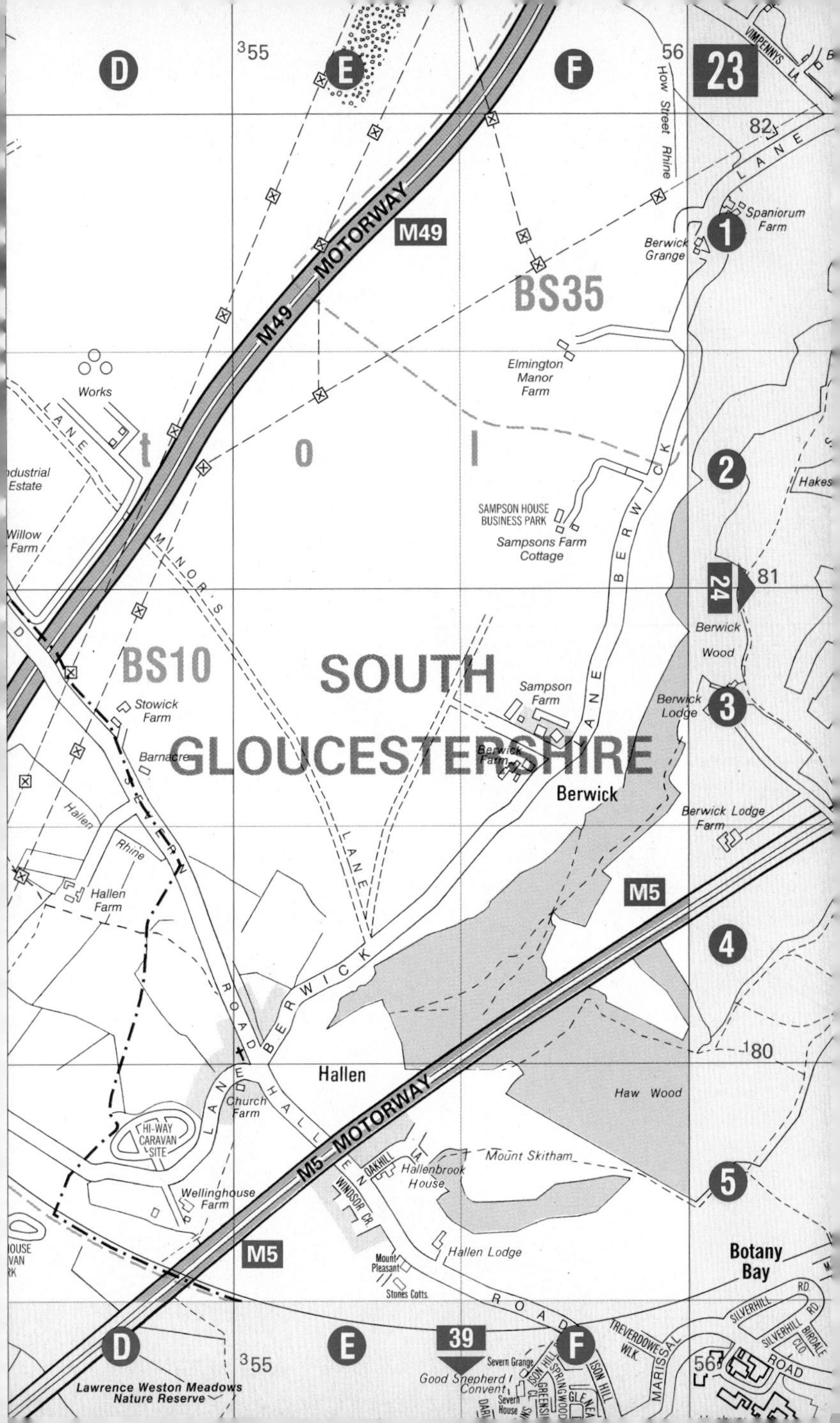

23
D
E
F
355
56
M49 MOTORWAY
M49
BS35
BS10
SOUTH GLOUCESTERSHIRE
Works
Industrial Estate
Willow Farm
Stowick Farm
Barnacre
Hallen Rhine
Hallen Farm
HI-WAY CARAVAN SITE
Wellinghouse Farm
Church Farm
Hallen
Elmington Manor Farm
SAMPSON HOUSE BUSINESS PARK
Sampsons Farm Cottage
Sampson Farm
Berwick Farm
Berwick
Berwick Grange
Spaniorum Farm
How Street Rhine
VIMPENNYS LA.
Berwick Wood
Berwick Lodge
Berwick Lodge Farm
Hakes
Haw Wood
Mount Skitham
Hallenbrook House
Hallen Lodge
Mount Pleasant
Stones Cotts.
OAKHILL
WINDSOR CR.
M5 MOTORWAY
M5
MINOR'S LANE
BERWICK LANE
SEVERN ROAD
HALLEN ROAD
Botany Bay
SILVERHILL RD.
BIRDALE CLO.
TREVERDOWE WLK.
MARISSAL ROAD
ISON HILL
SPRINGWOOD
GREENSIDE
Severn Grange
Good Shepherd Convent
Severn House
Lawrence Weston Meadows Nature Reserve
39
24
82
81
80
1
2
3
4
5

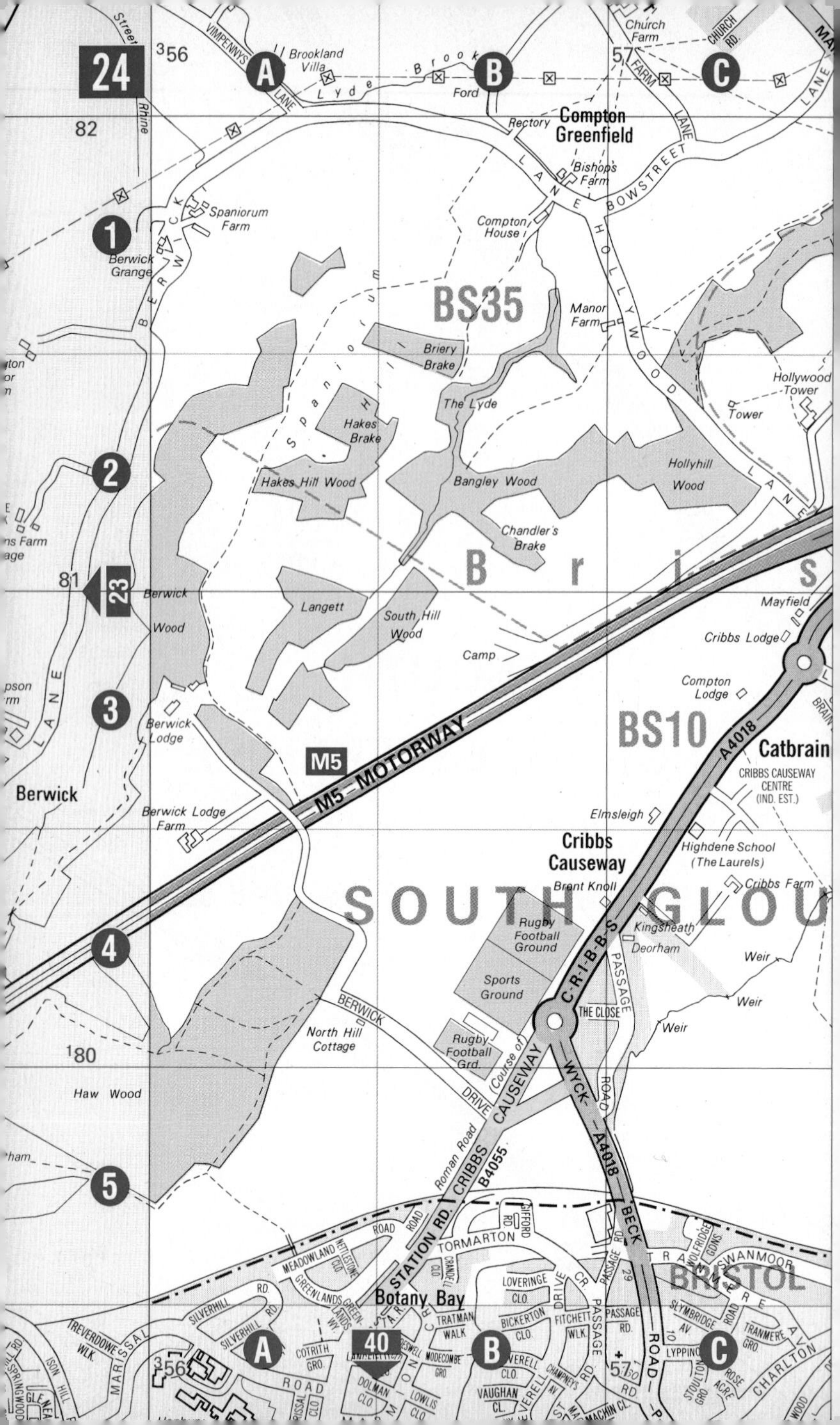

Compton Greenfield
Brookland Villa
Lyde Brook
Ford
Church Farm
Rectory
Bishops Farm
Spaniorum Farm
Berwick Grange
Compton House
BS35
Manor Farm
Briery Brake
Hakes Brake
The Lyde
Hakes Hill Wood
Bangley Wood
Hollyhill Wood
Hollywood Tower
Tower
Chandler's Brake
Spaniorum Hill
Bristol
Berwick Wood
Langett
South Hill Wood
Camp
Mayfield
Cribbs Lodge
Compton Lodge
BS10
Berwick Lodge
Catbrain
M5 MOTORWAY
CRIBBS CAUSEWAY CENTRE (IND. EST.)
Berwick
Berwick Lodge Farm
Elmsleigh
Cribbs Causeway
Highdene School (The Laurels)
Brent Knoll
Cribbs Farm
SOUTH GLOU
Rugby Football Ground
Kingsheath
Deorham
Weir
Sports Ground
THE CLOSE
North Hill Cottage
Rugby Football Grd.
Haw Wood
A4018
B4055
Roman Road
Botany Bay
BRISTOL
VIMPENNYS LANE
CHURCH RD.
FARM LANE
BOWSTREET
HOLLYWOOD LANE
BERWICK LANE
BERWICK DRIVE
CRIBBS CAUSEWAY
WYCK BECK ROAD
PASSAGE ROAD
STATION RD.
TORMARTON
GIFFORD RD.
MEADOWLAND
NETTLESTONE CLO.
CRANDELL CLO.
LOVERINGE CLO.
BICKERTON CLO.
FITCHETT WLK.
TRATMAN WALK
GREENLANDS
SILVERHILL RD.
TREVERDOWE WLK.
MARISSAL ROAD
COTRITH GRO.
MODECOMBE GRO.
DOLMAN CLO.
LOWLIS CLO.
VAUGHAN CL.
MACHIN CL.
CHAMPNEYS AV
SWANMOOR
WOLFRIDGE GDNS
TRANMERE AV
SLYMBRIDGE AV
LYPPINCOURT
STOULTON GRO
ROSE ACRE
CHARLTON
TRANMERE GRO.
SPRINGWOOD
ISON HILL

23
40

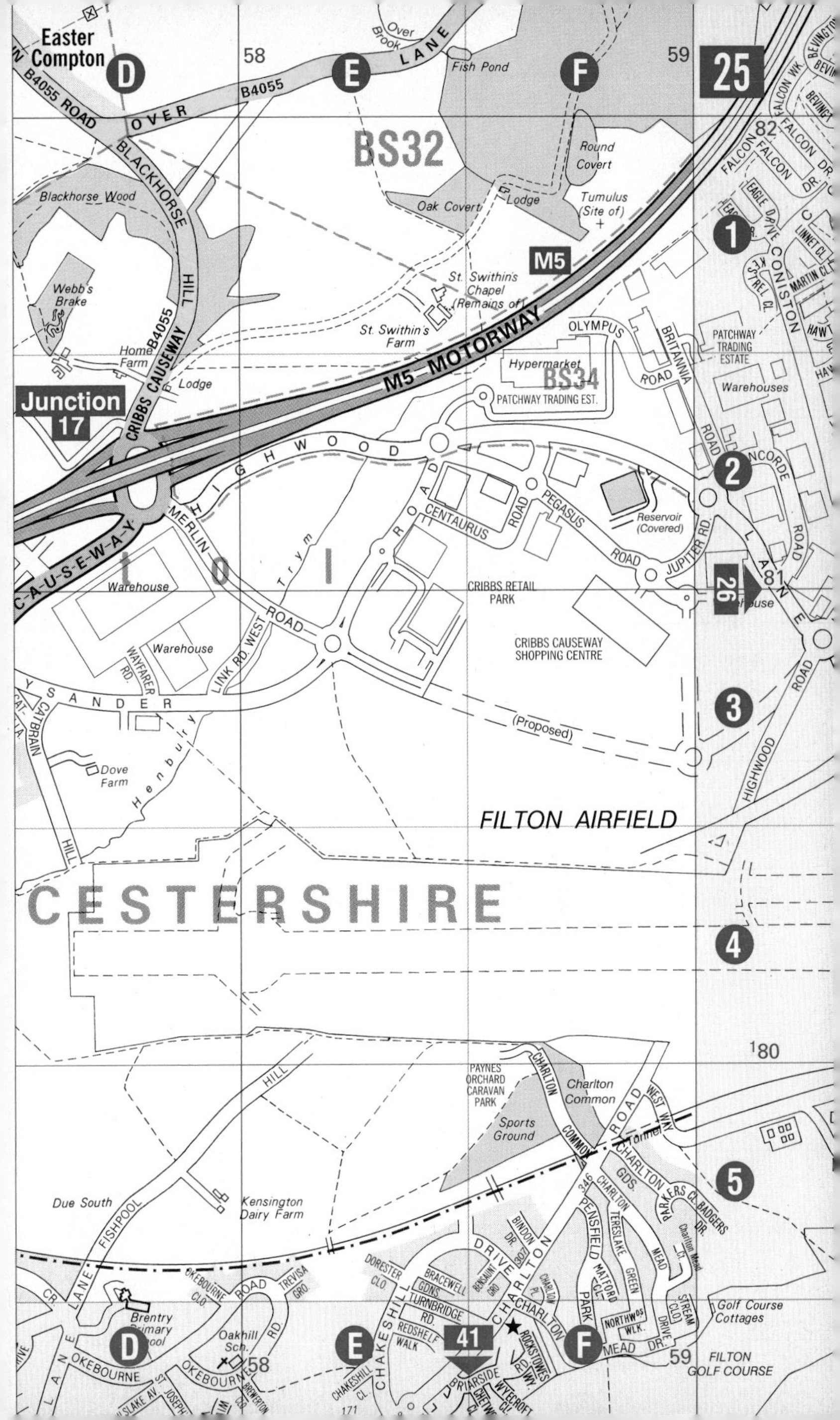

Easter Compton
58
59
25
D
E
F
B4055 ROAD
OVER LANE
B4055
Over Brook
Fish Pond
BS32
Round Covert
Blackhorse Wood
BLACKHORSE HILL
Oak Covert
Lodge
Tumulus (Site of)
M5
St. Swithin's Chapel (Remains of)
St. Swithin's Farm
Webb's Brake
Home Farm
B4055
CRIBBS CAUSEWAY
Lodge
M5 MOTORWAY
Junction 17
OLYMPUS
BRITANNIA ROAD
PATCHWAY TRADING ESTATE
Warehouses
Hypermarket
BS34
PATCHWAY TRADING EST.
HIGHWOOD ROAD
CENTAURUS ROAD
PEGASUS ROAD
Reservoir (Covered)
JUPITER RD.
MERLIN ROAD
CAUSEWAY
Warehouse
Warehouse
CRIBBS RETAIL PARK
CRIBBS CAUSEWAY SHOPPING CENTRE
26
81
LINK RD. WEST
WAYFARER RD.
LYSANDER
CATBRAIN LA.
(Proposed)
Dove Farm
Henbury Trym
HIGHWOOD ROAD
FILTON AIRFIELD
HILL
CESTERSHIRE
FALCON DR.
FALCON WK.
82
EAGLE DRIVE
CONISTON
KESTREL CL.
LINNET CL.
MARTIN CL.
CONCORDE ROAD
1
2
3
4
5
180
PAYNES ORCHARD CARAVAN PARK
CHARLTON COMMON
Charlton Common
ROAD
WEST WAY
Sports Ground
Tunnel
CHARLTON GDS.
PARKERS CL.
BADGERS DR.
Charlton Mead Ct.
HILL
FISHPOOL LANE
Due South
Kensington Dairy Farm
346
PENSFIELD PARK
MATFORD CL.
TERESLAKE GREEN
MEAD
BINDON DR.
DRIVE
CHARLTON
BENSAUNT GRO.
DORESTER CLO.
BRACEWELL GDNS
TURNBRIDGE RD.
REDSHELF WALK
CHAKESHILL
OKEBOURNE CLO.
ROAD
TREVISA GRO.
RD
Brentry Primary School
Oakhill Sch.
OKEBOURNE
41
NORTHWOODS WLK.
STREAM CLO.
Golf Course Cottages
MEAD DR.
FILTON GOLF COURSE
BRIARSIDE
ROCKSTOWES WY.
WYECROFT CL.
CHAKESHILL CL.
171
BREWERTON CLO.

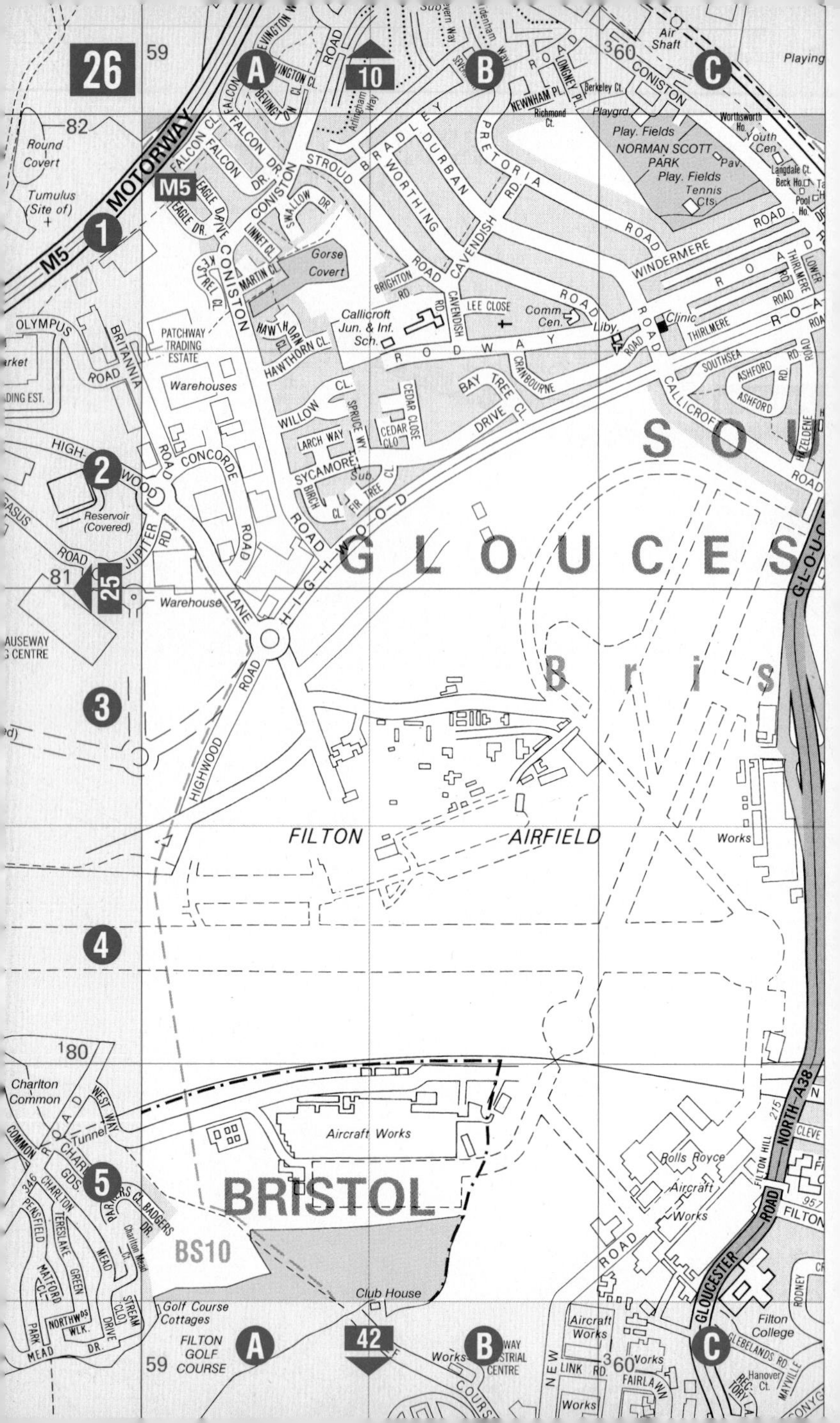

26
59
A
B
C
10
360
Air Shaft
Playing
82
Round Covert
Tumulus (Site of)
M5 MOTORWAY
M5
1
FALCON CL.
FALCON DR.
BEVINGTON CL.
EAGLE DRIVE
EAGLE DR.
CONISTON ROAD
STROUD ROAD
BRADLEY
WORTHING ROAD
DURBAN
PRETORIA RD.
NEWNHAM PL.
LONGNEY PL.
Berkeley Ct.
Richmond Ct.
Playgrd.
Play. Fields
NORMAN SCOTT PARK
Play. Fields
Pav.
Tennis Cts.
Worthsworth Ho.
Youth Cen.
Langdale Ct.
Beck Ho.
Pool Ho.
SWALLOW DR.
LINNET CL.
MARTIN CL.
KESTREL CL.
Gorse Covert
BRIGHTON RD
CAVENDISH ROAD
WINDERMERE ROAD
THIRLMERE RD
LOWER
Callicroft Jun. & Inf. Sch.
LEE CLOSE
Comm. Cen.
Liby.
Clinic
THIRLMERE ROAD
RODWAY ROAD
HAWTHORN CL.
CRANBOURNE
SOUTHSEA
ASHFORD RD
CALLICROFT
HAZELDENE
OLYMPUS ROAD
BRITANNIA
PATCHWAY TRADING ESTATE
Warehouses
WILLOW CL.
SPRUCE WY.
CEDAR CLOSE
CEDAR CLO
BAY TREE CL
DRIVE
LARCH WAY
SYCAMORE
Sub.
BIRCH CL.
FIR TREE CL
HIGHWOOD ROAD
CONCORDE ROAD
2
Reservoir (Covered)
PEGASUS ROAD
JUPITER RD.
81
25
Warehouse
LANE
CAUSEWAY
SOU
GLOUCES
GLOUCESTER
Bris
3
HIGHWOOD ROAD
FILTON AIRFIELD
Works
4
180
Charlton Common
WEST WAY
ROAD
Tunnel
CHARLTON GDS.
COMMON
5
346
PENSFIELD
CHARLTON MEAD
TERESLAKE GREEN
PARKERS CL.
BADGERS DR.
Charlton Mead Ct.
MATFORD CL.
NORTHWOODS WLK.
PARK MEAD
DR.
DRIVE
STREAM CLO.
Aircraft Works
BRISTOL
BS10
Rolls Royce Aircraft Works
ROAD
FILTON HILL
NORTH A38
215
CLEVE
957
FILTON
GLOUCESTER ROAD
Club House
Golf Course Cottages
FILTON GOLF COURSE
42
Works
Aircraft Works
NEW LINK RD.
Works
FAIRLAWN
Works
Filton College
GLEBELANDS RD
Hanover Ct.
RODNEY
MAYVILLE

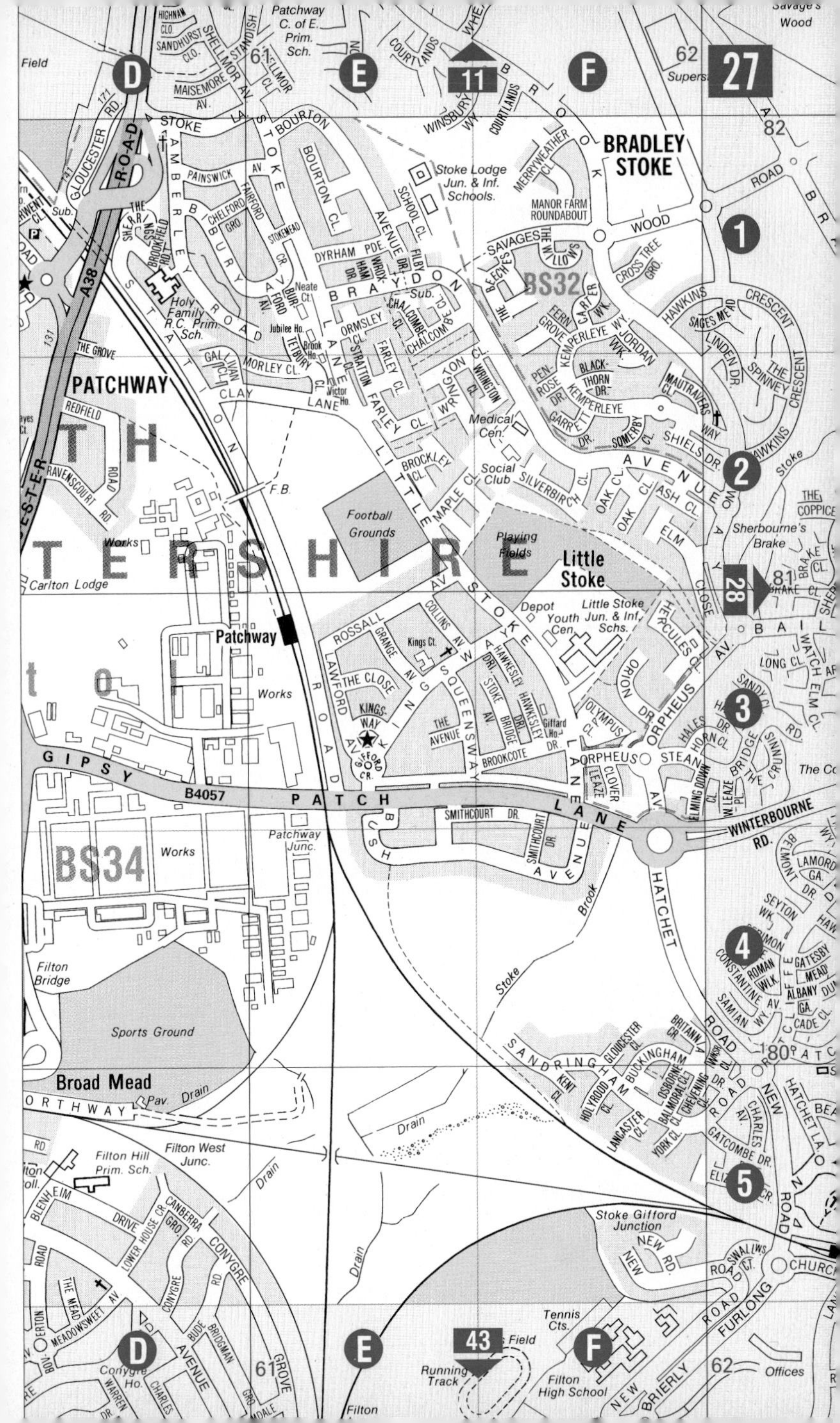
BRADLEY STOKE
PATCHWAY
Little Stoke
Patchway
Broad Mead
BS32
BS34
Stoke Lodge Jun. & Inf. Schools
Holy Family R.C. Prim. Sch.
Little Stoke Jun. & Inf. Schs.
Patchway C. of E. Prim. Sch.
Filton Hill Prim. Sch.
Filton High School
Football Grounds
Playing Fields
Sports Ground
Medical Cen.
Social Club
Youth Cen.
Depot
Works
Carlton Lodge
Patchway Junc.
Filton West Junc.
Stoke Gifford Junction
Filton Bridge
Running Track
Tennis Cts.
Sherbourne's Brake
Savage's Wood
MANOR FARM ROUNDABOUT
GIPSY PATCH LANE
B4057
A38
WINTERBOURNE RD.
HATCHET ROAD
NORTHWAY
STATION ROAD
LITTLE STOKE LANE
STOKE BROOK
11
28
43
62
61
80
81
82

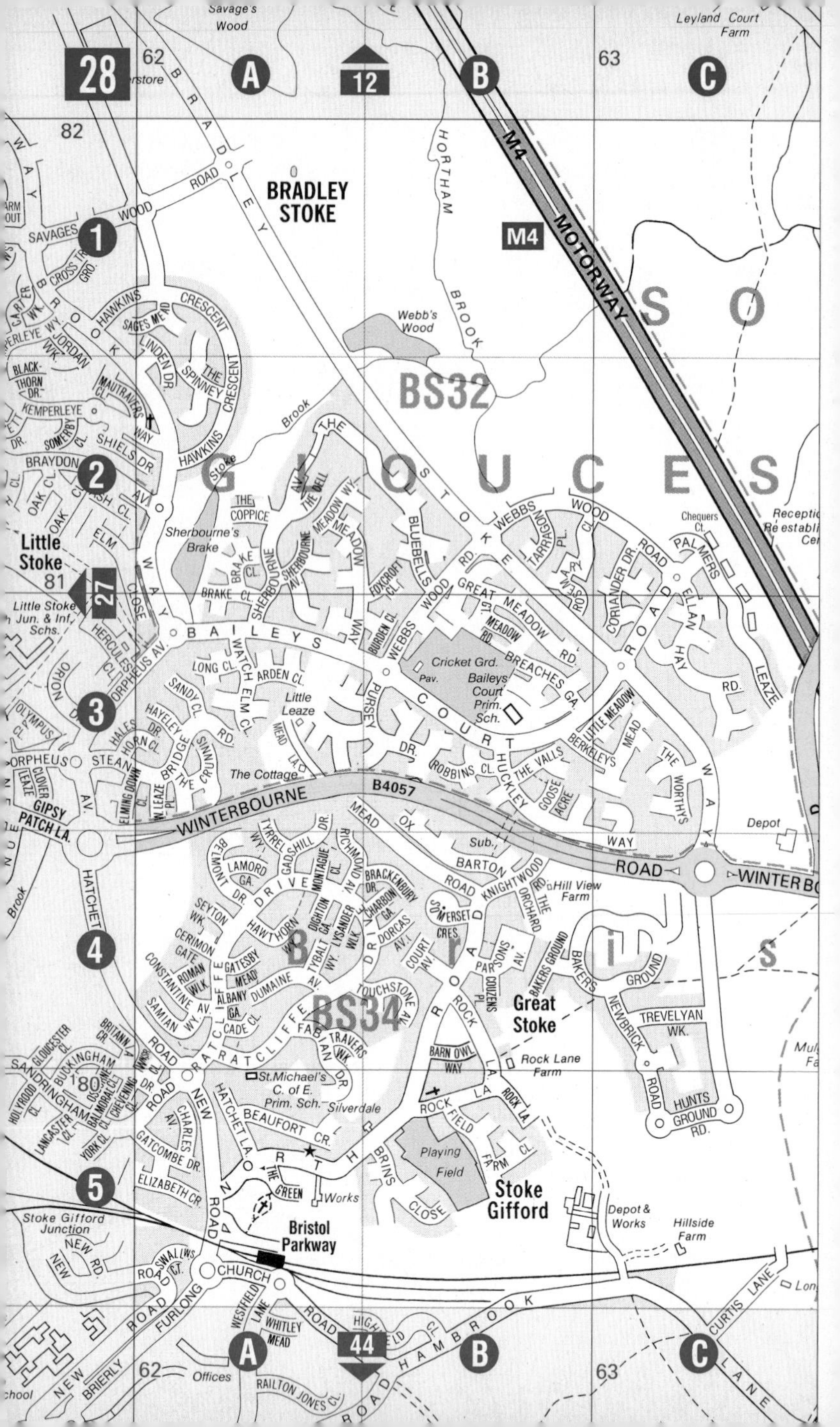
Savage's Wood
62
A
12
B
63
C
Leyland Court Farm
82
BRADLEY STOKE
BRADLEY STOKE WAY
HORTHAM BROOK
M4
M4 MOTORWAY
SAVAGES WOOD ROAD
CROSS TREE GRO.
BROOK WAY
CARTER WK.
KEMPERLEYE WY.
JORDAN WK.
BLACKTHORN DR.
HAWKINS CRESCENT
SAGES MEAD
LINDEN DR.
THE SPINNEY
MAUTRAVERS CL.
KEMPERLEYE WAY
SOMERBY CL.
SHIELS DR.
BRAYDON AV.
OAK CL.
ASH CL.
ELM
Little Stoke
81
27
Little Stoke Jun. & Inf. Schs.
Webb's Wood
BS32
GLOUCESTERSHIRE
Stoke Brook
Sherbourne's Brake
THE COPPICE
THE DELL
MEADOW WY.
BRAKE CL.
BRAKE CL.
SHERBOURNE AV.
FOXCROFT CL.
BLUEBELLS
BURDEN CL.
WEBBS WOOD RD.
WEBBS WOOD ROAD
TARRAGON PL.
ROSEMARY CL.
CORIANDER DR.
GREAT MEADOW
MEADOW RD.
BREACHES GA.
PALMERS LEAZE
ELLAN HAY RD.
Chequers Ct.
Reception Re establishment Cen
CLOSE
HERCULES CL.
ORPHEUS AV.
BAILEYS COURT
LONG CL.
WATCH ELM CL.
ARDEN CL.
Little Leaze
PURSEY DR.
Cricket Grd.
Pav.
Baileys Court Prim. Sch.
ORION DR.
OLYMPUS CL.
SANDY CL.
HAYELEY DR.
HALES HORN CL.
SINNOTT RD.
BRIDGE
THE CRUNN
MEAD LA.
ROBBINS CL.
HUCKLEY WAY
THE VALLS
GOOSE ACRE
BERKELEYS MEAD
LITTLE MEADOW
THE WORTHYS
ORPHEUS
STEAN
CLOVER LEAZE
GIPSY PATCH LA.
FLEMING DOWN
W. LEAZE PL.
The Cottage
WINTERBOURNE
B4057
Depot
WINTERBOURNE ROAD
HATCHET ROAD
BELMONT DR.
TYRREL WY.
GADSHILL DR.
RICHMOND AV.
MONTAGUE CL.
MEAD
OX
BARTON
Sub.
WAY
LAMORD GA.
DRIVE
BRACKENBURY DR.
CHARBON GA.
KNIGHTWOOD RD.
Hill View Farm
THE ORCHARD
SOMERSET CRES.
SEYTON WK.
CERIMON GATE
HAWTHORN
DIGHTON GA.
LYSANDER WLK.
DORCAS AV.
COURT AV.
PARSONS' AV.
BAKERS GROUND
NEWBRICK ROAD
Brook
CONSTANTINE AV.
ROMAN WLK.
GATESBY MEAD
ALBANY GA.
DUMAINE AV.
TYBALT WY.
TOUCHSTONE AV.
COUZENS PL.
Great Stoke
TREVELYAN WK.
Bristol
BS34
SAMIAN WY.
CADE CL.
RATCLIFFE
FABIAN DR.
TRAVERS WK.
ROCK LA.
BARN OWL WAY
Rock Lane Farm
HUNTS GROUND RD.
Mulgrove Fa
GLOUCESTER CL.
BRITANNIA CR.
BUCKINGHAM
SANDRINGHAM
80
OSBORNE
BALMORAL CL.
CHEVENING CL.
WINDSOR DR.
HOLYROOD CL.
LANCASTER CL.
YORK CL.
NEW ROAD
St.Michael's C. of E. Prim. Sch.
Silverdale
CHARLES AV.
GATCOMBE DR.
ELIZABETH CR.
HATCHET LA.
BEAUFORT CR.
NORTH
THE GREEN
Works
BRINS CLOSE
ROCK FIELD
FARM CL.
Playing Field
Stoke Gifford
Depot & Works
Hillside Farm
Stoke Gifford Junction
NEW RD.
Bristol Parkway
SWALLOWS CT.
CHURCH ROAD
HAMBROOK
HIGHFIELD CL.
WESTFIELD LANE
WHITLEY MEAD
44
CURTIS LANE
Long
FURLONG
BRIERLY
Offices
RAILTON JONES CL.
School

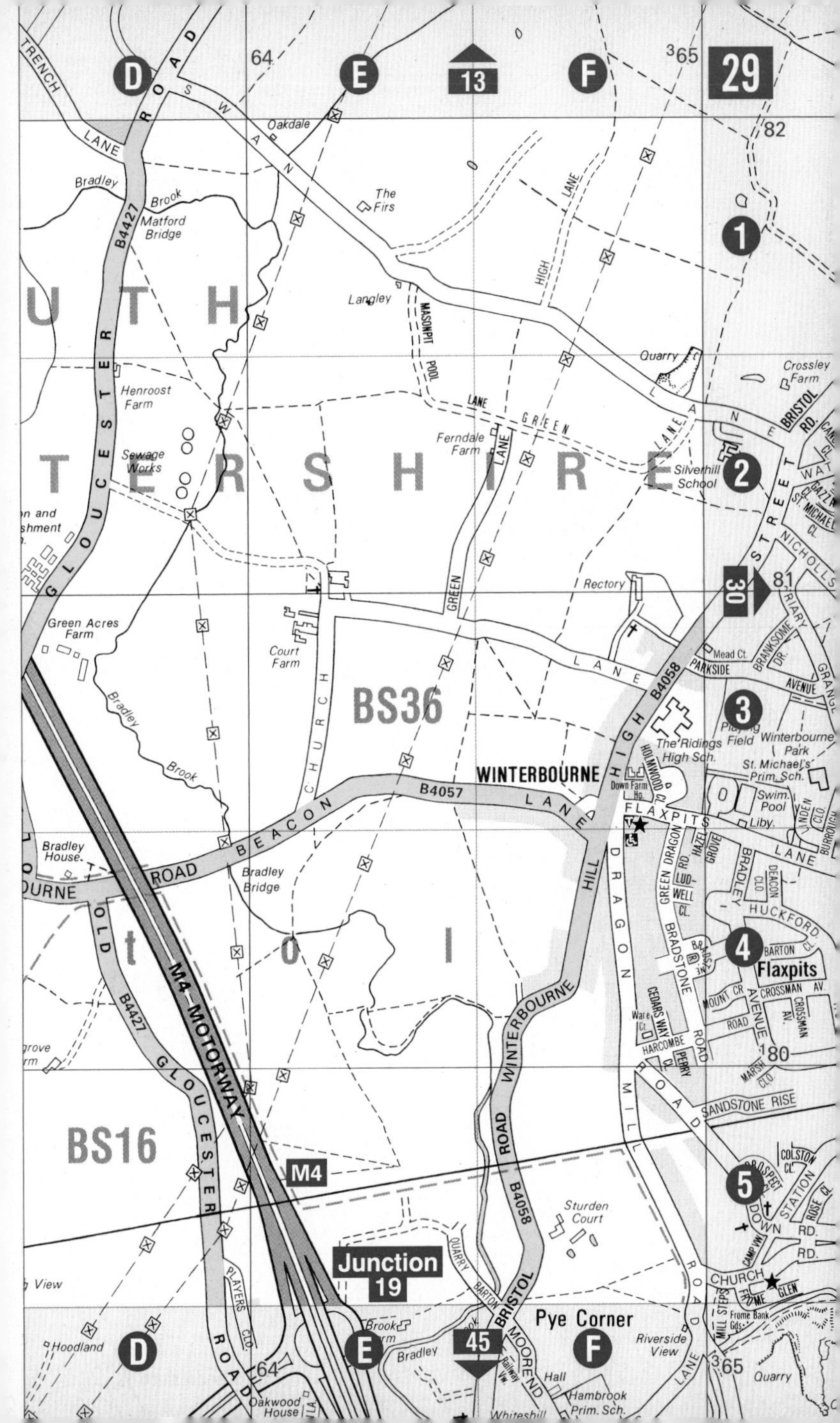
29
13
45
30
D
E
F
64
365
82
81
80
1
2
3
4
5
BS36
BS16
WINTERBOURNE
Flaxpits
Pye Corner
Junction 19
M4
M4 MOTORWAY
B4427
B4057
B4058
GLOUCESTER ROAD
TRENCH LANE
SWAN LANE
Oakdale
The Firs
Langley
MASONPIT POOL LANE
HIGH LANE
GREEN LANE
Ferndale Farm
Quarry
Crossley Farm
Silverhill School
Rectory
Court Farm
CHURCH ROAD
Henroost Farm
Sewage Works
Bradley Brook
Matford Bridge
Green Acres Farm
Bradley House
BEACON LANE
Bradley Bridge
HIGH STREET
BRISTOL RD.
NICHOLLS
Mead Ct.
PARKSIDE
BRANKSOME DR.
AVENUE
The Ridings High Sch.
Playing Field
Winterbourne Park
St. Michael's Prim. Sch.
Swim. Pool
Liby.
HOLMWOOD CL.
Down Farm Ho.
FLAXPITS LANE
DRAGON ROAD
GREEN DRAGON RD.
HAZEL GROVE
LUDWELL CL.
BRADLEY
DEACON CLO.
HUCKFORD
BARTON CL.
BRADSTONE ROAD
MOUNT CR
CROSSMAN AV.
CEDARS WAY
Ware Ct.
HARCOMBE
PERRY CL.
MARSH CLO.
SANDSTONE RISE
DOWN MILL ROAD
WINTERBOURNE ROAD
OLD GLOUCESTER ROAD
COLSTON CL.
PROSPECT
STATION
ROSE GL.
DOWN RD.
CAMP VW.
CHURCH RD.
FROME GLEN
Frome Bank Gdns.
MILL STEPS
Quarry
Sturden Court
QUARRY BARTON
BRISTOL ROAD
MOOREND
Railway Vw.
Riverside View
Hall
Hambrook Prim. Sch.
Whiteshill
Brook Farm
Bradley
Hoodland
PLAYERS CLO.
Oakwood House
WAT
GAZZ
ST. MICHAEL CL.
LINDEN CLO.
BURROUGH
GRANGE

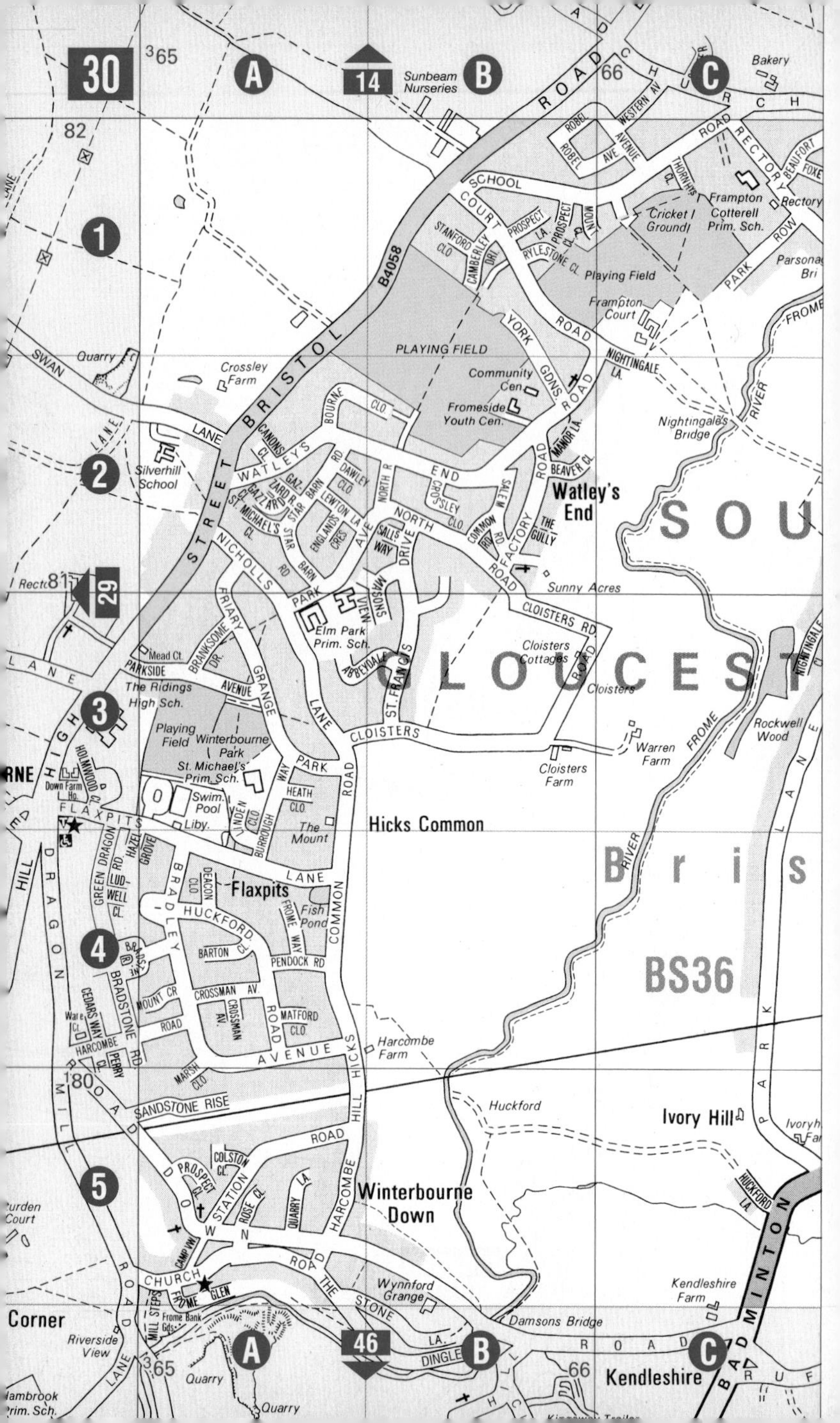

14
Sunbeam Nurseries
Bakery
BRISTOL ROAD
CHURCH ROAD
B4058
ROBEL AVE
WESTERN AV
AVENUE
RECTORY ROAD
BEAUFORT
SCHOOL
COURT
STANFORD CLO
CAMBERLEY DRI
PROSPECT LA
PROSPECT CL
RYLESTONE CL
MOUNT
THORNHILLS CL
Cricket Ground
Frampton Cotterell Prim. Sch.
Rectory
PARK ROW
Playing Field
Frampton Court
YORK GDNS
ROAD
NIGHTINGALE LA
PLAYING FIELD
Community Cen.
Fromeside Youth Cen.
Quarry
SWAN
Crossley Farm
LANE
Silverhill School
BOURNE CLO
CANONS CL
WATLEY'S END
DAWLEY CLO
NORTH R
GAZZARD RD
GAZZARD CL
STAR BARN RD
LEWTON LA
ST. MICHAEL'S CL
ENGLANDS CRES
NORTH AVE
SALLYS WAY
DRIVE
CROSSLEY CLO
SALEM RD
COMMON RD
FACTORY ROAD
MANOR LA
BEAVER CL
THE GULLY
Watley's End
Nightingale Bridge
RIVER FROME
STREET
NICHOLLS RD
PARK
MASONS VIEW
Elm Park Prim. Sch.
Sunny Acres
29
LANE
Mead Ct.
PARKSIDE
BRANKSOME DR
FRIARY GRANGE
ABBEYDALE
ST. FRANCIS
CLOISTERS RD.
Cloisters Cottages
Cloisters
SOUTH GLOUCESTERSHIRE
AVENUE
The Ridings High Sch.
Playing Field
Winterbourne Park
St. Michael's Prim. Sch.
LANE
CLOISTERS
PARK
Rockwell Wood
Warren Farm
Cloisters Farm
HIGH
HOLMWOOD CL
Down Farm Ho.
FLAXPITS
Swim. Pool
Liby.
LINDEN CLO
BURROUGH WAY
HEATH CLO
The Mount
ROAD
Hicks Common
RIVER FROME
Bristol
HILL
GREEN DRAGON RD
HAZEL GROVE
LUDWELL CL
BRADLEY
DEACON CLO
Flaxpits
LANE
Fish Pond
COMMON
FROME WAY
HUCKFORD
BARTON CL
PENDOCK RD
BRADSTONE RD
MOUNT CR
CROSSMAN AV
MATFORD CLO
BS36
CEDARS WAY
Ware Ct
HARCOMBE
PERRY CL
AVENUE
Harcombe Farm
MARSH CLO
HICKS
SANDSTONE RISE
PARK LANE
Huckford
Ivory Hill
MILL
ROAD
COLSTON CL
PROSPECT CL
STATION
DOWN
ROSE CL
QUARRY LA
HARCOMBE HILL
Winterbourne Down
HUCKFORD LA
BADMINTON
CAMP VW
CHURCH
FROME GLEN
THE STONE
Wynnford Grange
Kendleshire Farm
Damsons Bridge
Corner
Riverside View
MILL STEPS
Frome Bank Gds.
46
DINGLE
ROAD
Kendleshire
Quarry
Quarry
Hambrook Prim. Sch.

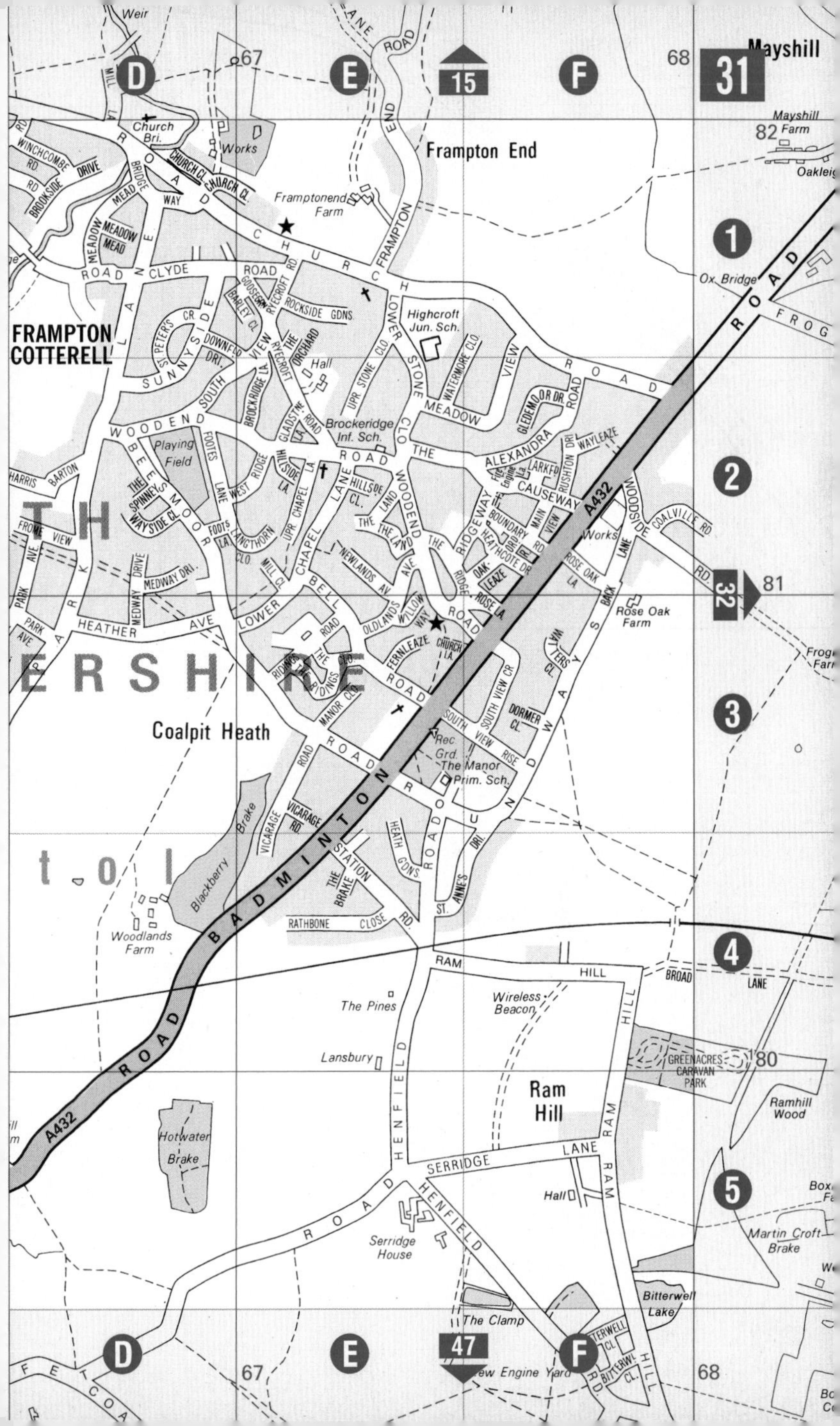

Mayshill
15
Frampton End
FRAMPTON COTTERELL
Coalpit Heath
Ram Hill
Framptonend Farm
Highcroft Jun. Sch.
Brockeridge Inf. Sch.
Playing Field
Works
Church Bri.
Weir
Mayshill Farm
Oakleig
Ox. Bridge
Rose Oak Farm
The Manor Prim. Sch.
Rec. Grd.
Blackberry Brake
Woodlands Farm
The Pines
Lansbury
Wireless Beacon
GREENACRES CARAVAN PARK
Ramhill Wood
Hotwater Brake
Hall
Serridge House
Martin Croft Brake
Bitterwell Lake
The Clamp
New Engine Yard
BADMINTON ROAD
A432
CHURCH ROAD
CLYDE ROAD
WOODEND ROAD
HEATHER AVE
RAM HILL
BROAD LANE
SERRIDGE LANE
HENFIELD ROAD
STATION RD.
RATHBONE CLOSE
ST. ANNE'S DRI.
COALVILLE RD.
FROG
32
47
81
80
82
67
68

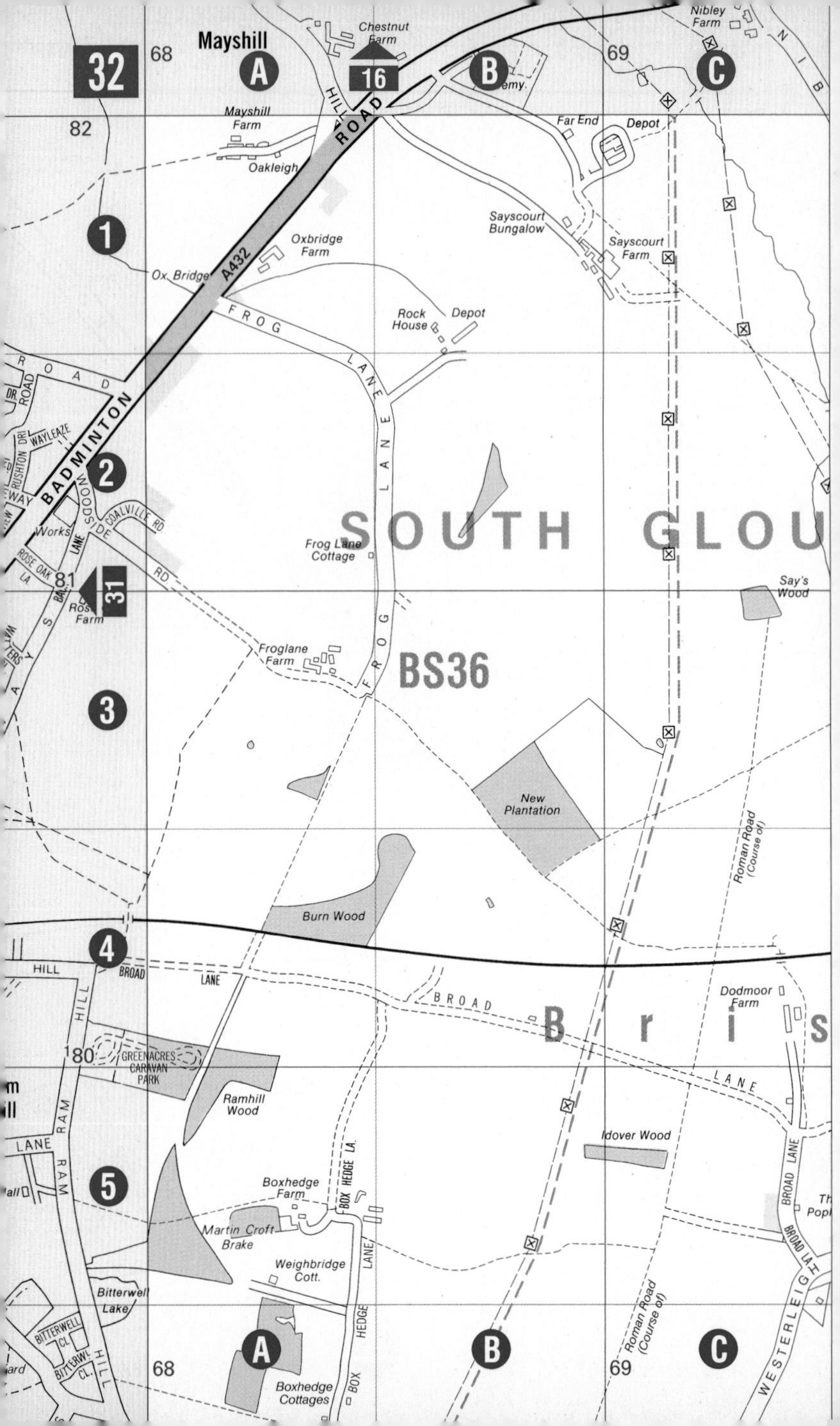
32
68
Mayshill
A
Chestnut Farm
16
B
Cemy.
69
Nibley Farm
C
82
Mayshill Farm
HILL
ROAD
Oakleigh
Far End
Depot
1
Oxbridge Farm
Sayscourt Bungalow
Sayscourt Farm
Ox Bridge
A432
FROG
LANE
Rock House
Depot
ROAD
BADMINTON
WAYLEAZE
RUSHTON DRI
2
WOODSIDE
COALVILLE RD
Works
LANE
SOUTH GLOU
Frog Lane Cottage
ROSE OAK LA
81
31
RD
Say's Wood
Froglane Farm
BS36
3
New Plantation
Roman Road (Course of)
Burn Wood
4
HILL
BROAD
LANE
BROAD
Dodmoor Farm
Bris
180
GREENACRES CARAVAN PARK
Ramhill Wood
LANE
Idover Wood
RAM
LANE
5
BOX HEDGE LA.
Boxhedge Farm
BROAD LANE
BROAD LA
Martin Croft Brake
Weighbridge Cott.
Bitterwell Lake
BITTERWELL CL.
HEDGE
Roman Road (Course of)
WESTERLEIGH
A
B
C
68
69
Boxhedge Cottages
BOX

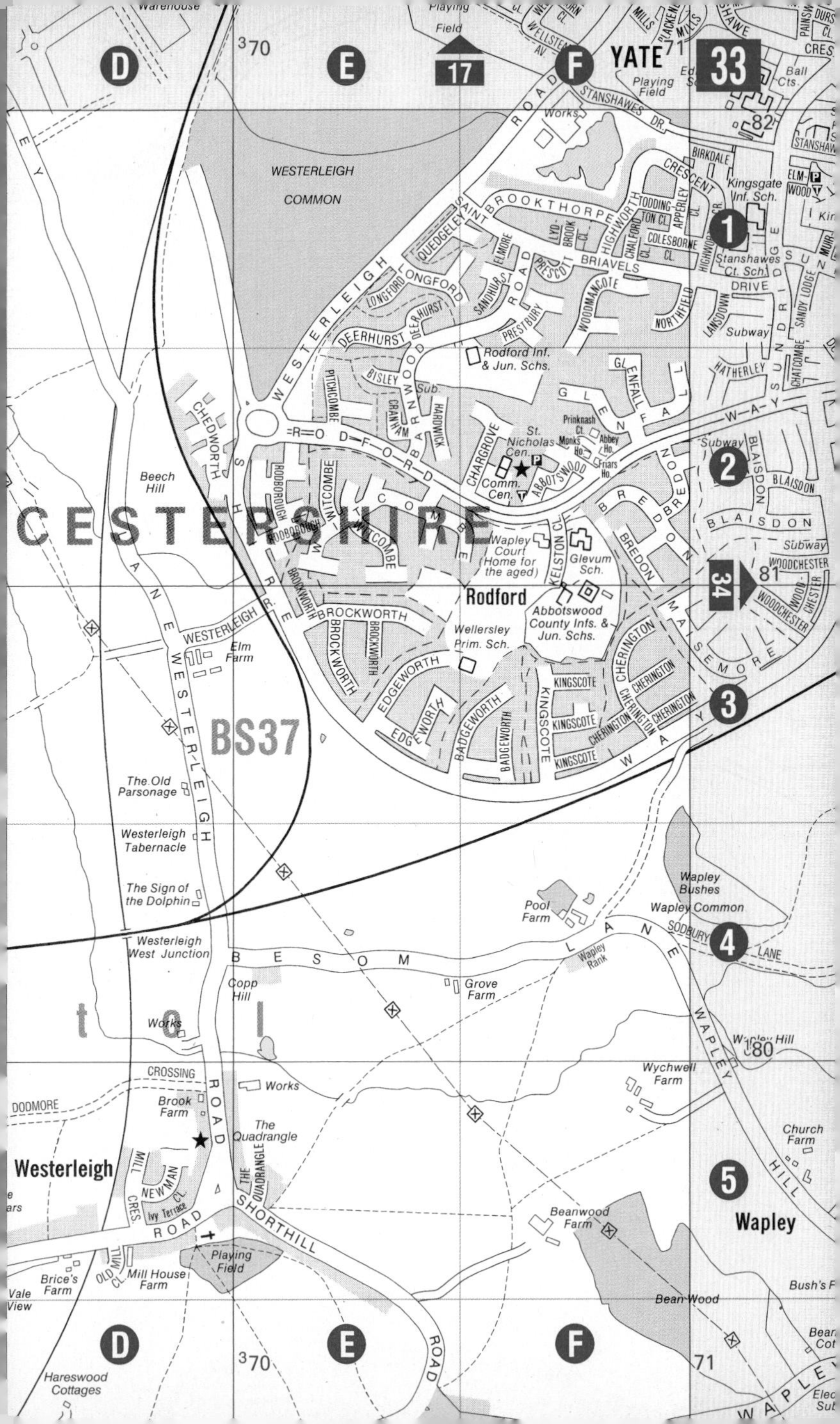
33
YATE
17
34
D
E
F
370
71
1
2
3
4
5
80
81
82
Playing Field
Stanshawes Dr.
Works
Birkdale
Crescent
Kingsgate Inf. Sch.
Stanshawes Ct. Sch.
Elm-wood
Ball Cts.
Westerleigh Common
Brookthorpe
Quedgeley
Saint Briavels
Todding-ton Cl.
Apperley
Highworth
Chalford Cl.
Colesborne Cl.
Lydbrook Cl.
Elmore
Prescott
Longford
Sandhurst
Road
Woodmancote
Northfield
Lansdown
Drive
Sundridge
Sandy Lodge
Subway
Deerhurst
Prestbury
Westerleigh
Rodford Inf. & Jun. Schs.
Glenfall
Enfall
Hatherley
Chatcombe
Way
Pitchcombe
Bisley
Cranham
Barnwood
Hardwick
Sub.
Rodford Way
Chargrove
St. Nicholas Cen.
Prinknash Ct.
Monks Ho.
Abbey Ho.
Friars Ho.
Abbotswood
Comm. Cen.
Blaisdon
Bredon
Chedworth
Beech Hill
Rodborough
Witcombe
Wapley Court (Home for the aged)
Kelston Cl.
Glevum Sch.
Woodchester
CESTERSHIRE
Brockworth
Rodford
Abbotswood County Infs. & Jun. Schs.
Wellersley Prim. Sch.
Maisemore
Westerleigh
Elm Farm
Edgeworth
Kingscote
Cherington
Badgeworth
BS37
The Old Parsonage
Westerleigh Tabernacle
The Sign of the Dolphin
Westerleigh West Junction
Wapley Bushes
Wapley Common
Pool Farm
Sodbury Lane
Besom Lane
Wapley Rank
Copp Hill
Grove Farm
Works
Wapley Hill
Crossing
Wychwell Farm
Dodmore
Brook Farm
Road
The Quadrangle
Church Farm
Westerleigh
Mill Cres.
Newman Cl.
Ivy Terrace
Road
Shorthill
Beanwood Farm
Wapley
Playing Field
Old Mill Cl.
Mill House Farm
Brice's Farm
Vale View
Bean Wood
Bush's F
Hareswood Cottages
Road

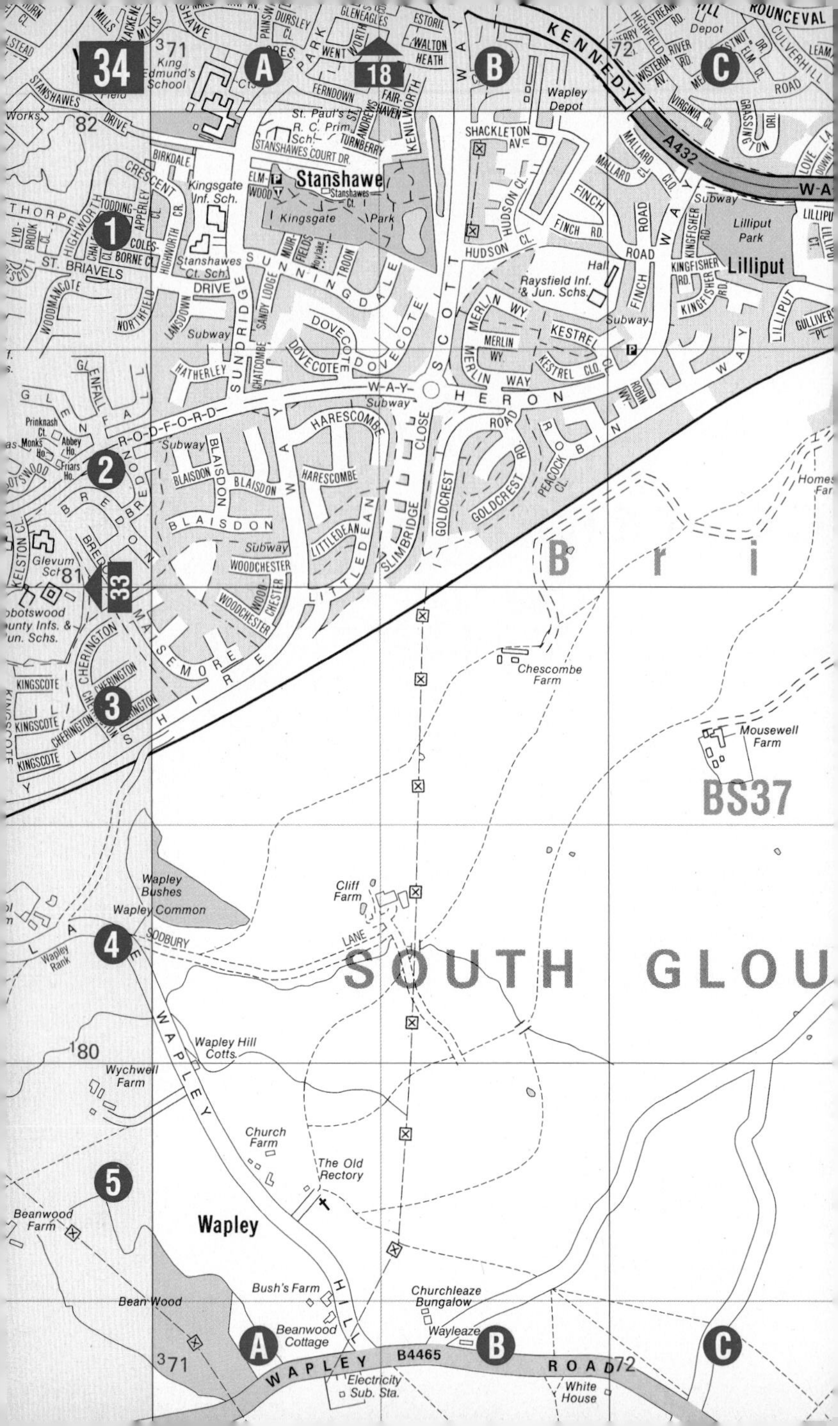

18
33
A
B
C
1
2
3
4
5
Stanshawe
Kingsgate Park
King Edmund's School
St. Paul's R. C. Prim. Sch.
Kingsgate Inf. Sch.
Stanshawes Ct. Sch.
Stanshawes Ct.
STANSHAWES COURT DR.
STANSHAWES DRIVE
SUNNINGDALE
SUNDRIDGE
RODFORD WAY
HERON WAY
SCOTT WAY
KENNEDY WAY
A432
Wapley Depot
SHACKLETON AV.
HUDSON CL.
FINCH RD.
FINCH ROAD
MALLARD CL.
KINGFISHER RD.
Lilliput Park
Lilliput
Raysfield Inf. & Jun. Schs.
Hall
MERLIN WAY
KESTREL CLO.
ROBIN WAY
GOLDCREST RD.
PEACOCK CL.
HARESCOMBE
BLAISDON
WOODCHESTER
LITTLEDEAN
SLIMBRIDGE CLOSE
DOVECOTE
MAISEMORE
CHERINGTON
KINGSCOTE
Glevum Sch.
Abbotswood County Infs. & Jun. Schs.
BREDON
GLENFALL
Prinknash Ct.
Monks Ho.
Abbey Ho.
Friars Ho.
HATHERLEY
ST. BRIAVELS
WOODMANCOTE
NORTHFIELD
LANSDOWN
Subway
Works
Chescombe Farm
Mousewell Farm
Homes Farm
BS37
Bri
SOUTH GLOU
Wapley Bushes
Wapley Common
SODBURY LANE
Wapley Rank
Cliff Farm
Wapley Hill Cotts.
Wychwell Farm
Church Farm
The Old Rectory
Wapley
Beanwood Farm
Bean Wood
Bush's Farm
Churchleaze Bungalow
Wayleaze
Beanwood Cottage
WAPLEY HILL
WAPLEY B4465 ROAD
Electricity Sub. Sta.
White House
371
72
82
81
80

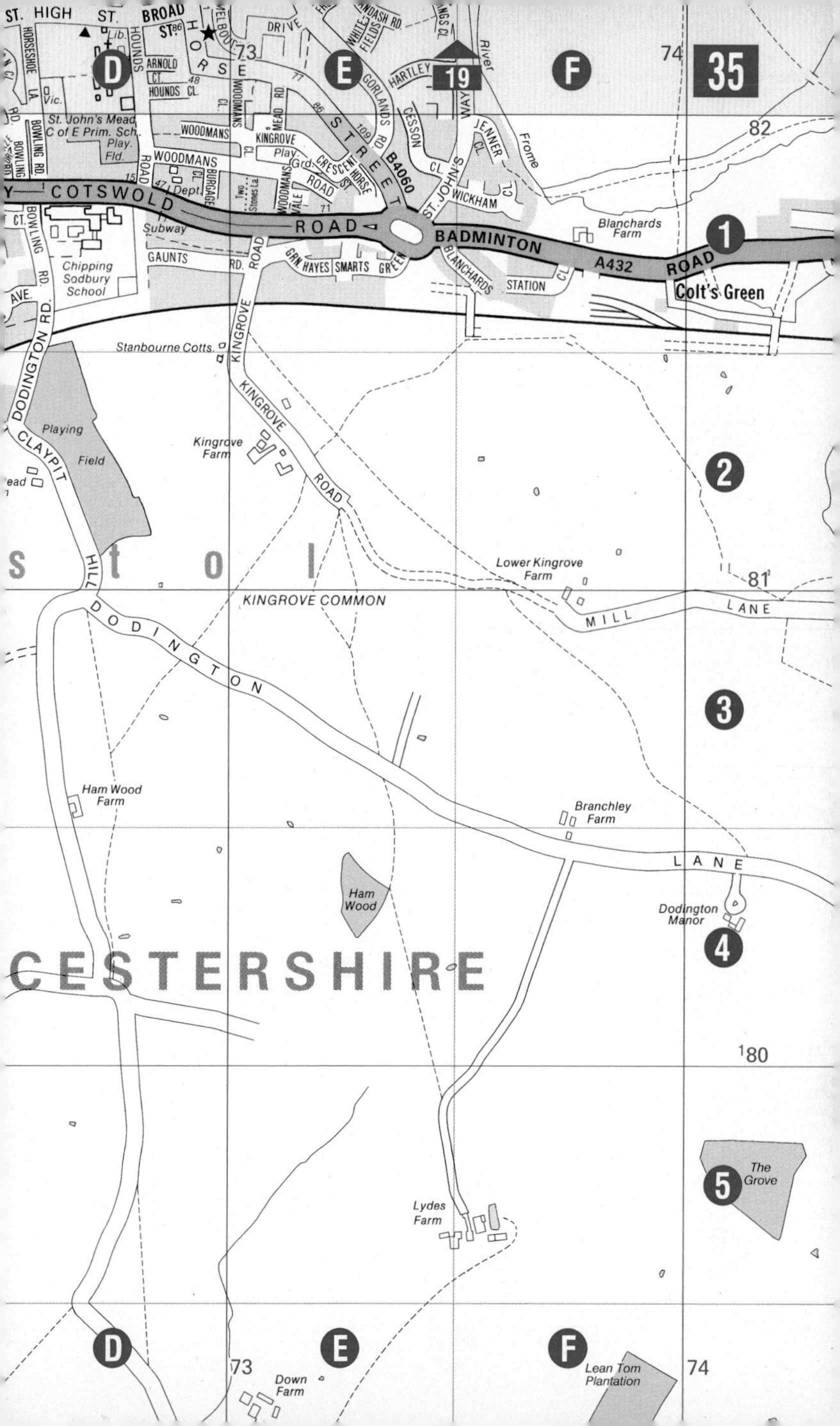
35
19
D
E
F
1
2
3
4
5
73
74
82
81
80
HIGH ST.
BROAD ST.
HORSE
HORSESHOE LA.
Lib.
Vic.
HOUNDS RD.
ARNOLD CT.
HOUNDS CL.
DRIVE
WHITEFIELDS
HARTLEY
GORLANDS RD.
CESSON CL.
WAY
River Frome
JENNER CL.
WICKHAM CL.
ST. JOHN'S
St. John's Mead C of E Prim. Sch.
Play. Fld.
WOODMANS
WOODMANS CL.
WOODMANS ROAD
WOODMANS VALE
MEAD RD.
KINGROVE
Play. Grd.
CRESCENT
HORSE ST.
STREET
B4060
BURGAGE
Two Stones La.
Dept.
BOWLING RD.
BOWLING
COTSWOLD ROAD
BADMINTON ROAD
A432
ROAD
Subway
GAUNTS RD.
KINGROVE ROAD
GRN. HAYES
SMARTS GREEN
BLANCHARDS
STATION CL.
Blanchards Farm
Colt's Green
Chipping Sodbury School
AVE.
CT.
DODINGTON RD.
Stanbourne Cotts.
Playing Field
CLAYPIT HILL
Kingrove Farm
KINGROVE ROAD
Lower Kingrove Farm
MILL LANE
KINGROVE COMMON
DODINGTON LANE
Ham Wood Farm
Branchley Farm
Ham Wood
Dodington Manor
CESTERSHIRE
Lydes Farm
The Grove
Down Farm
Lean Tom Plantation

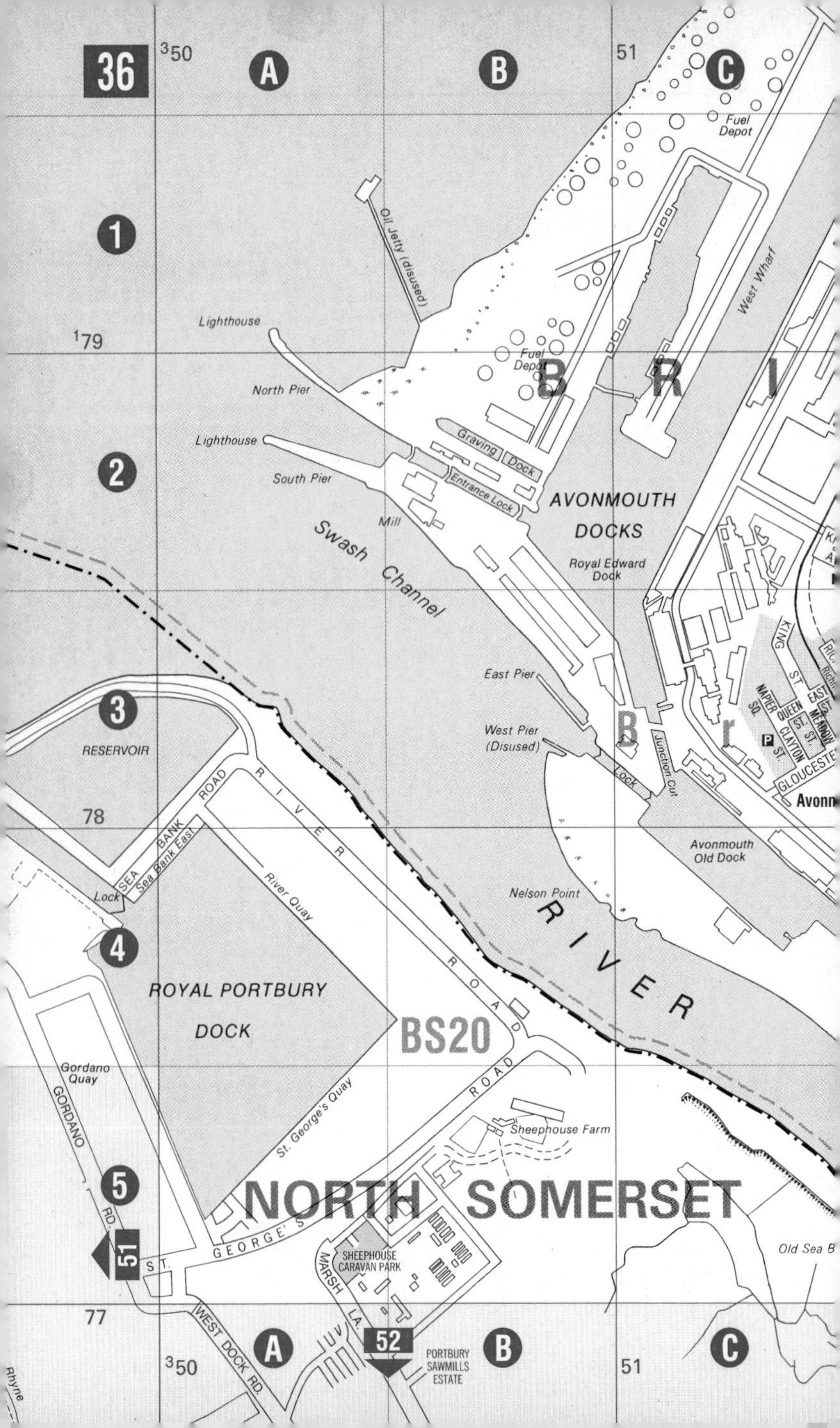

³50 · **A** · **B** · 51 · **C**

1

¹79

Oil Jetty (disused)

Fuel Depot

West Wharf

Lighthouse

North Pier

Fuel Depot

B **R** **I**

2

Lighthouse

South Pier

Graving Dock

Entrance Lock

Mill

AVONMOUTH
DOCKS

Swash Channel

Royal Edward
Dock

East Pier

West Pier
(Disused)

B

Junction Cut

r

KING

ST

QUEEN

EAST

WATER

P

CLAYTON

GLOUCESTE

ST

ST

Avonm

3

RESERVOIR

78

SEA BANK ROAD

Sea Bank East

R I V E R

River Quay

Lock

Avonmouth
Old Dock

Nelson Point

R I V E R

Lock

4

ROYAL PORTBURY

DOCK

GORDANO

R

O

A

D

R O A D

Gordano
Quay

St. George's Quay

BS20

Sheephouse Farm

NORTH   SOMERSET

5

RD

GEORGE'S

ST

51

MARSH LA.

SHEEPHOUSE
CARAVAN PARK

Old Sea B

WEST DOCK RD

³50 · **A**

52

PORTBURY
SAWMILLS
ESTATE

B

51 · **C**

77

Rhyne

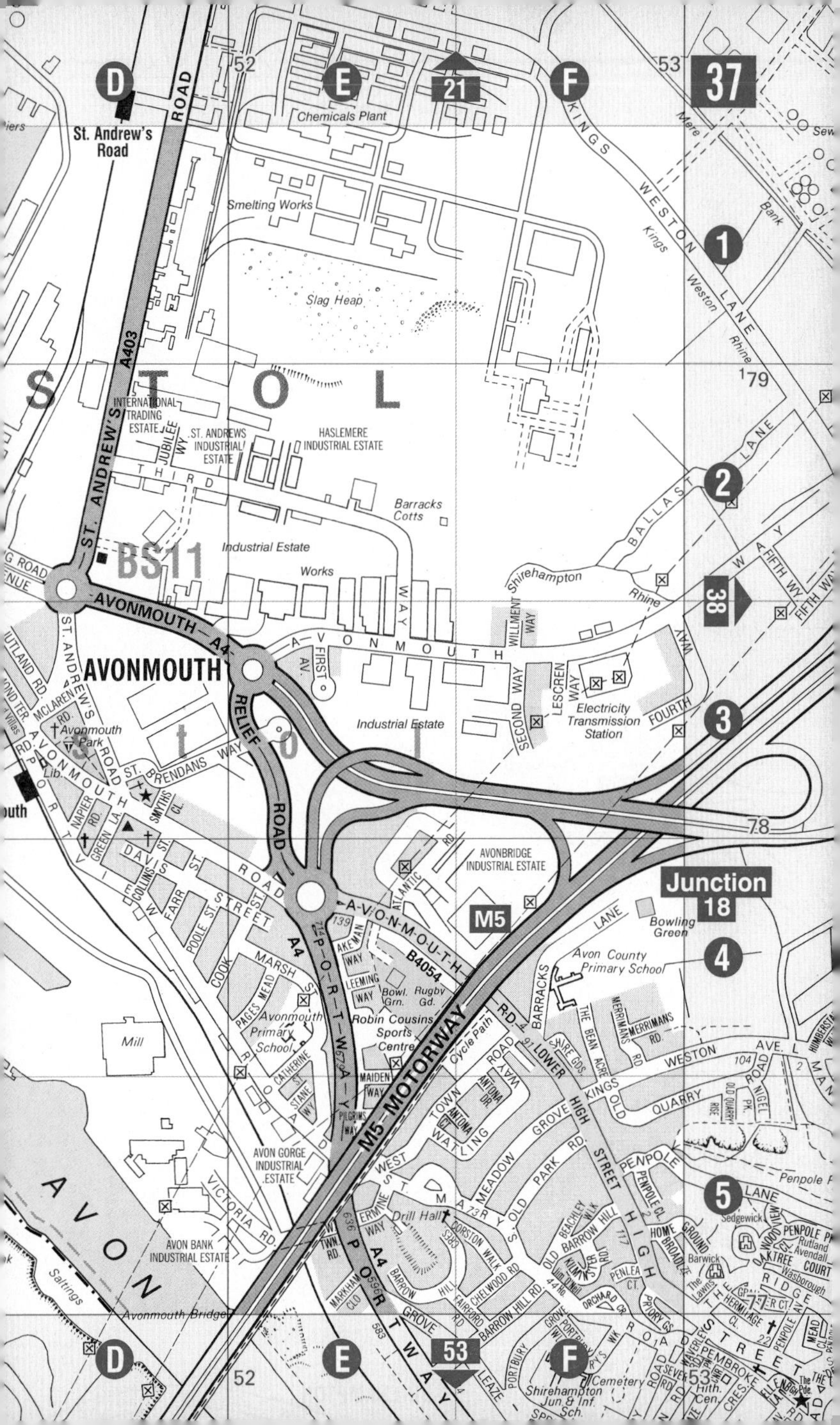

37
21
53
38
Junction 18
M5
BS11
AVONMOUTH
Chemicals Plant
Smelting Works
Slag Heap
ST. ANDREW'S ROAD
St. Andrew's Road
A403
INTERNATIONAL TRADING ESTATE
ST. ANDREWS INDUSTRIAL ESTATE
HASLEMERE INDUSTRIAL ESTATE
Barracks Cotts
Industrial Estate
Works
AVONMOUTH WAY
KINGS WESTON LANE
BALLAST LANE
Shirehampton Rhine
Electricity Transmission Station
AVONBRIDGE INDUSTRIAL ESTATE
Bowling Green
Avon County Primary School
Avonmouth Primary School
Robin Cousins Sports Centre
AVON GORGE INDUSTRIAL ESTATE
AVON BANK INDUSTRIAL ESTATE
Mill
Avonmouth Bridge
Saltings
AVON
M5 MOTORWAY
PORTWAY
B4054
Drill Hall
Cemetery
Shirehampton Jun & Inf. Sch.
Avonmouth Park
Lib.
Penpole Pt.
Sedgewick
Barwick

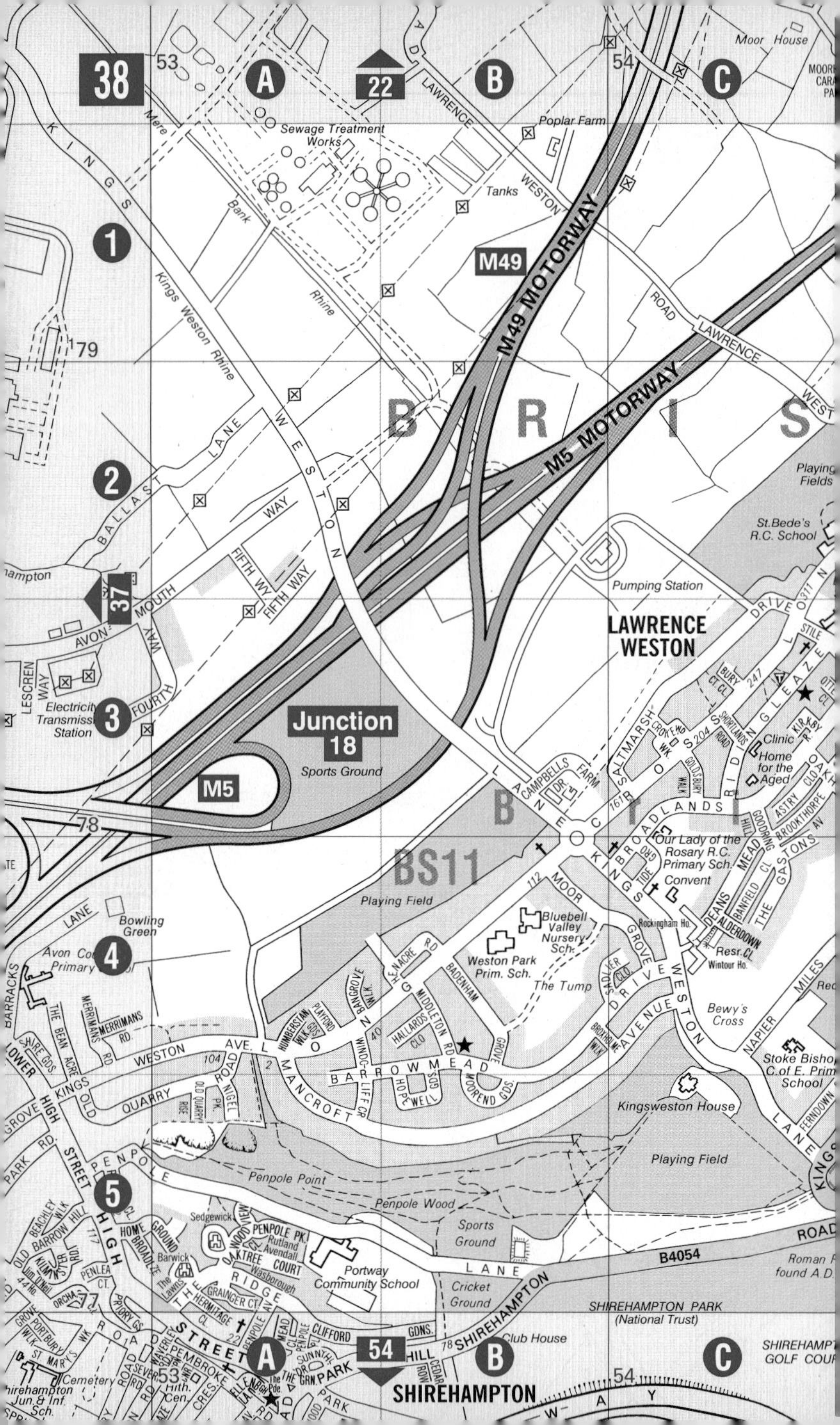

22
37
54
A
B
C
1
2
3
4
5
Sewage Treatment Works
Poplar Farm
Tanks
Moor House
LAWRENCE WESTON ROAD
M49 MOTORWAY
M5 MOTORWAY
M49
M5
Junction 18
Sports Ground
BRISTOL
BS11
LAWRENCE WESTON
Pumping Station
Playing Fields
St.Bede's R.C. School
Kings Weston Rhine
Bank Rhine
WESTON LANE
BALLAST LANE
AVONMOUTH WAY
FIFTH WAY
FOURTH WAY
LESCREN WAY
Electricity Transmission Station
Bowling Green
Avon Primary School
Playing Field
Weston Park Prim. Sch.
Bluebell Valley Nursery Sch.
The Tump
Our Lady of the Rosary R.C. Primary Sch.
Convent
Clinic
Home for the Aged
Bewy's Cross
Stoke Bishop C.of E. Prim. School
Kingsweston House
Penpole Point
Penpole Wood
Sports Ground
Cricket Ground
Portway Community School
SHIREHAMPTON PARK (National Trust)
Club House
SHIREHAMPTON GOLF COURSE
SHIREHAMPTON
B4054
Roman ... found A.D.
KINGS WESTON AVE.
MANCROFT
BARROWMEAD
SALTMARSH DRIVE
BROADLANDS
KINGS WESTON AVENUE
GLEAZE
DEANS MEAD
THE GASTONS
NAPIER MILES
FERNDOWN
HIGH STREET
PENPOLE LANE
SHIREHAMPTON ROAD
SHIREHAMPTON HILL
PARK ROAD
OLD QUARRY ROAD
NIGEL PK.
THE RIDGE
PEMBROKE
PENPOLE PK.
OAKTREE COURT
CLIFFORD GDNS.
Hith. Cen.
Cemetery
Shirehampton Jun.& Inf. Sch.
The Pde.
Rockingham Ho.
Wintour Ho.
Resr. CL
ALDERDOWN

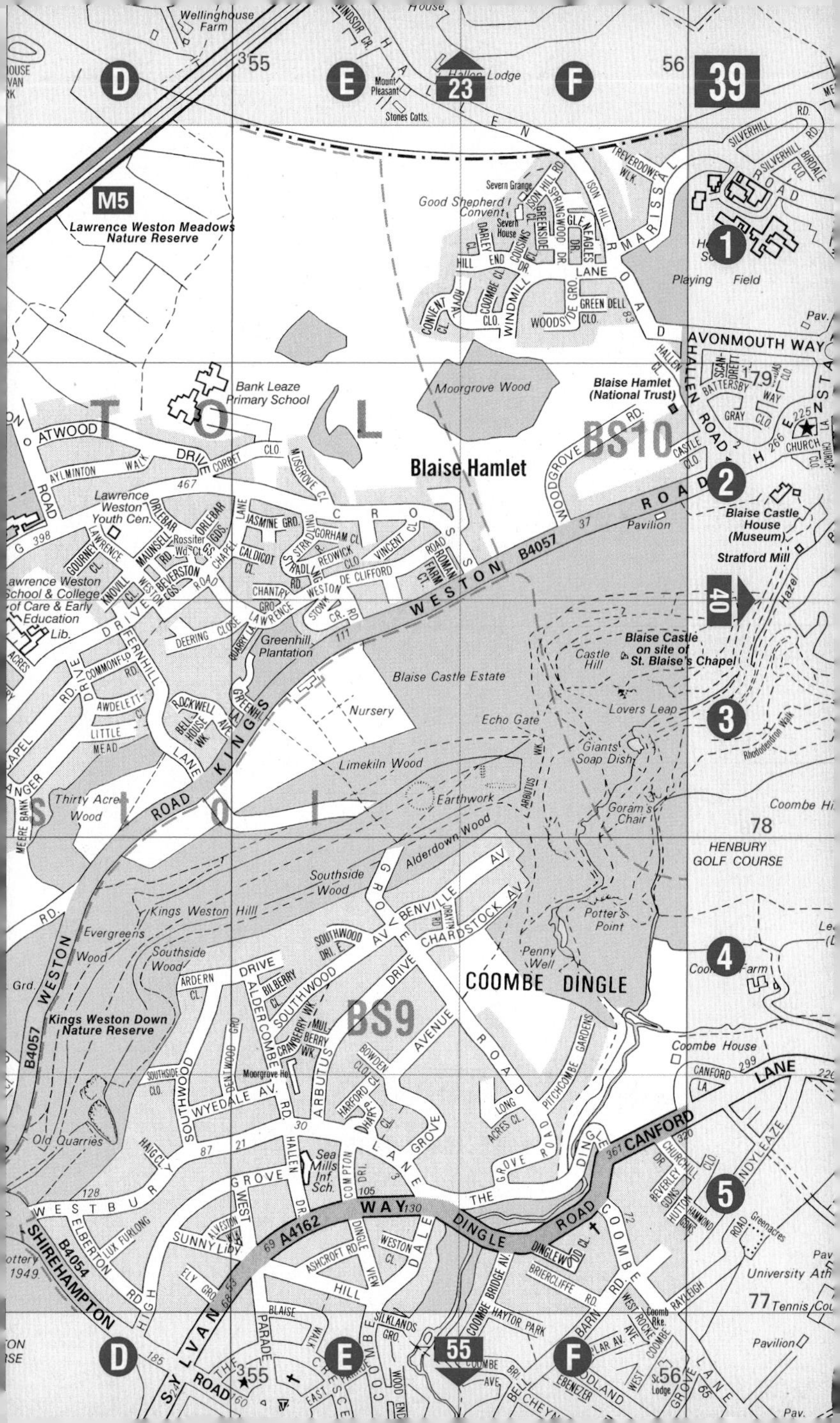

39
D
E
F
55
56
23
40
55
M5
Wellinghouse Farm
Mount Pleasant
Stones Cotts.
Hallen Lodge
Lawrence Weston Meadows Nature Reserve
Good Shepherd Convent
Severn Grange
Severn House
Playing Field
AVONMOUTH WAY
Blaise Hamlet (National Trust)
Moorgrove Wood
Bank Leaze Primary School
Blaise Hamlet
BS10
ATWOOD DRIVE
AYLMINTON WALK
CORBET CLO.
Lawrence Weston Youth Cen.
Rossiter Wd. Ct.
WESTON B4057 ROAD
Pavilion
Blaise Castle House (Museum)
Stratford Mill
Lawrence Weston School & College of Care & Early Education
Lib.
Greenhill Plantation
Blaise Castle Estate
Blaise Castle on site of St. Blaise's Chapel
Castle Hill
Lovers Leap
Nursery
Echo Gate
Giants Soap Dish
Limekiln Wood
Earthwork
Goram's Chair
Thirty Acre Wood
KINGS WESTON ROAD
Coombe Hill
HENBURY GOLF COURSE
78
Alderdown Wood
Southside Wood
Kings Weston Hill
Evergreens Wood
Potter's Point
Penny Well
COOMBE DINGLE
Coombe Farm
Kings Weston Down Nature Reserve
BS9
Coombe House
Moorgrove Ho.
Old Quarries
Sea Mills Inf. Sch.
CANFORD LANE
Greenacres
WESTBURY ROAD
SHIREHAMPTON B4054
A4162 SYLVAN WAY
DINGLE ROAD
University Athletic
77 Tennis Courts
Pavilion
Lodge
1
2
3
4
5

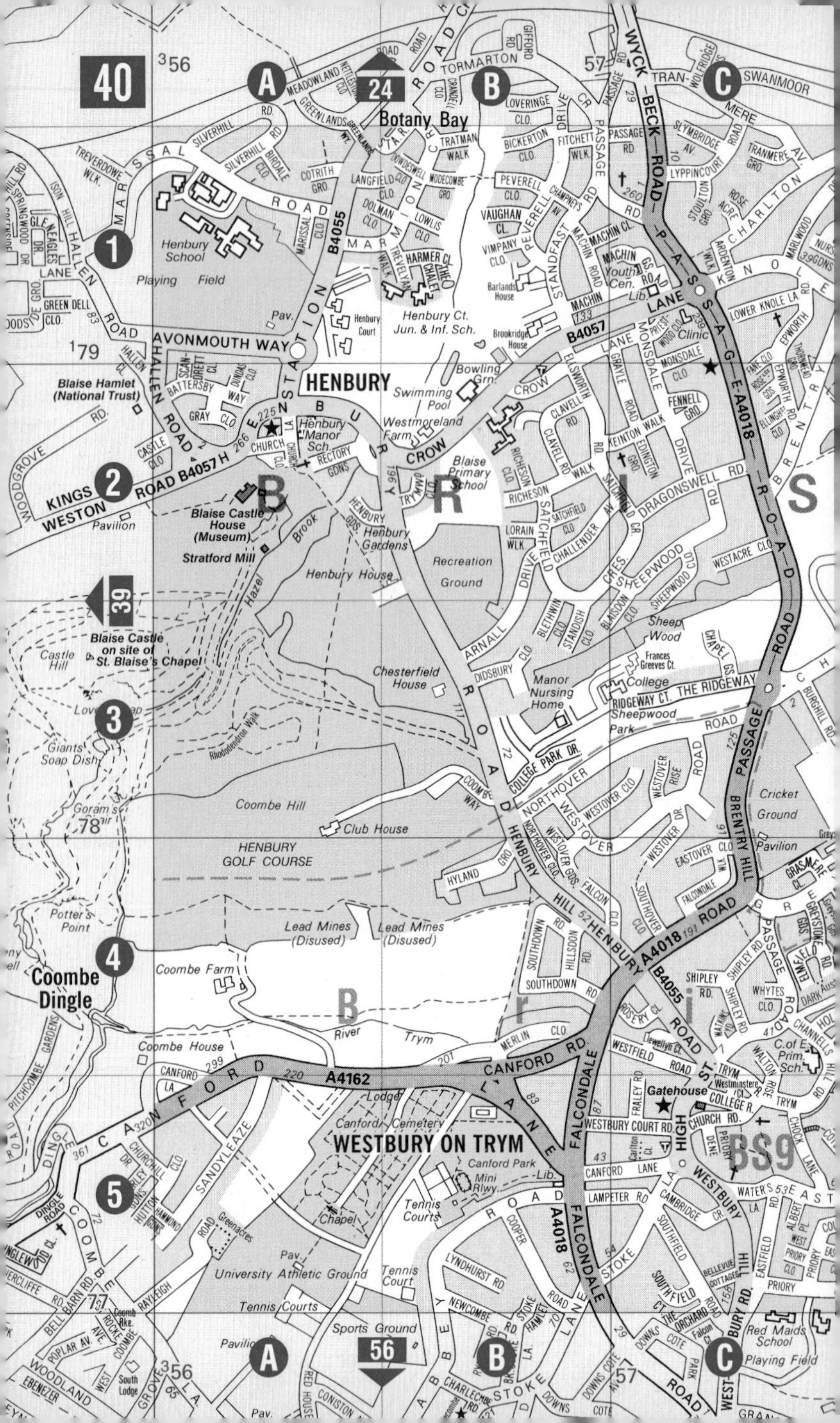
40
356
A
B
C
24
56
39
57
1
2
3
4
5
Botany Bay
HENBURY
WESTBURY ON TRYM
BS9
B R I S
B r i
Henbury School
Playing Field
Pav.
Henbury Court
Henbury Ct. Jun. & Inf. Sch.
Barlands House
Brookridge House
Machin Youth Cen.
Lib.
Clinic
Bowling Grn.
Swimming Pool
Westmoreland Farm
Henbury Manor Sch.
Blaise Primary School
Blaise Hamlet (National Trust)
Blaise Castle House (Museum)
Stratford Mill
Pavilion
Hazel Brook
Henbury Gardens
Henbury House
Recreation Ground
Blaise Castle on site of St. Blaise's Chapel
Castle Hill
Giants Soap Dish
Rhododendron Walk
Chesterfield House
Sheep Wood
Frances Greeves Ct.
College
Manor Nursing Home
Sheepwood Park
Coombe Hill
Club House
HENBURY GOLF COURSE
Potter's Point
Lead Mines (Disused)
Lead Mines (Disused)
Coombe Farm
Coombe Dingle
River Trym
Coombe House
Cricket Ground
Pavilion
Gatehouse
C.of E. Prim. Sch.
Lodge
Canford Cemetery
Canford Park
Mini Rlwy.
Lib.
Tennis Courts
Chapel
Pav.
University Athletic Ground
Tennis Court
Tennis Courts
Sports Ground
Red Maids School
Playing Field
South Lodge
AVONMOUTH WAY
KINGS WESTON ROAD B4057
STATION ROAD
HENBURY ROAD
CROW LANE
B4057
B4055
A4018
A4162
PASSAGE ROAD
WYCK BECK ROAD
CANFORD LANE
CANFORD RD.
FALCONDALE ROAD
HENBURY HILL
HENBURY ROAD
MARISSAL ROAD
MARMION CRES.
HALLEN ROAD
TORMARTON ROAD
CHARLTON ROAD
KNOLE LANE
DRAGONSWELL RD.
THE RIDGEWAY
RIDGEWAY CT.
COLLEGE PARK DR.
NORTHOVER ROAD
WESTOVER RD.
BRENTRY HILL
PASSAGE ROAD
SHIPLEY RD.
WESTFIELD ROAD
HIGH ST.
CHURCH RD.
WESTBURY HILL
STOKE LANE
ABBEY ROAD
COOPER ROAD
LYNDHURST RD.
NEWCOMBE RD.
SOUTHFIELD RD.
CAMBRIDGE CR.
LAMPETER RD.
DINGLE ROAD
COOMBE LANE
BELL BARN RD.
POPLAR AV.
WOODLAND
ROCKE AVE.
SANDYLEAZE
CHURCHILL CLO.
RAYLEIGH RD.
WOODGROVE RD.
SILVERHILL RD.
MEADOWLAND RD.
GREENLANDS RD.
LOVERINGE CLO.
BICKERTON CLO.
FITCHETT WLK.
PEVERELL CLO.
VAUGHAN CL.
VIMPANY CLO.
TRATMAN WALK
LANGFIELD CLO.
DOLMAN CLO.
LOWLIS CLO.
HARMER CL.
STANDFAST RD.
MACHIN ROAD
MACHIN CL.
SLYMBRIDGE AV.
LYPPINCOURT RD.
TRANMERE AV.
STOULTON GRO.
ROSE ACRE
MARLWOOD
LOWER KNOLE LA.
EPWORTH RD.
MONSDALE DRIVE
MONSDALE CLO
GRAYLE ROAD
ELLSWORTH RD.
CLAVELL RD.
FENNELL GRO.
KEINTON WALK
RICHESON CLO.
SATCHFIELD CR.
CHALLENDER AV.
LORAIN WLK.
SHEEPWOOD RD.
WESTACRE CLO.
ARNALL DRIVE
DIDSBURY CLO.
BLETHWIN CLO.
STANDISH CLO.
BLAISDON CLO.
CHAPEL GDS.
BURGHILL RD.
WESTOVER RISE
WESTOVER DR.
EASTOVER CLO.
FALCONDALE WLK.
HYLAND GRO.
SOUTHDOWN RD.
HILLSDON RD.
MERLIN CLO.
ROSERY CL.
FRALEY RD.
WESTBURY COURT RD.
CANFORD LA.
COLLEGE R.
CHOCK LANE
WALTON RISE
WHYTES CLO.
GREYSTOKE AV.
GRASMERE CL.
DINGLE
PITCHCOMBE GARDENS
CANFORD LA.
GRAY CLO
BATTERSBY WAY
CASTLE

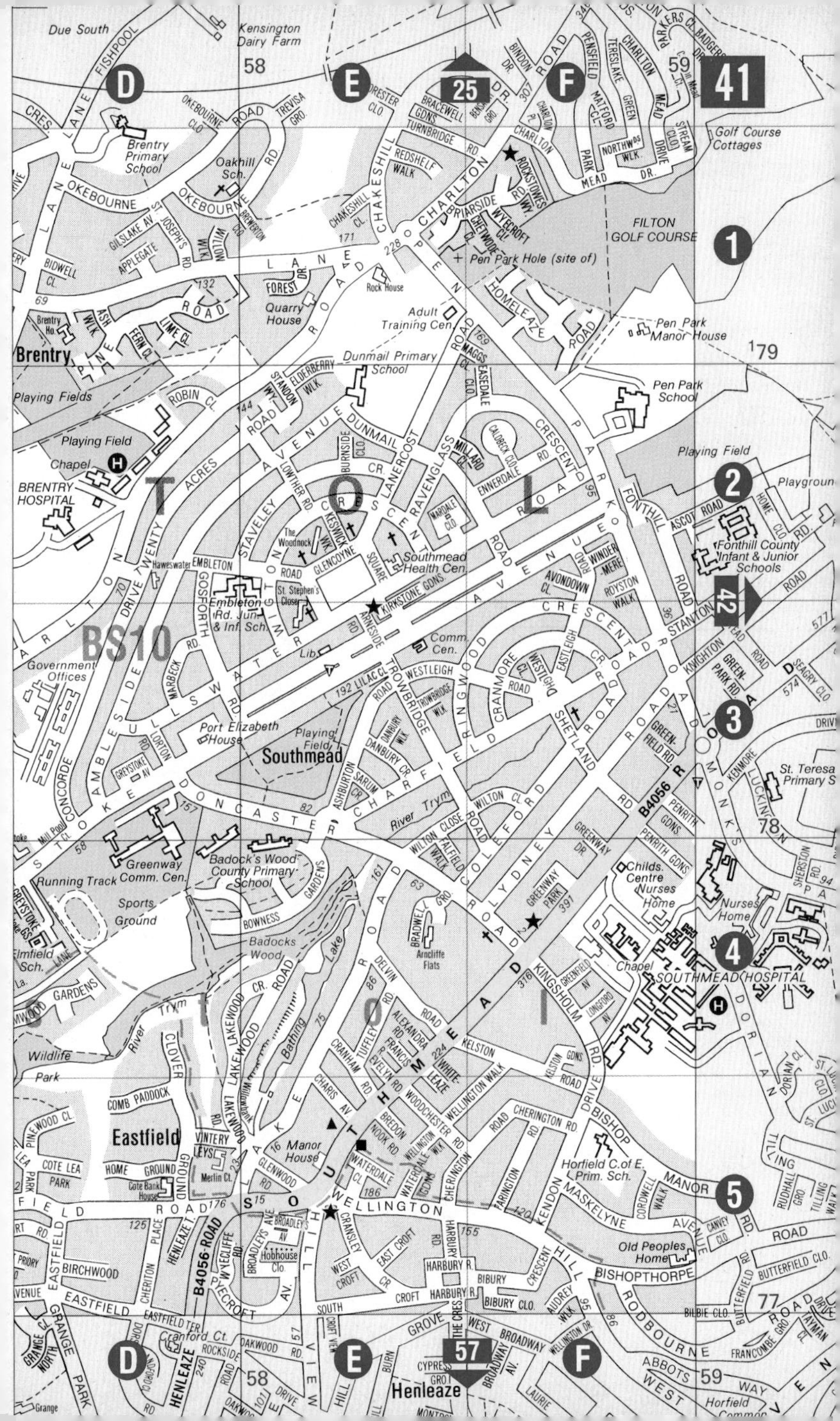

41
25
42
57
D
E
F
1
2
3
4
5
58
59
179
78
77
Due South
Kensington Dairy Farm
Brentry Primary School
Oakhill Sch.
OKEBOURNE
OKEBOURNE CLO.
OKEBOURNE ROAD
TREVISA GRO.
FISHPOOL
LANE
CRES.
GILSLAKE AV.
ST. JOSEPH'S RD.
APPLEGATE
BIDWELL CL.
WILLOW WLK.
BREWERTON CLO.
LANE
ROAD
FOREST DR.
Quarry House
Rock House
CHAKESHILL
CHAKESHILL CLO.
DRESTER CLO.
BRACEWELL GDNS.
TURNBRIDGE RD.
REDSHELF WALK
CHARLTON
CHARLTON RD.
CHARLTON PL.
BINDON DR.
PENSFIELD
TERESLAKE
CHARLTON MEAD
PARKERS CL.
BADGERS
MATFORD CL.
GREEN
PARK
NORTHWOODS WLK.
MEAD DR.
DRIVE
STREAM CLO.
ROCKSTOWES WY.
BRIARSIDE RD.
WYECROFT CL.
CHETWODE CL.
Pen Park Hole (site of)
Golf Course Cottages
FILTON GOLF COURSE
HOMELEAZE ROAD
Pen Park Manor House
Adult Training Cen.
PEN PARK ROAD
MAGGS CL.
EASEDALE CLO.
Brentry Ho.
ASH WLK.
PINE
LIME CL.
FERN CL.
Brentry
Playing Fields
ROBIN CL.
STANDON WY.
ELDERBERRY WLK.
Dunmail Primary School
Pen Park School
Playing Field
Chapel
BRENTRY HOSPITAL
TWENTY ACRES
AVENUE
DUNMAIL ROAD
LOWTHER RD.
BURNSIDE CLO.
LANERCOST
RAVENGLASS
MILLARD CL.
CALDBECK CLO.
ENNERDALE RD.
CRESCENT
FONTHILL ROAD
ASCOT ROAD
HOME CLO.
Playground
STAVELEY
KESWICK WK.
The Woodnock
GLENCOYNE SQUARE
Southmead Health Cen.
MARDALE CLO.
WINDERMERE
ROYSTON WALK
AVONDOWN CL.
Fonthill County Infant & Junior Schools
ROAD
EMBLETON
Haweswater
GOSFORTH
WIGTON
Embleton Rd. Jun. & Inf. Sch.
St. Stephen's Close
KIRKSTONE GDNS.
ARNESIDE RD.
BS10
Government Offices
ULLSWATER RD.
Lib.
Comm. Cen.
LILAC CL.
WESTLEIGH
TROWBRIDGE
TROWBRIDGE WLK.
RINGWOOD
CRANMORE
WESTLEIGH CL.
EASTLEIGH
SHETLAND ROAD
STANTON
KNIGHTON
GREEN-PARK RD.
SEAGRY CLO.
MARBECK RD.
AMBLESIDE
DRIVE
CONCORDE
GREYSTOKE AV.
LORTON RD.
Port Elizabeth House
Southmead
Playing Field
DANBURY WLK.
DANBURY CR.
SARUM CR.
ASHBURTON
CHARFIELD
GREENFIELD RD.
MONK'S PARK
KENMORE
LUCKINGTON
St. Teresa Primary S
STOKE
DONCASTER
River Trym
WILTON CL.
WILTON CLOSE
HALFIELD WALK
COLEFORD ROAD
LYDNEY
GREENWAY DR.
B4056
PENRITH GDNS.
Mill Pool
Greenway Comm. Cen.
Badock's Wood County Primary School
GARDENS
Running Track
Sports Ground
BOWNESS
Badocks Wood
BRADWELL GRO.
Arncliffe Flats
GREENWAY PARK
Childs. Centre
Nurses Home
SHERSTON RD.
Elmfield Sch.
GREYSTOKE
GARDENS
Lake
Bathing
ROAD
LAKEWOOD CR.
LAKEWOOD RD.
DELVIN
ALEXANDRA RD.
TUFFLEY
FRANCIS
EVELYN RD.
CRANHAM
KINGSHOLM
GREENFIELD AV.
LONGFORD AV.
Chapel
SOUTHMEAD HOSPITAL
DORIAN
DORIAN CL.
Wildlife Park
River Trym
CLOVER
COMB PADDOCK
WHITELEAZE
KELSTON
KELSTON GDNS.
WELLINGTON WALK
WOODCHESTER RD.
Eastfield
PINEWOOD CL.
VINTERY LEYS
Merlin Ct.
CHARIS AV.
BREDON NOOK RD.
Manor House
WATERDALE CL.
GLENWOOD RD.
CHERINGTON
CHERINGTON RD.
BISHOP MANOR ROAD
Horfield C.of E. Prim. Sch.
FARINGTON RD.
TILLING
RUDHALL GRO.
COTE LEA PARK
HOME GROUND
Cote Bank House
FIELD ROAD
SOUTHMEAD
WELLINGTON
HARBURY RD.
KENDON DRIVE
MASKELYNE AVENUE
CORDWELL WALK
CANVEY CLO.
ROAD
EASTFIELD RD.
BIRCHWOOD
CHERITON PLACE
HENLEAZE T.
B4056 ROAD
WYECLIFFE RD.
BROADLEYS AVE
BROADLEYS AV.
Hobhouse Clo.
CRANSLEY
EAST CROFT
WEST CROFT
HARBURY R.
BIBURY
BIBURY CLO.
CRESCENT
Old Peoples Home
BISHOPTHORPE
BUTTERFIELD CLO.
BUTTERFIELD
EASTFIELD
PYECROFT AV.
CROFT
SOUTH
HILL
AUDREY WLK.
RODBOURNE
HOLMWOOD
EASTFIELD TER.
Cranford Ct.
ROCKSIDE
OAKWOOD RD.
GROVE
WEST BROADWAY
BROADWAY AV.
THE CRES.
CYPRESS GRO.
WELLINGTON DR.
FRANCOMBE GRO.
BILBIE CLO.
ABBOTS WAY
WEST
GRANGE PARK
NORTH
GRANGE CL.
HENLEAZE
ROAD
DRIVE
OAKWOOD
BURN
HILL
VIEW
Henleaze
LAURIE
Horfield Common
Grange

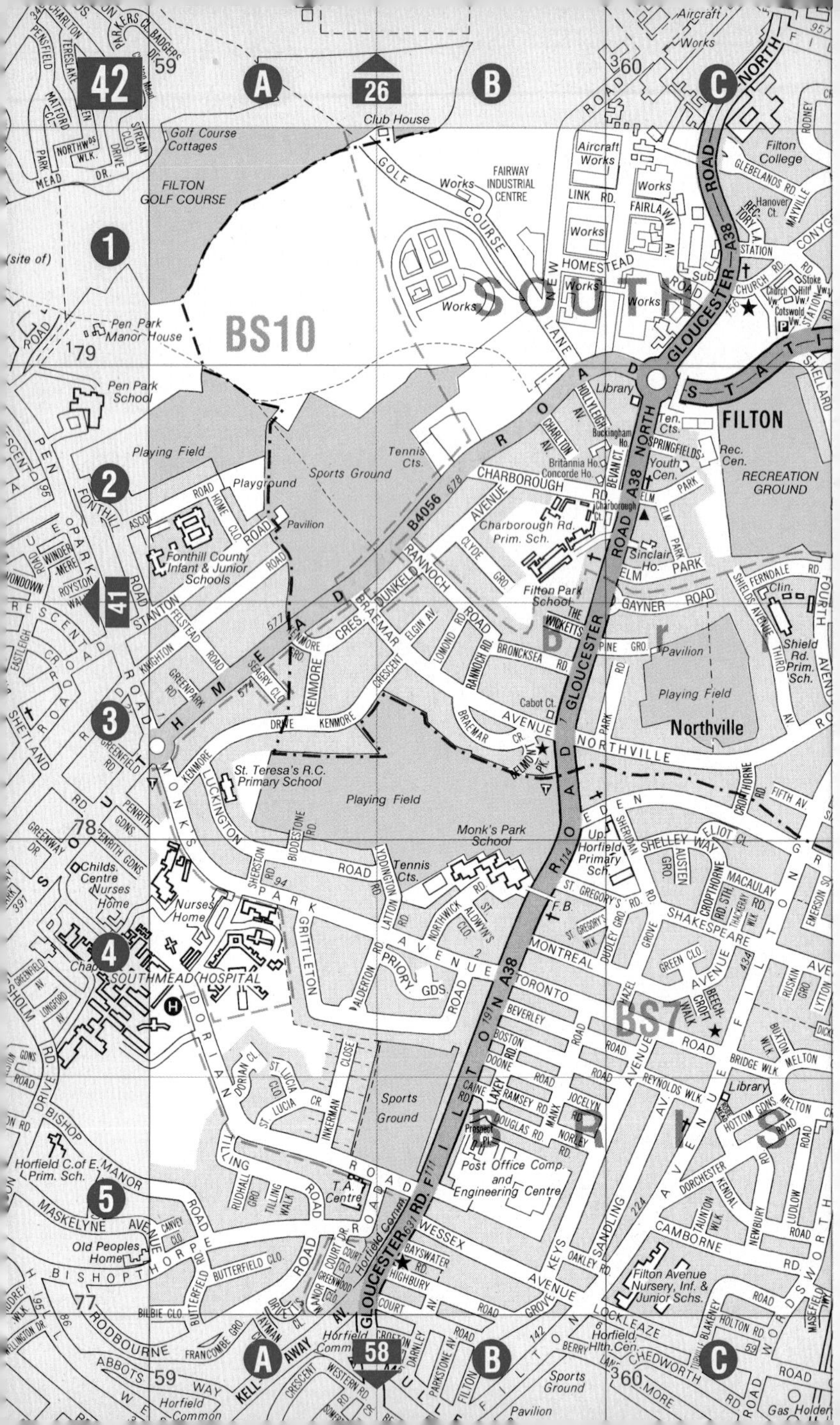

42
26
A
B
C
1
2
3
4
5
41
58
59
60
77
78
79
360
BS10
BS7
SOUTH
BRIS
FILTON
Northville
Aircraft Works
Club House
Golf Course Cottages
FILTON GOLF COURSE
(site of)
Pen Park Manor House
Pen Park School
Playing Field
Playground
Sports Ground
Tennis Cts.
Pavilion
Fonthill County Infant & Junior Schools
FAIRWAY INDUSTRIAL CENTRE
Works
LINK RD.
FAIRLAWN AV.
HOMESTEAD ROAD
NEW LANE
GOLF COURSE
Filton College
GLEBELANDS RD
Hanover Ct.
MAYVILLE
RECTORY LA.
STATION RD
CHURCH RD
Stoke Hill
Church Vw.
Cotswold Vw.
Library
Ten. Cts.
SPRINGFIELDS
Rec. Cen.
RECREATION GROUND
Youth Cen.
Buckingham Ho.
Britannia Ho.
Concorde Ho.
BEVAN CT.
HOLLYLEIGH AV.
CHARLTON AV.
CHARBOROUGH AVENUE
CHARBOROUGH RD.
Charborough Rd. Prim. Sch.
Charborough Ct.
Sinclair Ho.
ELM PARK
FERNDALE RD.
Clin.
Shield Rd. Prim. Sch.
SHIELDS AVENUE
FOURTH
THIRD AV.
Filton Park School
GAYNER ROAD
THE WICKETTS
PINE GRO.
Playing Field
Cabot Ct.
NORTHVILLE
CROFTHORNE RD.
FIFTH AV.
B4056
GLOUCESTER ROAD NORTH
A38
STATION
RODNEY
CONYGRE
SHELLARD
RANNOCH ROAD
RANNOCH RD.
DUNKELD
BRAEMAR CRES.
ELGIN AV.
LOMOND RD
BRONCKSEA RD.
CLYDE GRO.
BRAEMAR CR.
BELMONT PK.
KENMORE DRIVE
KENMORE GRO
KENMORE CRESCENT
FELSTEAD ROAD
STANTON
KNIGHTON
GREENPARK RD
SEAGRY CLO.
HOME CLO.
ASCOT ROAD
FONTHILL ROAD
PEN PARK ROAD
WINDERMERE
ROYSTON WALK
CRESCENT ROAD
EASTLEIGH
SHETLAND
GREENFIELD RD
PENRITH GDNS.
GREENWAY DR.
Childs. Centre
Nurses Home
St. Teresa's R.C. Primary School
LUCKINGTON ROAD
MONK'S PARK AVENUE
BIDDESTONE RD.
SHERSTON RD.
YDDINGTON
LATTON RD.
GRITTLETON ROAD
PRIORY GDS.
ALDERTON RD
NORTHWICK RD.
ALDWYN'S CLO.
Monk's Park School
Up. Horfield Primary Sch.
SHERIDAN RD.
EDEN
SHELLEY WAY
ELIOT CL.
AUSTEN GRO.
MACAULAY RD.
THACKERAY WLK.
SHAKESPEARE AVENUE
ST. GREGORY'S RD.
F.B.
DUDLEY GRO.
MONTREAL
TORONTO
BEVERLEY ROAD
BOSTON RD
DOONE ROAD
CAINE RD
LAXEY RD
RAMSEY RD
DOUGLAS RD.
MANX RD
JOCELYN RD
NORLEY RD
HAZEL GROVE
GREEN CLO.
BEECHCROFT WALK
EMERSON SQ.
RUSKIN GRO
LYTTON
BUXTON WLK
BRIDGE WLK
MELTON
REYNOLDS WLK.
HOTTOM GDNS.
DORCHESTER RD
KENDAL
TAUNTON WLK.
NEWBURY RD
LUDLOW ROAD
CAMBORNE
SANDLING AV.
KEYS AVENUE
OAKLEY RD
Filton Avenue Nursery, Inf. & Junior Schs.
HOLTON RD
LOCKLEAZE ROAD
Horfield Hlth. Cen.
CHEDWORTH
BERRY LANE
WORDSWORTH
Gas Holder
Sports Ground
Pavilion
Chapel
SOUTHMEAD HOSPITAL
H
DORIAN ROAD
DORIAN CL.
ST LUCIA CLO.
ST. LUCIA CR.
INKERMAN CLOSE
Prospect Pl.
Post Office Comp. and Engineering Centre
TILLING ROAD
RUDHALL GRO
TILLING WALK
T.A. Centre
WESSEX AVENUE
BAYSWATER RD.
HIGHBURY
COURT AV
Horfield Comm.
GREENWOOD CLO.
MANOR COURT DR.
DRUETTS CL.
Horfield C.of E. Prim. Sch.
BISHOP MANOR ROAD
MASKELYNE AVENUE
CANVEY CLO
Old Peoples Home
BISHOPTHORPE
BUTTERFIELD RD
BUTTERFIELD CLO.
BILBIE CLO
RODBOURNE
FRANCOMBE GRO.
ABBOTS WAY
KELLAWAY AV.
CRESCENT
WESTERN RD
DARNLEY
PARKSTONE AV
FILTON ROAD
Horfield Common
GLOUCESTER RD.
ST. GREGORY'S WLK
WELLINGTON DR.
SHOLM
LONGFORD AV
GREENFIELD AV
PARKERS CL.
CHARLTON
PENSFIELD
TERESLAKE
MATFORD CL.
NORTHWOODS WLK.
PARK MEAD DR.
STREAM CLO.
BADGERS DR.

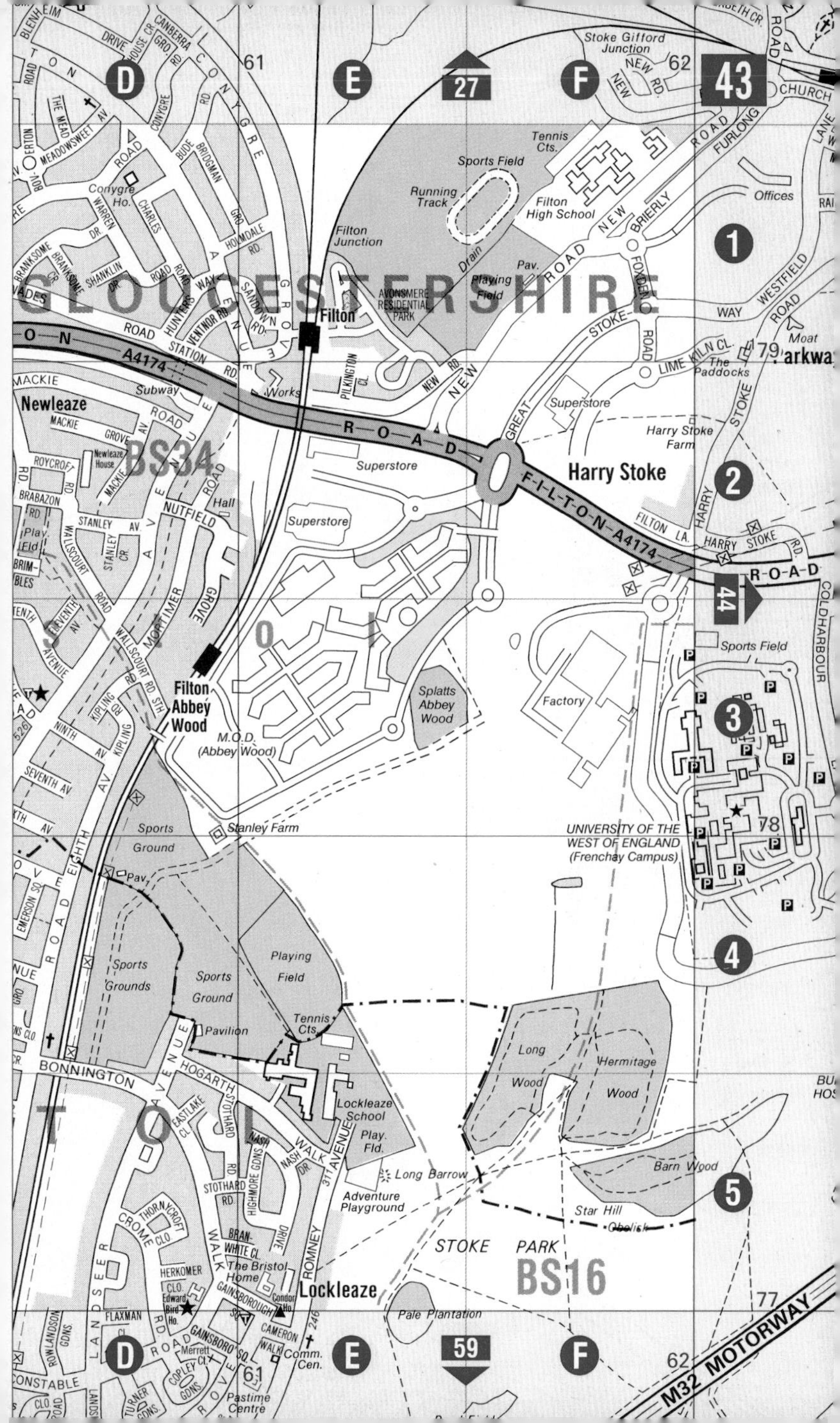
GLOUCESTERSHIRE
Newleaze
BS34
Harry Stoke
Filton
Filton Abbey Wood
Lockleaze
BS16
STOKE PARK
FILTON A4174 ROAD
M32 MOTORWAY
Stoke Gifford Junction
Filton Junction
Filton High School
Sports Field
Running Track
Tennis Cts.
Playing Field
Avonsmere Residential Park
Superstore
Harry Stoke Farm
The Paddocks
Moat
Offices
Factory
Splatts Abbey Wood
M.O.D. (Abbey Wood)
Stanley Farm
UNIVERSITY OF THE WEST OF ENGLAND (Frenchay Campus)
Sports Ground
Sports Grounds
Pavilion
Lockleaze School
Play. Fld.
Long Barrow
Adventure Playground
Long Wood
Hermitage Wood
Barn Wood
Star Hill
Obelisk
Pale Plantation
The Bristol Home
Edward Bird Ho.
Condor Ho.
Comm. Cen.
Pastime Centre
Conygre Ho.
Newleaze House
Hall
Subway
Works
Play. Fld.
27
59
44
61
62
79
78
77

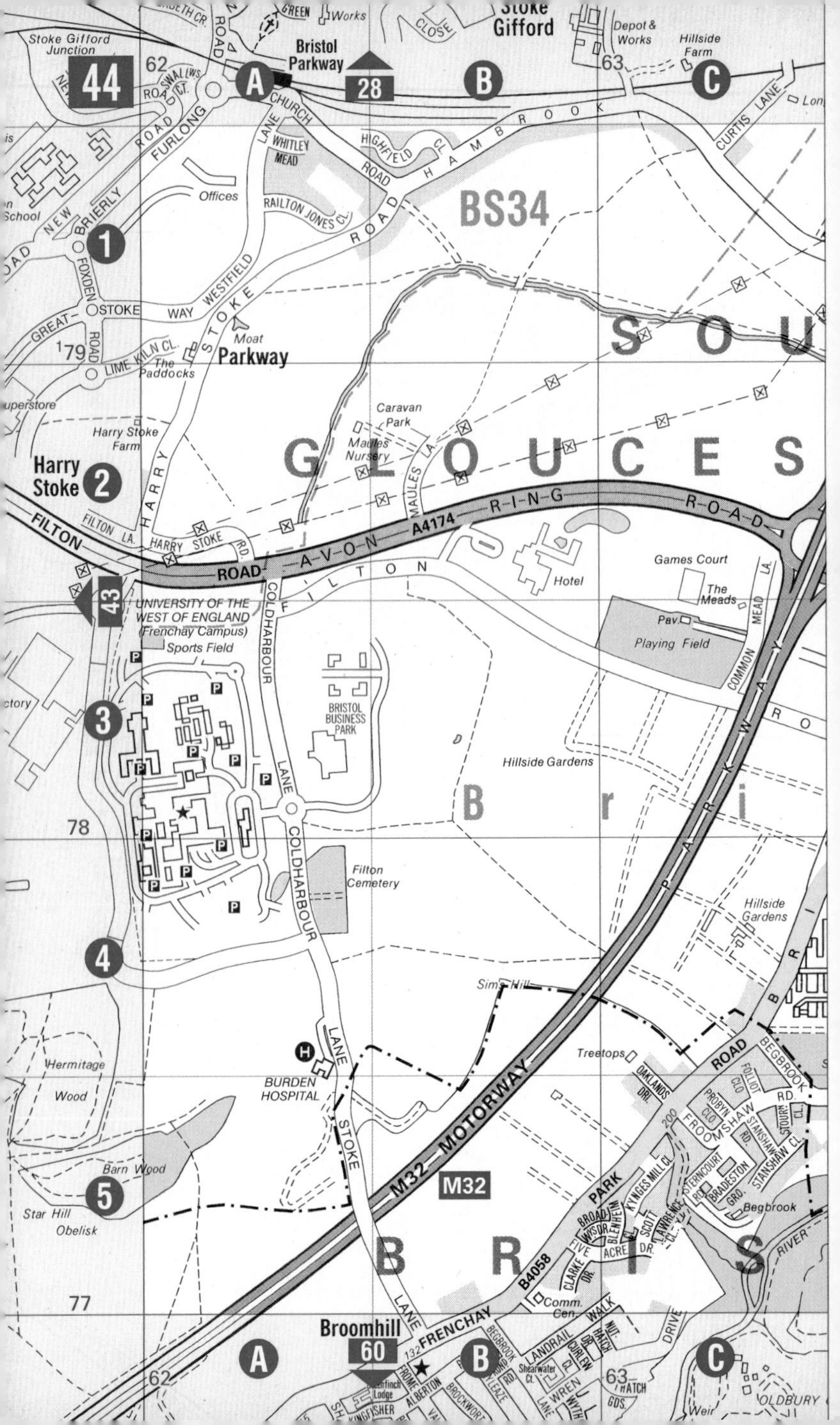

44
28
43
60
A
B
C
1
2
3
4
5
62
63
79
78
77
BS34
Bristol Parkway
Stoke Gifford
Stoke Gifford Junction
Depot & Works
Hillside Farm
CHURCH LANE
WHITLEY MEAD
HIGHFIELD CL.
HAMBROOK ROAD
CURTIS LANE
Offices
RAILTON JONES CL.
NEW BRIERLY FURLONG ROAD
SWALLOWS CT.
FOXDEN ROAD
GREAT STOKE WAY
WESTFIELD
STOKE
Moat
Parkway
LIME KILN CL.
The Paddocks
Harry Stoke Farm
Harry Stoke
HARRY STOKE RD.
FILTON LA.
FILTON ROAD
Caravan Park
Maules Nursery
MAULES LA.
AVON RING ROAD
A4174
SOU
GLOUCES
Hotel
Games Court
The Meads
Pav.
Playing Field
COMMON MEAD LA.
UNIVERSITY OF THE WEST OF ENGLAND (Frenchay Campus)
Sports Field
COLDHARBOUR LANE
BRISTOL BUSINESS PARK
Hillside Gardens
Bri
PARKWAY
Filton Cemetery
Sims Hill
Treetops
OAKLANDS DRI.
BEGBROOK
FOLLIOT CLO.
PROBYN CLO.
FROOMSHAW RD.
STANSHAW RD.
STOURTON CL.
STANSHAW CL.
STERNCOURT RD.
BRADESTON GRO.
Begbrook
KYNGES MILL CL.
LAWRENCE CL.
SCOTT
BLENHEIM
BROADWAYS DR.
FIVE ACRE DR.
CLARKE DR.
PARK ROAD
B4058
Comm. Cen.
Hermitage Wood
BURDEN HOSPITAL
STOKE LANE
M32 MOTORWAY
M32
Barn Wood
Star Hill Obelisk
BRIS
RIVER
Broomhill
FRENCHAY
WALK
NUTHATCH DR.
CURLEW
LANDRAIL
Shearwater Cl.
WREN
WYTH
HATCH GDS.
BEGBROOK
LEAZE
BROCKWORTH
ALBERTON
FROME
KINGFISHER
Lodge
DRIVE
Weir
OLDBURY

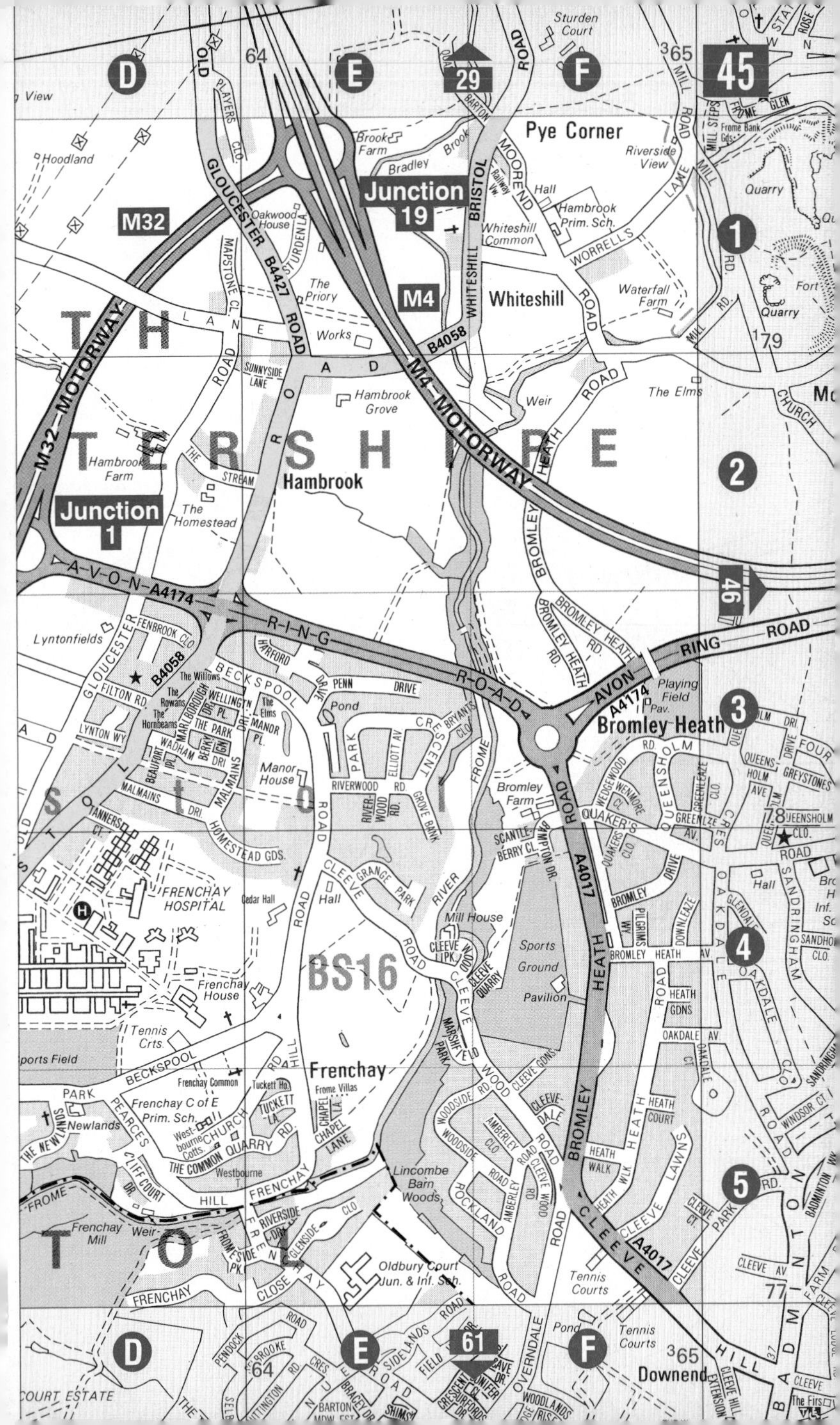
45
29
46
61
D
E
F
64
365
179
78
77
1
2
3
4
5
Junction 19
Junction 1
M32
M4
M32 MOTORWAY
M4 MOTORWAY
B4427
B4058
A4174
A4017
AVON RING ROAD
Pye Corner
Whiteshill
Hambrook
Frenchay
Bromley Heath
Downend
BS16
Sturden Court
Brook Farm
Bradley Brook
Hoodland
Oakwood House
The Priory
Works
Hambrook Grove
Hambrook Farm
The Homestead
The Stream
Lyntonfields
Riverside View
Hambrook Prim. Sch.
Whiteshill Common
Waterfall Farm
The Elms
Weir
Hall
Quarry
Fort
Frome Bank Gdns.
Mill Steps
Playing Field
Pav.
Bromley Farm
Manor House
Pond
Mill House
Sports Ground
Pavilion
Frenchay Hospital
Cedar Hall
Frenchay House
Tennis Crts.
Sports Field
Frenchay Common
Tuckett Ho.
Frome Villas
Frenchay C of E Prim. Sch.
Newlands
West-bourne Cotts.
Westbourne
Lincombe Barn Woods
Frenchay Mill
Oldbury Court Jun. & Inf. Sch.
Tennis Courts
Court Estate
Gloucester Road
Old Gloucester Road
Players Clo.
Mapstone Cl.
Sturden La.
Sunnyside Lane
Bristol Road
Mooreend Road
Railway Vw.
Worrell's Lane
Mill Road
Mill Lane
Church Road
Bromley Heath Road
Bromley Heath Rd.
Harford Drive
Penn Drive
Beckspool Road
Park Crescent
Elliott Av.
Bryants Clo.
Riverwood Rd.
Grove Bank
Fenbrook Clo.
Filton Rd.
Lynton Wy
The Willows
The Rowans
The Hornbeams
Marlborough Dri.
Wellington Pl.
The Park
Manor Pl.
Wadham
Beaufort Pl.
Berky
Malmains Dri.
Tanners Ct.
Homestead Gds.
Cleeve Road
Grange Park
River Frome
Cleeve Wood Pk.
Cleeve Quarry
Marshfield Park
Cleeve Wood Road
Cleeve Gdns.
Cleevedale
Woodside Rd.
Amberley Clo.
Amberley Rd.
Rockland Road
Scantleberry Cl.
Brampton Dr.
Quaker's Road
Quakers Clo.
Queensholm Rd.
Queensholm Dri.
Queensholm Cres.
Queensholm Ave.
Queensholm Clo.
Wedgewood Ct.
Wenmore Cl.
Greenleaze Clo.
Greenleaze Av.
Bromley Drive
Pilgrims Wy
Downleaze
Bromley Heath Av.
Heath Gdns.
Heath Court
Heath Walk
Heath Wlk
Cleeve Lawns
Cleeve Ct.
Cleeve Park Rd.
Cleeve Av.
Cleeve Hill
Cleeve Hill Extension
Oakdale Road
Oakdale Av.
Oakdale Ct.
Glendale
Sandringham Road
Sandhol. Clo.
Windsor Ct.
Badminton Road
Greystones
Four
Beckspool Road
Park
Pearces Hill
Cliff Court Dr.
The Newlands
The Common
Church
Quarry Rd.
Tuckett La.
Chapel La.
Chapel Lane
Frenchay Hill
Frome
Riverside Dr.
Glenside Clo.
Frome Side Pk.
Frenchay Close
Overndale Road
Sidelands Road
Pendock Road
Brooke Rd.
Whittington Rd.
Bracey Dr.
Barton Mdw. Est.
Shims
Crescent
Conifer Clo.
Cave Dr.
Woodlands
The Firs
Barton
Gloucestershire
Bristol

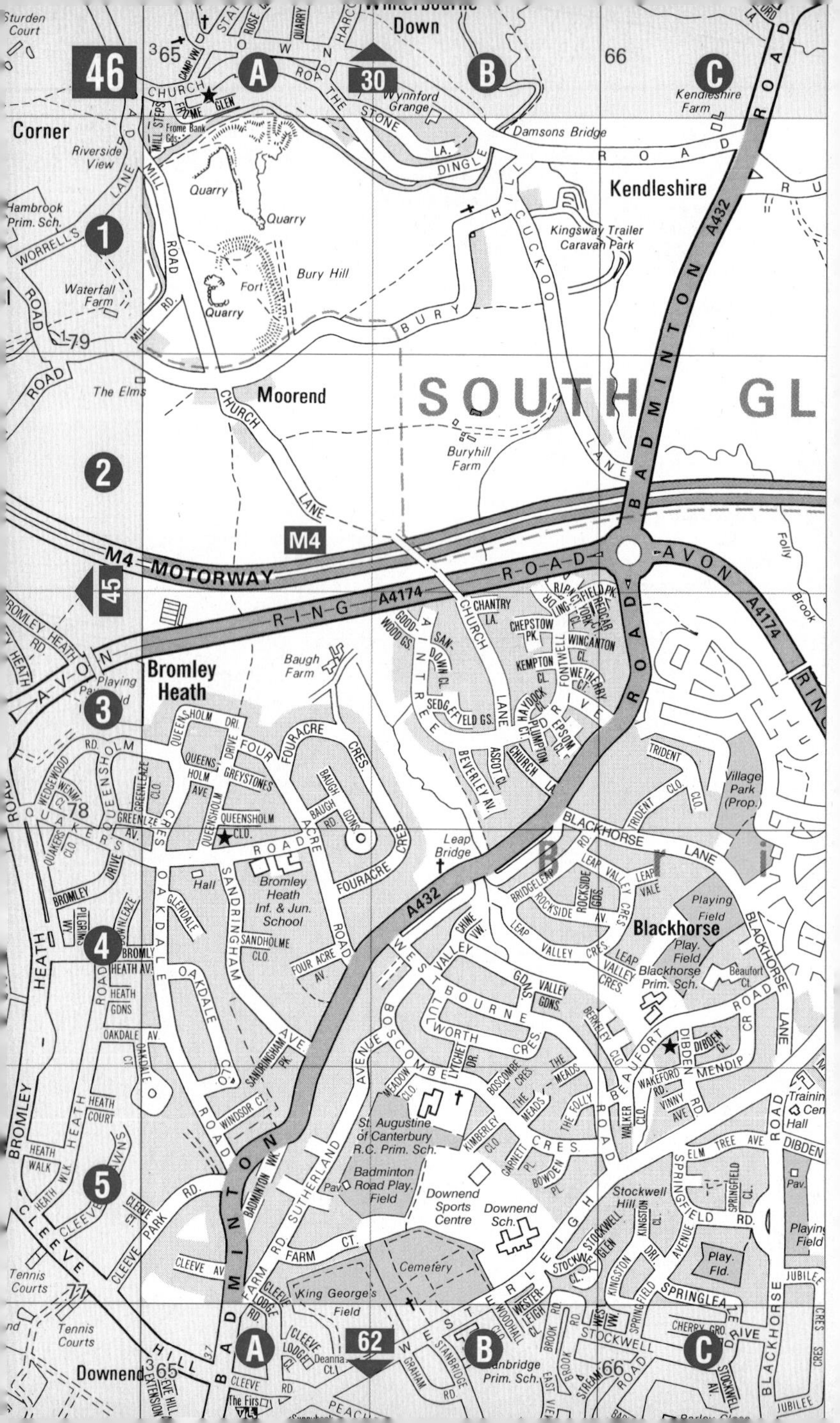

46
30
45
62
M4
A
B
C
1
2
3
4
5
365
66
78
79
Sturden Court
Winterbourne Down
Corner
Riverside View
Hambrook Prim. Sch.
Worrells Lane
Waterfall Farm
Mill Road
Mill Rd.
Road
Church Rd.
Camp Vw.
Frome Glen
Frome Bank Gdns.
Mill Steps
Down Road
Harcourt
Quarry
Rose
Stanley
The Stone
Dingle
Wynnford Grange
Damsons Bridge
Kendleshire Farm
Kendleshire
Road
Quarry
Fort
Bury Hill
Bury Hill
Cuckoo Lane
Kingsway Trailer Caravan Park
The Elms
Moorend
Church Lane
SOUTH GL
Buryhill Farm
Badminton Road
A432
M4 Motorway
Ring Road
A4174
Avon Ring Road
Folly Brook
Bromley Heath Rd.
Heath
Playing Field
Bromley Heath
Baugh Farm
Chantry La.
Church Lane
Goodwood Gs.
Sandown Cl.
Aintree
Sedgefield Gs.
Chepstow Pk.
Kempton Cl.
Fontwell Dr.
Wincanton Cl.
Wetherby Ct.
Haydock Cl.
Plumpton Ct.
Epsom Cl.
Ripon Ct.
Lingfield Pk.
York Cl.
Redcar Ct.
Ascot Cl.
Beverley Av.
Church La.
Queensholm Dri.
Queensholm Rd.
Queensholm Drive
Queensholm Ave
Queensholm Clo.
Queensholm Cres
Four Acre Road
Fouracre Cres.
Greystones
Baugh Gdns.
Baugh Rd.
Wedgewood Rd.
Wenmore Cl.
Greenleaze Clo.
Greenleaze Av.
Quakers Road
Quakers Clo.
Bromley Drive
Bromley Heath Rd.
Pilgrims Wy.
Downleaze
Bromly Heath Av.
Heath Gdns
Oakdale Av.
Oakdale Ct.
Oakdale Road
Oakdale Clo.
Glendale
Sandringham Road
Sandringham Ave.
Sandringham Pk.
Sandholme Clo.
Hall
Bromley Heath Inf. & Jun. School
Four Acre Av.
Windsor Ct.
Heath Court
Heath Walk
Heath Wlk
Cleeve Lawns
Cleeve Ct.
Cleeve Park Rd.
Cleeve Av
Cleeve Hill
Tennis Courts
Downend
Extension
Eve Hill
Leap Bridge
Trident Clo.
Trident
Village Park (Prop.)
Blackhorse Lane
Blackhorse Rd.
Leap Valley Cres
Leap Vale
Bridgeleap Rd.
Rockside Gdns.
Rockside Av.
Valley Gdns.
Playing Field
Blackhorse
Play. Field
Blackhorse Prim. Sch.
Beaufort Ct.
Beaufort Road
Berkeley Clo.
Dibden Cl.
Dibden Rd
Mendip Cr
Wakeford Rd.
Vinny Ave
Walker Clo.
Westbourne Road
Chine Vw.
Valley Rd.
Lulworth Cres.
Lytchet Dr.
Boscombe Cres.
Boscombe Avenue
Meadow Clo.
The Meads
The Folly
Kimberley Clo.
Garnett Pl.
Bowden Pl.
St. Augustine of Canterbury R.C. Prim. Sch.
Badminton Road Play. Field
Pav.
Downend Sports Centre
Downend Sch.
Badminton Wk.
Sutherland Avenue
Farm Rd.
Farm Ct.
Cemetery
King George's Field
Cleeve Lodge Rd.
Cleeve Lodge Cl.
Deanna Ct.
Cleeve Rd.
The Firs
Peach
Westerleigh Road
Westerleigh Cl.
Woodhall Clo.
Stanbridge Rd
Stanbridge Prim. Sch.
Graham
Brook Rd
East View
Stream
West Vw.
Stockwell Hill
Stockwell Glen
Stockwell Cl.
Stockwell Road
Stockwell Av.
Kingston Dri.
Kingston Cl.
Springfield Avenue
Springfield Rd.
Springfield Cl.
Springleaze
Elm Tree Ave
Cherry Gro
Drive
Play. Fld.
Playing Field
Pav.
Jubilee
Jubilee Cres
Dibden
Training Cen
Hall
Blackhorse Road

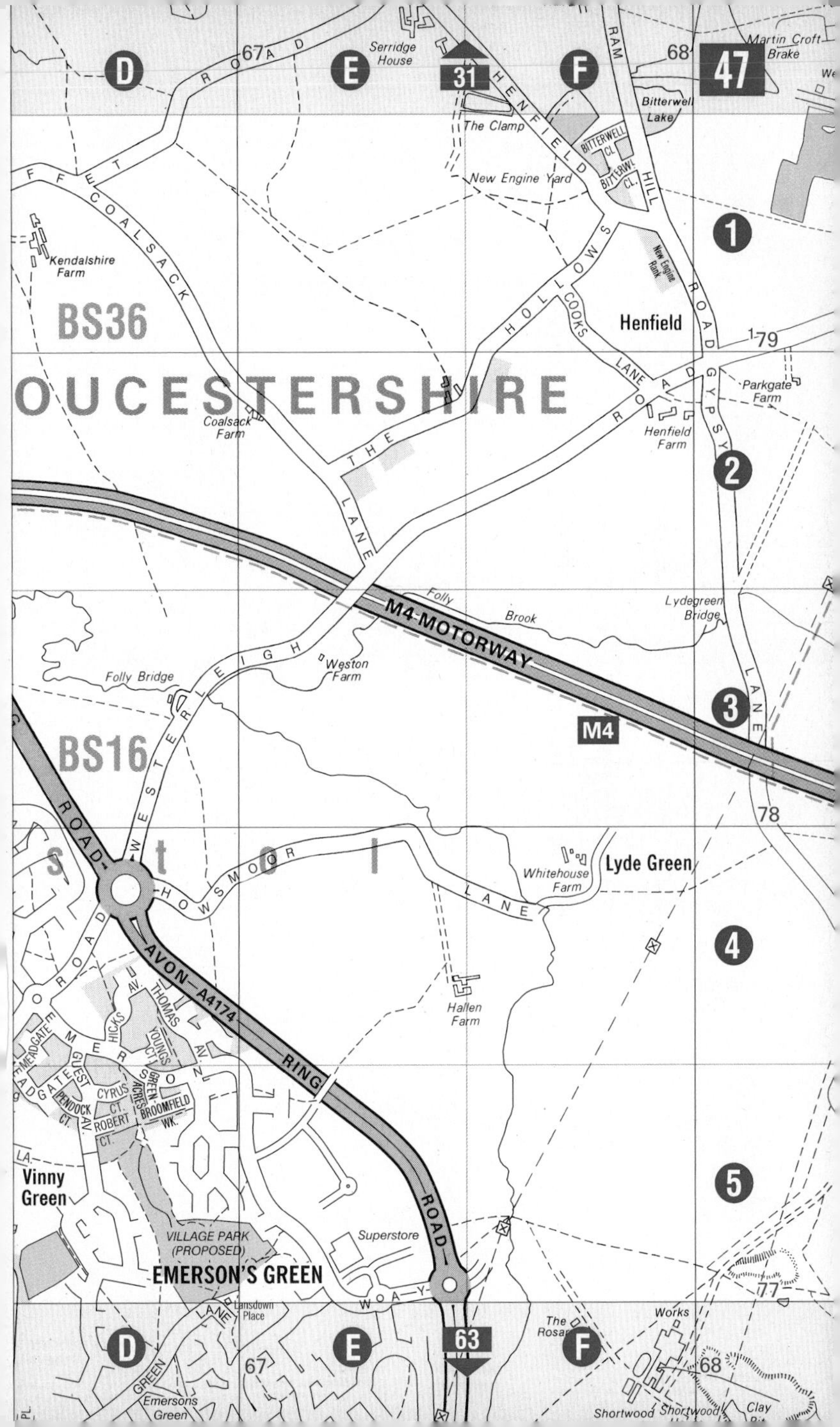

47
31
63
D
E
F
1
2
3
4
5
Serridge House
Martin Croft Brake
Bitterwell Lake
The Clamp
BITTERWELL CL.
New Engine Yard
New Engine Rank
Kendalshire Farm
BS36
Henfield
OUCESTERSHIRE
Coalsack Farm
Parkgate Farm
Henfield Farm
COALSACK
THE HOLLOWS
COOKS LANE
THE LANE
HENFIELD ROAD
RAM HILL
GYPSY LANE
M4 MOTORWAY
M4
Folly Brook
Lydegreen Bridge
Weston Farm
Folly Bridge
WESTERLEIGH ROAD
BS16
HOWSMOOR LANE
Whitehouse Farm
Lyde Green
AVON RING ROAD A4174
Hallen Farm
MEADGATE
EMERSON
HICKS AV.
THOMAS AV.
YOUNGS CT.
GUEST
CYRUS CT.
GREEN ACRES
BROOMFIELD WK.
PENDOCK CT.
ROBERT CT.
Vinny Green
VILLAGE PARK (PROPOSED)
EMERSON'S GREEN
Superstore
Lansdown Place
GREEN LANE
Emersons Green
The Rosary
Works
Shortwood
Clay
67
68
79
78
77

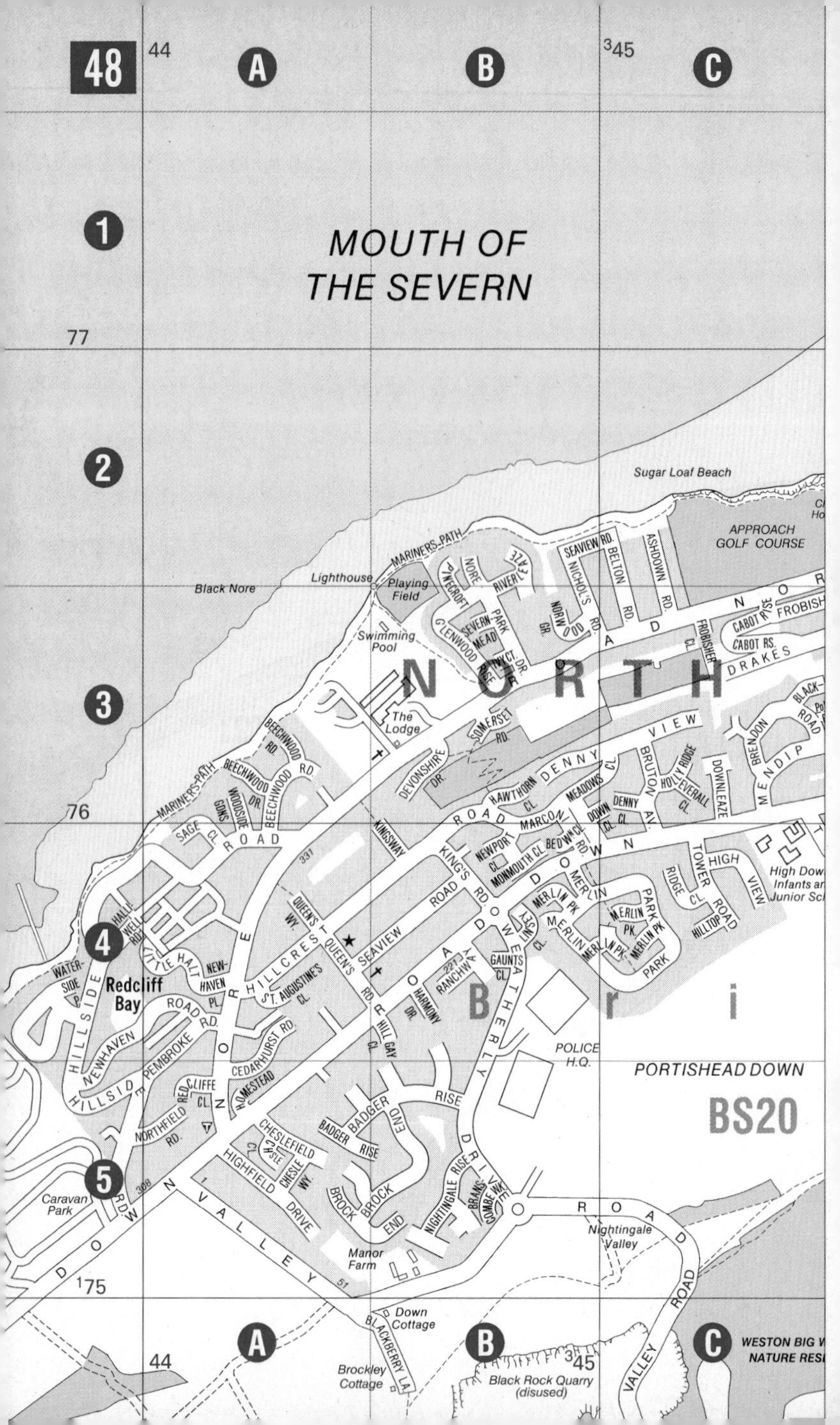
48
44
A
B
345
C
1
2
3
4
5
77
76
175
MOUTH OF
THE SEVERN
Sugar Loaf Beach
APPROACH
GOLF COURSE
Black Nore
Lighthouse
Playing
Field
Swimming
Pool
MARINERS PATH
SEAVIEW RD.
NICHOL'S RD.
BELTON RD.
ASHDOWN RD.
PINECROFT
NORE PARK
RIVERLEAZE
GLENWOOD RISE
SEVERN MEAD
NORWOOD GR.
FROBISHER CL.
CABOT RISE
CABOT RS.
DRAKES
NORTH
The
Lodge
BEECHWOOD RD.
WOODSIDE
OAKS
SAGE CL.
SOMERSET RD.
DEVONSHIRE DR.
DENNY VIEW
HAWTHORN CL.
MEADOWS CL.
BRUTON AV.
HOLLY RIDGE
EVERALL CL.
DOWNLEAZE
BRENDON ROAD
MENDIP
KINGSWAY
KING'S RD.
NEWPORT CL.
MONMOUTH CL.
MARCONI RD.
MERLIN PK
MERLIN PARK
RIDGE CL.
TOWER ROAD
HIGH VIEW
HILLTOP
High Down
Infants and
Junior Sch
HALLE WELL RD.
LITTLE HALT
NEWHAVEN PL.
WATERSIDE
Redcliff
Bay
HILLSIDE
NEWHAVEN ROAD
PEMBROKE RD.
HILLCREST
QUEEN'S WY.
QUEEN'S RD.
ST. AUGUSTINE'S CL.
SEAVIEW ROAD
HARMONY DR.
RANCHWAY
GAUNTS CL.
WEATHERLY DRIVE
GAY HILL CL.
CEDARHURST RD.
HOMESTEAD
REDCLIFFE CL.
NORTHFIELD RD.
B
r
i
POLICE
H.Q.
PORTISHEAD DOWN
BS20
BADGER RISE
BADGER END
RISE
CHESLEFIELD
CHESLE WY.
HIGHFIELD DRIVE
BROCK END
NIGHTINGALE RISE
BRAMS
COMBE WK.
ROAD
Nightingale
Valley
VALLEY ROAD
DOWN VALLEY
Caravan
Park
Manor
Farm
Down
Cottage
BLACKBERRY LA.
Brockley
Cottage
Black Rock Quarry
(disused)
WESTON BIG W
NATURE RES

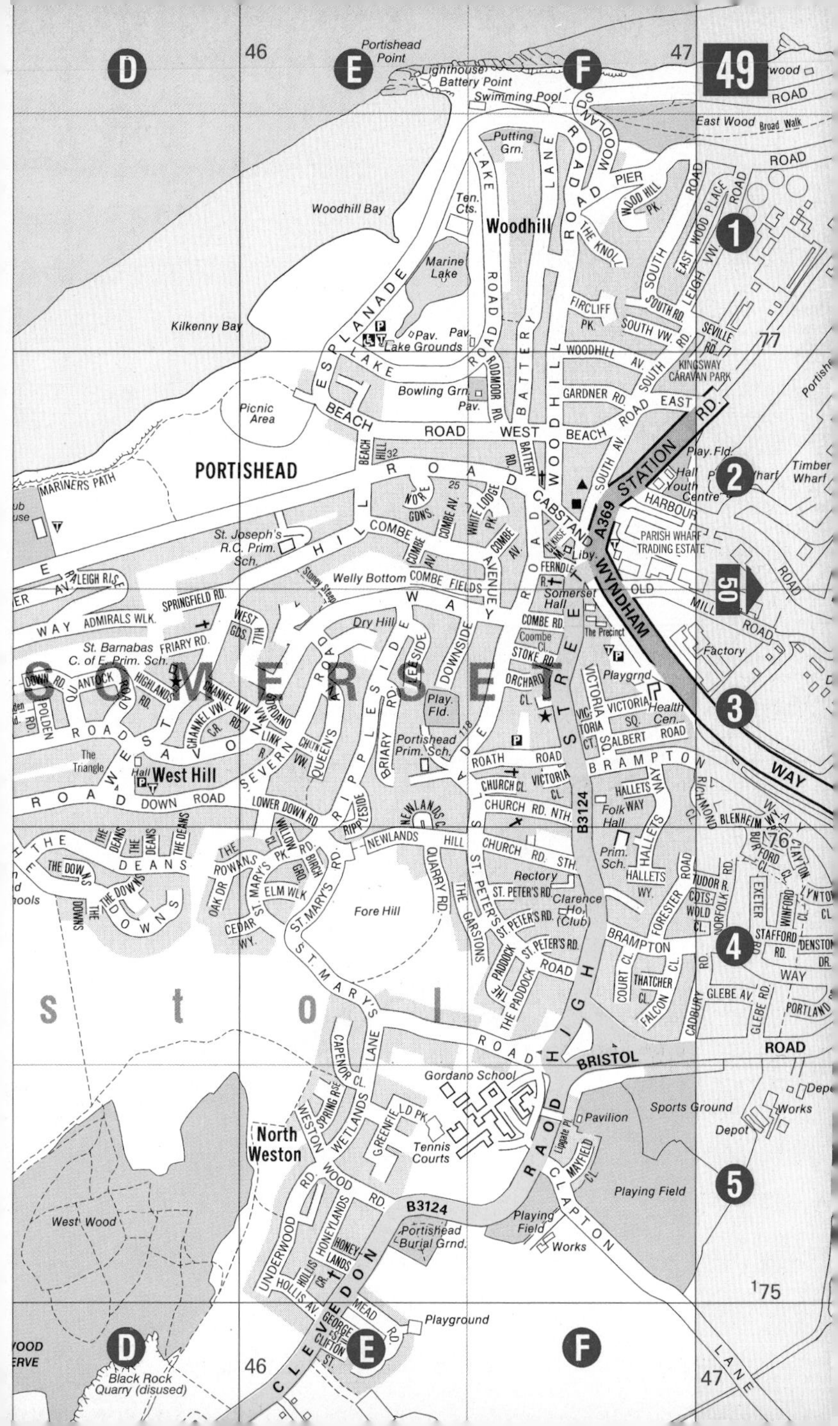

49
D
E
F
46
47
Portishead Point
Lighthouse
Battery Point
Swimming Pool
East Wood
Broad Walk
ROAD
Putting Grn.
WOODLANDS ROAD
PIER ROAD
Ten. Cts.
Woodhill
WOOD HILL PK.
THE KNOLL
SOUTH ROAD
EAST WOOD PLACE
LEIGH VW.
Woodhill Bay
Marine Lake
LAKE ROAD
BATTERY LANE
WOODHILL
FIRCLIFF PK.
SOUTH RD.
SOUTH VW. RD.
SEVILLE RD.
Kilkenny Bay
ESPLANADE
Pav.
Lake Grounds
WOODHILL AV.
KINGSWAY CARAVAN PARK
GARDNER RD.
Bowling Grn.
RODMOOR RD.
SOUTH
EAST
Picnic Area
BEACH ROAD WEST
BEACH ROAD EAST
STATION RD.
BEACH HILL
BATTERY RD.
SOUTH AV.
Play. Fld.
Hall
Youth Centre
Wharf
Timber Wharf
PORTISHEAD
MARINERS PATH
HILL ROAD
MORE GDNS.
COMBE AV.
WHITE LODGE PK.
CABSTAND
A369
HARBOUR
PARISH WHARF TRADING ESTATE
St. Joseph's R.C. Prim. Sch.
COMBE AV.
COMBE AVENUE
FERNDLE
Liby.
WYNDHAM
OLD MILL ROAD
LEIGH RISE
Welly Bottom
COMBE FIELDS
Stoney Steep
Somerset Hall
50
SPRINGFIELD RD.
WAY ADMIRALS WLK.
WEST HILL GDS.
Dry Hill
COMBE RD.
The Precinct
Factory
FRIARY RD.
St. Barnabas C. of E. Prim. Sch.
Coombe Cl.
STOKE RD.
DOWNSIDE
TEESIDE
ORCHARD CL.
VICTORIA SQ.
Playgrnd
Health Cen.
SOMERSET
QUANTOCK
HIGHLANDS
CHANNEL VW.
GORDANO
CHANNEL VW. CR.
QUEEN'S
RIPPLESIDE RD.
BRIARY
Play. Fld.
VIC TORIA CT.
VICTORIA
ALBERT ROAD
POLDEN
ROAD
LINK
Portishead Prim. Sch.
118
3
The Triangle
WEST
AVON
SEVERN
ROATH ROAD
BRAMPTON
WAY
West Hill
Hall
VICTORIA CL.
HALLETS WAY
RICHMOND CL.
BLENHEIM WY.
DOWN ROAD
LOWER DOWN RD
RIPPLESIDE
NEWLANDS
CHURCH CL.
CHURCH RD. NTH.
B3124
Folk Hall
BURFORD CL.
76
CLAYTON
THE DEANS
THE DOWNS
WILLOW
NEWLANDS HILL
CHURCH RD. STH.
Prim. Sch.
HALLETS WY.
FORESTER ROAD
TUDOR R.
EXETER
WINFORD CL.
LYNTON
THE ROWANS
ST. MARY'S PK. RD.
BIRCH GRO.
QUARRY RD.
ST. PETER'S
Rectory
ST. PETER'S RD.
Clarence Ho. (Club)
COTSWOLD CL.
NORFOLK RD.
OAK DR
ELM WLK
ST. MARY'S RD.
Fore Hill
THE GARSTONS
BRAMPTON
STAFFORD RD.
DENSTON DR.
CEDAR WY.
THE PADDOCK
ROAD
HIGH STREET
COURT CL.
THATCHER CL.
FALCON CL.
CADBURY RD.
GLEBE AV.
GLEBE RD.
PORTLAND
s
t
o
l
ST. MARY'S LANE
ROAD
BRISTOL ROAD
CAPENOR CL.
Gordano School
SPRING RSE
WESTON
WETLANDS
GREENFIELD PK.
Lipgate Pl.
Pavilion
Sports Ground
Depot
Works
North Weston
Tennis Courts
MAYFIELD CL.
5
West Wood
WOOD RD.
B3124
Playing Field
Playing Field
Portishead Burial Grnd.
UNDERWOOD
HOLLIS
HONEYLANDS
HONEY LANDS CR.
CLEVEDON
Works
CLAPTON
175
HOLLIS AV.
GEORGE ST.
CLIFTON ST.
MEAD RD.
Playground
WOOD RESERVE
Black Rock Quarry (disused)
LANE

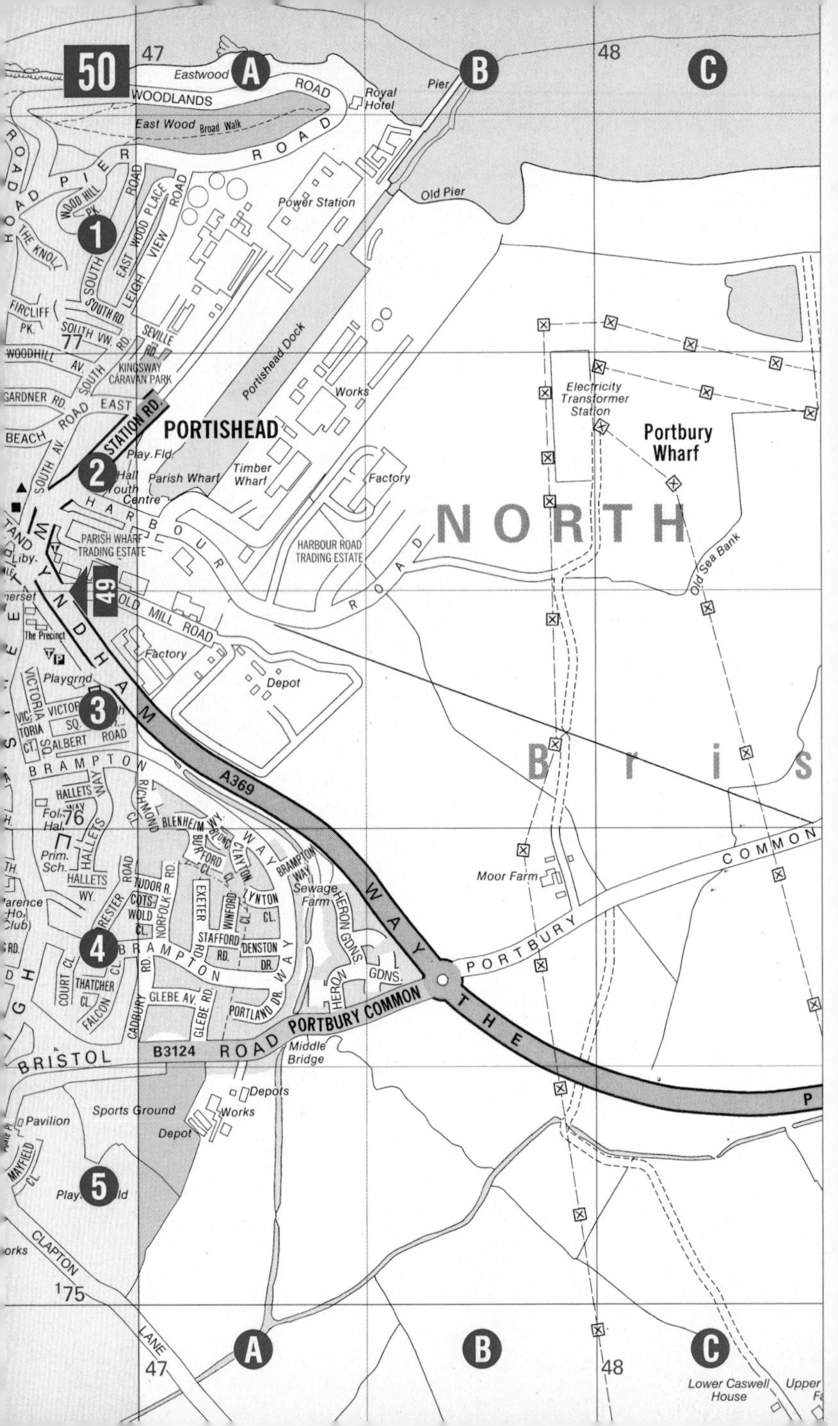

50

Grid references (top)
47   **A**   **B**   48   **C**

Eastwood

WOODLANDS   **A**   ROAD

East Wood   Broad Walk

ROAD

Royal Hotel

Pier   **B**

Old Pier

WOOD HILL PK.

PIER ROAD

SOUTH RD.

EAST WOOD PLACE

LEIGH VIEW ROAD

1

Power Station

ROAD TO THE KNOLL

FIRCLIFF PK.

SOUTH VW.

SEVILLE RD.

77

WOODHILL

SOUTH AV.

KINGSWAY CARAVAN PARK

Portishead Dock

GARDNER RD.

EAST

PORTISHEAD

STATION RD.

Works

BEACH

SOUTH AV.

ROAD

Play. Fld.

Hall

Youth Centre

Parish Wharf

Timber Wharf

Factory

N O R T H

2

HARBOUR

Electricity Transformer Station

Portbury Wharf

STRAND

Liby.

Parish Wharf Trading Estate

ROAD

Harbour Road Trading Estate

Old Sea Bank

Somerset

49

The Precinct

P

OLD MILL ROAD

Factory

ROAD

Playgrnd.

Victoria

VICTORIA

VICTORY SQ.

ST. ALBERT

Road

3

Depot

WYNDHAM WAY

BRAMPTON

HALLETS WAY

Foll. Hall

76

HALLETS WAY

RICHMOND ROAD

BLENHEIM

BUYFORD

CLAYTON

WAY

A369

Prim. Sch.

HALLETS WY.

TUDOR R.

CHESTER ROAD

EXETER RD.

NORFOLK RD.

TYNTON CL.

BRAMPTON WAY

Sewage Farm

B r i s

Clarence Ho. Club

COTSWOLD

STAFFORD RD.

DENSTON DR.

HERON GDNS.

WAY

Moor Farm

COMMON

4

THATCHER CL.

COURT CL.

CADBURY CL.

FALCON CL.

BRAMPTON ROAD

GLEBE RD.

GLEBE AV.

PORTLAND DR.

HERON GDNS.

PORTBURY COMMON

PORTBURY

THE

P

BRISTOL

B3124   ROAD   **PORTBURY COMMON**

MAYFIELD CL.

Middle Bridge

WAY

Depots

Works

Pavilion

Sports Ground

Depot

5

MAYFIELD CL.

Play Fld

175

CLAPTON

Works

LANE

47   **A**   **B**   48   **C**

Lower Caswell House   Upper

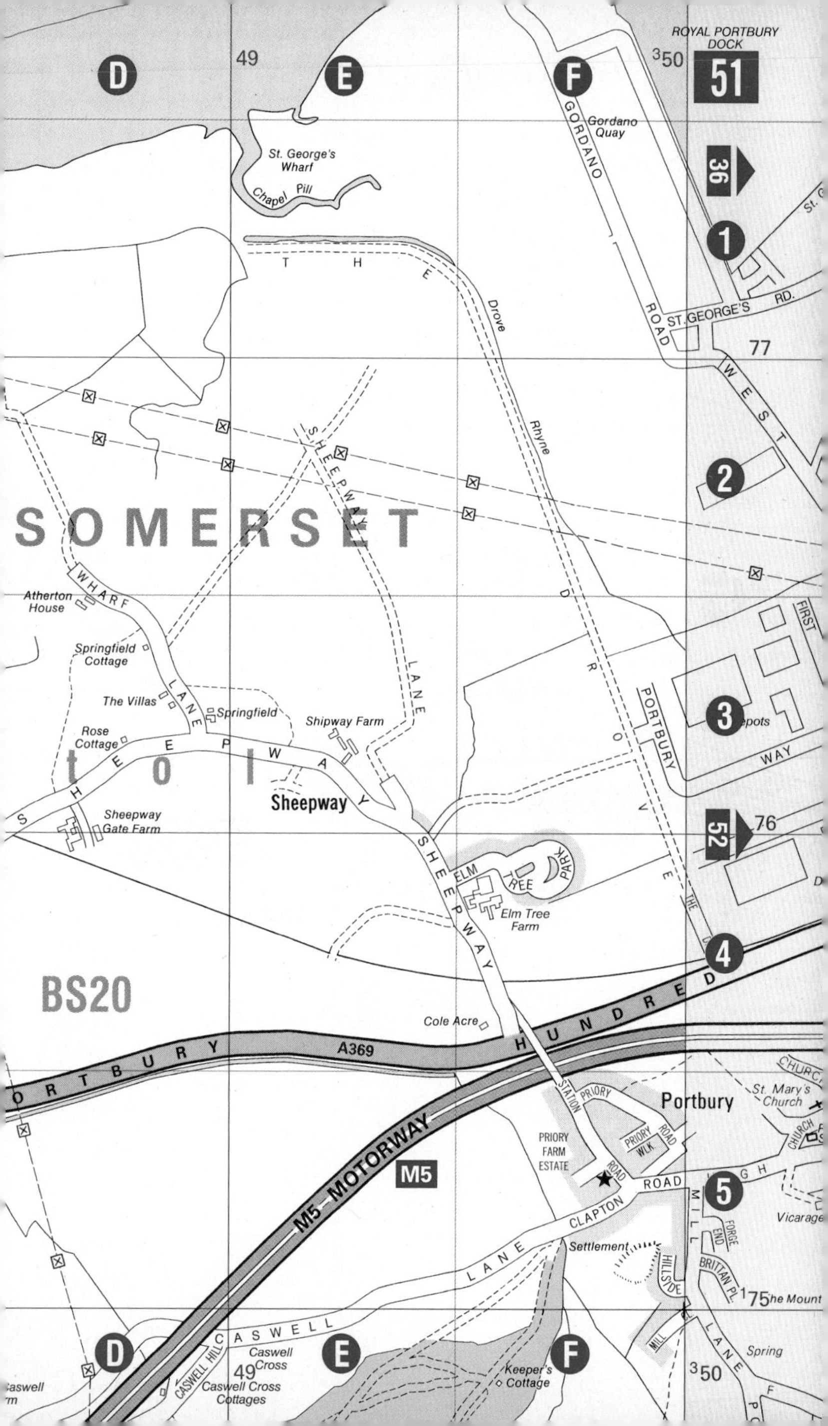

D 49 **E** 3 50 **F** ROYAL PORTBURY DOCK

51

GORDANO

Gordano Quay

36 ▶

St. George's Wharf

Chapel Pill

1

ST. GEORGE'S RD.

THE Drove

GORDANO ROAD

ST. GEORGE'S ROAD

WEST 77

S O M E R S E T

SHEEPWAY

Rhyne

LANE

2

WHARF

Atherton House

Springfield Cottage

The Villas

Springfield

Shipway Farm

Rose Cottage

SHEEPWAY LANE

PORTBURY

ROVE

FIRST

3 pots

WAY

Sheepway

SHEEPWAY LANE

ELM TREE PARK

52 ▶ 76

Sheepway Gate Farm

SHEEPWAY LANE

Elm Tree Farm

THE

4

BS20

Cole Acre

P O R T B U R Y

A369

H U N D R E D

CHURCH

STATION

PRIORY

Portbury

St. Mary's Church

PRIORY WLK.

PRIORY ROAD

CHURCH

M5 MOTORWAY

M5

PRIORY FARM ESTATE

★

ROAD

CLAPTON

ROAD

MILL

5

HIGH

FORGE END

BRITTAN PL.

Vicarage

Settlement

HILLSIDE

LANE

75 he Mount

CASWELL

Caswell Cross

CASWELL HILL

Keeper's Cottage

MILL LANE

Spring

D Caswell Farm 49 Caswell Cross Cottages **E** **F** 3 50

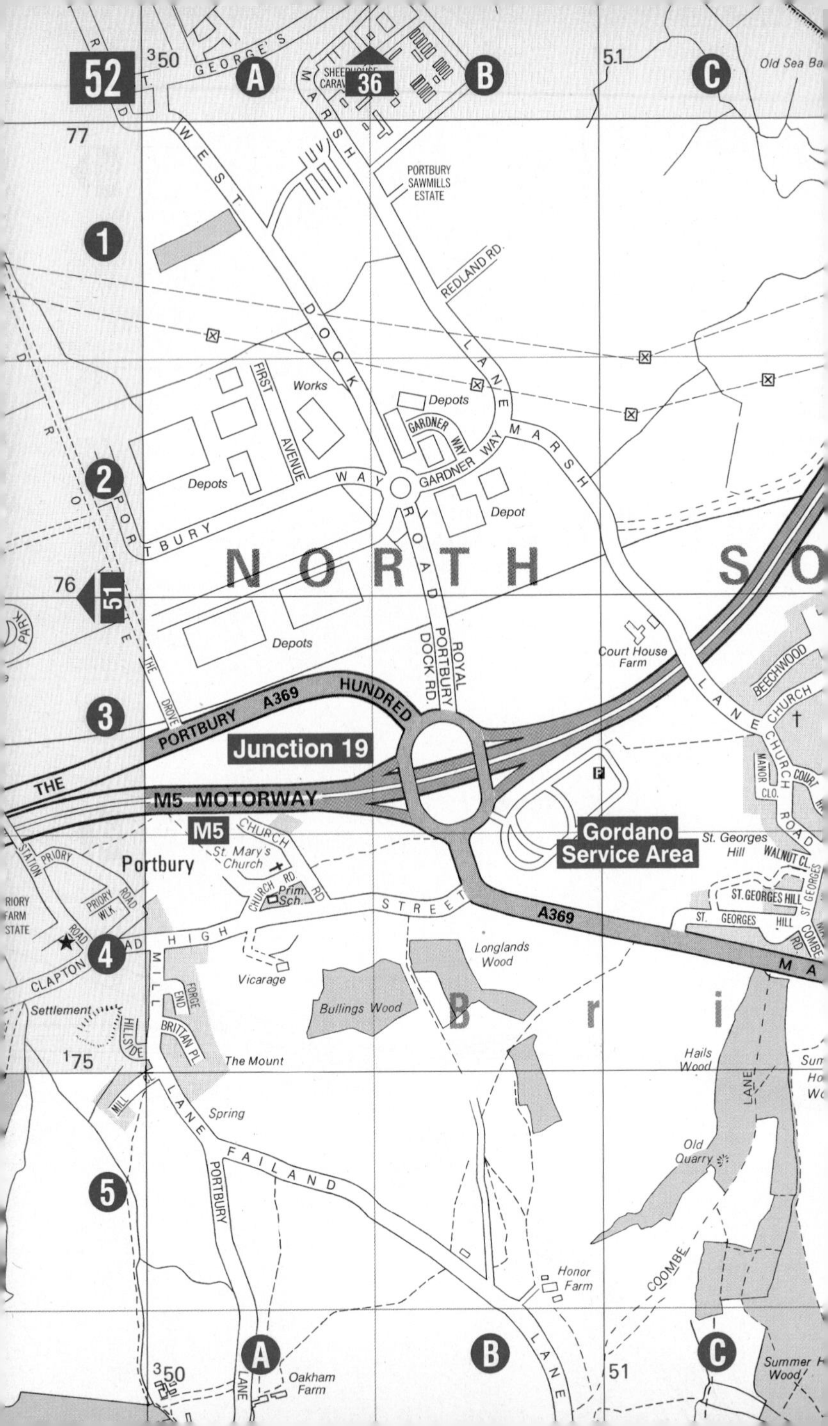
52
36
51
Junction 19
M5 MOTORWAY
M5
Gordano Service Area
Portbury
NORTH
PORTBURY SAWMILLS ESTATE
Depots
Works
Depot
Court House Farm
St. Mary's Church
Vicarage
Longlands Wood
Bullings Wood
The Mount
Spring
Honor Farm
Oakham Farm
Old Quarry
Hails Wood
St. Georges Hill
Settlement
Old Sea Ba

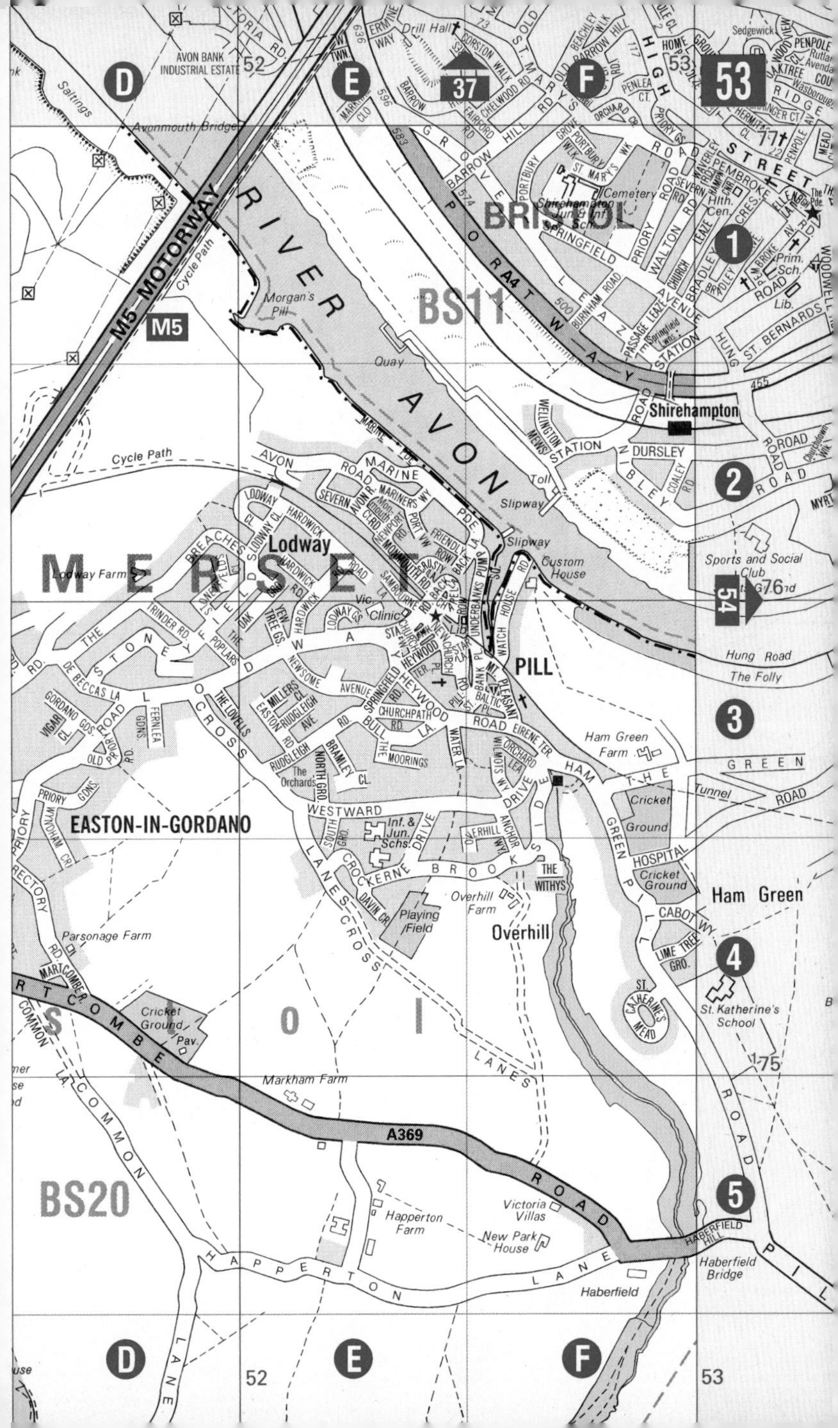
D
E
F
37
52
53
AVON BANK INDUSTRIAL ESTATE
Saltings
Avonmouth Bridge
M5 MOTORWAY
M5
Cycle Path
RIVER AVON
Morgan's Pill
Quay
BS11
BRISTOL
PORTWAY
A4
Shirehampton
STATION ROAD
Slipway
Toll
Custom House
Lodway
Lodway Farm
MERSET
Vic.
Clinic
PILL
Hung Road
The Folly
Ham Green Farm
Cricket Ground
HOSPITAL
Ham Green
Sports and Social Club
54
St. Katherine's School
EASTON-IN-GORDANO
Inf. & Jun. Schs.
Playing Field
Overhill Farm
Overhill
THE WITHYS
Parsonage Farm
Cricket Ground
Pav.
Markham Farm
A369
ROAD
BS20
Victoria Villas
Happerton Farm
New Park House
HAPPERTON LANE
Haberfield
Haberfield Bridge
HABERFIELD HILL
PILL ROAD
MARTCOMBE
COMMON LA.
LANESCROSS
STONEY FIELDS
DWAY
CROCKERNE BROOKSIDE
WESTWARD
HAM GREEN
GREEN ROAD
Tunnel
1
2
3
4
5

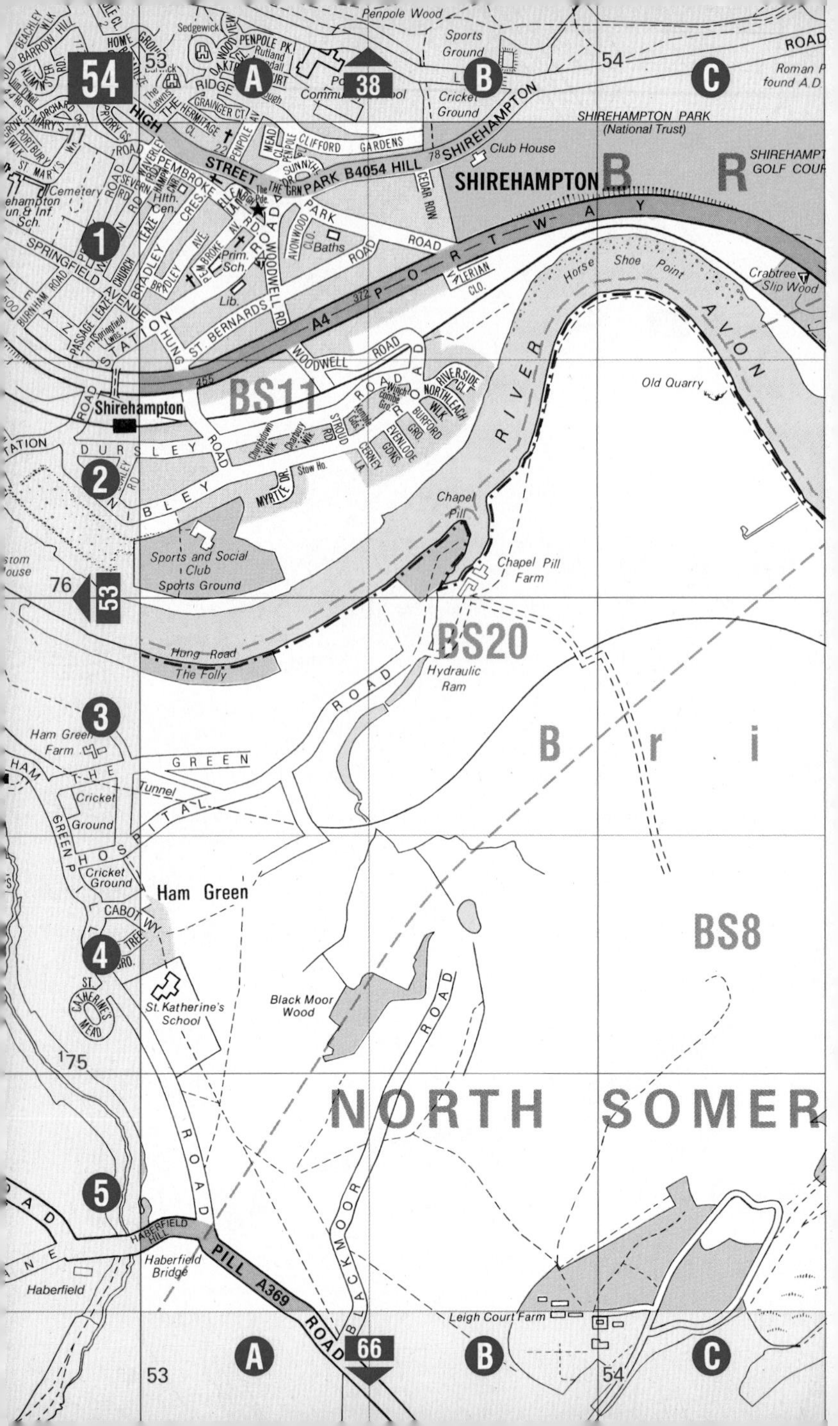

54
38
66
53
A
B
C
1
2
3
4
5
53
54
76
175
Penpole Wood
Sports Ground
Cricket Ground
Roman P
found A.D.
SHIREHAMPTON PARK
(National Trust)
Club House
SHIREHAMPTON
SHIREHAMPT
GOLF COUR
PORTWAY
A4
HIGH STREET
PARK B4054 HILL
SHIREHAMPTON
CLIFFORD GARDENS
CEDAR ROW
PARK ROAD
Baths
Prim. Sch.
Lib.
Hlth. Cen.
Cemetery
ST. MARY'S
SPRINGFIELD
STATION ROAD
ST. BERNARDS
WOODWELL ROAD
VALERIAN CLO.
Horse Shoe Point
Crabtree Slip Wood
RIVER AVON
Old Quarry
BS11
Shirehampton
DURSLEY ROAD
NIBLEY
MYRTLE DR.
Stow Ho.
RIVERSIDE CLT
NORTHLEACH WLK
BURFORD GRO.
EVENLODE GDNS
CERNEY LA
STROUD RD
Chapel Pill
Chapel Pill Farm
Sports and Social Club Sports Ground
Hung Road
The Folly
BS20
Hydraulic Ram
ROAD
B r i
Ham Green Farm
THE GREEN
Tunnel
HOSPITAL
Cricket Ground
Ham Green
CABOT WY
ST. CATHERINE'S MEAD
St. Katherine's School
Black Moor Wood
BS8
NORTH SOMER
BLACKMOOR ROAD
HABERFIELD HILL
Haberfield Bridge
Haberfield
PILL A369 ROAD
Leigh Court Farm

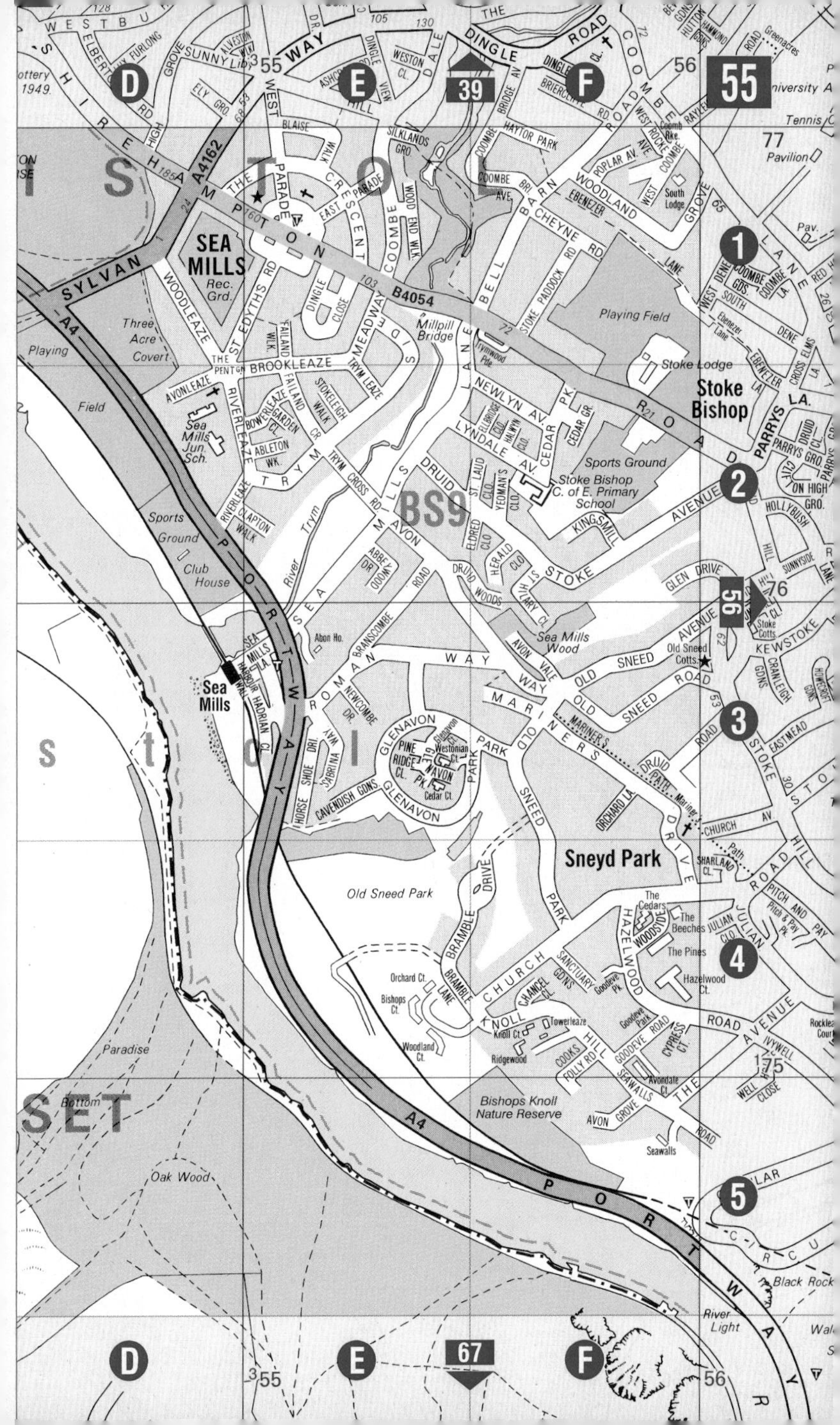
D
E
F
39
1
2
3
4
5
56
67
76
BS9
SEA MILLS
Rec. Grd.
Stoke Bishop
Sneyd Park
Sea Mills
Playing Field
Stoke Lodge
Sports Ground
Stoke Bishop C. of E. Primary School
Sea Mills Wood
Sea Mills Jun. Sch.
Three Acre Covert
Sports Ground
Club House
Old Sneed Park
Bishops Knoll Nature Reserve
Paradise Bottom
Oak Wood
River Trym
Millpill Bridge
Old Sneed Cotts.
Abon Ho.
The Cedars
The Beeches
The Pines
Hazelwood Ct.
Towerleaze
Ridgewood
Orchard Ct.
Bishops Ct.
Woodland Ct.
Avondale Ct.
Seawalls
River Light
Black Rock
Pavilion
Tennis
Pitch & Putt Pk.
Cedar Ct.
Westonian Ct.
South Lodge
Coomb Rke.
Stoke Cotts.
PORTWAY
A4
A4162
B4054
SYLVAN WAY
SHIREHAMPTON ROAD
STOKE HILL
DINGLE ROAD
COOMBE LANE
COOMBE BRIDGE AV.
WOODLAND GROVE
EBENEZER LANE
CHEYNE RD.
BELL BARN RD.
STOKE PADDOCK RD.
STOKE ROAD
PARRYS LA.
STOKE HILL
STOKE AVENUE
KINGSMILL
GLEN DRIVE
OLD SNEED AVENUE
OLD SNEED ROAD
OLD SNEED PARK
MARINERS DRIVE
MARINER'S PATH
AVON WAY
ROMAN WAY
SEA MILLS LANE
TRYM ROAD
TRYM CROSS RD.
BROOKLEAZE
WOODLEAZE
RIVERLEAZE
MEADWAY
DRUID WOODS
DRUID STOKE AVENUE
DRUID HILL
GLENAVON PARK
SNEED PARK
BRAMBLE DRIVE
BRAMBLE LANE
CHURCH ROAD
KNOLL HILL
HAZELWOOD ROAD
JULIAN ROAD
IVYWELL ROAD
THE AVENUE
SEAWALLS ROAD
AVON GROVE
COOKS FOLLY RD.
GOODEVE ROAD
CHURCH AV.
CIRCULAR ROAD

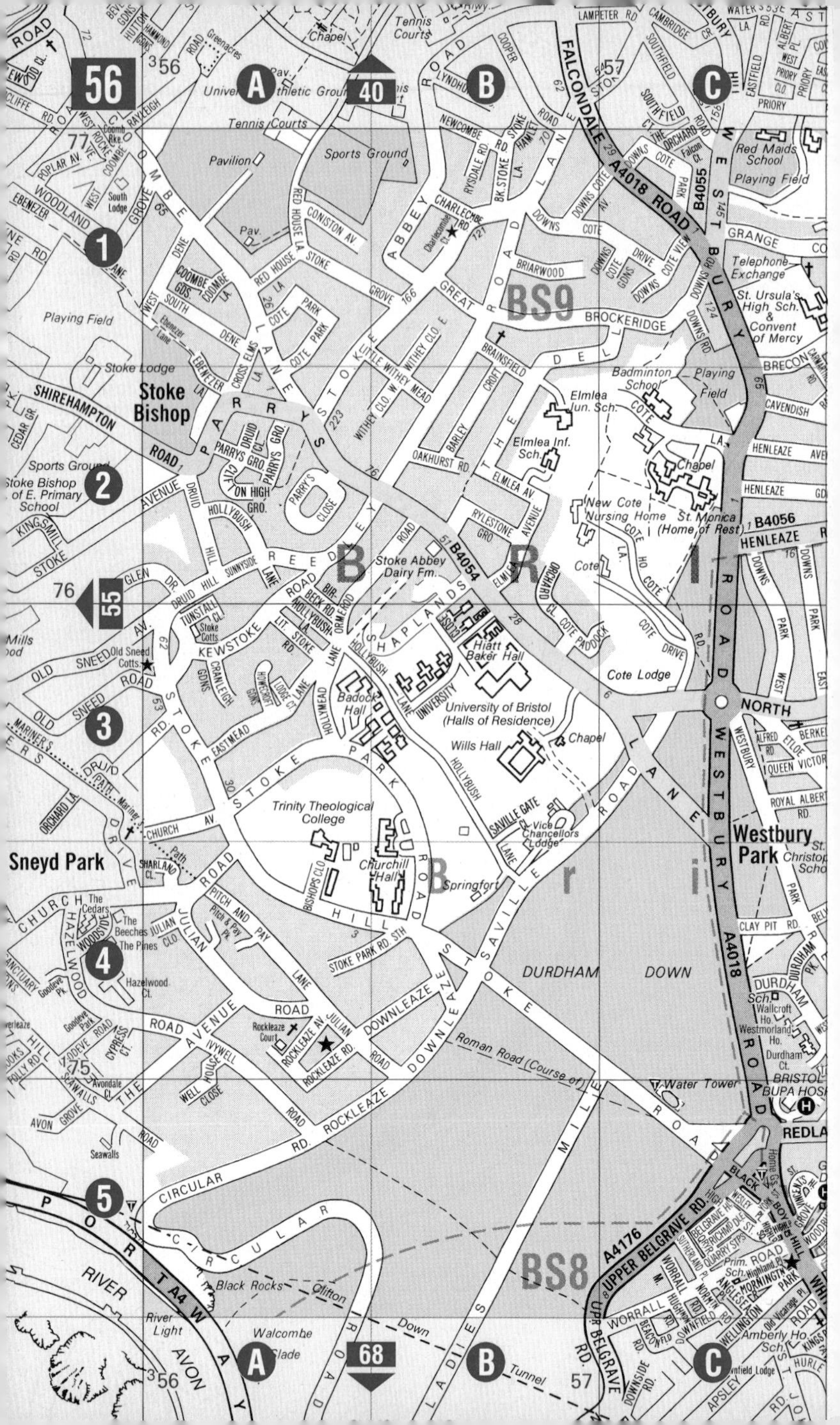

40
55
68
A
B
C
1
2
3
4
5
BS9
BS8
Stoke Bishop
Sneyd Park
Westbury Park
Tennis Courts
Chapel
University Athletic Ground
Sports Ground
Pavilion
Pav.
Playing Field
Stoke Lodge
Sports Ground
Stoke Bishop of E. Primary School
South Lodge
Red Maids School
Playing Field
Telephone Exchange
St. Ursula's High Sch. & Convent of Mercy
Badminton School
Elmlea Jun. Sch.
Elmlea Inf. Sch.
New Cote Nursing Home
St. Monica (Home of Rest)
Cote Lodge
Stoke Abbey Dairy Fm.
Hiatt Baker Hall
Badock Hall
University of Bristol (Halls of Residence)
Wills Hall
Trinity Theological College
Churchill Hall
Springfort
Vice Chancellors Lodge
Old Sneed Cotts.
Stoke Cotts.
The Cedars
The Beeches
The Pines
Hazelwood Ct.
Rockleaze Court
Pitch & Pay Pk.
DURDHAM DOWN
Roman Road (Course of)
Water Tower
Westmorland Ho.
Durdham Ct.
Wallcroft Ho.
BUPA HOSP
Black Rocks
Clifton Down Tunnel
Walcombe Slade
River Light
RIVER AVON
Seawalls
FALCONDALE ROAD
A4018
B4055
B4054
B4056
A4176
A4
SHIREHAMPTON ROAD
PARRY'S LANE
STOKE HILL
STOKE PARK ROAD
STOKE ROAD
SAVILLE ROAD
WESTBURY ROAD
UPPER BELGRAVE RD.
CIRCULAR RD.
LADIES MILE
PORTWAY
NORTH

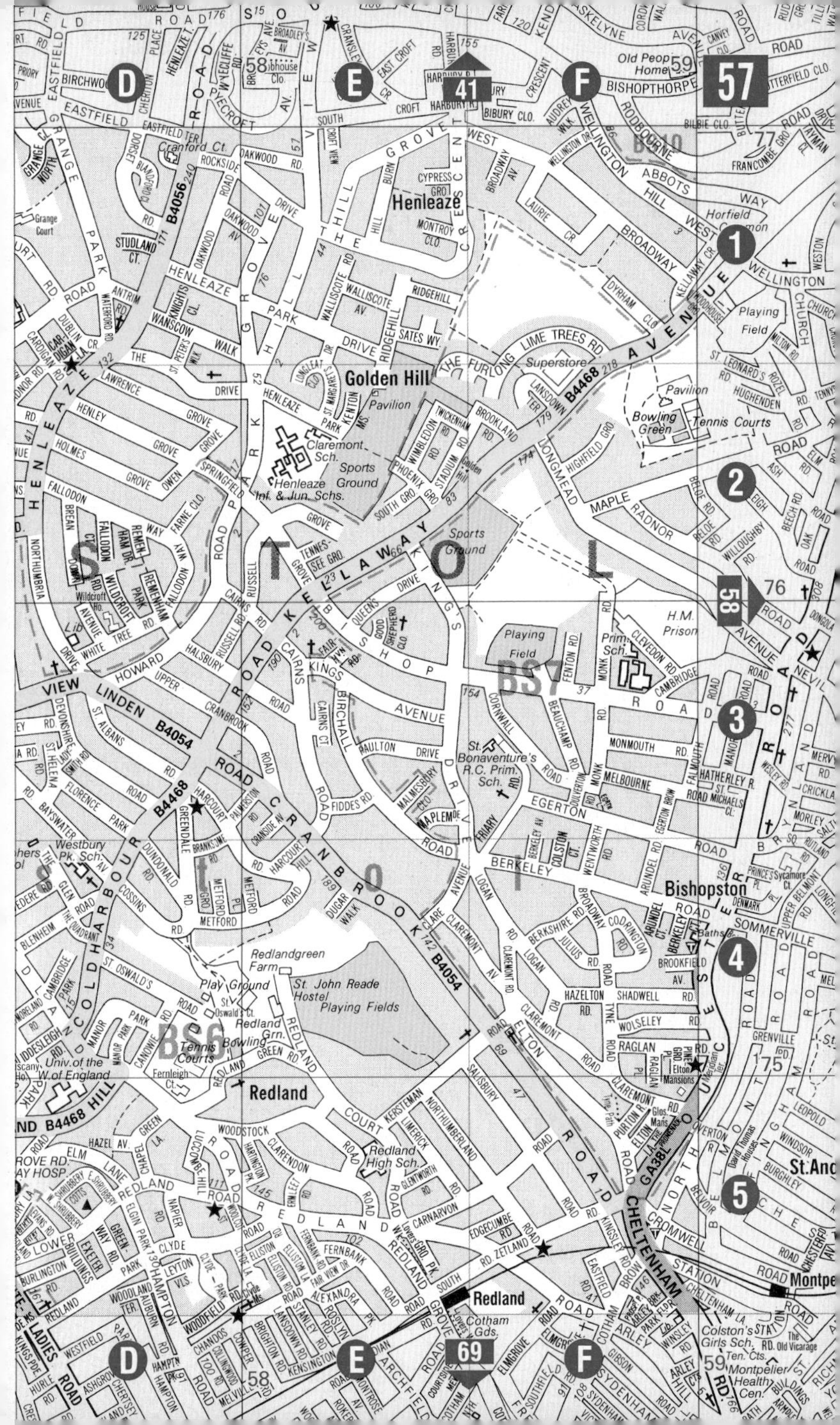

57
41
58
69
D
E
F
1
2
3
4
5
Henleaze
Golden Hill
Bishopston
Redland
BS6
BS7
Horfield Common
H.M. Prison
Claremont Sch.
Henleaze Inf. & Jun. Schs.
Sports Ground
Superstore
Playing Field
Pavilion
Bowling Green
Tennis Courts
St. Bonaventure's R.C. Prim. Sch.
Redlandgreen Farm
St. John Reade Hostel Playing Fields
Redland High Sch.
Univ. of the W. of England
Westbury Pk. Sch.
Colston's Girls Sch.
Montpelier Health Cen.
Old Peoples Home
HENLEAZE ROAD
KELLAWAY AVENUE
WELLINGTON HILL WEST
GLOUCESTER ROAD
CRANBROOK ROAD
COLDHARBOUR ROAD
BISHOP ROAD
REDLAND ROAD
ELTON ROAD
CHELTENHAM ROAD
ZETLAND ROAD
VIEW LINDEN
B4054
B4056
B4468
A38

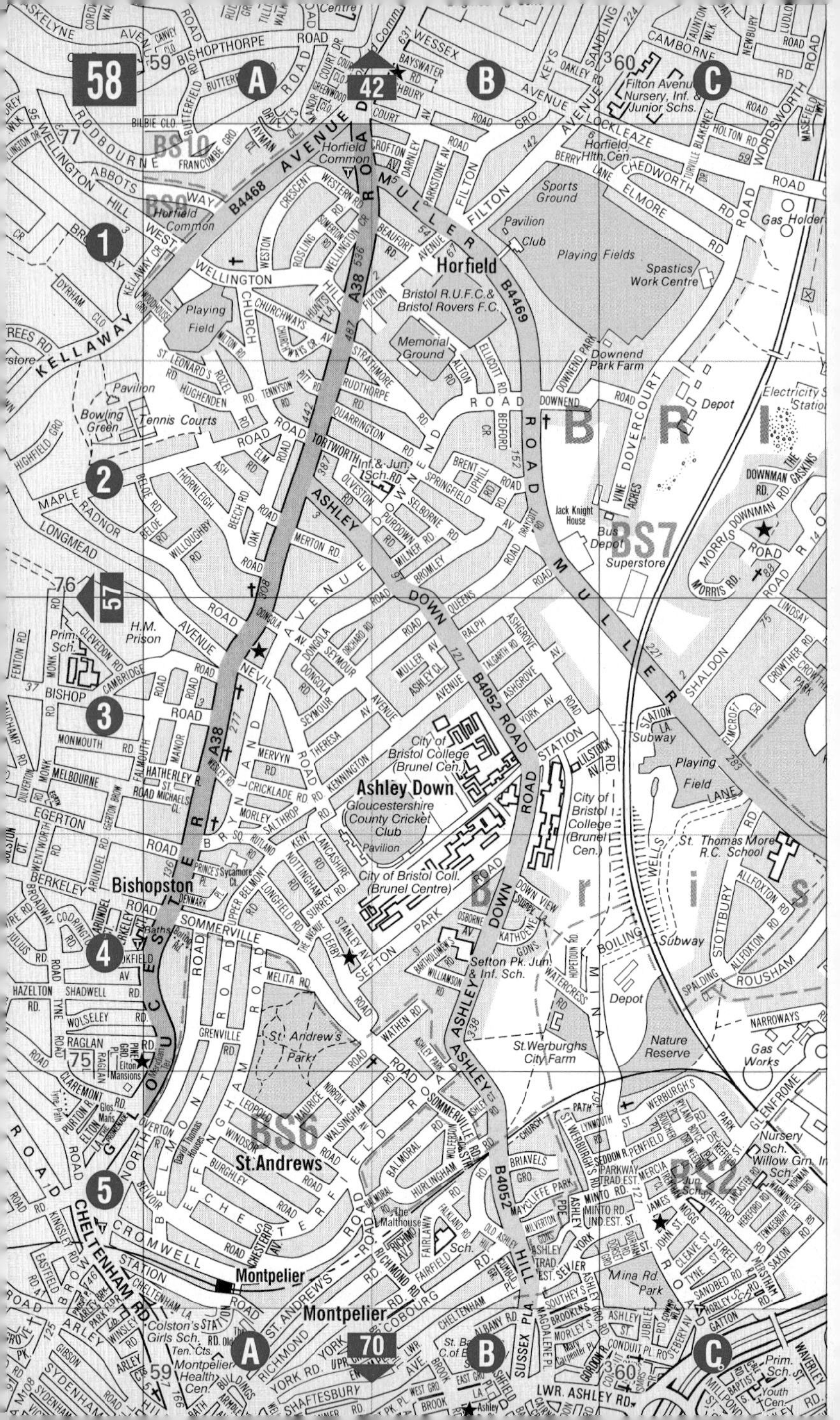

58
A
B
C
42
1
2
3
4
5
BS10
BS9
BS7
BS6
BS2
57
70
59
60
76
75
77
BISHOPTHORPE ROAD
WESSEX AVENUE
CAMBORNE RD.
KEYS AVENUE
OAKLEY RD.
SANDLING AVENUE
WORDSWORTH ROAD
Filton Avenue Nursery, Inf. & Junior Schs.
LOCKLEAZE ROAD
Horfield Hlth.Cen.
CHEDWORTH ELMORE
BERRY LANE
HOLTON RD
BLAKENEY
RODBOURNE
WELLINGTON HILL WEST
ABBOTS WAY
Horfield Common
B4468
AVENUE
GLOUCESTER ROAD
A38
MULLER ROAD
B4469
FILTON AVENUE
Sports Ground
Pavilion
Club
Playing Fields
Spastics Work Centre
Gas Holder
Horfield
Bristol R.U.F.C.& Bristol Rovers F.C.
Memorial Ground
Downend Park Farm
DOWNEND PARK
DOWNEND ROAD
DOVERCOURT
Depot
Electricity Station
KELLAWAY AVENUE
WELLINGTON ROAD
Playing Field
CHURCH
CHURCHWAYS AV.
STRATHMORE
RUDTHORPE
TORTWORTH
QUARRINGTON
Inf.& Jun. Sch.
SPRINGFIELD
SELBORNE
BRENT
UPHILL
BEDFORD
ELLICOTT RD
ALTON
Pavilion
Bowling Green
Tennis Courts
HUGHENDEN
ST. LEONARD'S
TENNYSON
MAPLE
RADNOR
LONGMEAD
THORNLEIGH
BEECH RD
OAK RD
WILLOUGHBY RD
ASHLEY DOWN ROAD
B4052
MERTON RD.
PURDOWN
OLVESTON
MILNER RD.
BROMLEY
QUEENS
RALPH
ASHGROVE
Jack Knight House
Bus Depot
Superstore
DOWNMAN RD.
GASKINS
MORRIS ROAD
LINDSAY
SHALDON
CROWTHER PARK
H.M. Prison
Prim. Sch.
CLEVEDON RD
CAMBRIDGE
BISHOP RD.
MONMOUTH RD.
MELBOURNE
EGERTON
NEVIL
DONGOLA
SEYMOUR
MULLER AV.
ASHLEY CL.
TALGARTH RD
YORK AV
THERESA
MERVYN RD
KENNINGTON
City of Bristol College (Brunel Cen.)
Ashley Down
Gloucestershire County Cricket Club
Pavilion
STATION ROAD
LILSTOCK AV.
City of Bristol College (Brunel Cen.)
Station La.
Subway
Playing Field
LANE
ELMCROFT CR.
St. Thomas More R.C. School
ALLFOXTON RD
STOTTBURY
ROUSHAM
BRYNLAND AVENUE
HATHERLEY R.
ST. MICHAELS CL.
CRICKLADE RD.
MORLEY
SALTHROP
RUTLAND
KENT
LANCASHIRE
NOTTINGHAM
Sycamore Ct.
City of Bristol Coll. (Brunel Centre)
Bishopston
BERKELEY ROAD
DENMARK
UPPER BELMONT RD
LONGFIELD RD
SURREY RD.
SOMMERVILLE ROAD
DERBY
STANLEY AV.
SEFTON PARK ROAD
OSBORNE AV.
KATHDENE GDNS
DOWN VIEW
Sefton Pk. Jun. & Inf. Sch.
WATERCRESS RD
HOPETOUN RD
MINA ROAD
BOILING WELLS
Subway
Depot
Nature Reserve
NARROWAYS
Gas Works
GLENFROME
SPALDING
MELITA RD.
St. Andrew's Park
WATHEN RD.
ASHLEY PARK
ASHLEY HILL
St.Werburgh's City Farm
SHADWELL
WOLSELEY
RAGLAN
Elton Mansions
CLAREMONT
GRENVILLE RD.
BELMONT ROAD
EFFINGHAM ROAD
LEOPOLD
WINDSOR
BURGHLEY ROAD
St.Andrews
WALSINGHAM
BALMORAL
HURLINGHAM
The Malthouse
FAIRLAWN
Fairfield Sch.
RICHMOND
BRIAVELS GRO.
MAYCLIFFE PARK
ST. WERBURGH'S RD.
PENFIELD
SEDDON R.
PARKWAY TRAD.EST.
MINTO RD.
MINTO RD. IND.EST.
ASHLEY TRAD. EST.
Mina Rd. Park
Nursery Sch.
Willow Grn. Inf. Sch.
Jun. Sch.
STAFFORD
JAMES ST.
ST. JOHN ST.
CLEAVE ST.
SANDBED RD
GATTON
NORTH ROAD
BEECHE STREET
CROMWELL
CHELTENHAM RD
STATION ROAD
Montpelier
CHELTENHAM LA
Colston's Girls Sch.
Montpelier Health Cen.
ST. ANDREW'S ROAD
RICHMOND RD.
YORK RD.
COBOURG
CHELTENHAM
ALBANY RD.
SUSSEX PL.
MAGDALENE PL.
BROOKLAND
MORLEY S.
ASHLEY ST.
CONDUIT PL.
SEVIER
SOUTHEY S.
LWR. ASHLEY RD.
Prim. Sch.
Youth Cen.
WAVERLEY
KINGSLEY RD.
SYDENHAM
ARLEY
GIBSON
SHAFTESBURY
BROOK LA
St. B. C.of E.
WEST GRO
EAST GRO

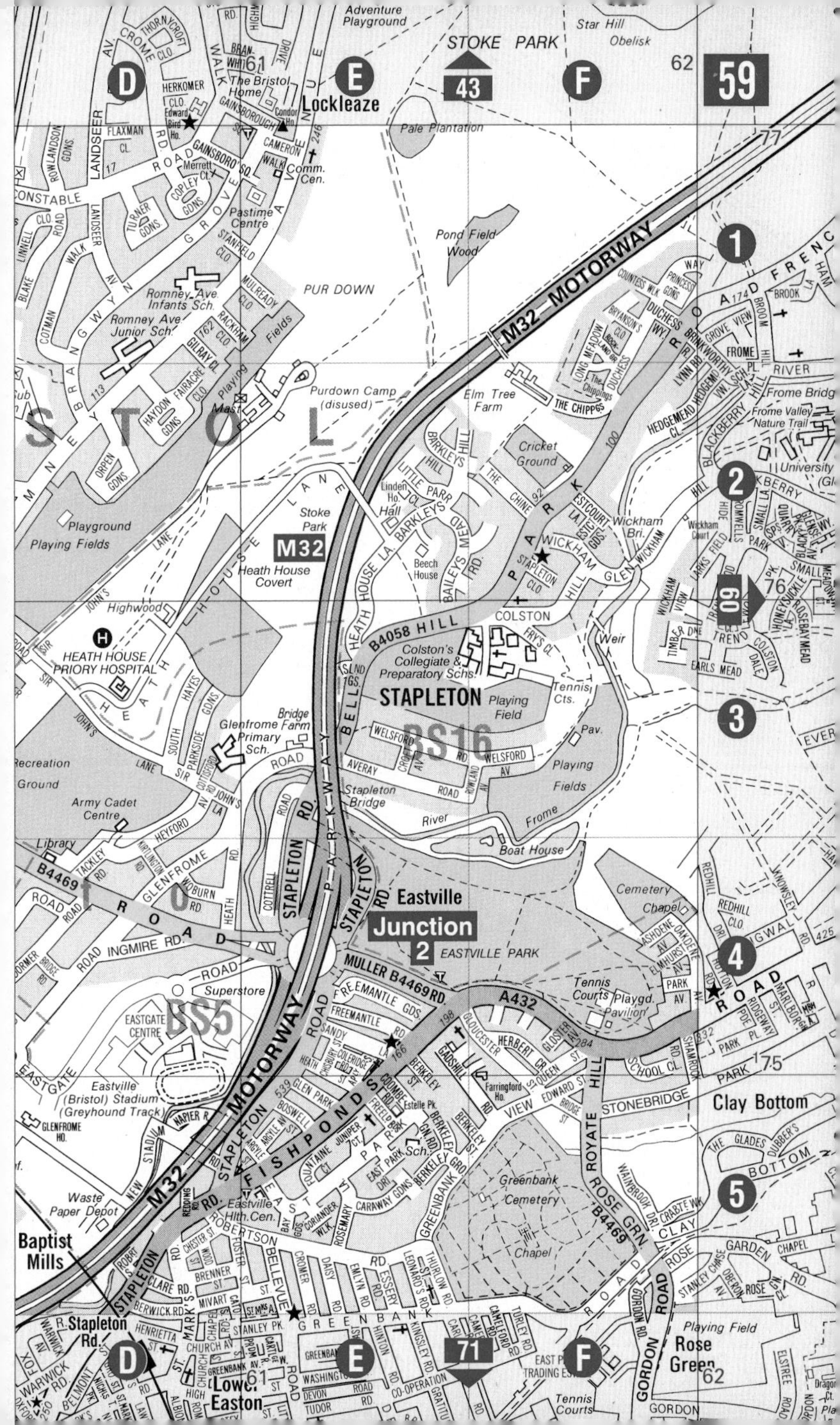

Adventure Playground
Star Hill
Obelisk
STOKE PARK
43
62
59
Lockleaze
The Bristol Home
Pale Plantation
Pond Field Wood
PUR DOWN
M32 MOTORWAY
Pastime Centre
Romney Ave. Infants Sch.
Romney Ave. Junior Sch.
Playing Fields
Purdown Camp (disused)
Mast
Elm Tree Farm
Cricket Ground
Frome Valley Nature Trail
University
Stoke Park
M32
Heath House Covert
Linden Ho.
Hall
Beech House
Highwood
HEATH HOUSE PRIORY HOSPITAL
Colston's Collegiate & Preparatory Schs.
STAPLETON
BS16
Playing Field
Tennis Cts.
Weir
Wickham Bri.
60
Glenfrome Farm
Primary Sch.
Recreation Ground
Army Cadet Centre
Library
Stapleton Bridge
River Frome
Boat House
Pav.
Playing Fields
Cemetery Chapel
Eastville
Junction 2
EASTVILLE PARK
Superstore
BS5
EASTGATE CENTRE
Eastville (Bristol) Stadium (Greyhound Track)
Tennis Courts
Playgd. Pavilion
Farringford Ho.
Estelle Pk.
Clay Bottom
Greenbank Cemetery
Chapel
Waste Paper Depot
Baptist Mills
Eastville Hlth. Cen.
Stapleton Rd.
Lower Easton
71
EAST PARK TRADING ESTATE
Playing Field
Rose Green
Tennis Courts
Heath House Lane
Stapleton Road
Fishponds Road
Muller Road
Park Road
Colston Hill
Greenbank Road
Gordon Road
Royate Hill
Stonebridge Park

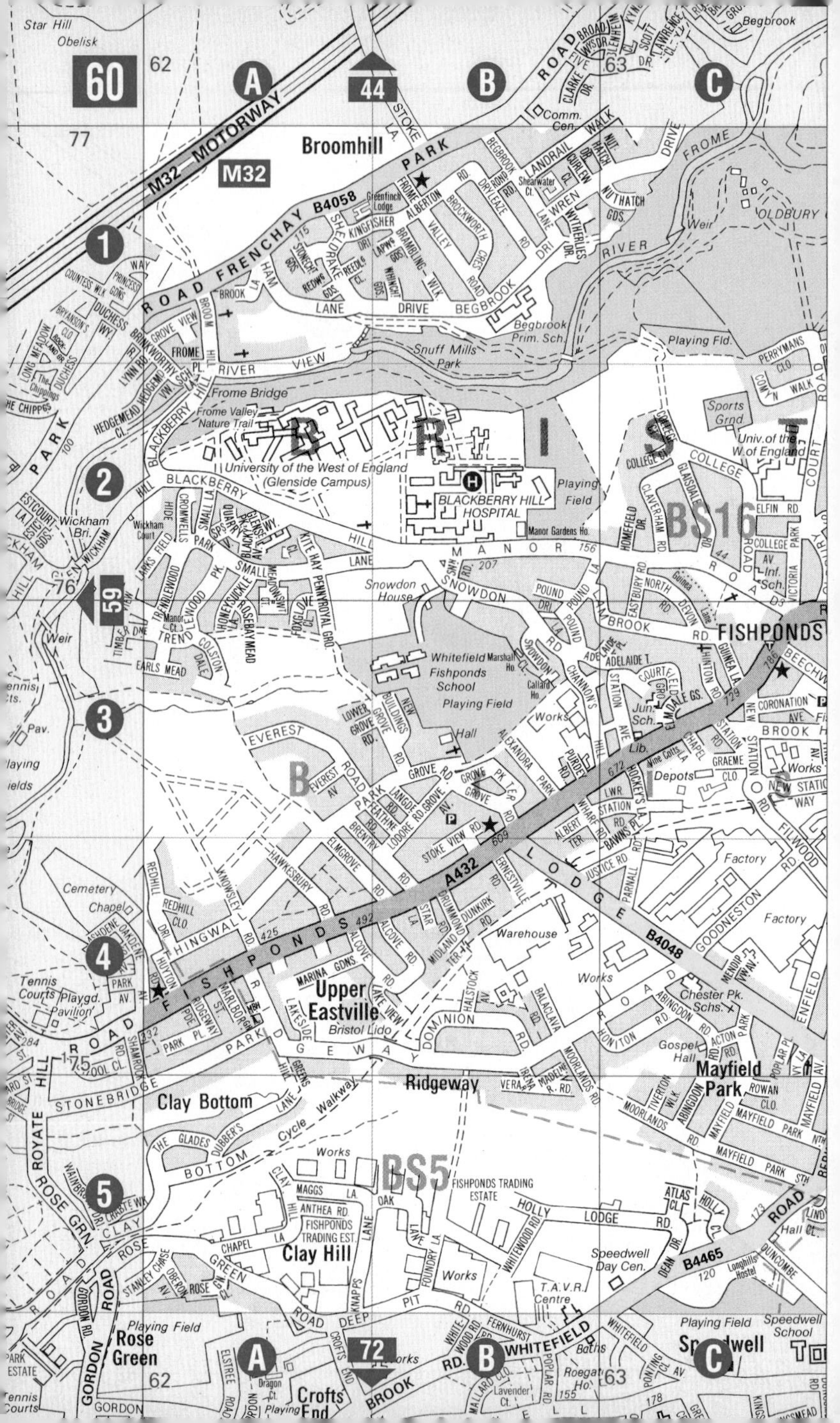

Star Hill
Obelisk
62
A
44
B
63
C
77
Broomhill
M32 MOTORWAY
M32
Begbrook
Comm. Cen.
FRENCHAY PARK ROAD B4058
STOKE LA.
Greenfinch Lodge
KINGFISHER
SHELDRAKE
BEGBROOK
LANDRAIL WALK
Shearwater Ct.
CURLEW
NUTHATCH GDS.
WREN
WYTHERLIES DR.
BROCKWORTH CRES.
DRYLEAZE RD.
ALBERTON RD.
VALLEY ROAD
BRAMBLING WLK.
BROOK LANE
DRIVE
Begbrook Prim. Sch.
FROME
OLDBURY
Weir
RIVER
Snuff Mills Park
Playing Fld.
PERRYMANS CLO.
COMYN WALK
COUNTESS WLK
PRINCESS GDNS.
DUCHESS WY.
BRYANSON'S CLO
LONG MEADOW
The Chippings
THE CHIPPINGS
PARK ROAD
BRINKWORTHY RD.
LYNN RD.
HEDGEMEAD CL.
GROVE VIEW
BROOM HILL
FROME PL.
RIVER VIEW
Frome Bridge
Frome Valley Nature Trail
BLACKBERRY HILL
B R I S T
Sports Grnd.
Univ. of the W. of England
University of the West of England (Glenside Campus)
BLACKBERRY HILL HOSPITAL
Playing Field
Manor Gardens Ho.
COLLEGE RD.
COLLEGE CT.
CLAVERHAM RD.
GLAISDALE RD.
HOMEFIELD DR.
BS16
ELFIN RD.
COURT RD.
COLLEGE AV.
Inf. Sch.
VICTORIA PARK
ESTCOURT LA.
ESTCOURT GDS.
Wickham Bri.
WICKHAM GLEN
WICKHAM HILL
Wickham Court
CROMWELLS HIDE
SMALL LA.
QUARRY
BLACKBERRY AV.
GLENSIDE
SMALL LANE
MANOR RD.
156
207
SNOWDON RD.
Snowdon House
POUND DRI.
POUND LA.
EASTBURY RD.
NORTH DEVON RD.
LAMBROOK RD.
Guinea Lane
FISHPONDS
BEECHWOOD
76
59
Weir
TRENDLEWOOD PK.
HONEYSUCKLE LA.
ROSEBAY MEAD
MEADOWSWEET CT.
FOXGLOVE CL.
KITE HAY CL.
PENNYROYAL GRO.
LARKS FIELD
Manor Ct.
TIMBERDENE
COLSTON DALE
EARLS MEAD
Whitefield Fishponds School Playing Field
Marshall Ho.
Callard Ho.
ADELAIDE PL.
ADELAIDE T.
STATION AVE
COURTFIELD GRO.
HINTON RD.
GUINEA LA.
ELMDALE GS.
Jun. Sch.
Lib.
CORONATION AVE
BROOK
3
Tennis Cts.
Pav.
Playing Fields
LOWER GROVE RD.
NEW BUILDINGS
EVEREST
EVEREST RD.
EVEREST AV.
Hall
Works
ALEXANDRA PARK
CHANNON'S HILL
PURDEY RD.
STATION RD.
CHAPEL LA.
Vine Cotts.
Depots
GRAEME CLO
NEW STATION RD.
NEW STATION WAY
Works
B
GROVE RD.
GROVE PK. TER.
PARK RD.
LANGDALE RD.
FEATHERSTONE RD.
BRENTRY RD.
LODORE RD.
GROVE AV.
STOKE VIEW RD.
672
LWR. STATION RD.
HOCKEY'S LA.
WHARF RD.
ALBERT TER.
BAWNS PL.
JUSTICE RD.
PARNALL RD.
FILWOOD RD.
Factory
609
Cemetery
Chapel
REDHILL DRI.
REDHILL CLO.
KNOWSLEY RD.
HAWKESBURY RD.
ELMGROVE RD.
A432
ERNESTVILLE RD.
LODGE
B4048
GOODNESTON RD.
Factory
HINGWALL
425
492
FISHPONDS ROAD
ALCOVE RD.
ALCOVE LA.
STAR LA.
DRUMMOND RD.
DUNKIRK RD.
MIDLAND TER.
Warehouse
4
ASHDENE AV.
OAKDENE AV.
HUYTON RD.
MARLBOROUGH ST.
RIDGEWAY PDE.
MARINA GDNS.
Upper Eastville
Bristol Lido
LAKE VIEW RD.
LAKESIDE
HALSTOCK AV.
DOMINION RD.
BALACLAVA RD.
Works
Chester Pk. Schs.
MENDIP VW. AV.
ENFIELD
Tennis Courts
Playgd.
Pavilion
PARK AV.
332
284
175
POOL CL.
SHAMROCK RD.
PARK PL.
RIDGEWAY PARK
RIDGEWAY
HONITON RD.
ABINGDON RD.
ACTON RD.
Gospel Hall
Mayfield Park
POPLAR PL.
IVY LA.
MAYFIELD AV.
ROWAN CLO.
ROYATE HILL
STONEBRIDGE
Clay Bottom
GREENS HILL
Cycle Walkway
Ridgeway
VERA RD.
IRENA RD.
MADELINE RD.
MOORLANDS RD.
TIVERTON WLK.
ABINGDON RD.
MAYFIELD RD.
MAYFIELD PARK NTH.
MAYFIELD PARK STH.
THE GLADES
DUBBER'S LANE
BOTTOM
Works
BS5
FISHPONDS TRADING ESTATE
5
WAINBROOK DR.
CRABTREE WK.
ROSE GRN. ROAD
CLAY HILL
MAGGS LA.
ANTHEA RD.
FISHPONDS TRADING EST.
OAK LANE
HOLLY LODGE RD.
WHITEWOOD RD.
ATLAS CL.
HOLLY CL.
173
ROAD
Hall Cl.
CLAY
ROSE GREEN
CHAPEL LA.
Clay Hill
FOUNDRY LA.
Works
Speedwell Day Cen.
DEAN DR.
B4465
120
Longhills Hostel
DUNCOMBE
STANLEY CHASE
OBERON AV.
ROSE GN. CL.
KNAPPS LANE
PIT RD.
DEEP
T.A.V.R. Centre
GORDON RD.
GORDON ROAD
Playing Field
Rose Green
PARK ESTATE
Tennis Courts
ELSTREE ROAD
A
72
Works
CROFTS END
Crofts End
Dragon Ct.
WHITEWOOD RD.
FERNHURST RD.
WHITEFIELD RD.
BROOK RD.
B
Baths
POPLAR RD.
MALLARD CL.
Lavender Ct.
Roegate Ho.
155
63
WHITEFIELD AV.
PONTING CL.
Playing Field
Speedwell School
Speedwell
C
178
62

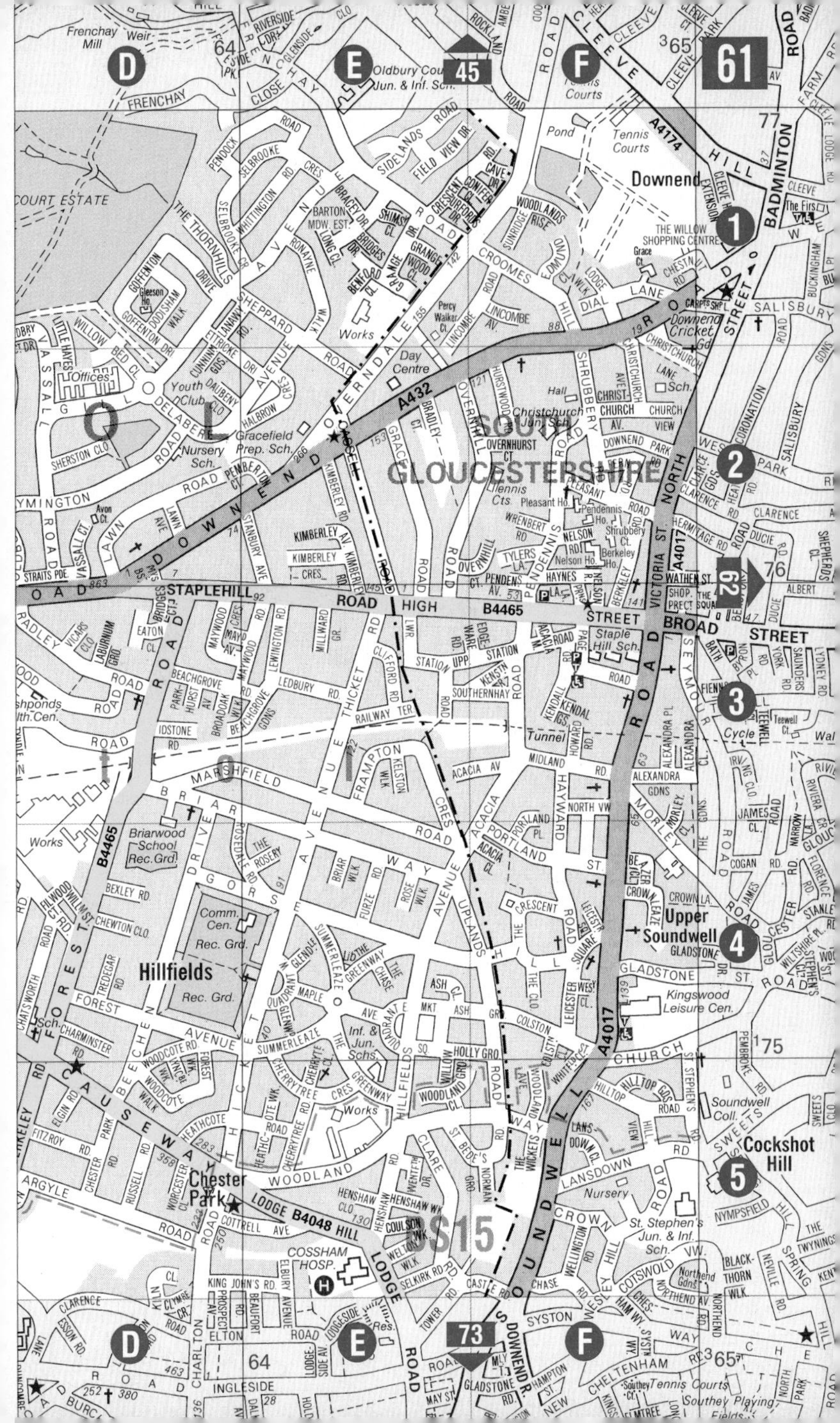

61
45
62
73
D
E
F
1
2
3
4
5
Frenchay Mill
Weir
FRENCHAY
Oldbury Court Jun. & Inf. Sch.
Tennis Courts
Pond
Downend
THE WILLOW SHOPPING CENTRE
Downend Cricket Gd.
The Firs
COURT ESTATE
Offices
Youth Club
Gracefield Prep. Sch.
Nursery Sch.
Day Centre
Works
Christchurch Jun. Sch.
SOUTH GLOUCESTERSHIRE
Tennis Cts.
Pleasant Ho.
Pendennis Ho.
Shrubbery Ct.
Berkeley Ho.
Nelson Ho.
Staple Hill Sch.
STAPLEHILL
Tunnel
Cycle
Briarwood School Rec. Grd.
Comm. Cen.
Rec. Grd.
Hillfields
Rec. Grd.
Inf. & Jun. Schs.
Works
Upper Soundwell
Kingswood Leisure Cen.
Soundwell Coll.
Cockshot Hill
Nursery
St. Stephen's Jun. & Inf. Sch.
Chester Park
COSSHAM HOSP.
Res.
BS15
Tennis Courts
Southey Playing Fields
A4174
A432
A4017
B4465
B4048
DOWNEND ROAD
STAPLEHILL ROAD
HIGH STREET
BROAD STREET
VICTORIA ST.
NORTH STREET
BADMINTON ROAD
CLEEVE HILL
SOUNDWELL ROAD
LODGE HILL
LODGE ROAD
CAUSEWAY
FOREST ROAD
MARSHFIELD ROAD
THICKET AVENUE
BRIAR WAY
GORSE HILL
WOODLAND WAY
ACACIA AV
PORTLAND ST.
GLOUCESTER ROAD
CHURCH ROAD
GLADSTONE ST.
SYSTON WAY
CHELTENHAM RD.

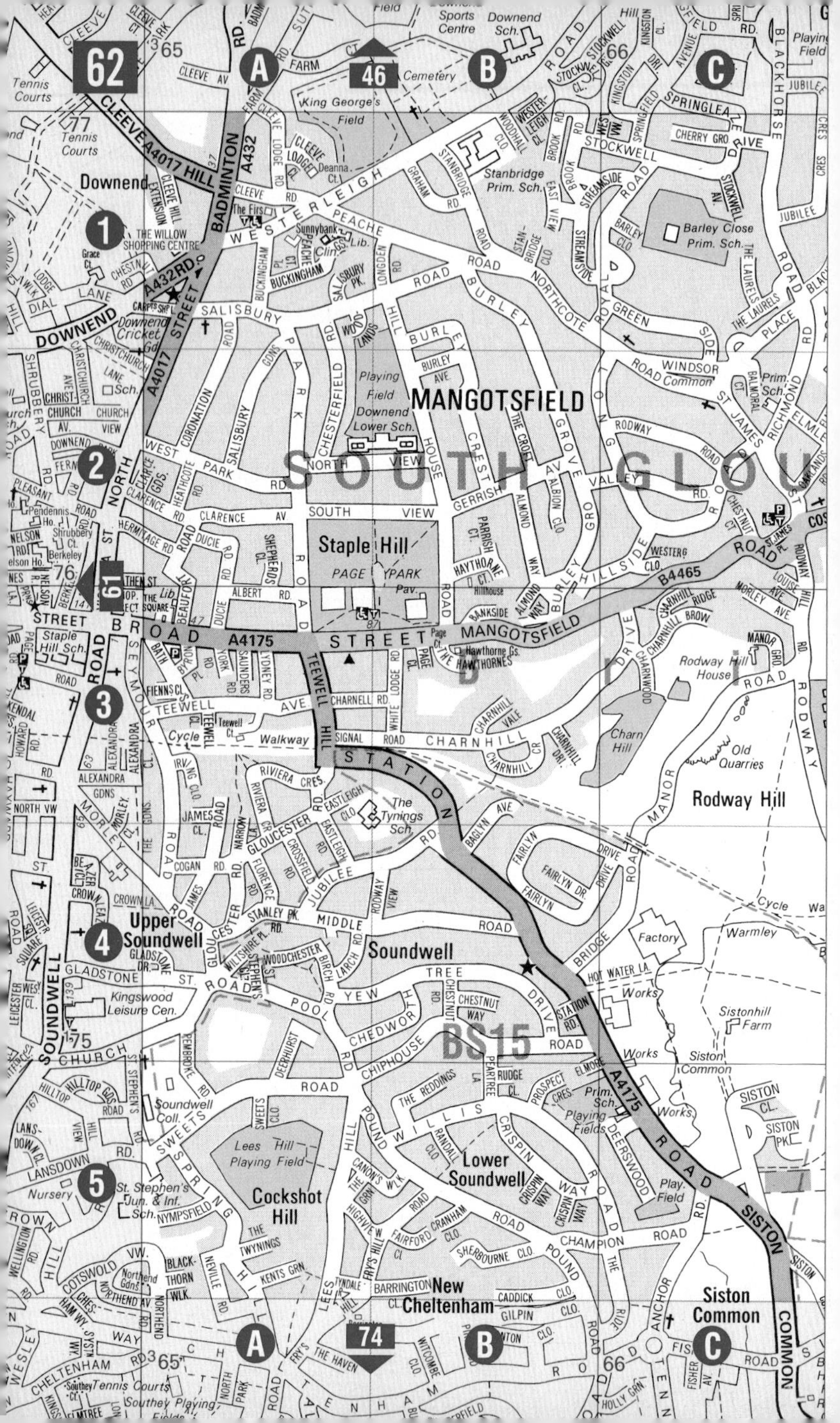
62
46
61
74
A
B
C
1
2
3
4
5
65
66
Downend
MANGOTSFIELD
SOUTH GLOU
Staple Hill
Soundwell
Upper Soundwell
Lower Soundwell
Cockshot Hill
New Cheltenham
Siston Common
Rodway Hill
BS15
CLEEVE HILL
A4017
A432
BADMINTON RD.
A432 RD.
A4175
B4465
A4175
DOWNEND
WESTERLEIGH
SALISBURY
NORTH STREET
BROAD STREET
MANGOTSFIELD STREET
STATION ROAD
TEEWELL HILL
SOUNDWELL ROAD
SISTON COMMON
King George's Field
Cemetery
Downend Sch.
Sports Centre
Stanbridge Prim. Sch.
Barley Close Prim. Sch.
Playing Field
Downend Lower Sch.
PAGE PARK
Pav.
Tennis Courts
Downend Cricket Gd.
The Firs
THE WILLOW SHOPPING CENTRE
Sunnybank Clin.
Lib.
Staple Hill Sch.
Rodway Hill House
Charn Hill
Old Quarries
The Tynings Sch.
Factory
Works
Siston Common
Sistonhill Farm
Kingswood Leisure Cen.
Soundwell Coll.
Lees Hill Playing Field
St. Stephen's Jun. & Inf. Sch.
Nursery
Prim. Sch.
Playing Fields
Play. Field
Cycle Walkway
Southey Playing Fields
Tennis Courts

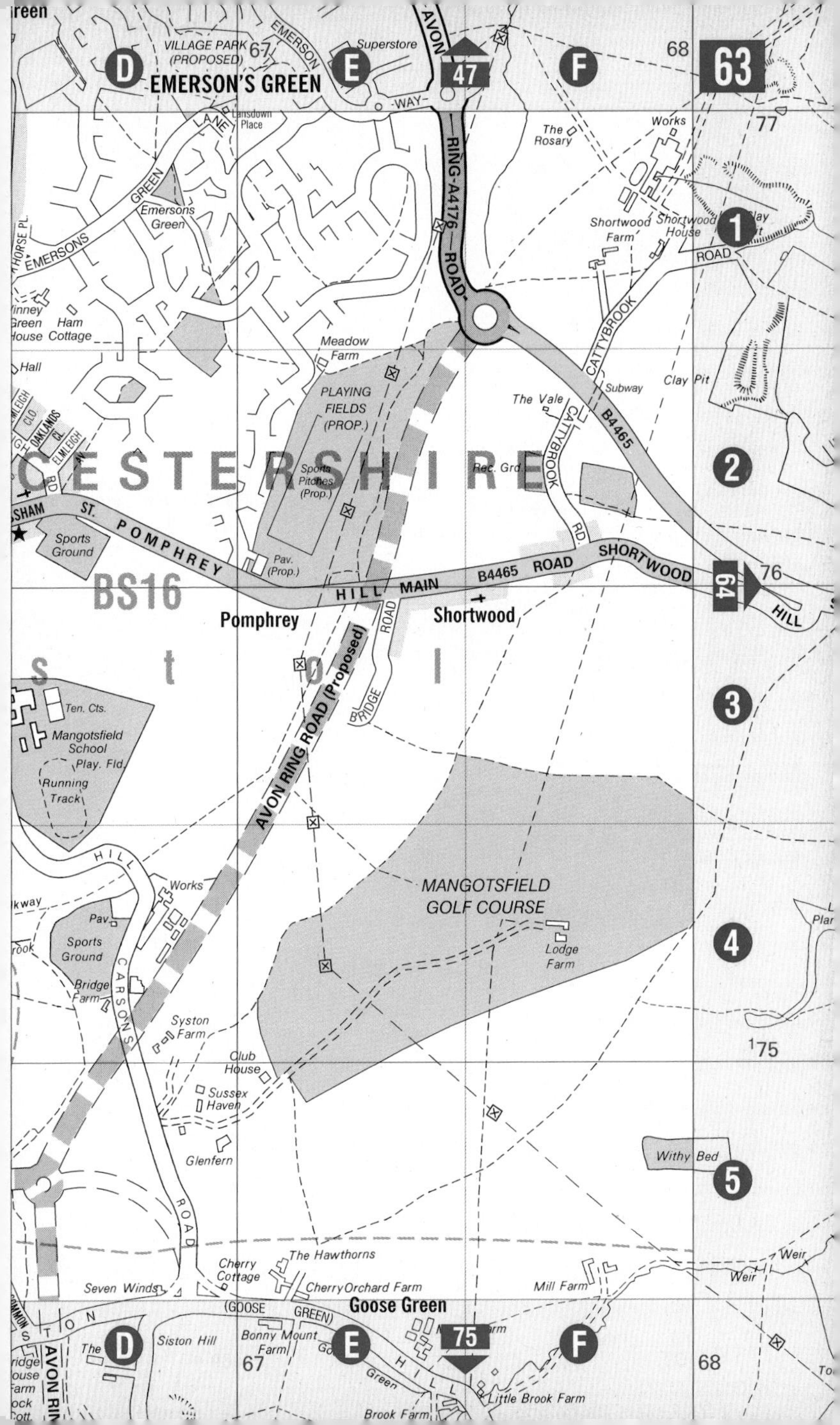
63
EMERSON'S GREEN
VILLAGE PARK (PROPOSED)
Superstore
47
68
67
77
76
75
1
2
3
4
5
D
E
F
RING-A4176-ROAD
Lansdown Place
Emersons Green
EMERSONS GREEN LANE
The Rosary
Works
Shortwood Farm
Shortwood House
Clay Pit
Meadow Farm
PLAYING FIELDS (PROP.)
Sports Pitches (Prop.)
Pav. (Prop.)
The Vale
Subway
CATTYBROOK
B4465
Rec. Grd.
CESTERSHIRE
Sports Ground
POMPHREY HILL
MAIN ROAD
B4465 ROAD
SHORTWOOD HILL
64
BS16
Pomphrey
Shortwood
BRIDGE ROAD
AVON RING ROAD (Proposed)
Ten. Cts.
Mangotsfield School
Play. Fld.
Running Track
Works
Pav.
Bridge Farm
Syston Farm
CARSONS ROAD
MANGOTSFIELD GOLF COURSE
Lodge Farm
Club House
Sussex Haven
Glenfern
Withy Bed
The Hawthorns
Cherry Cottage
Cherry Orchard Farm
Seven Winds
Mill Farm
Weir
Goose Green
(GOOSE GREEN)
Siston Hill
Bonny Mount Farm
Little Brook Farm
Brook Farm
AVON RING

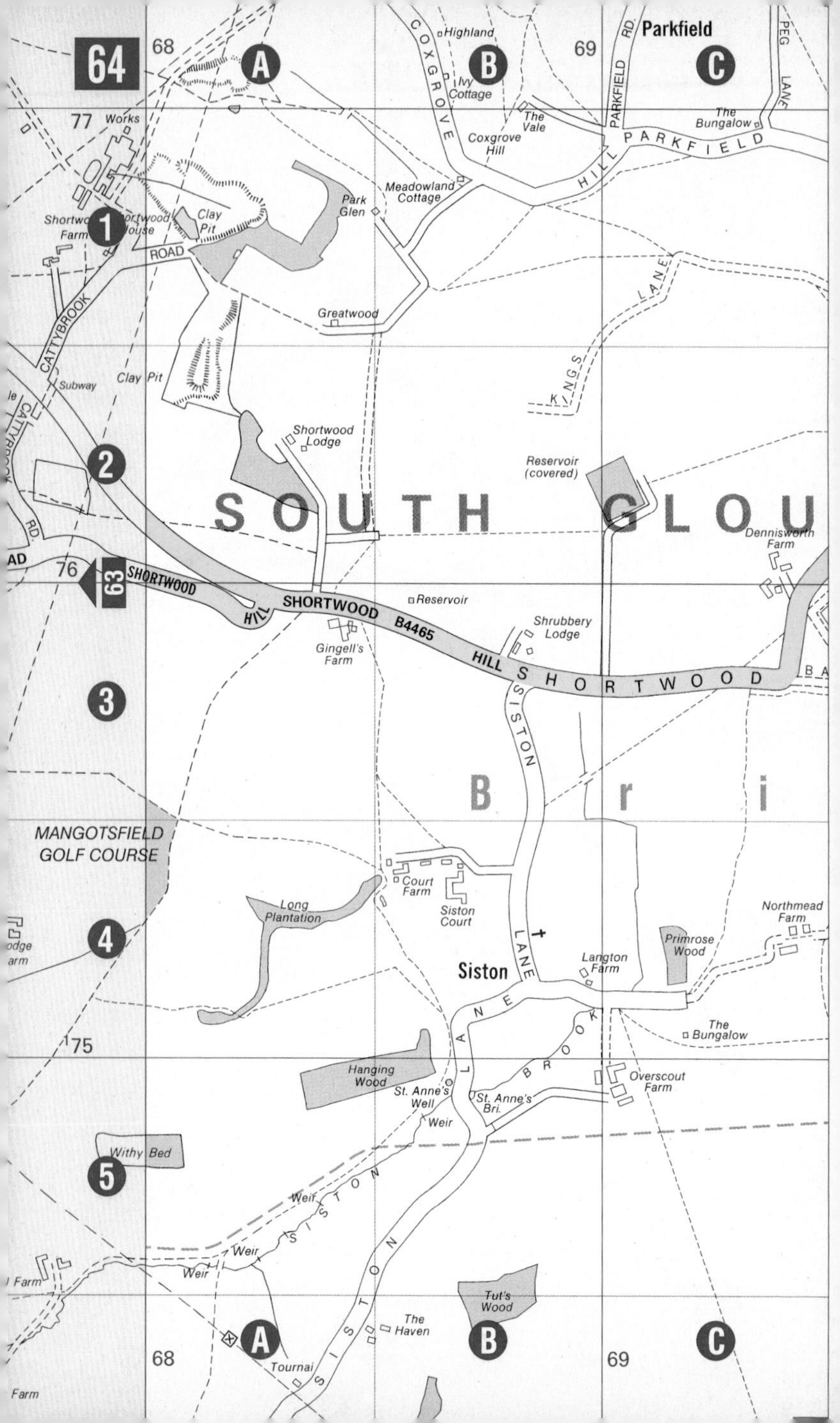

68
69
A
B
C
1
2
3
4
5
77
76
175
Highland
Parkfield
Ivy Cottage
The Vale
The Bungalow
Coxgrove Hill
COXGROVE HILL
PARKFIELD RD.
PEG LANE
PARKFIELD
Works
Meadowland Cottage
Park Glen
Clay Pit
Shortwood Farm
Shortwood House
ROAD
CATTYBROOK
Greatwood
KINGS LANE
Subway
Clay Pit
CATTYBROOK RD.
Shortwood Lodge
Reservoir (covered)
SOUTH GLOU
Dennisworth Farm
63
SHORTWOOD
HILL
SHORTWOOD B4465
Reservoir
Gingell's Farm
Shrubbery Lodge
HILL SHORTWOOD
SISTON
Bri
MANGOTSFIELD GOLF COURSE
Court Farm
Siston Court
Long Plantation
Northmead Farm
Primrose Wood
LANE
Siston
Langton Farm
LANE
BROOK
The Bungalow
Hanging Wood
St. Anne's Well
St. Anne's Bri.
Overscout Farm
Weir
Withy Bed
SISTON
Weir
Weir
Weir
SISTON
Tut's Wood
The Haven
Tournai
SISTON
Farm
Farm

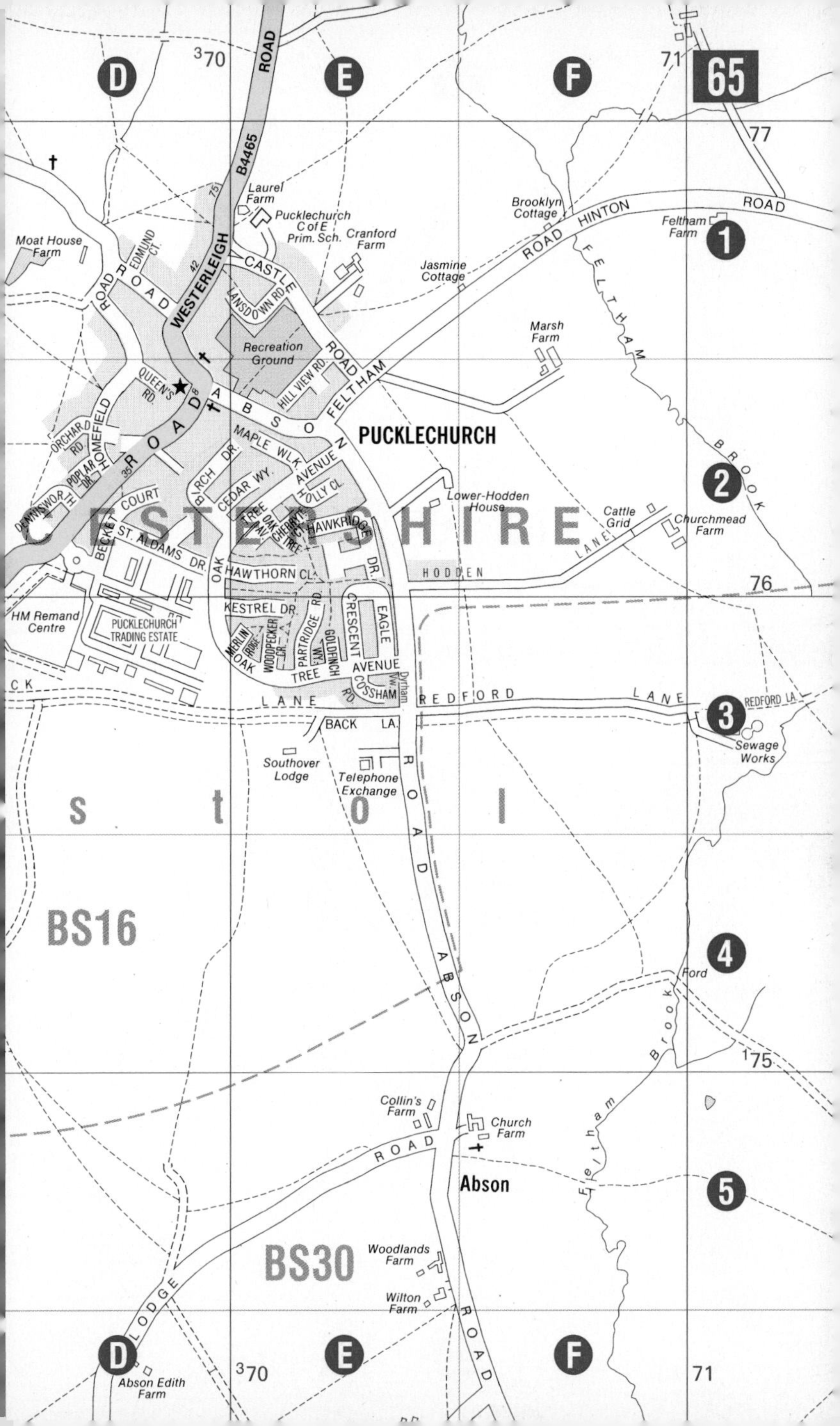

Moat House Farm

† Laurel Farm

Pucklechurch C of E Prim. Sch.

Cranford Farm

Brooklyn Cottage

HINTON ROAD

Feltham Farm

1

Jasmine Cottage

WESTERLEIGH

B4465

EDMUND ROAD

CASTLE

Recreation Ground

LANSDOWN RD

HILL VIEW RD

ABSON ROAD

FELTHAM

Marsh Farm

FELTHAM BROOK

QUEEN'S RD

ORCHARD RD

POPLAR LA

HOMEFIELD

3RD

ROAD

MAPLE WLK

CEDAR WY

AVENUE

HOLLY CL

PUCKLECHURCH

Lower-Hodden House

Cattle Grid

2

Churchmead Farm

G L O U C E S T E R S H I R E

BIRCH DR

DOWNSWOOD

BECKET CT

ST. ALDAMS DR

OAK

HAWTHORN CL

FREE DIM

LABURNUM

TREE

HAWKFIELD

DR

HODDEN LANE

76

HM Remand Centre

PUCKLECHURCH TRADING ESTATE

KESTREL DR

MERLIN DRIVE

OAK

WOODPECKER CR

PARTRIDGE RD

GOLDFINCH

CRESCENT

COSHAM RD

GOLDCREST

EAGLE

AVENUE

BACK LA.

Southover Lodge

Telephone Exchange

REDFORD LANE

REDFORD LA.

3

Sewage Works

CK

LANE

ABSON ROAD

s t o l

BS16

4

Ford

Brook

75

Collin's Farm

Church Farm

ROAD

Abson

5

BS30

Woodlands Farm

Wilton Farm

ABSON ROAD

LODGE

Feltham Brook

Abson Edith Farm

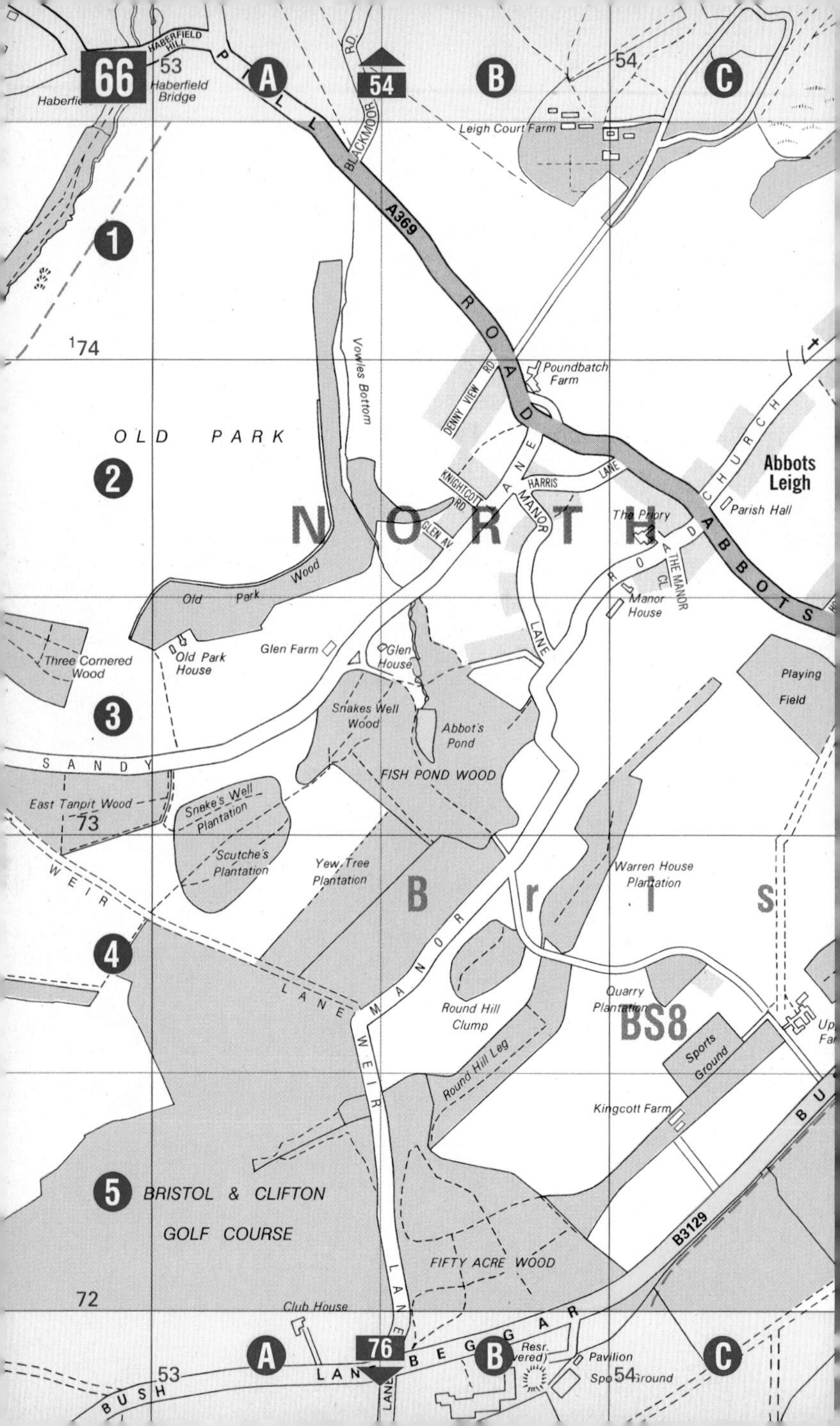
66
54
76
A
B
C
1
2
3
4
5
53
54
174
73
72
Haberfield Hill
Haberfield Bridge
Pill Road
A369
Blackmoor Rd.
Leigh Court Farm
Vowles Bottom
Poundbatch Farm
Denny View Rd
Old Park
Knightcott Rd
Glen Av
Harris Lane
Manor Lane
North
The Priory
Abbots Leigh
Parish Hall
Church Road
Abbots Road
The Manor Cl.
Manor House
Old Park Wood
Three Cornered Wood
Old Park House
Glen Farm
Glen House
Snakes Well Wood
Abbot's Pond
Fish Pond Wood
Playing Field
Sandy Lane
East Tanpit Wood
Snake's Well Plantation
Scutche's Plantation
Yew Tree Plantation
Warren House Plantation
Weir Lane
Manor Road
Round Hill Clump
Quarry Plantation
BS8
Sports Ground
Round Hill Leg
Kingcott Farm
B3129
Bristol & Clifton Golf Course
Fifty Acre Wood
Club House
Beggar Bush Lane
Pavilion
Resr.

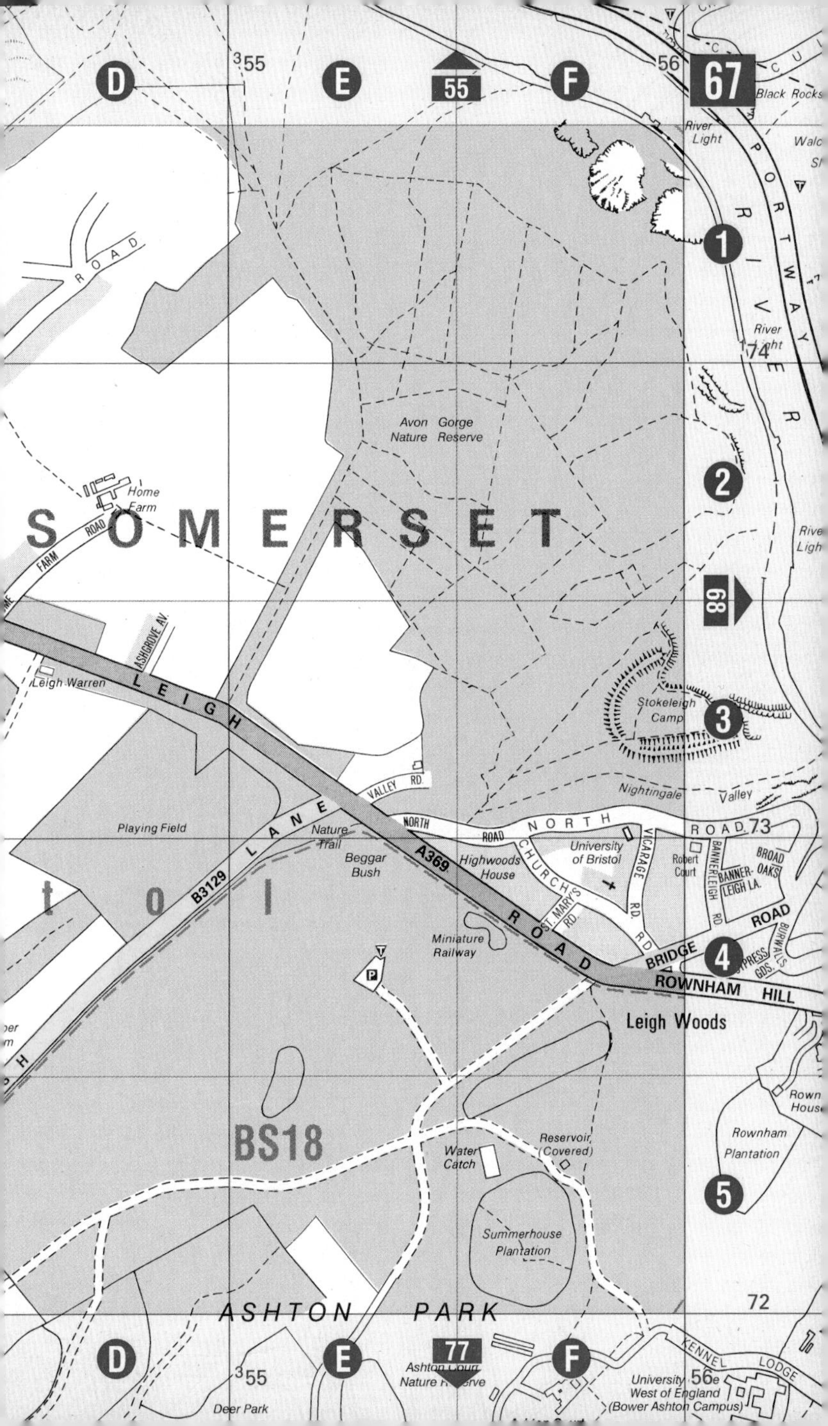

355

Black Rocks

River
Light

Walc
Sh

1

River
ight 74

Avon   Gorge
Nature   Reserve

Home
Farm

2

River
Ligh

S O M E R S E T

ASHGROVE AV.

FARM   ROAD

Leigh Warren

LEIGH

68

Stokeleigh
Camp

3

Nightingale   Valley

VALLEY RD.

NORTH

ROAD

NORTH

ROAD 73

Playing Field

Nature
Trail

LANE

Beggar
Bush

Highwoods
House

CHURCH'S

University
of Bristol

ST. MARY'S

VICARAGE

RD.

Robert
Court

BANNERLEIGH

BANNER-
LEIGH LA.

RD.

BROAD
OAKS

BROAD

B3129

A369

ROAD

RD.

ROAD

PRESS GOS

BURWALLS

t   o   I

Miniature
Railway

BRIDGE

4

ROWNHAM   HILL

P

Leigh Woods

Rown
House

BS18

Water
Catch

Reservoir
(Covered)

Rownham
Plantation

5

per

Summerhouse
Plantation

SH

A S H T O N   P A R K

355

Deer Park

Ashton Court
Nature Reserve

72

KENNEL
LODGE

University
56e
West of England
(Bower Ashton Campus)

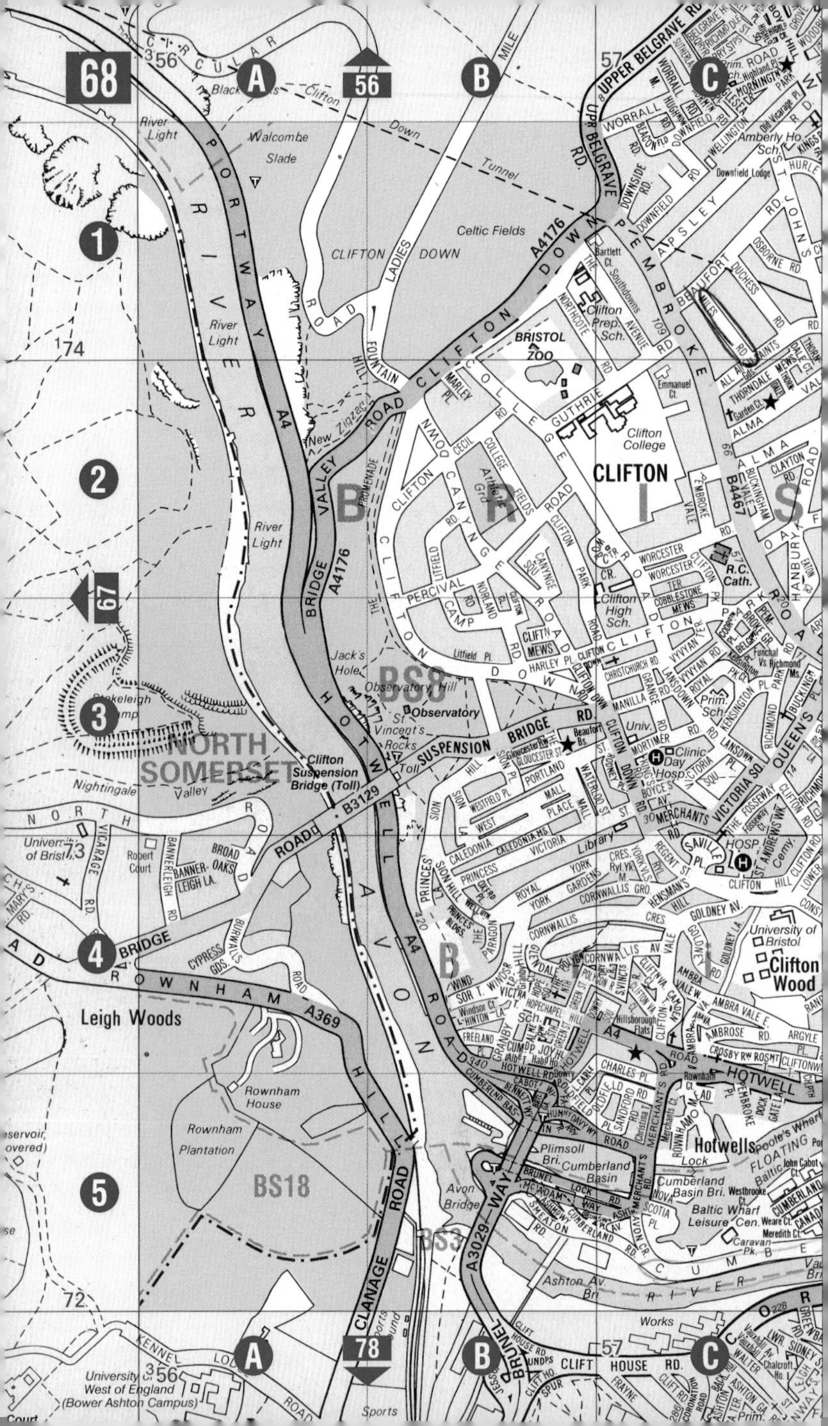

68
56
78
67
A
B
C
1
2
3
4
5
CLIFTON
CLIFTON DOWN
Celtic Fields
Walcombe Slade
River Light
Clifton Down Tunnel
PORTWAY A4
RIVER AVON
BRISTOL ZOO
Clifton College
Clifton Prep. Sch.
Clifton High Sch.
R.C. Cath.
BS8
Observatory Hill
Observatory
Jack's Hole
St. Vincent's Rocks
Clifton Suspension Bridge (Toll)
SUSPENSION BRIDGE RD.
B3129
NORTH SOMERSET
Stokeleigh Camp
Nightingale Valley
NORTH ROAD
University of Bristol
Robert Court
Leigh Woods
ROWNHAM HILL A369
Rownham House
Rownham Plantation
BS18
BS3
CLANAGE ROAD
A3029
BRUNEL WAY
Plimsoll Bri.
Cumberland Basin
Cumberland Basin Bri.
Avon Bridge
Ashton Av. Bri.
Hotwells
HOTWELL RD.
HOTWELL ROAD A4
Clifton Wood
Baltic Wharf Leisure Cen.
FLOATING HARBOUR
Poole's Wharf
Caravan Pk.
CLIFT HOUSE RD.
Works
University of West of England (Bower Ashton Campus)
Reservoir (covered)
KENNEL LODGE ROAD
PEMBROKE RD.
UPPER BELGRAVE RD.
A4176
CLIFTON DOWN RD.
BRIDGE VALLEY ROAD
QUEEN'S ROAD
VICTORIA SQ.
Clinic Day Hosp.
HOSP.
Library
Univ.
Beaufort Bs.
B4467
Emmanuel Ct.
Amberly Ho. Sch.
Downfield Lodge
New Zigzag

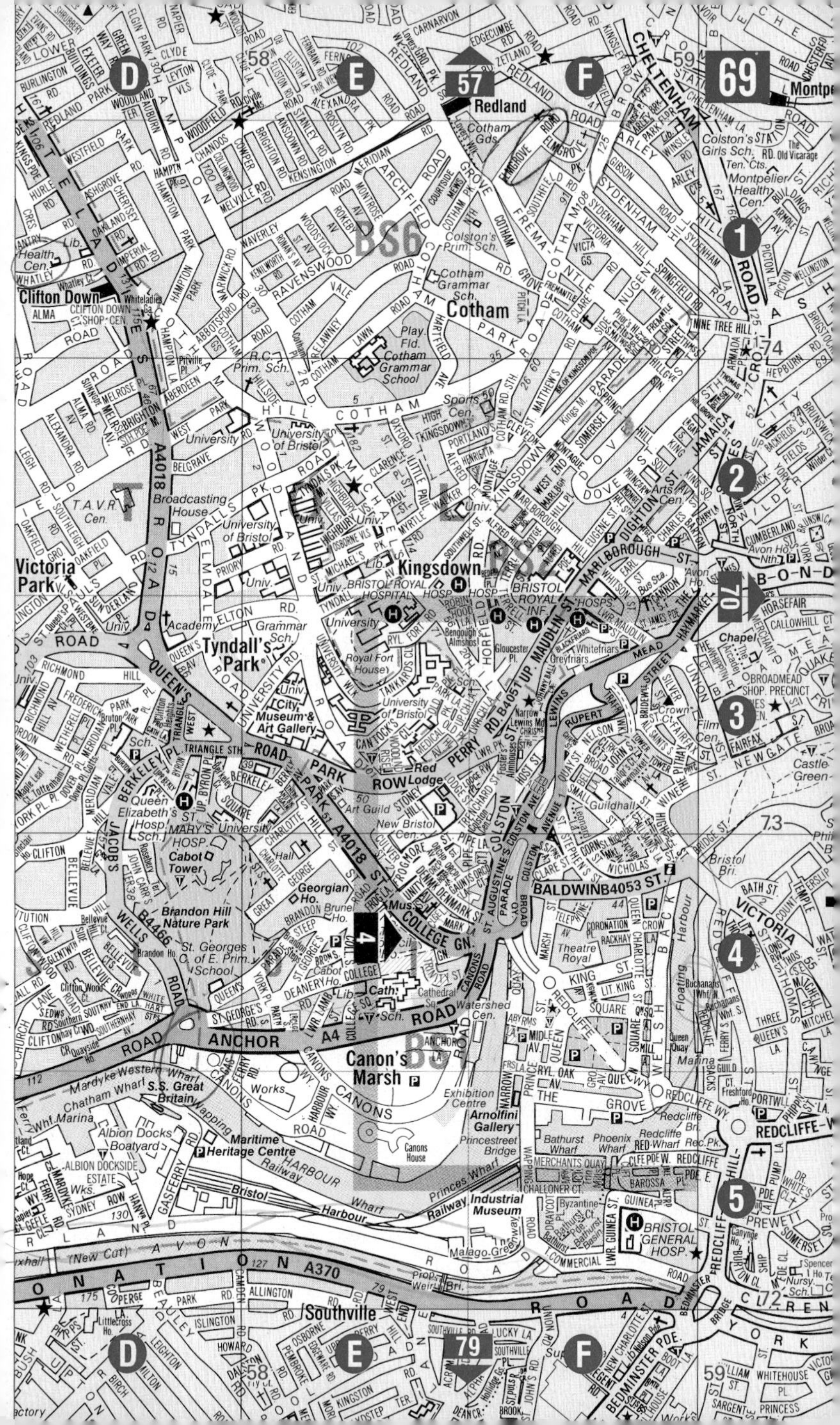

69
57
70
79
4
D
E
F
1
2
3
4
5
BS6
BS1
Redland
Cotham
Kingsdown
Clifton Down
Victoria Park
Tyndall's Park
Canon's Marsh
Southville
Montpelier
Cotham Grammar School
Colston's Girls Sch.
Colston's Prim. Sch.
University of Bristol
Broadcasting House
City Museum & Art Gallery
Red Lodge
Cabot Tower
Brandon Hill Nature Park
Georgian Ho.
Bristol Royal Inf.
Bristol Royal Hosp.
Cathedral
Theatre Royal
Arnolfini Gallery
Exhibition Centre
Industrial Museum
Maritime Heritage Centre
S.S. Great Britain
Albion Docks Boatyard
Bristol General Hosp.
Broadmead Shop. Precinct
Castle Green
Floating Harbour
Bristol Bri.
A4018
A4
A370
B4053
B4051
B4466
Anchor Road
Cheltenham Road
Whiteladies Road
Queen's Road
Park Row
Marlborough St.
Haymarket
Horsefair
Newgate
Baldwin St.
Victoria St.
Redcliffe Hill
Commercial Road
Coronation Road
Cumberland Road
New Cut

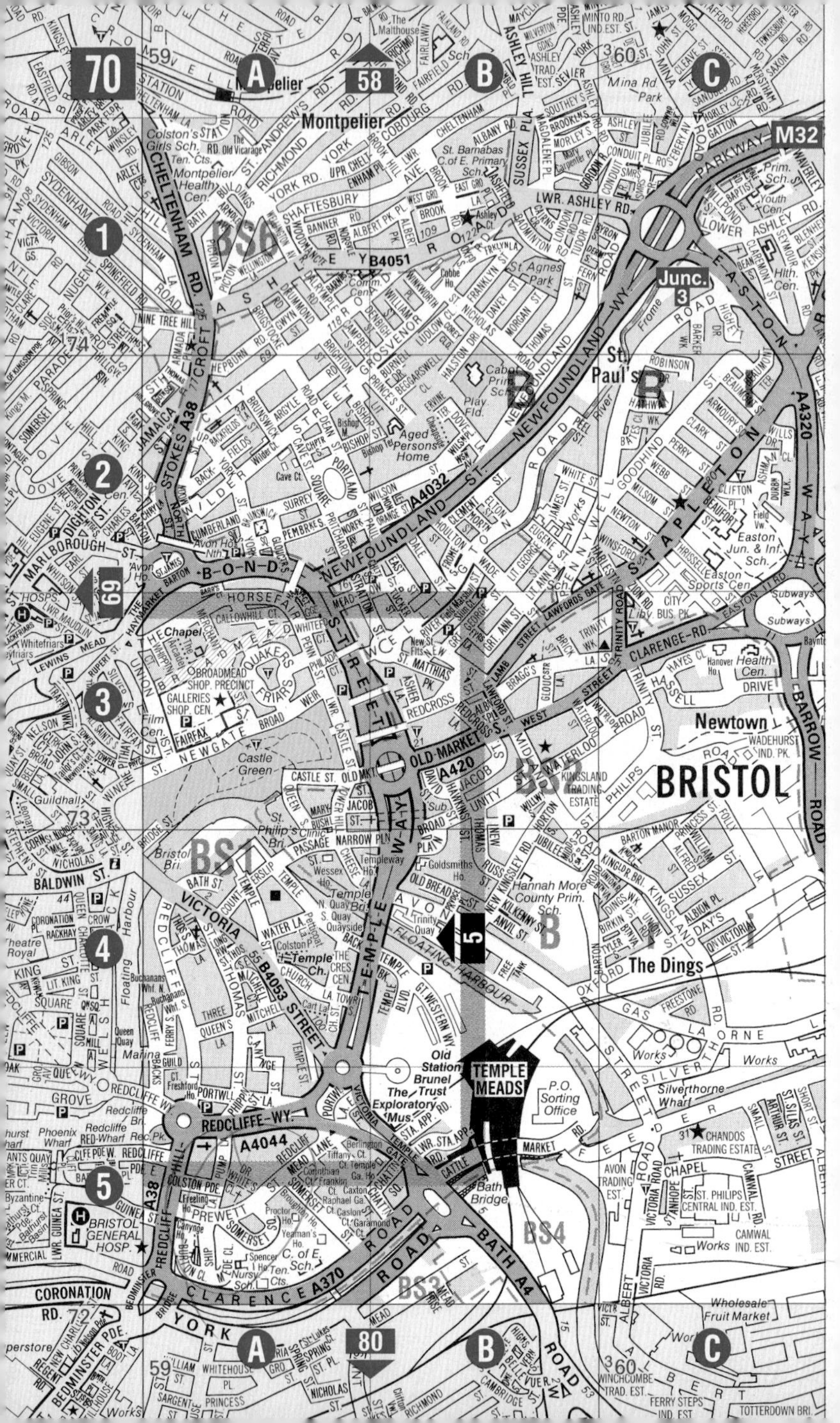
58
Montpelier
A
B
C
M32
1
2
3
4
5
BS6
BS1
BS2
BS3
BS4
B4051
A38
A4032
A420
A4044
A370
B4053
A4320
A4
Junc. 3
St. Paul's
Newtown
BRISTOL
The Dings
TEMPLE MEADS
Colston's Girls Sch.
Montpelier Health Cen.
St. Barnabas C.of E. Primary Sch.
St Agnes Park
Cabot Prim. Sch.
Aged Persons Home
Easton Jun. & Inf. Sch.
Easton Sports Cen
Health Cen.
BROADMEAD SHOP. PRECINCT
GALLERIES SHOP. CEN.
Castle Green
Kingsland Trading Estate
Hannah More County Prim. Sch.
Floating Harbour
Old Station Brunel Trust
The Exploratory Mus.
P.O. Sorting Office
Silverthorne Wharf
Chandos Trading Estate
St. Philips Central Ind. Est.
Camwal Ind. Est.
Wholesale Fruit Market
Bristol General Hosp.
Redcliffe Wharf
Phoenix Wharf
Temple Ch.
Theatre Royal
Queen Square
Marina
Guildhall
Hosps.
Newfoundland Way
Newfoundland St.
Bond St.
The Haymarket
Horsefair
Broadmead
Temple Way
Redcliffe Way
Victoria St.
Clarence Rd.
Bath Rd.
Cheltenham Rd.
Stokes Croft
Ashley Rd.
Stapleton Rd.
Easton Way
Barrow Road
Old Market St.
Lawfords Gate
Coronation Rd.
York Rd.
69
5
80
59
60
72
73
74

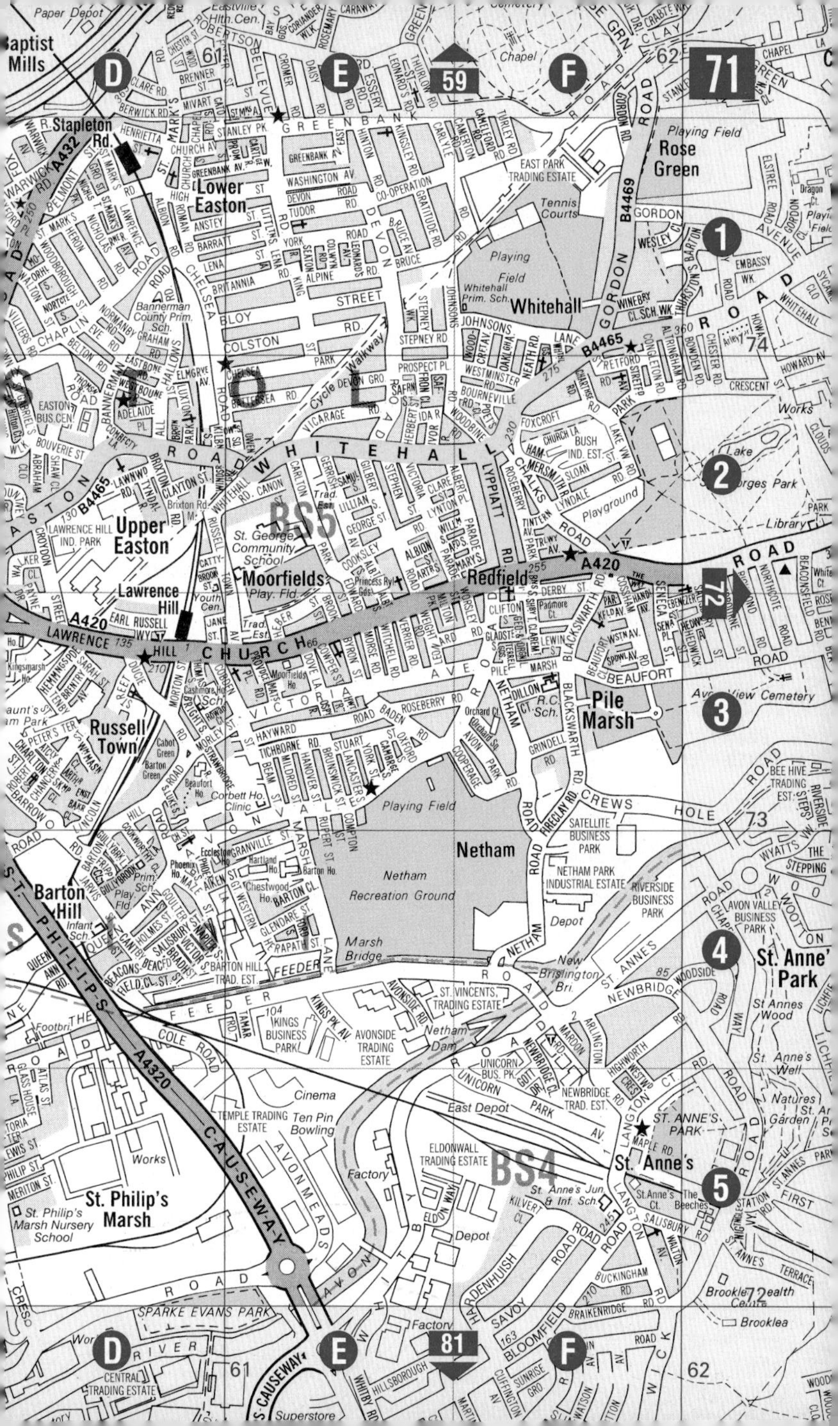

59
72
81
D
E
F
1
2
3
4
5
61
62
BS5
BS4
Baptist Mills
Stapleton Rd.
Lower Easton
Upper Easton
Lawrence Hill
Moorfields
Redfield
Whitehall
Rose Green
Russell Town
Barton Hill
Pile Marsh
Netham
St. Anne's Park
St. Anne's
St. Philip's Marsh
Easton Bus. Cen.
Bannerman County Prim. Sch.
St. George Community School
Whitehall Prim. Sch.
East Park Trading Estate
Lawrence Hill Ind. Park
Bush Ind. Est.
Satellite Business Park
Netham Park Industrial Estate
Riverside Business Park
Bee Hive Trading Est.
Avon Valley Business Park
Avon View Cemetery
St. Georges Park
Netham Recreation Ground
Playing Field
Marsh Bridge
New Brislington Bri.
Netham Dam
St. Vincents Trading Estate
Kings Business Park
Avonside Trading Estate
Barton Hill Trad. Est.
Unicorn Bus. Pk.
Newbridge Trad. Est.
East Depot
Eldonwall Trading Estate
Temple Trading Estate
Cinema
Ten Pin Bowling
Sparke Evans Park
Central Trading Estate
St. Philip's Marsh Nursery School
St. Anne's Jun. & Inf. Sch.
St. Anne's Wood
St. Anne's Well
Natures Garden
Brooklea
Superstore
A420
A432
A4320
B4465
B4469
Whitehall Road
Church Road
Lawrence Hill
Feeder Road
Causeway
Crews Hole Road
Netham Road
Blackswarth Road
Beaufort Road
Gordon Road
Newbridge Road
Langton Road
Wick Road
Avonmeads

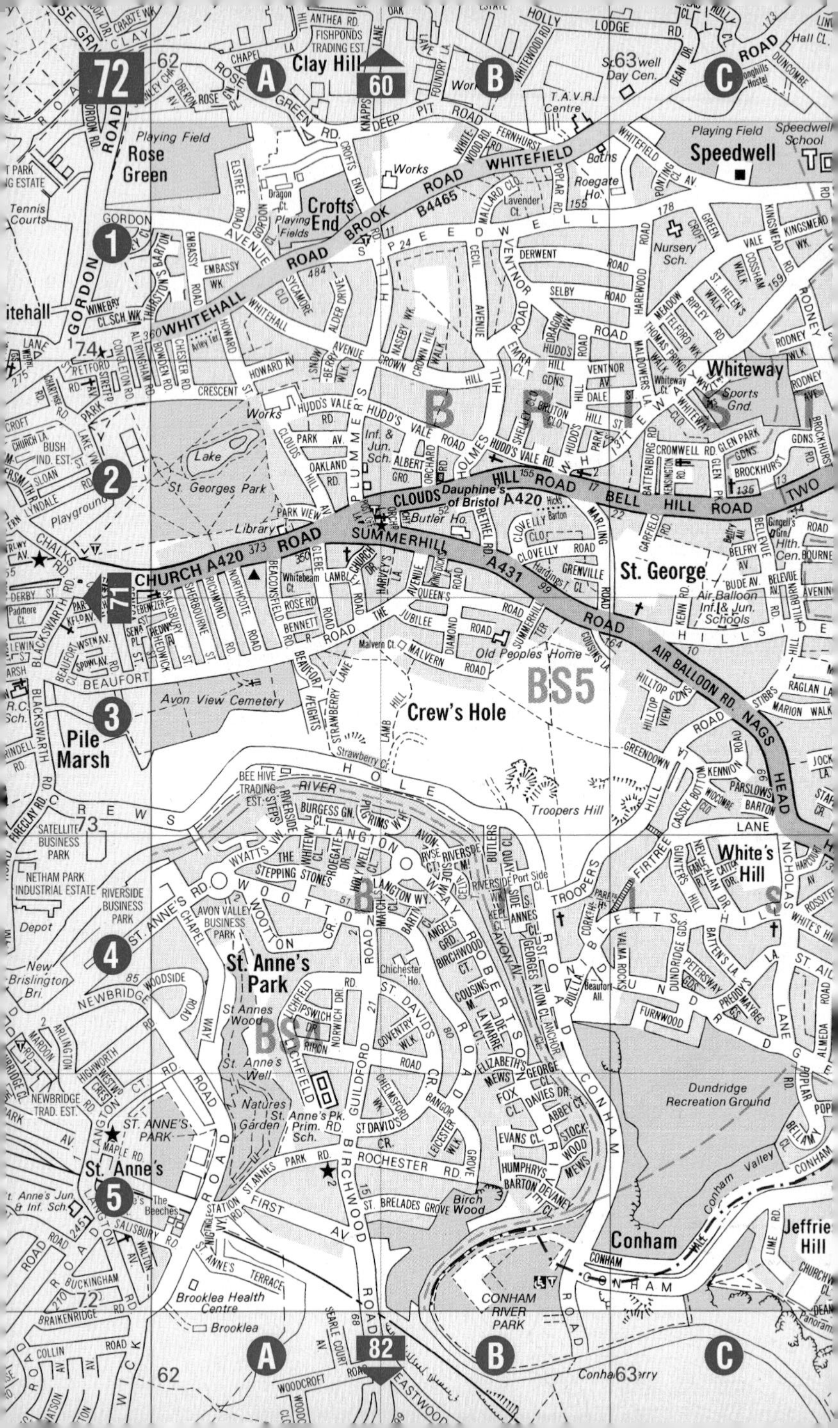
72
60
71
73
82
62
63
A
B
C
1
2
3
4
5
Clay Hill
Rose Green
Crofts End
Speedwell
Whiteway
St. George
Crew's Hole
Pile Marsh
St. Anne's Park
St. Anne's
White's Hill
Conham
Jeffries Hill
BRISTOL
BS5
BS4
Playing Field
Playing Fields
Works
Baths
Roegate Ho.
Nursery Sch.
Speedwell School
Whiteway Sports Gnd.
T.A.V.R. Centre
Speedwell Day Cen.
Fishponds Trading Est.
Lake
St. Georges Park
Playground
Library
Avon View Cemetery
Dauphine's of Bristol
Butler Ho.
Inf. & Jun. Sch.
Air Balloon Inf. & Jun. Schools
Old Peoples Home
Troopers Hill
Bee Hive Trading Est.
Satellite Business Park
Netham Park Industrial Estate
Riverside Business Park
Avon Valley Business Park
Depot
New Brislington Bri.
Newbridge Trad. Est.
St. Annes Wood
St. Anne's Well
Natures Garden
St. Anne's Pk. Prim. Sch.
St. Anne's Jun. & Inf. Sch.
Brooklea Health Centre
Brooklea
Birch Wood
Conham River Park
Conham Valley
Dundridge Recreation Ground
Conham Quarry
Chichester Ho.
Malvern Ct.
Strawberry Cl.
Tennis Courts
Bush Ind. Est.
R.C. Sch.
Gingell's Grn.
Hlth. Cen.
WHITEHALL ROAD
BROOK ROAD
WHITEFIELD ROAD
B4465
CHURCH ROAD A420
CLOUDS HILL ROAD
BELL HILL ROAD
SUMMERHILL ROAD
A431
AIR BALLOON RD.
NAGS HEAD HILL
CREWS HOLE
RIVER
DEEP PIT ROAD
GORDON ROAD
SPEEDWELL
HUDD'S VALE ROAD
PLUMMERS HILL
WOOTTON ROAD
BIRCHWOOD ROAD
CONHAM ROAD
CONHAM HILL
NEWBRIDGE ROAD
STATION ROAD
FIRST AV.
ROCHESTER RD.
GUILDFORD ROAD
BLACKSWARTH RD.
BEAUFORT RD.
MALVERN ROAD
LAMB HILL
STRAWBERRY LANE
TROOPERS HILL
HILLSIDE
RIDGEWAY
LANGTON WY.
BUCKINGHAM RD.
BRAIKENRIDGE RD.

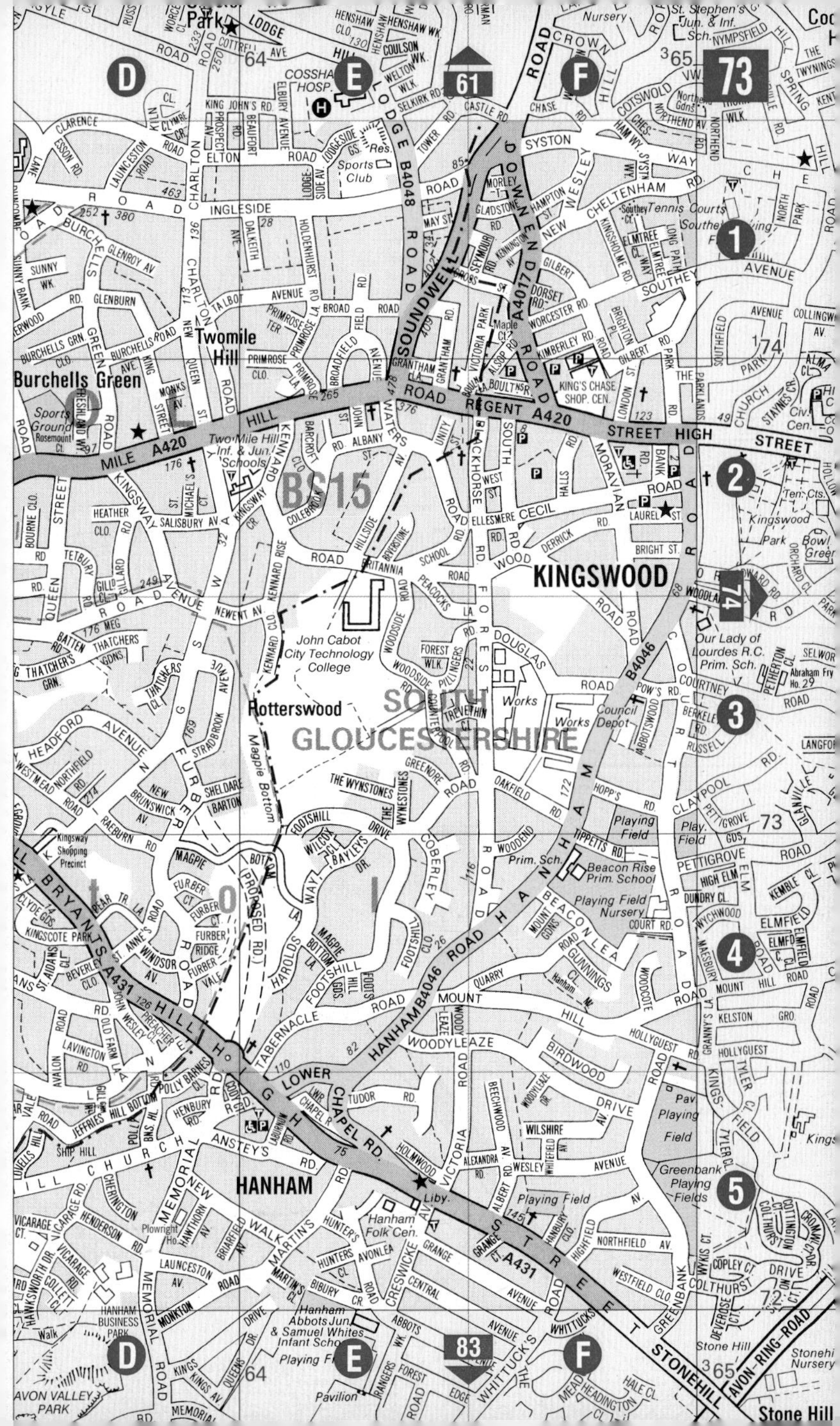73
61
83
74
D
E
F
1
2
3
4
5
BS15
KINGSWOOD
SOUTH GLOUCESTERSHIRE
HANHAM
Twomile Hill
Burchells Green
Rotterswood
Magpie Bottom
John Cabot City Technology College
Two Mile Hill Inf. & Jun. Schools
Our Lady of Lourdes R.C. Prim. Sch.
Beacon Rise Prim. School
Kingsway Shopping Precinct
King's Chase Shop. Cen.
Hanham Folk Cen.
Hanham Abbots Jun. & Samuel Whites Infant School
Hanham Business Park
Avon Valley Park
Stone Hill
Cossham Hosp.
Sports Club
Sports Ground
Tennis Courts
Works
Council Depot
Playing Field
Greenbank Playing Fields
Civ. Cen.
Liby.
Pavilion
Nursery
St. Stephen's Jun. & Inf. Sch.
Kingswood Park
Bowl. Green
MILE A420 HILL
REGENT A420
HIGH STREET
SOUNDWELL ROAD
LODGE B4048 ROAD
DOWNEND ROAD A4017
HANHAM ROAD B4046
HANHAM B4046 ROAD
HIGH STREET A431
BRYANTS HILL A431
CHELTENHAM RD.
SOUTHEY AVENUE
CHURCH ROAD
CHURCH PARK
FOREST ROAD
KENNARD ROAD
TABERNACLE ROAD
MOUNT HILL ROAD
AVON RING ROAD
STONEHILL
LOWER CHAPEL RD.
MEMORIAL ROAD
CHARLTON ROAD
INGLESIDE ROAD
BURCHELLS AVENUE
FURBER ROAD
COURT ROAD
VICTORIA AV.
WESLEY AVENUE
WOODYLEAZE DRIVE
CROWN HILL
SYSTON WAY
NEW CHELTENHAM RD.
MAGPIE BOTTOM (PROPOSED RD.)

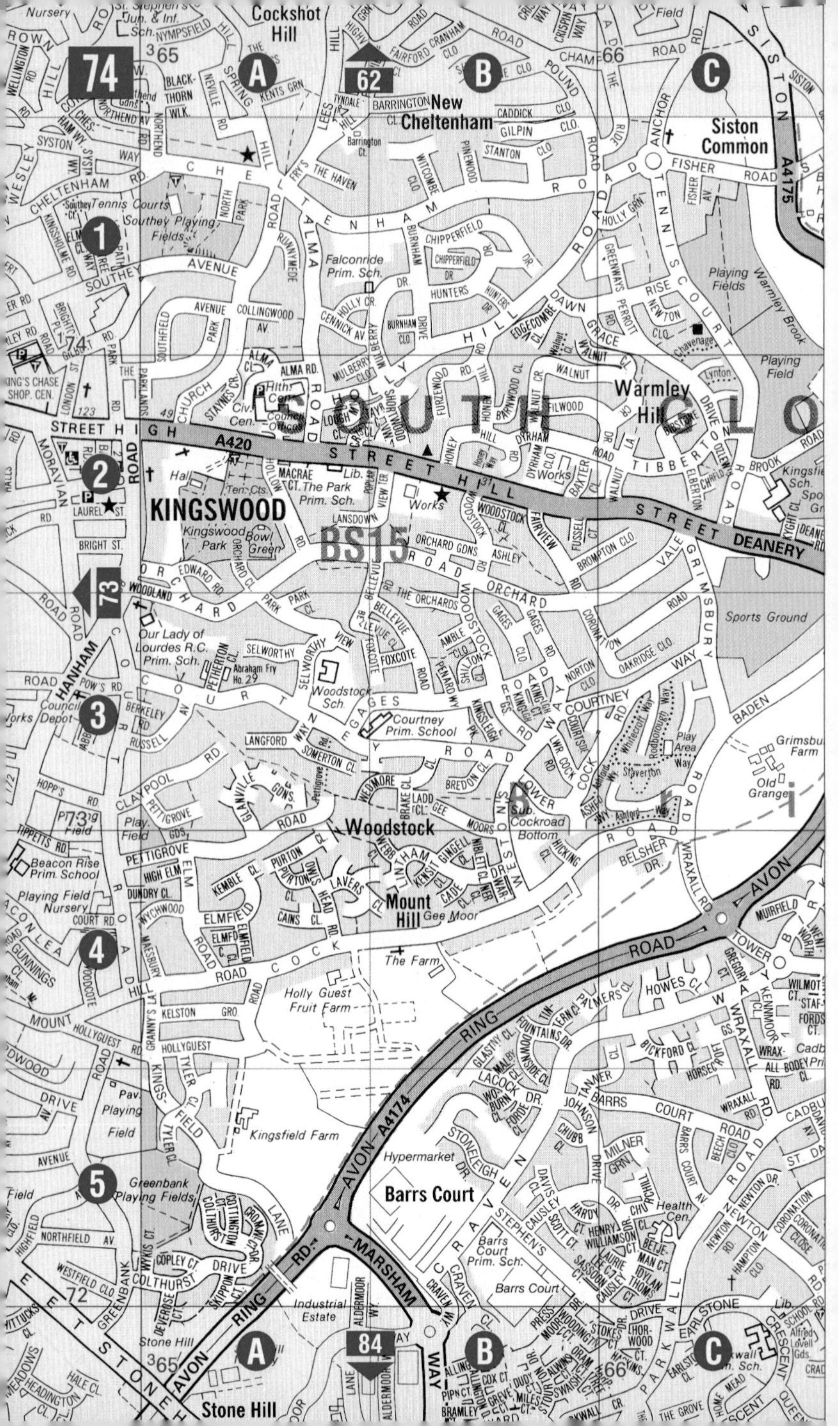

74
62
73
84
A
B
C
1
2
3
4
5
365
66
Cockshot Hill
New Cheltenham
Siston Common
Warmley Hill
KINGSWOOD
BS15
SOUTH GLO
Woodstock
Mount Hill
Gee Moor
Barrs Court
Stone Hill
Sub. Cockroad Bottom
A420
A4174
A4175
CHELTENHAM ROAD
HIGH STREET
DEANERY
COURT ROAD
HANHAM ROAD
ORCHARD ROAD
COURTNEY ROAD
COCK ROAD
RING ROAD
AVON RING ROAD
TOWER ROAD
SOUTHEY AVENUE
HOLLY HILL ROAD
ALMA ROAD
TENNIS COURT ROAD
FISHER ROAD
ANCHOR ROAD
SISTON
MARSHAM WAY
CRAVEN WAY
PARKWALL
EARLSTONE CRESCENT
GRIMSBURY ROAD
BADEN ROAD
WRAXALL RD.
BARRS COURT RD.
NEWTON RD.
MOUNT HILL
KINGSFIELD LANE
COLTHURST DRIVE
GREENBANK
NORTHFIELD AV.
Falconride Prim. Sch.
The Park Prim. Sch.
Woodstock Sch.
Courtney Prim. School
Our Lady of Lourdes R.C. Prim. Sch.
Beacon Rise Prim. School
Barrs Court Prim. Sch.
Kingsfield Farm
Holly Guest Fruit Farm
The Farm
Hypermarket
Industrial Estate
Sports Ground
Playing Fields
Playing Field
Southey Playing Fields
Tennis Courts
Greenbank Playing Fields
Kingswood Park
Bowl Green
Council Depot
Health Cen.
Grimsbury Farm
Old Grange
KING'S CHASE SHOP. CEN.
Warmley Brook
Lib.
Works
Hall

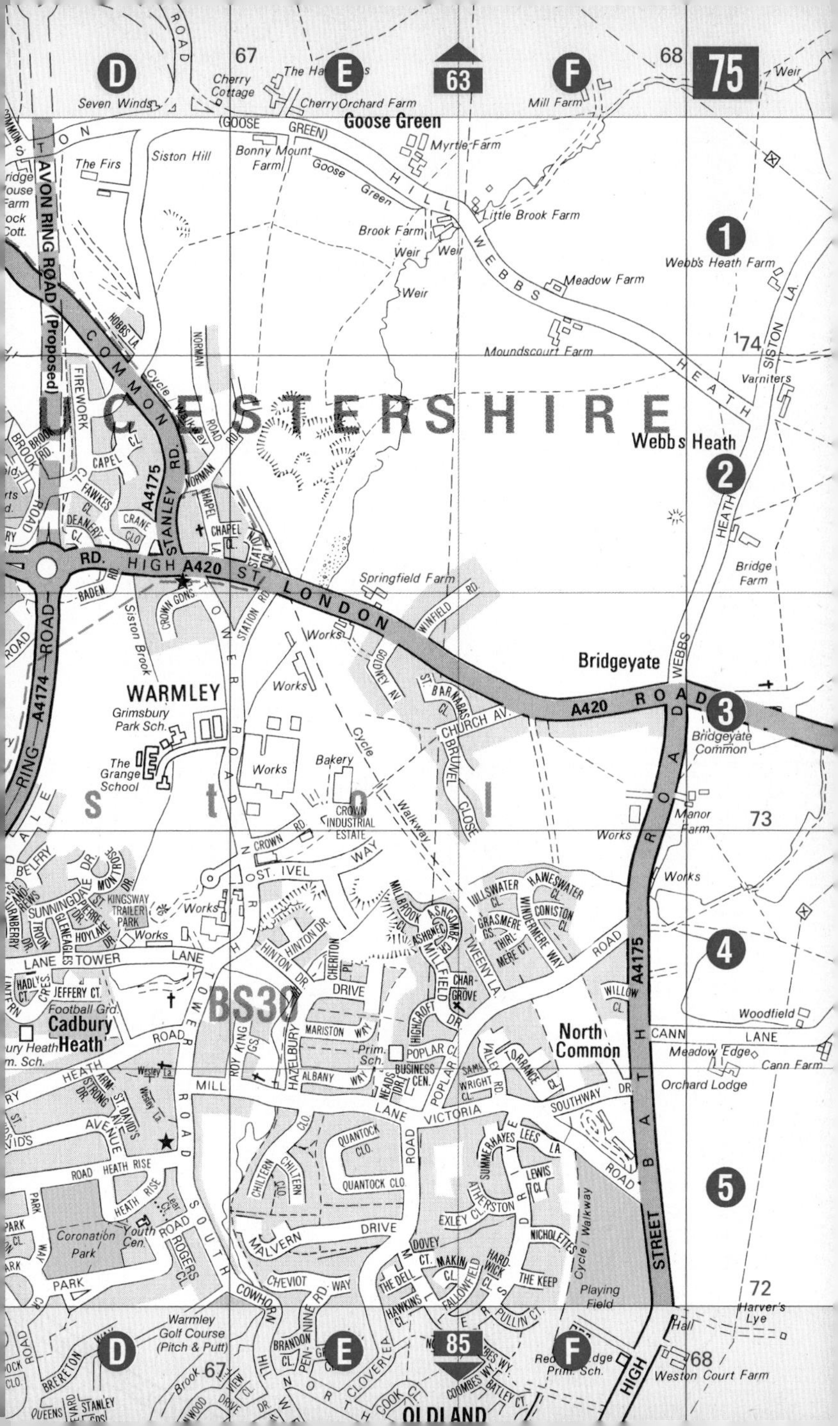

75
63
85
D
E
F
67
68
1
2
3
4
5
74
73
72
Seven Winds
Cherry Cottage
Cherry Orchard Farm
Mill Farm
Weir
Goose Green
(GOOSE GREEN)
Myrtle Farm
Bonny Mount Farm
Siston Hill
The Firs
Goose Green
HILL
WEBBS HEATH
Little Brook Farm
Brook Farm
Weir
Webb's Heath Farm
Meadow Farm
Moundscourt Farm
Varniters
SISTON LA.
AVON RING ROAD (Proposed)
COMMON
HOBBS LA.
Cycle Walkway
NORMAN ROAD
FIREWORK
UCESTERSHIRE
Webbs Heath
BROOK RD.
CAPEL CL.
FAWKES CL.
DEANERY CL.
CRANE CLO.
A4175
STANLEY RD.
CHAPEL LA.
CHAPEL CL.
STATION CL.
HIGH ST.
A420
LONDON RD.
BADEN RD.
Springfield Farm
Bridge Farm
CROWN GDNS.
Siston Brook
STATION RD.
Works
WINFIELD RD.
GOLDNEY AV.
ST. BARNABAS CL.
Bridgeyate
A420 ROAD
WEBBS ROAD
Bridgeyate Common
A4174
RING ROAD
WARMLEY
Grimsbury Park Sch.
The Grange School
TOWER ROAD NORTH
CHURCH AV.
BRUNEL CLOSE
Bakery
CROWN INDUSTRIAL ESTATE
CROWN RD.
Manor Farm
s t o l
ST. IVEL WAY
BELFRY
MONTROSE DR.
SUNNINGDALE DR.
ST. PIERRE DR.
KINGSWAY TRAILER PARK
HOYLAKE DR.
GLENEAGLES
TROON DR.
TURNBERRY
MILLBROOK CL.
ASHCOMBE CR.
ULLSWATER CL.
HAWESWATER CL.
CONISTON CL.
GRASMERE GS.
THIRLMERE CT.
WINDERMERE WAY
TWEENY LA.
MILLFIELD DR.
HINTON DR.
CHERITON PL.
DRIVE
TOWER LANE
HADLY CT.
JEFFERY CT.
Football Grd.
Cadbury Heath
BS30
ROY KING GS.
HAZELBURY
MARISTON WAY
HIGHCROFT
CHARGROVE
WILLOW CL.
Woodfield
North Common
CANN LANE
Meadow Edge
Cann Farm
Orchard Lodge
Prim. Sch.
POPLAR CL.
ALBANY WAY
NEADS DR.
BUSINESS CEN.
SAMUEL WRIGHT CL.
VALLEY RD.
TORRANCE CL.
SOUTHWAY DR.
HEATH RD.
ARMSTRONG DR.
Wesley La.
ST. DAVID'S AVENUE
MILL LANE
VICTORIA
QUANTOCK CLO.
CHILTERN CLO.
SUMMERHAYES
LEES LA.
LEWIS CL.
ATHERSTON
ROAD
BATH ST.
HIGH STREET
HEATH RISE
ROAD
PARK
Coronation Park
Youth Cen.
ROGERS CL.
MALVERN DRIVE
EXLEY CL.
DOVEY CT.
NICHOLETTES
Cycle / Walkway
CHEVIOT WAY
THE DELL
MAKIN CL.
FALLOWFIELD
HARDWICK CL.
THE KEEP
Playing Field
HAWKINS CL.
PULLIN CT.
Harver's Lye
Hall
Warmley Golf Course (Pitch & Putt)
BRERETON WAY
COWHORN HILL
BRANDON CL.
PENNINE RD.
CLOVERLEA
COOK CL.
COOMBES WY.
BATLEY CT.
Redfield Edge Prim. Sch.
Weston Court Farm
Brook
OLDLAND
QUEENS
STANLEY

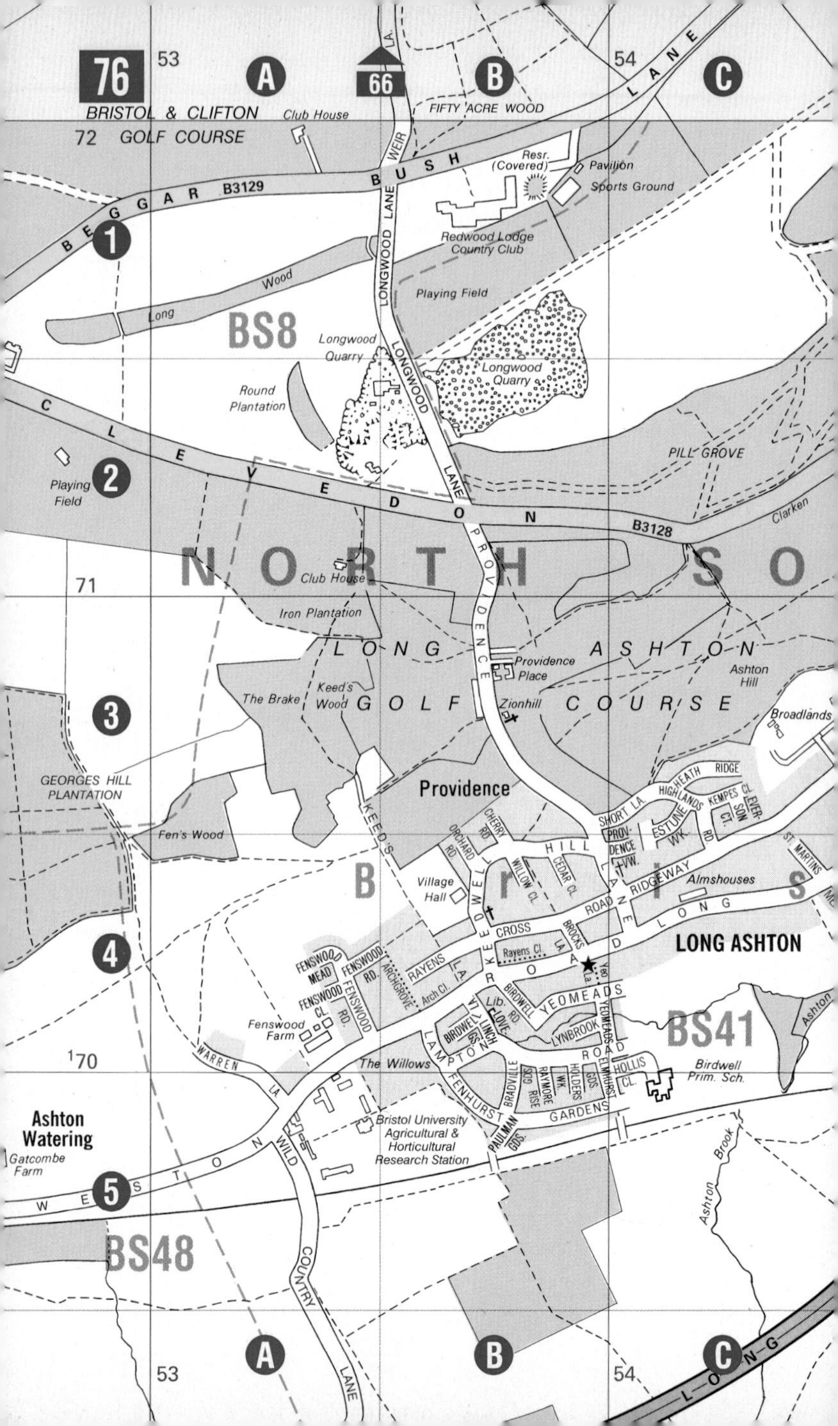
76
53
A
66
B
54
C
BRISTOL & CLIFTON
72 GOLF COURSE
Club House
FIFTY ACRE WOOD
LANE
WEIR LA.
BEGGAR BUSH
B3129
Resr. (Covered)
Pavilion
Sports Ground
Redwood Lodge Country Club
LONGWOOD LANE
Long Wood
Playing Field
BS8
Longwood Quarry
Round Plantation
LONGWOOD LANE
PILL GROVE
Playing Field
CLEVEDON
B3128
Clarken
NORTH SO
71
Club House
Iron Plantation
PROVIDENCE
LONG ASHTON
Providence Place
Ashton Hill
The Brake
Keed's Wood
GOLF COURSE
Zionhill
Broadlands
GEORGES HILL PLANTATION
Providence
HEATH RIDGE
HIGHLANDS
KEMPES CL.
EVERSON CT.
SHORT LA.
PROVIDENCE VW.
ESTUNE WK.
Fen's Wood
KEED'S
CHERRY RD.
ORCHARD RD.
HILL
WILLOW CL.
CEDAR CL.
RIDGEWAY RD.
ST. MARTINS
Village Hall
Almshouses
LANE
BRIS
KEEDWELL
CROSS
BROCKS LA.
LONG
FENSWOOD MEAD
FENSWOOD RD.
ARCHGROVE
RAYENS LA.
Rayens Cl.
ROAD
LONG ASHTON
FENSWOOD CL.
FENSWOOD
Arch Cl.
Lib.
BIRDWELL RD.
YEOMEADS
YEOMEADS
Ashton
Fenswood Farm
BIRDWELL
LYCH GATE
LINCH
LOVE.
LYNBROOK
BS41
170
WARREN LA.
The Willows
LAMPTON ROAD
HOLLIS CL.
Birdwell Prim. Sch.
FENHURST
BRADVILLE GDS.
RISE
RAYMORE
HOLDERS WK.
GDS.
ELMHURST
GARDENS
Ashton Watering
Gatcombe Farm
WESTON
WILD COUNTRY LANE
Bristol University Agricultural & Horticultural Research Station
PAULMAN GDS.
Ashton Brook
BS48
A
B
C
53
54
LONG

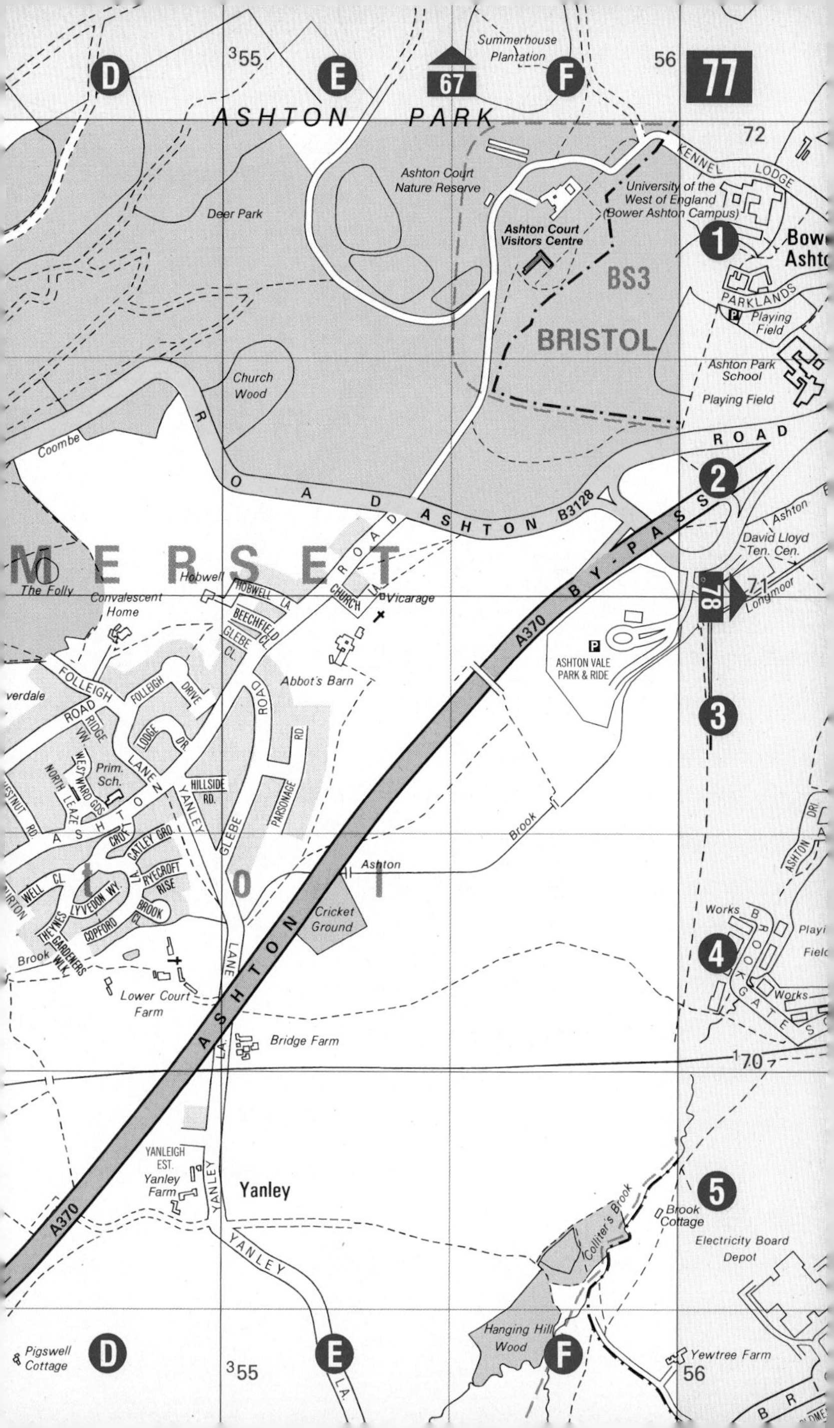

ASHTON PARK
Summerhouse Plantation
67
355
56
72
Ashton Court Nature Reserve
Deer Park
Ashton Court Visitors Centre
University of the West of England (Bower Ashton Campus)
KENNEL LODGE
Bower Ashton
BS3
BRISTOL
PARKLANDS
Playing Field
Ashton Park School
Playing Field
Church Wood
Coombe
ROAD
ASHTON B3128
BY-PASS
A370
David Lloyd Ten. Cen.
Ashton
78
71
Longmoor
MERSET
The Folly
Hobwell
Convalescent Home
HOBWELL LA.
CHURCH LA.
Vicarage
BEECHFIELD CL.
GLEBE CL.
ASHTON VALE PARK & RIDE
Abbot's Barn
FOLLEIGH ROAD
FOLLEIGH DRIVE
verdale
RIDGE VW.
LODGE DR.
GLEBE ROAD
RD.
Prim. Sch.
WESTWARD GDS.
NORTH LEAZE
LANE
HILLSIDE RD.
YANLEY
PARSONAGE
Brook
CROFT
CATLEY GRO.
RYECROFT RISE
Ashton
WELL CL.
LYVEDON WY.
BROOK CL.
Cricket Ground
Works
BROOKGATE
Playing Field
COPFORD
THEYNES
GARDENERS WLK.
Brook
Lower Court Farm
Works
Bridge Farm
70
YANLEIGH EST.
Yanley Farm
Yanley
Colliter's Brook
Brook Cottage
Electricity Board Depot
YANLEY
Hanging Hill Wood
Pigswell Cottage
Yewtree Farm
LA.

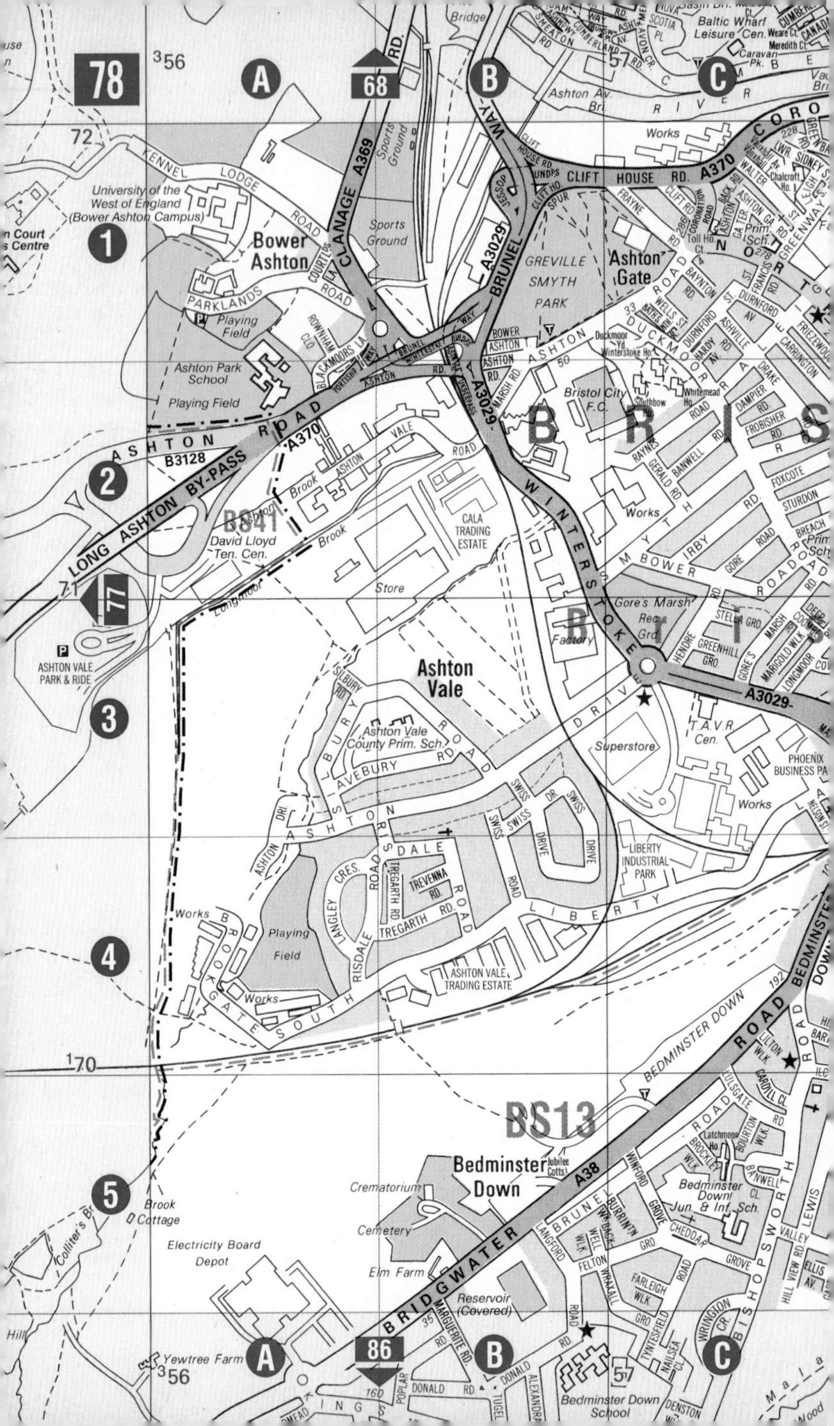

78
A
B
C
68
Bridge
Baltic Wharf Leisure Cen.
Caravan Pk.
Ashton Av. Bri.
RIVER
Works
CLIFT HOUSE RD.
A370
A369
CLANAGE RD.
Sports Ground
KENNEL LODGE ROAD
University of the West of England (Bower Ashton Campus)
Bower Ashton
PARKLANDS
COURT RD.
Playing Field
Ashton Park School
BRUNEL WAY
A3029
GREVILLE SMYTH PARK
'Ashton' Gate
Toll Ho.
DUCKMOOR ROAD
ASHTON RD.
Bristol City F.C.
ASHTON ROAD
ASHTON VALE ROAD
B3128
LONG ASHTON BY-PASS
BS41
David Lloyd Ten. Cen.
CALA TRADING ESTATE
Store
77
ASHTON VALE PARK & RIDE
WINTERSTOKE RD.
BOWER RD.
Works
Gore's Marsh Rec. Grd.
Factory
Ashton Vale
Ashton Vale County Prim. Sch.
AVEBURY RD.
ASHTON DRIVE
Superstore
T.A.V.R. Cen.
PHOENIX BUSINESS PARK
LIBERTY INDUSTRIAL PARK
LIBERTY
SWISS ROAD
DALE
TREVENNA RD.
TREGARTH RD.
RISDALE ROAD
LANGLEY CRES.
Playing Field
ASHTON VALE TRADING ESTATE
BROOKGATE
SOUTH
Works
70
BEDMINSTER DOWN
BEDMINSTER DOWN ROAD
BS13
Bedminster Down
A38
Jubilee Cotts.
Crematorium
Cemetery
Brook Cottage
Electricity Board Depot
Elm Farm
Reservoir (Covered)
BRIDGWATER ROAD
Bedminster Down Jun. & Inf. Sch.
BISHOPSWORTH ROAD
Yewtree Farm
86
Bedminster Down School
1
2
3
4
5
356

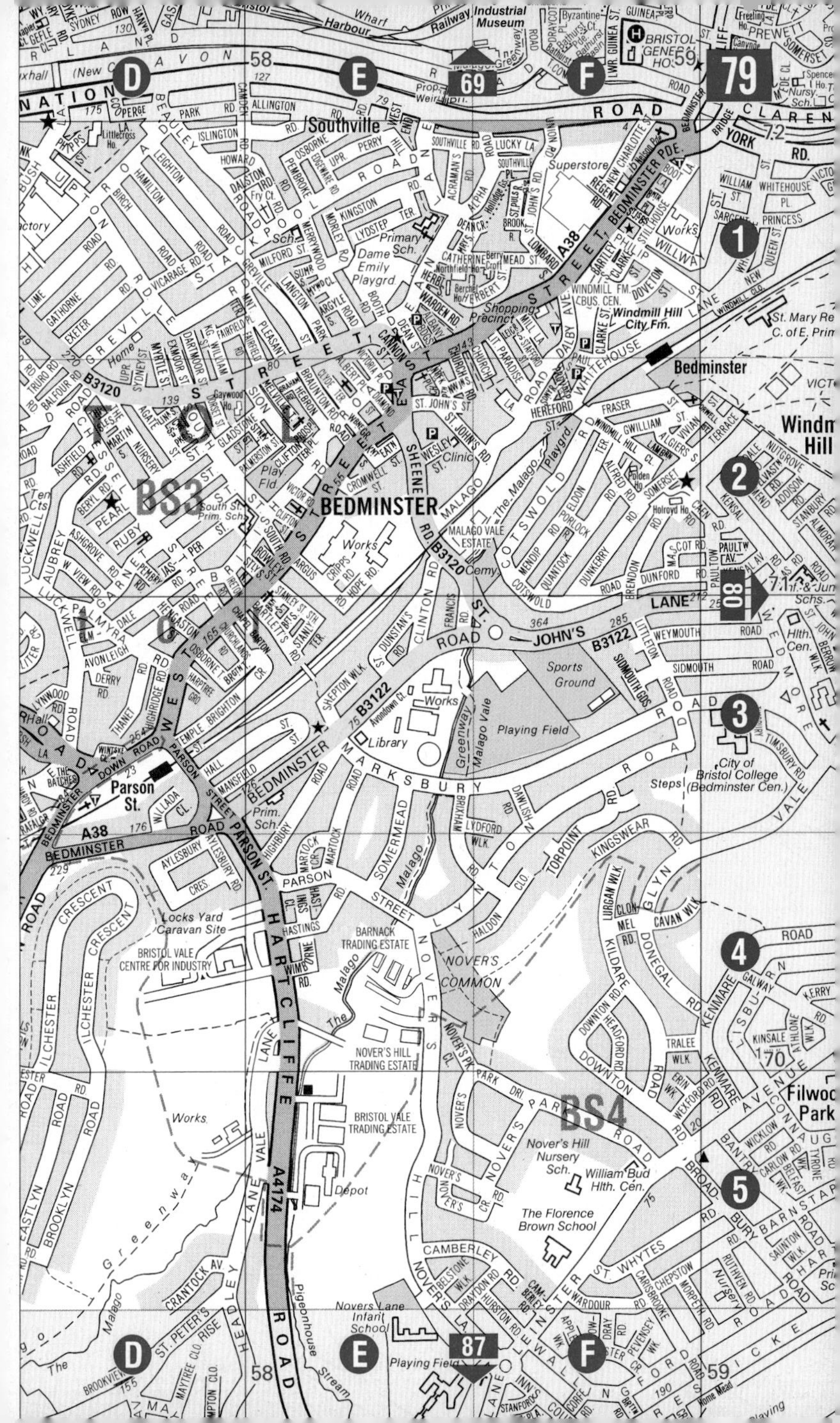
79
D
E
F
69
87
80
58
59
1
2
3
4
5
Industrial Museum
Harbour
Wharf
Railway
Bristol General Hosp.
Cumberland Road
New Cut
Avon
Coronation Road
Southville
Clarence Road
York Rd.
Bedminster Bridge
Bedminster Pde.
Superstore
Lucky La.
Southville Rd.
Dean La.
Stackpool Road
Greville Rd.
Dame Emily Playgrd.
Primary Sch.
Shopping Precinct
Windmill Fm. Cbus. Cen.
Windmill Hill City Fm.
Whitehouse Lane
Bedminster
Windmill Hill
St. Mary Redcliffe C. of E. Prim.
North Street
East Street
A38
B3120
BS3
BEDMINSTER
Works
Playgrd.
Clinic
Wesley
Sheene Rd.
Malago Vale Estate
Cemy.
Cotswold Road
St. John's Road
B3122
Sports Ground
Playing Field
Greenway
Malago Vale
Library
Marksbury Road
Steps
City of Bristol College (Bedminster Cen.)
Parson St.
Parson Street
Bedminster Down Road
West Street
Prim. Sch.
Locks Yard Caravan Site
Bristol Vale Centre for Industry
Barnack Trading Estate
Nover's Hill Trading Estate
Bristol Vale Trading Estate
Nover's Common
Nover's Lane
Nover's Hill
Nover's Park Road
Hartcliffe Road
A4174
Depot
Works
Greenway
Malago
Ilchester Crescent
Ilchester Road
Brooklyn Road
BS4
Nover's Hill Nursery Sch.
William Bud Hlth. Cen.
The Florence Brown School
Novers Lane Infant School
Playing Field
Pigeonhouse Stream
Kenmare Road
Filwood Park
Broadbury Road
Kildare Rd.
Donegal Rd.
Downton Road
Wedmore Vale
Hlth. Cen.
Leinster Av.
St. Whytes Rd.
Wardour Rd.
Headley Lane
Crantock Av.
St. Peter's Rise

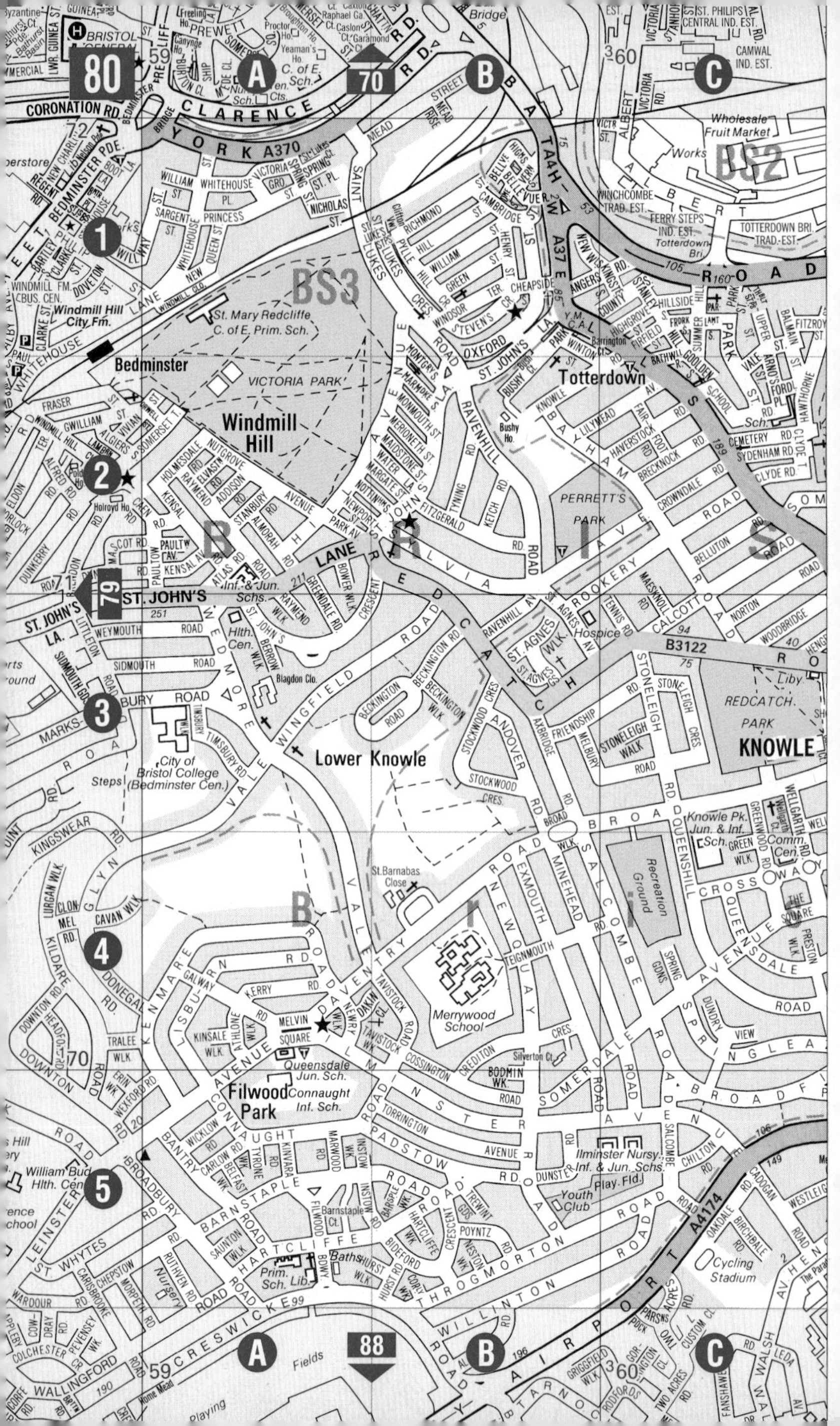

80
70
79
88
A
B
C
1
2
3
4
5
59
60
CORONATION RD.
CLARENCE
YORK A370
BS3
BS2
Bedminster
Windmill Hill
VICTORIA PARK
St. Mary Redcliffe C. of E. Prim. Sch.
Windmill Hill City Fm.
Totterdown
Wholesale Fruit Market
Works
WINCHCOMBE TRAD. EST.
FERRY STEPS IND. EST.
TOTTERDOWN BRI. TRAD. EST.
ST. PHILIPS CENTRAL IND. EST.
CAMWAL IND. EST.
PERRETT'S PARK
Hospice
B3122
REDCATCH PARK
KNOWLE
Lower Knowle
City of Bristol College (Bedminster Cen.)
Steps
Knowle Pk. Jun. & Inf. Sch.
Recreation Ground
Merrywood School
St.Barnabas Close
Filwood Park
Queensdale Jun. Sch.
Connaught Inf. Sch.
Ilminster Nursy. Inf. & Jun. Schs.
Play. Fld.
Youth Club
Cycling Stadium
Prim. Sch.
Lib.
Baths
Nursery
William Budd Hlth. Cen.
Playing Fields
A4174
AIRPORT
WHITEHOUSE
ST. JOHN'S
REDCATCH
SYLVIA
WINGFIELD
THROGMORTON
CRESWICKE
HARTCLIFFE
BARNSTAPLE
CONNAUGHT
ILMINSTER
WELLS
BROADWALK
SOMERDALE

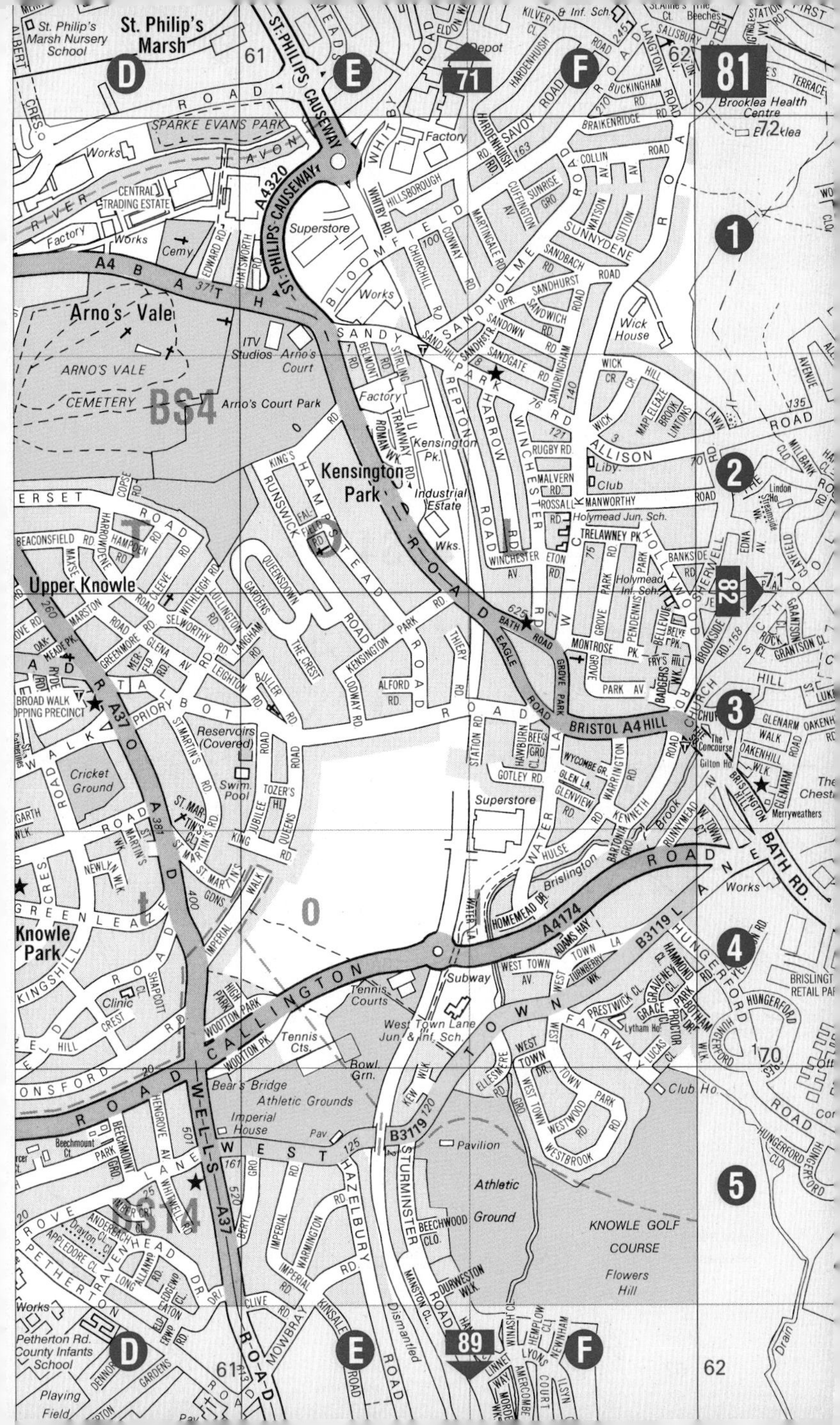
81
71
82
89
D
E
F
1
2
3
4
5
61
62
St. Philip's Marsh
St. Philip's Marsh Nursery School
SPARKE EVANS PARK
RIVER AVON
CENTRAL TRADING ESTATE
Works
Factory
Cemy
ST. PHILIPS CAUSEWAY
A4320
Superstore
Depot
EDDON WAY
WHITBY ROAD
WHITBY RD.
HILLSBOROUGH
KILVERT CL.
HARDENHUISH
SAVOY ROAD
BUCKINGHAM RD
BRAIKENRIDGE
SALISBURY
LANGTON ROAD
Brooklea Health Centre
Brooklea
BLOOMFIELD
CHURCHILL RD
CONWAY RD.
MARTINGALE RD
CUFFINGTON AV.
SUNRISE GRO.
COLLIN ROAD
WATSON AV
SUTTON AV
SUNNYDENE
SANDHOLME ROAD
SANDBACH RD
SANDHURST ROAD
SANDWICH RD.
SANDOWN RD
SANDGATE RD
SANDRINGHAM
A4 BATH ROAD
Arno's Vale
ARNO'S VALE CEMETERY
ITV Studios
Arno's Court
Arno's Court Park
BS4
SANDY PARK RD
BELMONT RD
STIRLING RD
SAND HILL
REPTON RD
HARROW ROAD
WINCHESTER RD
Wick House
WICK CR.
WICK HILL
MAPLELEAZE
BROOK LINTONS
LAWN
ALLISON ROAD
MILLBANK CL
AVENUE
Kensington Park
Kensington Pk. Industrial Estate
Wks.
TRAMWAY RD.
ROMAN WK.
Factory
HAMPSTEAD ROAD
RUNSWICK RD
FALFIELD RD
KING'S
RUGBY RD.
MALVERN RD.
ROSSALL RD.
MANWORTHY ROAD
Liby.
Club
Holymead Jun. Sch.
TRELAWNEY PK.
WINCHESTER AV
ETON RD
GROVE PARK RD
PENDENNIS PARK
Holymead Inf. Sch.
HOLLYWOOD RD
BANKSIDE RD
SHERWELL
Lindon Ho.
EDNA AV.
CLAYFIELD
GRANTSON CL.
ROCK CL.
UPPER KNOWLE
SOMERSET ROAD
COPSE RD
HARROWDENE
BEACONSFIELD RD
MAYSE
HAMPDEN RD
CLEEVE RD
WITHLEIGH RD.
ILLINGTON RD.
QUEENSDOWN GARDENS
THE CREST
KENSINGTON PARK RD.
THIERY ROAD
BATH ROAD
EAGLE ROAD
MONTROSE PK.
GROVE PARK
BADGERS WK.
BELLEVUE PK.
FRY'S HILL
BROOKSIDE RD.
CHURCH HILL
GLENARM WALK
OAKENHILL
The Concourse
Gilton Ho.
Merryweathers
BRISLINGTON HILL
BRISTOL A4 HILL
ALFORD RD.
LODWAY RD
STATION RD
HAWBURN RD
BEECS GRO.
GOTLEY RD.
WYCOMBE GR.
GLEN LA.
GLENVIEW RD.
WARRINGTON RD.
KENNETH
Superstore
HULSE
BARTONIA GRO.
RUNNYMEAD AV
W. TOWN CT.
Brislington Brook
A37 ROAD
MARSTON ROAD
GREENMORE RD.
GLENA AV
SELWORTHY RD.
LANGHAM RD
LEIGHTON
BULLER RD
PRIORY ROAD
TOTTERDOWN
BROAD WALK SHOPPING PRECINCT
MEADE PK.
RYDE RD
Reservoirs (Covered)
Swim. Pool
TOZER'S HL
JUBILEE RD
QUEENS RD.
KING
ST. MARTIN'S RD.
ST. MARTIN'S WALK
ST. MARTIN'S GDNS
Cricket Ground
WALK ROAD
NEWLYN WLK.
GREENLEAZE
Knowle Park
KINGSHILL ROAD
SHAPCOTT CL.
Clinic
CREST
IMPERIAL WALK
HIGH PARK
WOOTTON PARK
WOOTTON PK
CALLINGTON ROAD
A4174
Subway
Tennis Courts
Tennis Cts.
West Town Lane Jun. & Inf. Sch.
Bowl. Grn.
WATER LA
HOMEMEAD DR.
ADAMS HAY
WEST TOWN LA
TURNBERRY WK.
WEST TOWN AV.
B3119
HUNGERFORD RD
HAMMOND CL.
GRAVENEY CL.
PRESTWICK CL.
GRACE PARK RD
PROCTOR CL
BOTHAM DR.
LUCAS CL
Lytham Ho.
FAIRWAY
Works
BRISLINGTON RETAIL PARK
HUNGERFORD
HUNGERFORD ROAD
HUNGERFORD CLO.
Club Ho.
KNOWLE GOLF COURSE
Flowers Hill
WELLS ROAD
A37
Bear's Bridge Athletic Grounds
Imperial House
Pav.
WEST TOWN LANE
WEST TOWN PARK
WESTWOOD RD
WESTBROOK RD
ELLESMERE RD
Pavilion
Athletic Ground
HENGROVE AV
BEECHMOUNT GRO.
Beechmount Ct.
PARK
HENGROVE LANE
WHITWELL RD
BS14
GROVE
ANDERACH CL.
Drayton Cl.
APPLEDORE CL
RAVENHEAD DR.
ALLANMO RD
EDGEWOOD CL.
EATON CL.
LONG
PETHERTON ROAD
Works
Petherton Rd. County Infants School
Playing Field
BERYL GRO
IMPERIAL RD.
WARMINGTON RD.
HAZELBURY RD.
KINSALE ROAD
MOWBRAY ROAD
CLIVE RD
STURMINSTER ROAD
BEECHWOOD CLO.
MANSTON CL.
DURWESTON WLK.
Dismantled
WINASH CL
HEMPLOW CL
NEWNHAM
LYONS COURT
AMERCOMBE WALK
MORDEN WALK
LINNET WAY
GARDENS
DENNOR
Drain

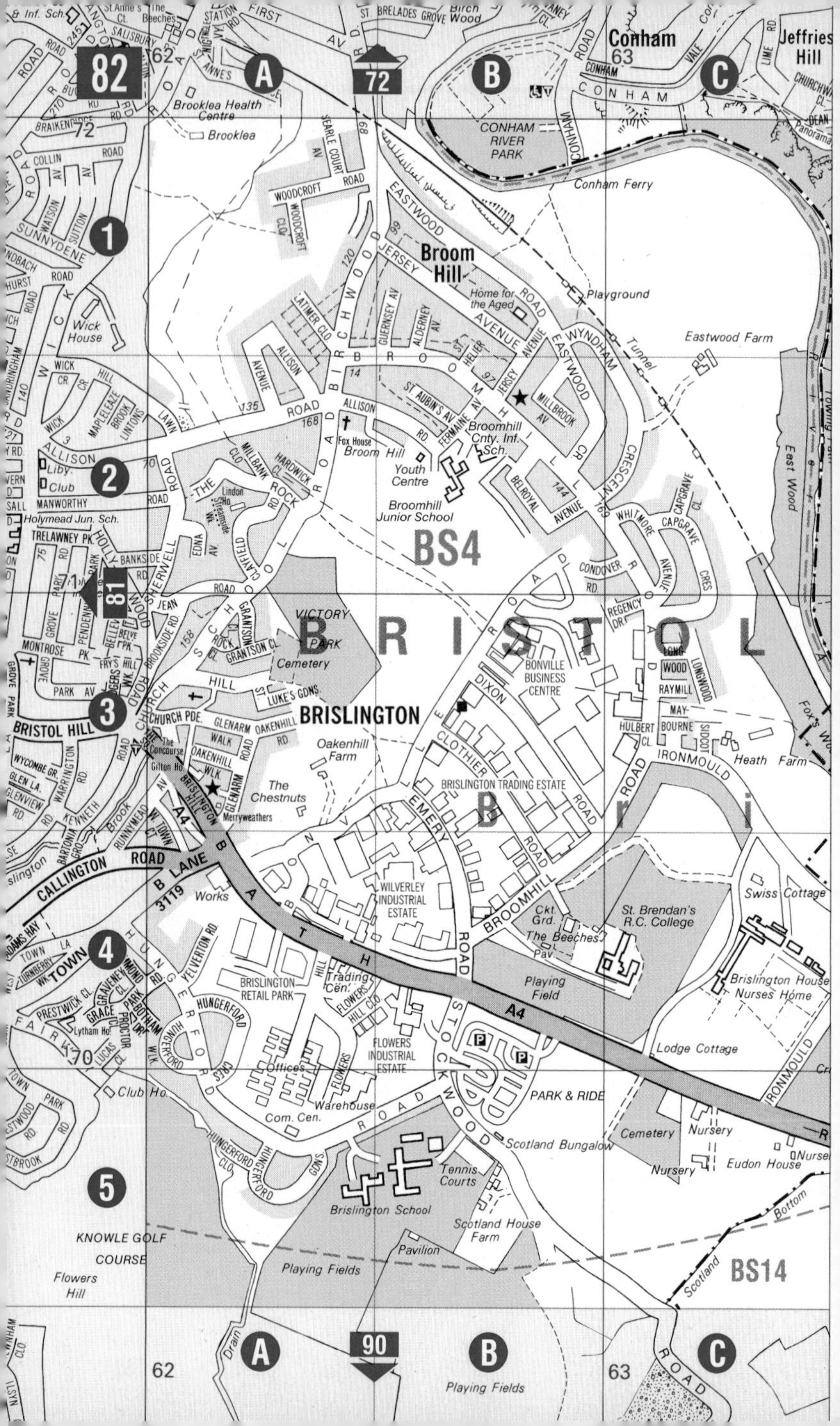
82
72
81
90
A
B
C
1
2
3
4
5
62
63
Conham
Jeffries Hill
Conham River Park
Conham Ferry
Broom Hill
Home for the Aged
Playground
Tunnel
Eastwood Farm
East Wood
Brooklea Health Centre
Brooklea
Wick House
Liby.
Club
Holymead Jun. Sch.
Fox House
Broom Hill
Youth Centre
Broomhill Cnty. Inf. Sch.
Broomhill Junior School
BS4
BRISTOL
Victory Park
Cemetery
BRISLINGTON
Oakenhill Farm
The Chestnuts
Bonville Business Centre
Brislington Trading Estate
Heath Farm
Swiss Cottage
St. Brendan's R.C. College
Ckt. Grd.
The Beeches
Pav.
Playing Field
Brislington House Nurses Home
Lodge Cottage
Wilverley Industrial Estate
Works
Brislington Retail Park
Trading Cen.
Flowers Industrial Estate
Offices
Warehouse
Com. Cen.
Park & Ride
Scotland Bungalow
Cemetery
Nursery
Eudon House
Tennis Courts
Brislington School
Scotland House Farm
Pavilion
Playing Fields
Knowle Golf Course
Flowers Hill
Club Ho.
BS14
The Concourse
Gilton Ho.
Merryweathers
Lindon Ho.
Lytham Ho.
Callington Road
Bath Road
A4
B 3119
Broomhill Road
Broom Hill Road
Birchwood Road
Eastwood Road
Jersey Avenue
Wyndham Crescent
Allison Road
Ironmould Road
Stockwood Road
Hungerford Road
Church Road
Bristol Hill
Wick Road
Sunnydene
Belroyal Avenue
Capgrave Cres
Whitmore Avenue
Condover Rd
Regency Dr
Longwood
Raymill
Maybourne
Hulbert Cl.
Sidcot
Dixon Road
Clothier Road
Emery Road
Glenarm Walk
Oakenhill Road
St. Luke's Gdns.
Grantson Cl.
School Road
Scotland Bottom

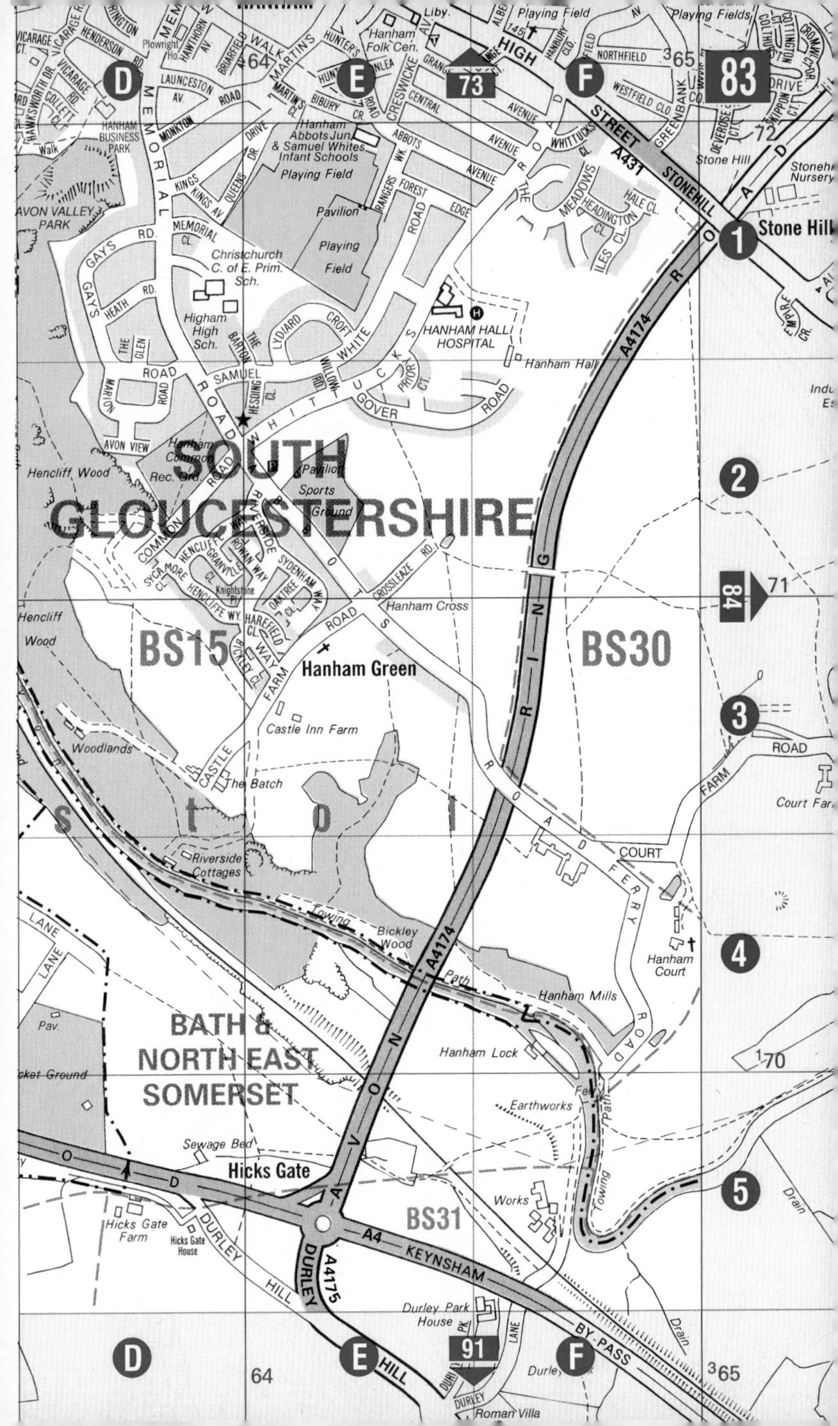
83
D
E
F
73
91
84
71
72
70
365
64
1
2
3
4
5
SOUTH GLOUCESTERSHIRE
BATH & NORTH EAST SOMERSET
BS15
BS30
BS31
Hanham Green
Hicks Gate
Stone Hill
Stone Hill
Stonehill Nursery
Playing Field
Playing Fields
Liby.
Hanham Folk Cen.
HIGH STREET
A431
STONEHILL
NORTHFIELD
WESTFIELD CLO.
GREENBANK
DEVEROSE CT.
SKIPPON CT.
DRIVE
COTTINGTON CT.
CROMWELL DR.
COLTHURST
HANBURY CLO.
VICARAGE RD.
VICARAGE CT.
HENDERSON RD.
HAWKSWORTH DR.
COLLETT CL.
MEMORIAL
HAWTHORN AV.
Plowright Ho.
LAUNCESTON AV.
ROAD
BRIARFIELD
WALK
MARTIN'S
MARTIN'S CL.
HUNTERS
BIBURY CR.
CRESWICKE ROAD
CENTRAL AVENUE
GRANGE
AVENUE
ABBOTS AVENUE
ABBOTS WK.
RANGERS WK.
FOREST ROAD
EDGE
HANHAM BUSINESS PARK
MONKTON
Walk
AVON VALLEY PARK
Hanham Abbots Jun. & Samuel Whites Infant Schools
Playing Field
Pavilion
Playing Field
KINGS AV.
KINGS
QUEENS DR.
DRIVE
GAY'S RD.
GAYS
HEATH RD.
MEMORIAL CL.
Christchurch C. of E. Prim. Sch.
Higham High Sch.
THE GLEN
MARION
ROAD
SAMUEL
THE BARTON
LYDIARD
CROFT
WHITE
WILLOW RD.
HESDING CL.
WHITTUCKS
WHITTUCKS CL.
MEADOWS
HEADINGTON CL.
HALE CL.
ILES CL.
THE
PRIORY CT.
GOVER ROAD
HANHAM HALL HOSPITAL
Hanham Hall
AVON VIEW
Hanham Common Rec. Grd.
COMMON ROAD
ABBOTS ROAD
Pavilion
Sports Ground
Hencliff Wood
Hencliff Wood
HENCLIFF WAY
ROWAN WAY
RIVERSIDE
GRANVILLE CL.
SYCAMORE CL.
HENCLIFFE WY.
Knightstone Pl.
SYDENHAM WAY
OAKTREE CL.
CROSSLEAZE RD.
Hanham Cross
HAREFIELD CL.
BICKLEY CL.
WAY
FARM ROAD
CASTLE
Castle Inn Farm
The Batch
Woodlands
Riverside Cottages
Towing Path
Bickley Wood
Hanham Mills
Hanham Lock
Ferry
Earthworks
Sewage Bed
Works
A4174
RING ROAD
AVON RING ROAD
FERRY ROAD
COURT
COURT FARM ROAD
Court Farm
Hanham Court
Pav.
Cricket Ground
LANE
LANE
Hicks Gate Farm
Hicks Gate House
DURLEY HILL
DURLEY
A4175
A4
KEYNSHAM BY-PASS
ROAD
Durley Park House
PK.
LANE
DURLEY
Roman Villa
Drain
Drain
EMPIRE CR.

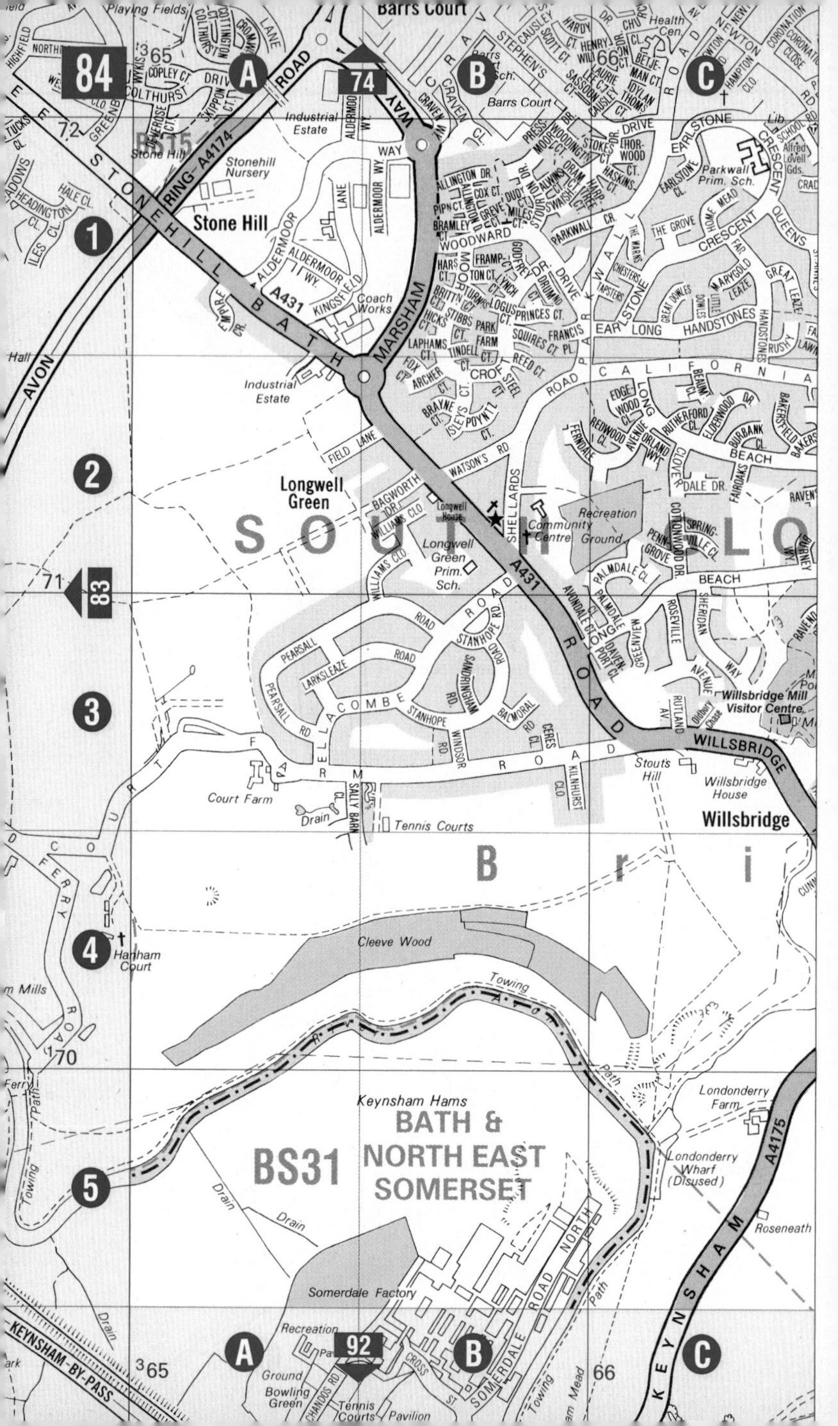
84
74
83
92
A
B
C
1
2
3
4
5
365
66
71
72
70
Barrs Court
Playing Fields
Health Cen.
Industrial Estate
Stonehill Nursery
Stone Hill
BS15
Coach Works
Parkwall Prim. Sch.
Alfred Lovell Gds.
Longwell Green
Longwell House
Community Centre
Recreation Ground
Longwell Green Prim. Sch.
SOUTH GLO
Court Farm
Drain
Tennis Courts
Stouts Hill
Willsbridge House
Willsbridge
Willsbridge Mill Visitor Centre
Hanham Court
Cleeve Wood
Towing Path
Keynsham Hams
BATH & NORTH EAST SOMERSET
BS31
Londonderry Farm
Londonderry Wharf (Disused)
Roseneath
Somerdale Factory
Recreation Ground
Bowling Green
Tennis Courts
Pavilion
A4174
A431
A4175
AVON RING ROAD
STONEHILL
BATH ROAD
MARSHAM WAY
CALIFORNIA ROAD
PARKWALL DRIVE
EARLSTONE CRESCENT
WILLSBRIDGE
COURT FARM ROAD
KEYNSHAM ROAD
KEYNSHAM-BY-PASS
SOMERDALE ROAD NORTH
FERRY ROAD
ELLACOMBE RD
STANHOPE ROAD
PEARSALL RD
SHELLARDS RD
WATSON'S RD
FIELD LANE
BEACH AVENUE
LONG AVENUE
CLOVER
ALDERMOOR WAY
KINGSFIELD LANE
WOODWARD
CROFT
HANDSTONES
QUEENS
WILLIAMS CLO.
BAGWORTH DR.
SANDRINGHAM RD.
WINDSOR RD.
KILNHURST CLO.
SALLY BARN CL.
ROSEVILLE
SHERIDAN WAY
RUTLAND AV.
COTTONWOOD DR.
PALMDALE CL.
AVONDALE CT.
DALE DR.
FAIROAKS
LARKSLEAZE

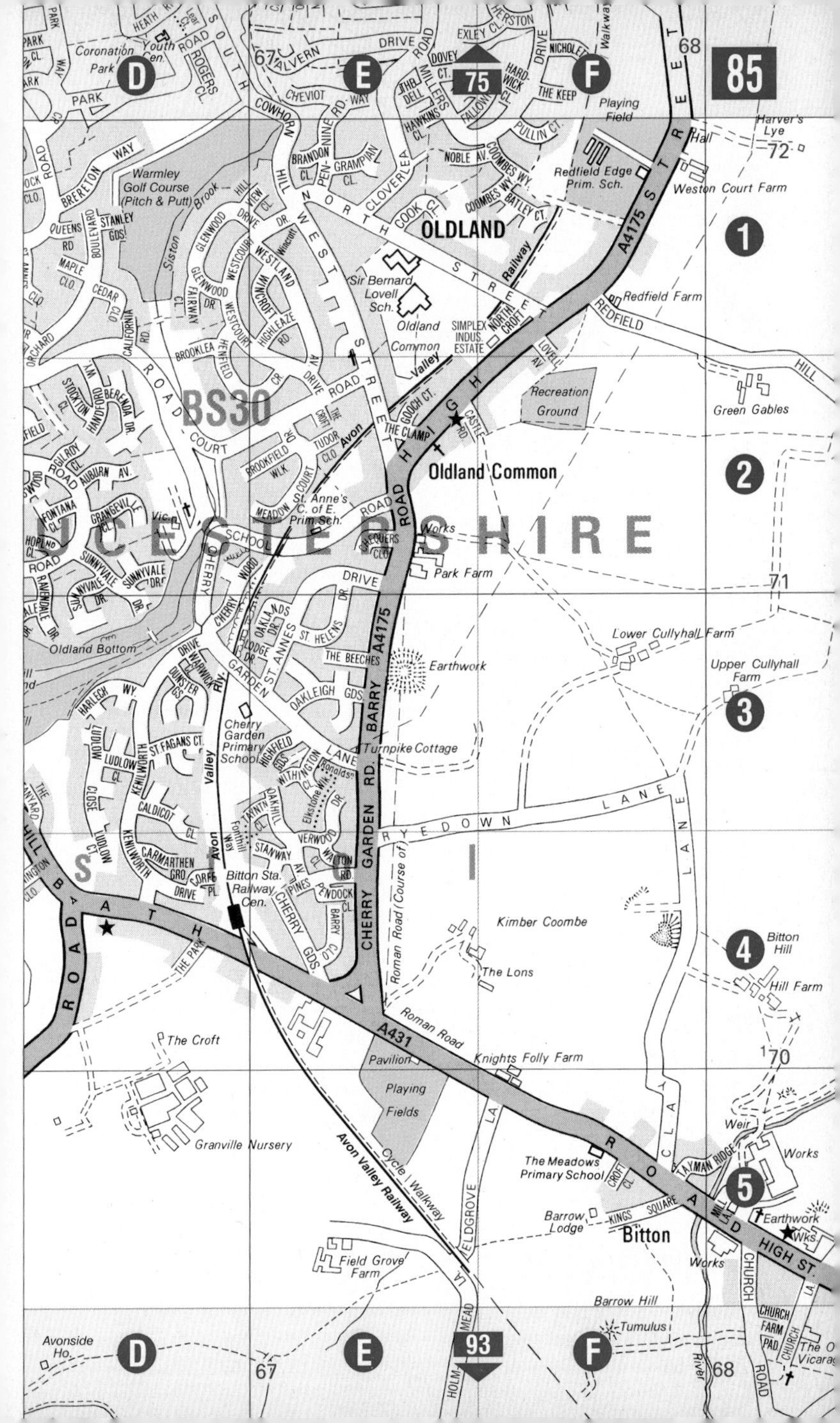
75
93
D
E
F
1
2
3
4
5
67
68
72
71
70
OLDLAND
Oldland Common
BS30
GLOUCESTERSHIRE
Bitton
Coronation Park
Youth Cen.
Warmley Golf Course (Pitch & Putt)
Siston Brook
Sir Bernard Lovell Sch.
Oldland Common
SIMPLEX INDUS. ESTATE
Redfield Edge Prim. Sch.
Weston Court Farm
Harver's Lye
Hall
Playing Field
Redfield Farm
Recreation Ground
Green Gables
St. Anne's C. of E. Prim.Sch.
Vic.
Works
Park Farm
Oldland Bottom
Lower Cullyhall Farm
Upper Cullyhall Farm
Earthwork
Cherry Garden Primary School
Turnpike Cottage
Kimber Coombe
The Lons
Bitton Hill
Hill Farm
Bitton Sta. Railway Cen.
Roman Road (Course of)
Roman Road
The Croft
Pavilion
Playing Fields
Knights Folly Farm
Granville Nursery
Avon Valley Railway
Cycle / Walkway
The Meadows Primary School
Barrow Lodge
Weir
Works
Earthwork
Wks.
Field Grove Farm
Barrow Hill
Tumulus
Avonside Ho.
River
The Old Vicarage
A4175
A431
HIGH STREET
NORTH STREET
WEST STREET
CHERRY GARDEN RD.
BARRY ROAD
BATH ROAD
HIGH ST.
RYEDOWN LANE
CLAY LANE
REDFIELD HILL
COURT ROAD
SCHOOL ROAD
Avon Valley Rly.
Railway
DRIVE
MALVERN
CHEVIOT
COWHORN HILL
BRANDON CL.
PENNINE RD.
GRAMPIAN CL.
CLOVERLEA
COOK CL.
WAY
EXLEY CL.
DOVEY CT.
MILLERS
THE DELL
HAWKINS CL.
FALLOW
HARDWICK CL.
NICHOLETTS
THE KEEP
PULLIN CT.
NOBLE AV.
COOMBES WY.
BATLEY CT.
BRERETON WAY
QUEENS RD
BOULEVARD
STANLEY GDS.
MAPLE CLO.
CEDAR CLO
ORCHARD
CALIFORNIA RD.
GLENWOOD
WESTCOURT DRIVE
WINCROFT
WESTLAND
FAIRWAY
HIGHLEAZE RD.
BROOKLEA
HENFIELD
AVON
NORTH CROFT
LOVELL AV.
GOOCH CT.
THE CLAMP
CASTLE RD.
THE CROFT
TUDOR CLO.
BROOKFIELD WLK.
MEADOW COURT
STOCKTON
HANDFORD WAY
BERENDA DR.
GILROY CL.
AUBURN AV.
FONTANA CL.
GRANGEVILLE CL.
SUNNYVALE DR.
RAVENDALE DR.
CHERRY WOOD
CHEQUERS CLO.
OAKLANDS DR.
LODGE DR.
ST. HELENS DR.
ST. ANNES
THE BEECHES
OAKLEIGH GDS.
GARDEN
WARWICK
DUNSTER GDS.
HARLECH WY.
LUDLOW CLOSE
LUDLOW CL.
ST. FAGANS CT.
KENILWORTH
CALDICOT CL.
CARMARTHEN GRO.
CORFE PL.
DRIVE
HIGHFIELD GDS.
WITHINGTON CL.
Ronaldson
Elkstone Wk.
OAKHILL
TINTERN CL.
Fonthill Way
STANWAY
VERWOOD DR.
WALTON RD.
PINES
PENDOCK CL.
BARRY CLO
CHERRY GDS.
THE PARK
THE TANYARD
CROFT CL.
KINGS SQUARE
TAYMAN RIDGE
MILL LA.
CHURCH ROAD
CHURCH FARM PAD.
ELDGROVE
HOLM MEAD LA.
LA.

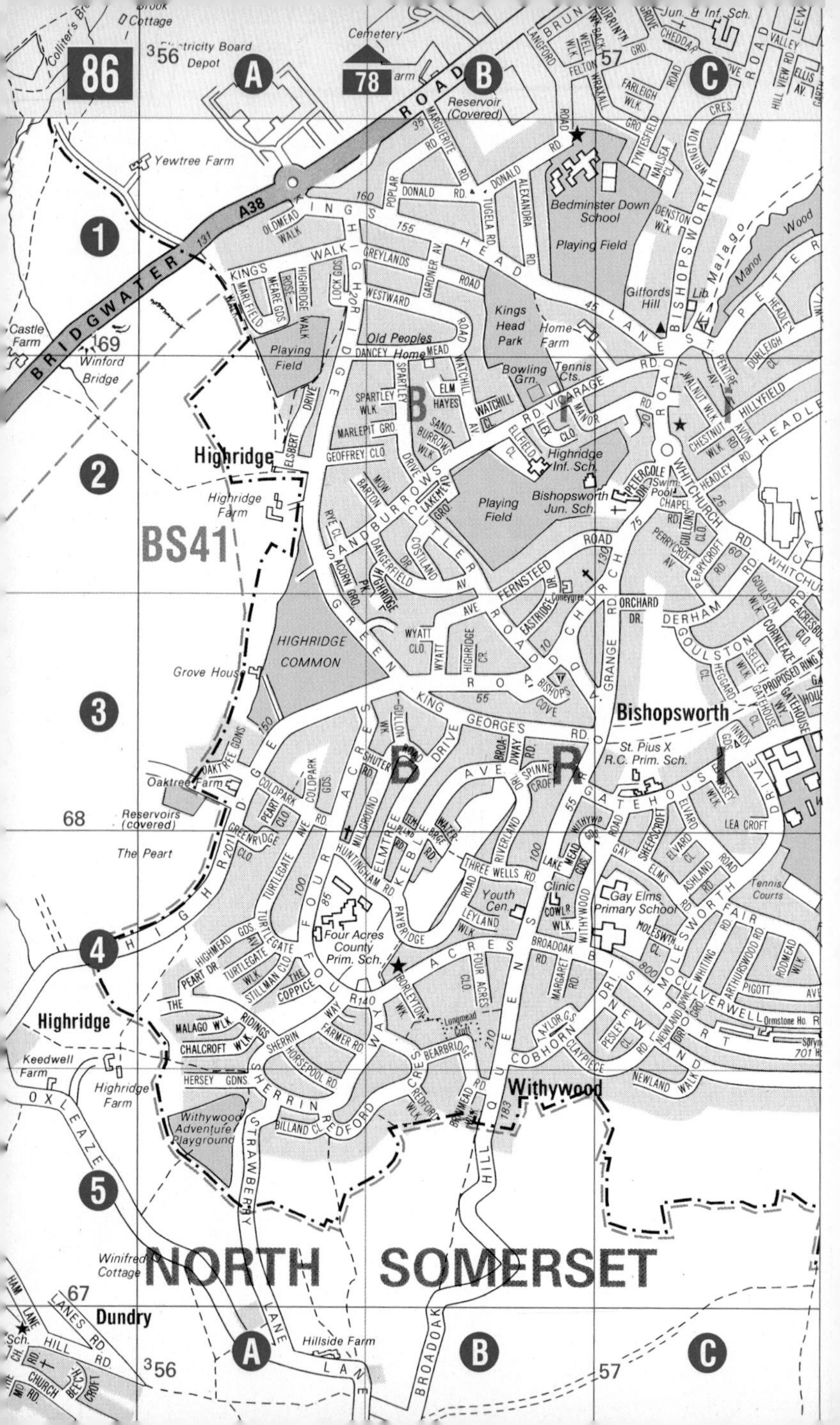
86
78
A
B
C
1
2
3
4
5
Brook Cottage
Electricity Board Depot
Cemetery
Farm
Reservoir (Covered)
Jun. & Inf. Sch.
Yewtree Farm
BRIDGWATER ROAD
A38
Castle Farm
Winford Bridge
KINGS HEAD LANE
Bedminster Down School
Playing Field
Gifford's Hill
Lib.
Manor Wood
Kings Head Park
Home Farm
Old Peoples Home
Bowling Grn.
Tennis Cts.
Playing Field
Highridge
Highridge Farm
BS41
Highridge Inf. Sch.
Bishopsworth Jun. Sch.
Swim. Pool
Playing Field
HIGHRIDGE GREEN
HIGHRIDGE COMMON
Grove House
KING GEORGE'S RD.
Bishopsworth
St. Pius X R.C. Prim. Sch.
Oaktree Farm
Reservoirs (covered)
The Peart
Youth Cen.
Clinic
Gay Elms Primary School
Four Acres County Prim. Sch.
Tennis Courts
Highridge
Keedwell Farm
Highridge Farm
Withywood Adventure Playground
Longmead Croft
Withywood
NORTH SOMERSET
Winifred Cottage
Dundry
Hillside Farm
Sch.
HILL RD.
CHURCH RD.
BROADOAK
STRAWBERRY LANE
OXLEAZE
HIGHRIDGE RD.
WHITCHURCH RD.
BISHOPSWORTH RD.
CHURCH RD.
FOUR ACRES
QUEENS HILL
COBHORN DRIVE
NEWLAND WALK
CULVERWELL
MOLESWORTH DRIVE
GATEHOUSE AVE.
GOULSTON RD.
DERHAM RD.
VICARAGE RD.
SANDBURROWS RD.
HEADLEY LANE
HEADLEY RD.
Malago
Lea Croft
356
57
68
67
169

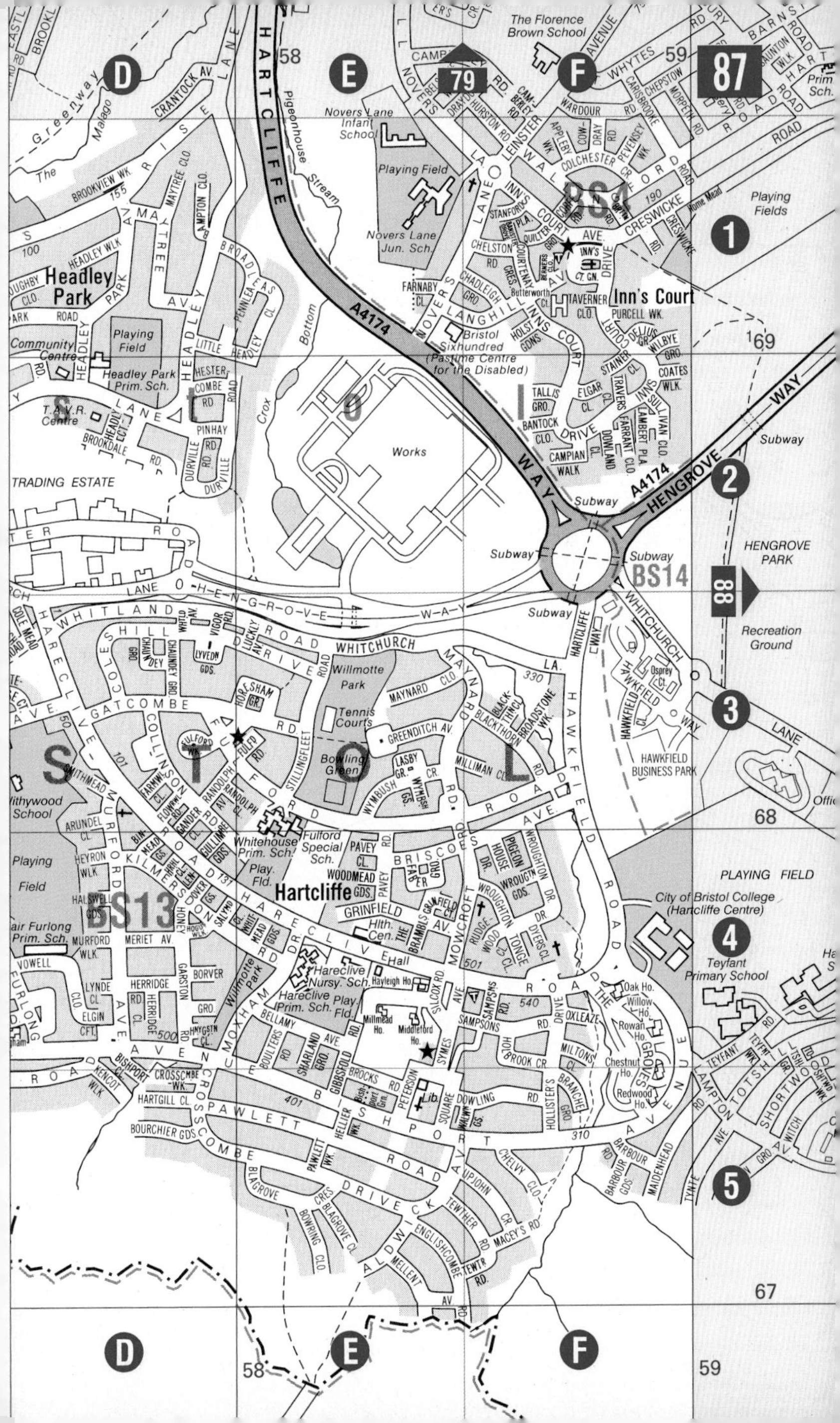
D
E
F
79
87
58
59
The Florence Brown School
Novers Lane Infant School
Playing Field
Novers Lane Jun. Sch.
Pigeonhouse Stream
HARTCLIFFE
A4174
BS4
Inn's Court
Bristol Sixhundred (Pastime Centre for the Disabled)
Playing Fields
1
169
HENGROVE WAY
Subway
2
HENGROVE PARK
BS14
88
Recreation Ground
Works
Crox Bottom
Headley Park
Playing Field
Community Centre
Headley Park Prim. Sch.
T.A.V.R. Centre
TRADING ESTATE
The Malago Greenway
WHITCHURCH LA.
HAWKFIELD ROAD
Osprey Ct.
HAWKFIELD BUSINESS PARK
3
68
Willmotte Park
Tennis Courts
Bowling Green
Whitehouse Prim. Sch.
Fulford Special Sch.
Play. Fld.
Hartcliffe
Withywood School
Playing Field
BS13
Fair Furlong Prim. Sch.
PLAYING FIELD
City of Bristol College (Hartcliffe Centre)
4
Teyfant Primary School
Hareclive Nursy. Sch.
Hareclive Prim. Sch.
Play. Fld.
Hlth. Cen.
Hall
Hayleigh Ho.
Millmead Ho.
Middleford Ho.
Lib.
Oak Ho.
Willow Ho.
Rowan Ho.
Chestnut Ho.
Redwood Ho.
HARECLIVE ROAD
BISHPORT AVENUE
5
67
D
E
F
58
59

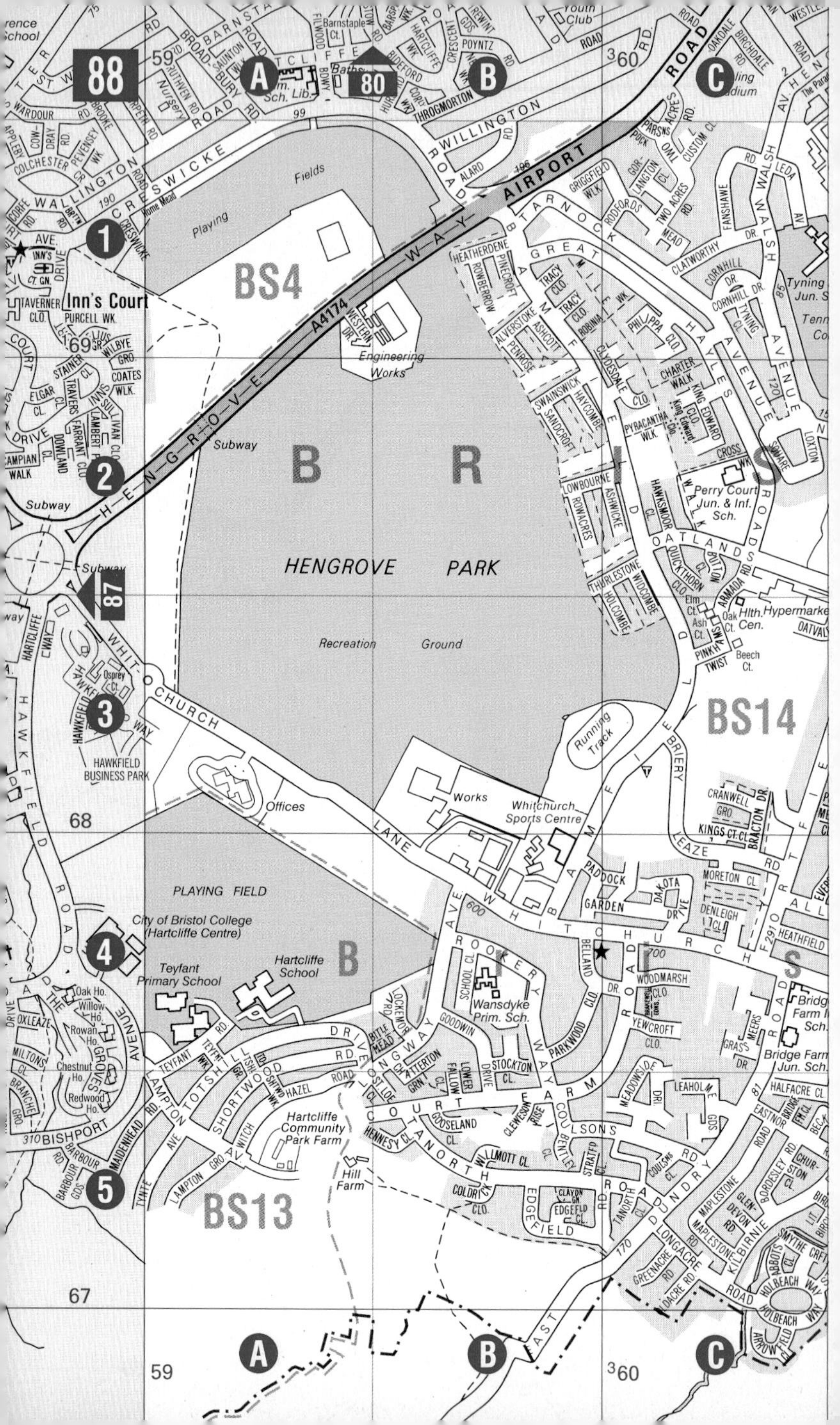
88
80
87
A
B
C
1
2
3
4
5
59
360
68
67
BS4
BS13
BS14
HENGROVE PARK
Recreation Ground
Playing Fields
PLAYING FIELD
HENGROVE WAY
AIRPORT ROAD
A4174
WHITCHURCH LANE
WILLINGTON ROAD
CRESWICKE ROAD
HAWKFIELD ROAD
Inn's Court
HAWKFIELD BUSINESS PARK
Engineering Works
Subway
Offices
Works
Running Track
Whitchurch Sports Centre
City of Bristol College (Hartcliffe Centre)
Teyfant Primary School
Hartcliffe School
Wansdyke Prim. Sch.
Hartcliffe Community Park Farm
Hill Farm
Perry Court Jun. & Inf. Sch.
Hlth. Cen.
Bridge Farm Jun. Sch.
Youth Club
Baths
Sch. Lib.
Tyning Jun. S
STARNOCK RD.
GREAT MEAD
HAYLES AVENUE
WALSH AVENUE
OATLANDS AVE.
BRIERY LEAZE RD.
WHITCHURCH ROAD
FORTFIELD RD.
COURT FARM RD.
TANORTH RD.
DUNDRY ROAD
LONGACRE ROAD
BISHPORT AVENUE
TOTSHILL DRIVE
LAMPTON AVE.
HAZEL ROAD
LONGWAY AVE.
ROOKERY WAY
EDGEFIELD RD.
EAST DUNDRY RD.
HENGROVE

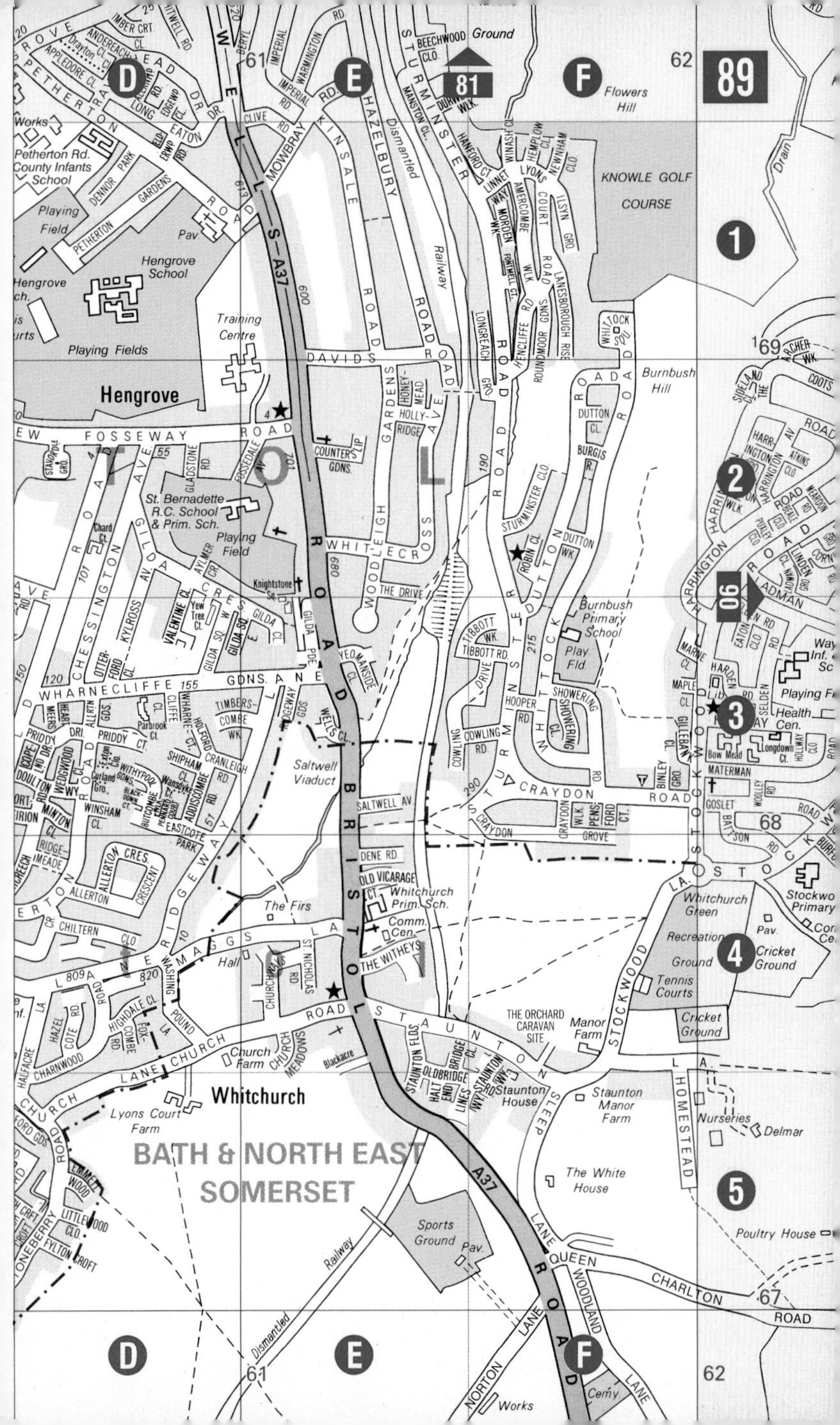
Hengrove
Hengrove School
Playing Fields
Playing Field
Training Centre
Petherton Rd. County Infants School
Works
KNOWLE GOLF COURSE
Flowers Hill
Burnbush Hill
Ground
Dismantled Railway
St. Bernadette R.C. School & Prim. Sch.
Burnbush Primary School
Play. Fld.
Saltwell Viaduct
The Firs
Whitchurch Prim. Sch.
Comm. Cen.
Whitchurch Green
Recreation Ground
Tennis Courts
Cricket Ground
Stockwood Primary
Health Cen.
Pav.
THE ORCHARD CARAVAN SITE
Manor Farm
Staunton Manor Farm
Staunton House
Church Farm
Lyons Court Farm
Whitchurch
BATH & NORTH EAST SOMERSET
The White House
Nurseries
Delmar
Poultry House
Sports Ground
Cemy.
Works
WELLS ROAD
A37
BRISTOL ROAD
FOSSEWAY ROAD
STOCKWOOD ROAD
STOCKWOOD LA.
CHARLTON ROAD
QUEEN CHARLTON LA.
SLEEP LANE
STAUNTON LA.
MAGGS LA.
CHURCH LANE
CHURCH ROAD
STURMINSTER ROAD
WHITTOCK ROAD
CRAYDON ROAD
WHARNECLIFFE GDNS.
RIDGEWAY LA.
HAZELBURY ROAD
KINSALE ROAD
DAVID'S ROAD
NORTON LANE
WOODLAND ROAD
HOMESTEAD
Hall
D
E
F
1
2
3
4
5
61
62
81
90

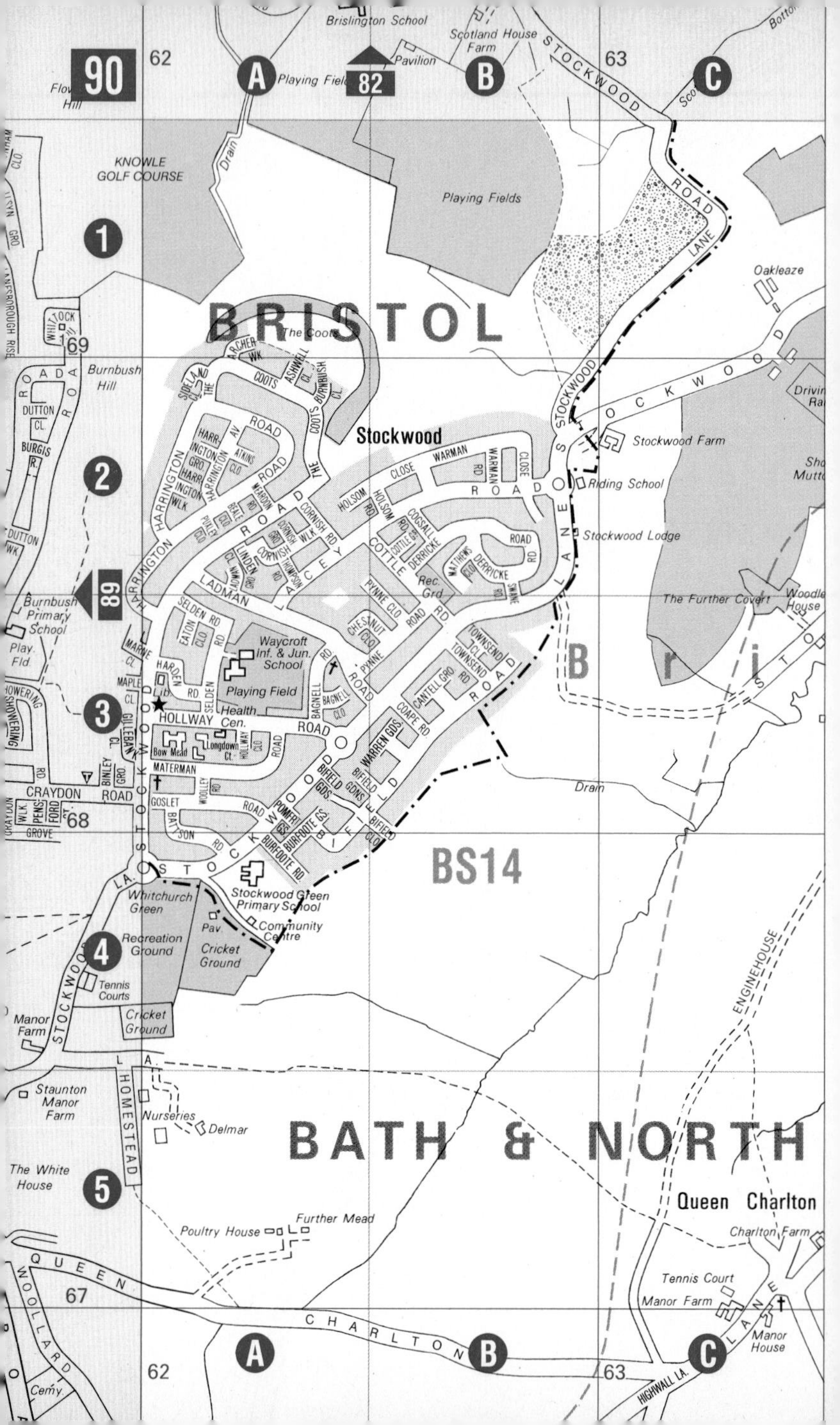

BRISTOL
Stockwood
BS14
BATH & NORTH
Queen Charlton
82
89
Brislington School
Scotland House Farm
Pavilion
Playing Fields
KNOWLE GOLF COURSE
Playing Fields
Burnbush Hill
Burnbush Primary School
Play. Fld.
The Coots
Stockwood Farm
Riding School
Stockwood Lodge
Oakleaze
The Further Covert
Rec. Grd.
Waycroft Inf. & Jun. School
Playing Field
Health Cen.
Bow Mead
Longdown Ct.
Stockwood Green Primary School
Community Centre
Whitchurch Green
Recreation Ground
Pav.
Cricket Ground
Tennis Courts
Manor Farm
Cricket Ground
Staunton Manor Farm
Nurseries
Delmar
The White House
Poultry House
Further Mead
Drain
Charlton Farm
Tennis Court
Manor Farm
Manor House
Cemy.
STOCKWOOD ROAD
STOCKWOOD LANE
STOCKWOOD LA.
HARRINGTON ROAD
LADMAN ROAD
LACEY ROAD
COTTLE ROAD
WARMAN ROAD
HOLLWAY ROAD
CRAYDON ROAD
HOMESTEAD
QUEEN CHARLTON
HIGHWALL LA.
ENGINEHOUSE
WOOLLARD
62
63
69
68
67

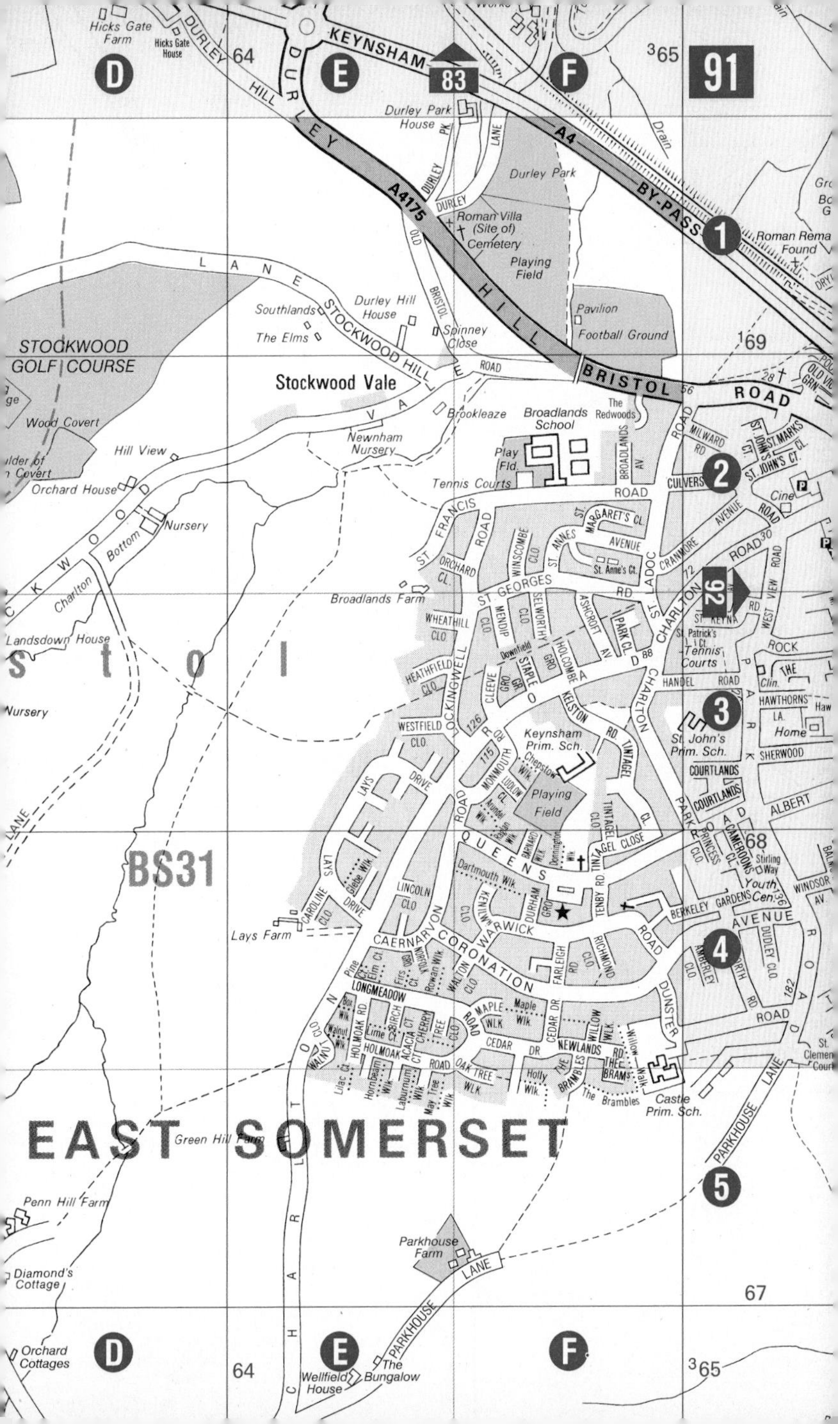
D
E
F
64
365
KEYNSHAM
83
Hicks Gate Farm
Hicks Gate House
DURLEY HILL
DURLEY
A4175
A4
BY-PASS
Durley Park House
Durley Park
Roman Villa (Site of)
Cemetery
Playing Field
Drain
Roman Remains Found
1
Pavilion
Football Ground
169
STOCKWOOD GOLF COURSE
Wood Covert
STOCKWOOD HILL
Southlands
The Elms
Durley Hill House
Spinney Close
Stockwood Vale
VALE ROAD
BRISTOL ROAD
Brookleaze
Newnham Nursery
Broadlands School
The Redwoods
Play Fld.
Tennis Courts
BROADLANDS AV.
MILWARD RD
ST. JOHN'S CT.
ST. MARKS
ST. JOHN'S CT.
2
CULVERS ROAD
Cine
Hill View
Orchard House
Nursery
Charlton Bottom
Landsdown House
Broadlands Farm
ST. FRANCIS ROAD
ORCHARD CL.
WINSCOMBE CLO
ST. MARGARET'S CL.
ST. ANNES AVENUE
St. Anne's Ct.
ST. LADOC
CRANMORE AVENUE
ROAD
92
ST. GEORGES RD
WHEATHILL CLO
MENDIP CLO
SELWORTHY CLO
ASHCROFT
PARK CL.
CHARLTON ROAD
ST. KEYNA RD
WEST VIEW ROAD
St. Patrick's Ct.
Tennis Courts
ROCK
Nursery
HEATHFIELD CLO
Downfield
CLEEVE GRO
STAPLE GR
HOLCOMBE GRO
HOLCOMBE AV.
LOCKINGWELL
HANDEL ROAD
Clin.
THE HAWTHORNS
3
St. John's Prim. Sch.
LA.
Home
SHERWOOD
WESTFIELD CLO
KELSTON RD.
Keynsham Prim. Sch.
Chepstow Wlk
TINTAGEL
MONMOUTH
LUDLOW CL.
Playing Field
COURTLANDS
ALBERT
LAYS DRIVE
Arundel Wlk
Raglan Wlk
BARNARD WLK
Donnington Wlk
TINTAGEL CLOSE
PRINCESS CLO
CAMERONS CL.
68
Stirling Way
Youth Cen.
WINDSOR AV.
BS31
QUEENS ROAD
Dartmouth Wlk
KENILWORTH CLO
DURHAM GRO
TENBY RD.
BERKELEY GARDENS
AVENUE
Glebe Wlk
LINCOLN CLO
CAERNARVON
CORONATION
WARWICK
RICHMOND CLO
FARLEIGH RD
CAROLINE CLO
Lays Farm
4
AMBERLEY CLO
DUDLEY CLO
DUNSTER ROAD
Pine Ct.
Elm Ct.
Firs Ct.
Rowan Wlk.
WALTON CLO
LONGMEADOW
Maple Wlk
MAPLE WLK
CEDAR DR
WILLOW WLK
Box Wlk
HOLMOAK RD
BIRCH CT.
ACACIA CT.
CHERRY TREE CLO
Walnut Wlk
Lime Ct.
WALNUT CLO
HOLMOAK ROAD
CEDAR DR
NEWLANDS RD
THE BRAMS
Willow Walk
Lilac Ct.
Hornbeam Wlk
Laburnum Wlk
May Tree Wlk
OAK TREE WLK
Holly Wlk
THE BRAMBLES
The Brambles
Castle Prim. Sch.
St. Clements Court
PARKHOUSE LANE
EAST SOMERSET
Green Hill Farm
5
Penn Hill Farm
Parkhouse Farm
Diamond's Cottage
CHARLTON
67
Orchard Cottages
The Bungalow
Wellfield House

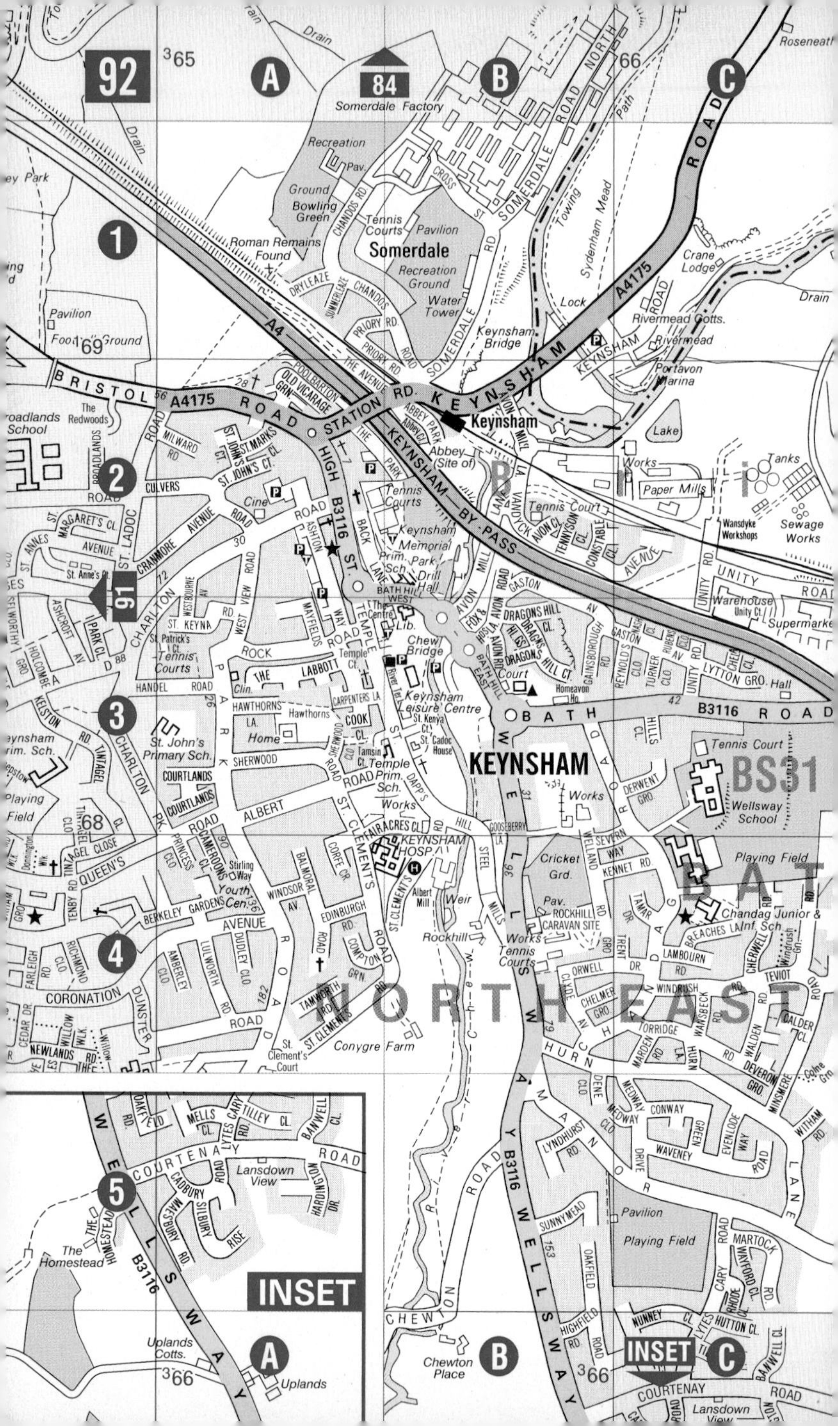

365
A
B
C
84
66
Somerdale Factory
Roseneath
Drain
Recreation
Pav.
Ground
Bowling Green
CHANDOS RD.
Tennis Courts
Pavilion
Somerdale
Recreation Ground
Water Tower
Roman Remains Found
DRYLEAZE
SUMMERLEAZE
CHANDOS
PRIORY RD.
CROSS ST
SOMERDALE ROAD NORTH
SOMERDALE RD.
Towing Path
Sydenham Mead
ROAD
A4175
Crane Lodge
Lock
Keynsham Bridge
Rivermead Cotts.
Rivermead
Portavon Marina
KEYNSHAM ROAD
Pavilion
Football Ground
69
1
A4
BRISTOL ROAD
A4175
POOLBARTON
OLD VICARAGE GRN.
THE AVENUE
STATION RD.
KEYNSHAM
Keynsham
ABBEY PARK
Abbey Ct.
KEYNSHAM BY-PASS
Lake
The Redwoods
Broadlands School
BROADLANDS
MILWARD RD.
ST. JOHN'S CT.
ST. MARKS CL.
ST. JOHN'S CT.
HIGH ST.
B3116
THE PARK
Abbey (Site of)
AVON MILL LA.
Works
Paper Mills
Tanks
Sewage Works
Tennis Court
2
CULVERS ROAD
Cine
Tennis Courts
VANDYCK AV.
AVON CL.
TENNYSON CL.
CONSTABLE CL.
AVENUE
Wansdyke Workshops
UNITY RD.
UNITY ROAD
ST. MARGARET'S CL.
ST. ANNES AVENUE
ST. LADOC RD.
CRANMORE AVENUE
ROAD
ASHTON WAY
BACK LANE
Keynsham Memorial Park
Prim. Sch.
Drill Hall
AVON MILL
GASTON
Warehouse
Unity Ct.
Supermarket
St. Anne's Ct.
91
30
72
CHARLTON RD.
WESTBOURNE AV.
WEST VIEW ROAD
ST. KEYNA
St. Patrick's Ct.
Tennis Courts
ASHCROFT AV.
PARK CL.
HOLCOMBE GRO.
88
ROCK ROAD
THE LABBOTT
MAYFIELDS
BATH HILL WEST
The Centre
Lib.
Chew Bridge
Temple Ct.
River Ter.
FOX & HOS. LA.
AVON RD.
DRAGONS HILL CL.
DRAGONS HILL CT.
DRAGONS HILL
BATH HILL EAST
Court
Homeavon Ho.
GAINSBOROUGH AV.
GASTON AV.
REYNOLD'S CLO.
TURNER CLO.
RUBENS CLO.
UNITY GRO.
LYTTON GRO.
Hall
HANDEL ROAD
KELSTON RD.
TINTAGEL
3
Keynsham Prim. Sch.
Playing Field
CHARLTON PK.
HAWTHORNS LA.
Hawthorns
Home
Clin.
CARPENTERS LA.
COOK CL.
Keynsham Leisure Centre
St. Kenya Ct.
St. Cadoc House
TEMPLE ST.
BATH
B3116 ROAD
42
HILLS CL.
Tennis Court
BS31
Wellsway School
St. John's Primary Sch.
COURTLANDS
SHERWOOD
SHERWOOD CLO.
ROAD
Tamsin Ct.
Temple Prim. Sch.
KEYNSHAM
Works
37
DERWENT GRO.
ALBERT
ST. CLEMENTS
Works
DAPP'S HILL
68
TINTAGEL CLO.
TINTAGEL CLOSE
QUEEN'S ROAD
PRINCESS CLO.
CAMERONS CL.
90
Stirling Way
Youth Cen.
FAIRACRES CL.
KEYNSHAM HOSP.
GOOSEBERRY LA.
Cricket Grd.
SEVERN WAY
WELLAND
KENNET RD.
Playing Field
BALMORAL
CORFE CR.
STEEL MILLS
96
Pav.
ROCKHILL CARAVAN SITE
TAMAR DR.
Chandag Junior & Inf. Sch.
BATH
Donnington Wlk.
TENBY RD.
BERKELEY GARDENS
AVENUE
136
WINDSOR AV.
EDINBURGH RD.
ST. CLEMENT'S RD.
Albert Mill
Weir
Rockhill
Works
Tennis Courts
BREACHES LA.
LAMBOURN RD.
CHERWELL RD.
Windrush Gn.
TEVIOT
4
FARLEIGH RD.
RICHMOND CLO.
AMBERLEY CLO.
LULWORTH RD.
DUDLEY CLO.
COMPTON GRN.
ROAD
ORWELL DR.
TRENT GRO.
WINDRUSH
CORONATION
DUNSTER
182
TAMWORTH RD.
NORTH EAST
CHELMER GRO.
CLYDE AV.
TORRIDGE
WANSBECK RD.
CALDER CL.
CEDAR DR.
WILLOW WLK.
NEWLANDS RD.
ROAD
St. Clement's Court
ST. CLEMENTS
Conygre Farm
79
HURN
MARDEN RD.
HURN LA.
WALDEN RD.
DEVERON GRO.
MINSMERE
Colne Grn.
DENE CLO.
MEDWAY
MEDWAY CLO.
CONWAY
GREEN
EVENLODE WAY
WITHAM RD.
OAKFIELD RD.
MELLS CL.
LYTES CARY RD.
TILLEY CL.
BANWELL CL.
COURTENAY ROAD
Lansdown View
5
THE HOMESTEAD
The Homestead
CADBURY
MAESBURY RD.
SILBURY RISE
HARDINGTON DR.
WELLSWAY
B3116
INSET
Uplands Cotts.
Uplands
366
RIVER CHEW
ROAD
B3116 WELLSWAY
MANOR ROAD
LYNDHURST RD.
WAVENEY
ROAD
DRIVE
LANE
SUNNYMEAD
153
OAKFIELD
Pavilion
Playing Field
ROAD
MARTOCK RD.
CARY
WAYFORD CL.
RHODE CL.
CHEWTON
Chewton Place
HIGHFIELD RD.
HIGHFIELD ROAD
NUNNEY CL.
LYTES CARY
HUTTON CL.
BANWELL CL.
INSET
COURTENAY ROAD
Lansdown View

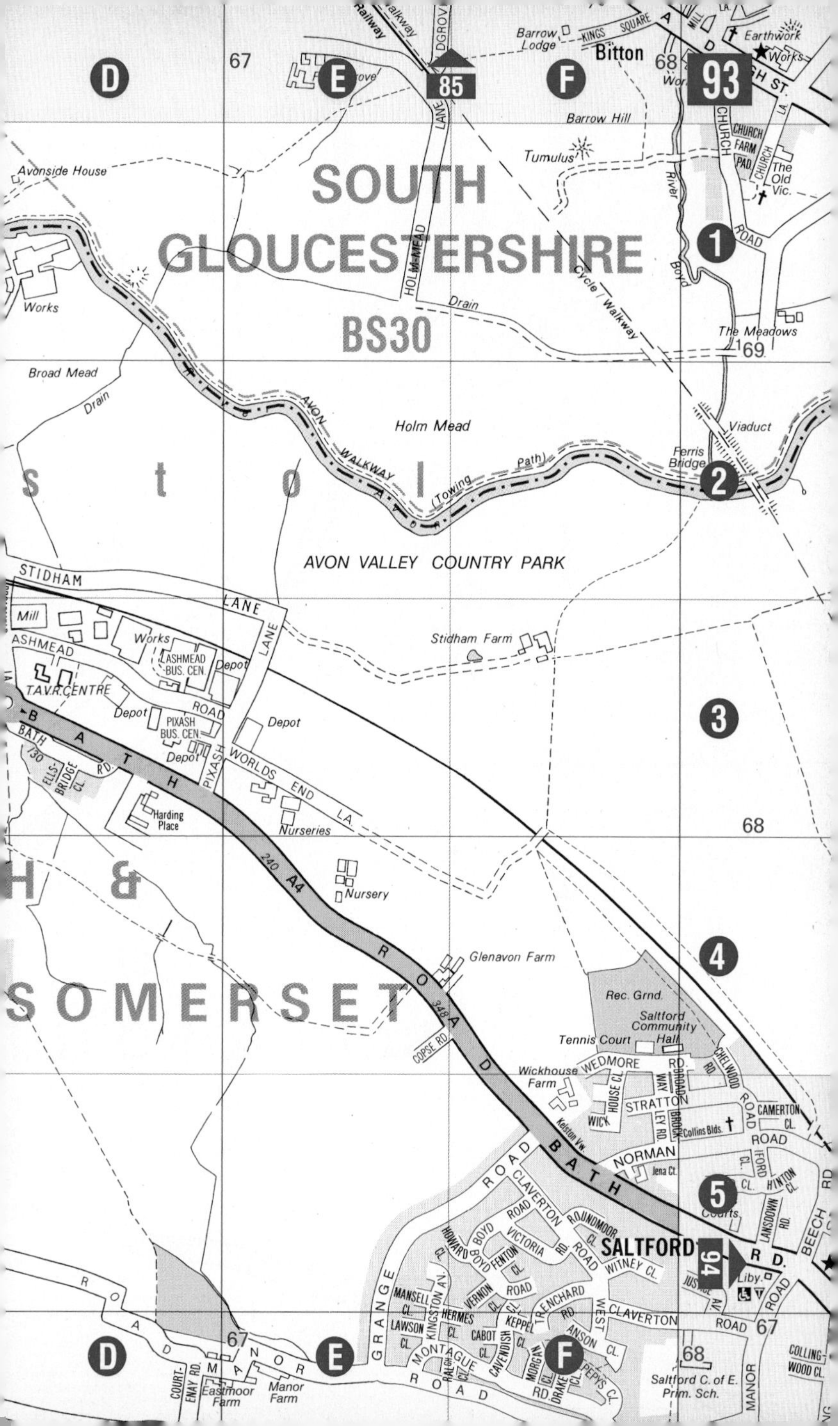

D 67 **E** **85** **F** Bitton 68 **93**

KINGS SQUARE
Barrow Lodge
Earthwork
Works
Barrow Hill
Avonside House
Tumulus
1
CHURCH FARM
The Old Vic.
ROAD

SOUTH GLOUCESTERSHIRE

BS30

Drain
Cycle / Walkway
Boyd
River
The Meadows
169

Broad Mead
Drain
Holm Mead
AVON WALKWAY
Towing Path
Viaduct
Ferris Bridge
2

s   t   o   l

AVON VALLEY COUNTRY PARK

STIDHAM LANE
Mill
Works
ASHMEAD BUS. CEN.
Depot
Stidham Farm
ASHMEAD
TAVR.CENTRE
Depot
PIXASH BUS. CEN.
LANE
ROAD
Depot
3
68
B
BATH
FELS BRIDGE RD
PIXASH
WORLDS END LA.
Harding Place
Nurseries
A4
ROAD
Nursery

H & SOMERSET

Glenavon Farm
4
Rec. Grnd.
Saltford Community Hall
Tennis Court
COPSE RD.
Wickhouse Farm
WEDMORE
HOUSE CL.
STRATTON
WICK
BRITLEY RD.
CHELWOOD ROAD
CAMERTON CL.
ROAD
Collins Blds.
NORMAN
Jena Cr.
BATH
ROAD
Courts
5
LANSDOWN RD.
HINTON CL.
BEECH AV.
ROAD
CLAVERTON
Boyd
JOINDOMOOR RD
SALTFORD
94
Liby.
CLAVERTON ROAD
HOWARD
BOYD
FENTON
Victoria
WITNEY CL.
MANSELL CL.
HERMES
VERNON
KEPPE
CL.
Road
WEST
JUS
GRANGE ROAD
LAWSON CL.
KINGSTON AV.
CABOT CL.
CAVENDISH
TRENCHARD
RD
ANSON CL.
KEYS CL.
ROAD 67
MONTAGUE
MORGAN
DRAKE
Saltford C. of E. Prim. Sch.
MANOR RD.
COLLING WOOD CL.

D COURT ENAY RD. Eastmoor Farm Manor Farm **E** **F** 68

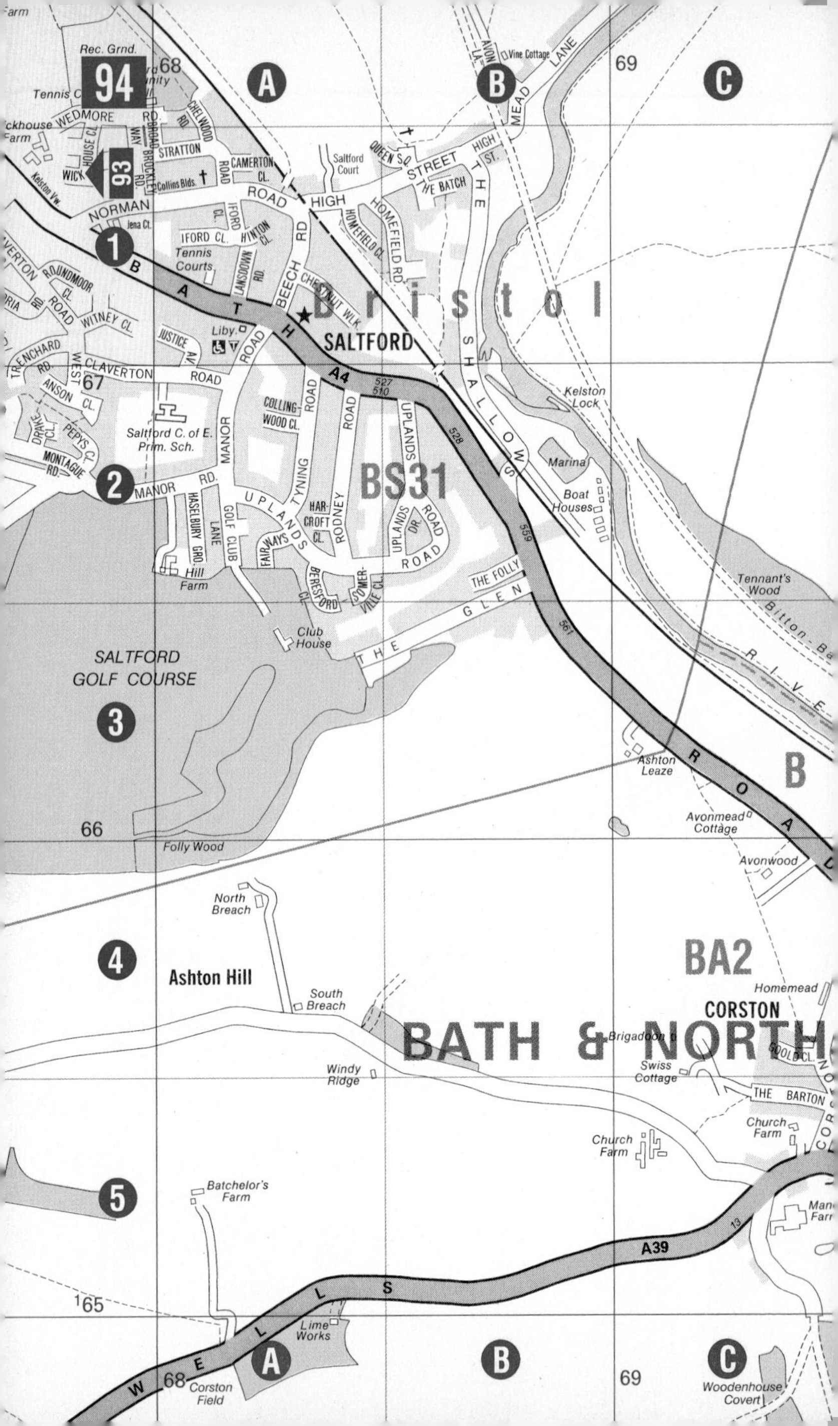

94
93
A
B
C
1
2
3
4
5
68
69
67
66
165
Bristol
SALTFORD
BS31
BA2
CORSTON
BATH & NORTH
Ashton Hill
SALTFORD GOLF COURSE
BATH ROAD
A4
A39
WELLS
Rec. Grnd.
Tennis Courts
WEDMORE RD.
CHELWOOD RD.
STRATTON
CAMERTON CL.
BROAD WAY
BRICKLEY RD.
WICK HOUSE CL.
Kelston Vw.
Collins Blds.
NORMAN ROAD
HIGH STREET
Jena Ct.
IFORD CL.
HINTON CL.
LANSDOWN RD.
BEECH RD.
CHESTNUT WLK.
QUEEN SQ.
Saltford Court
THE BATCH
HOMEFIELD CL.
HOMEFIELD RD.
HIGH ST.
MEAD LANE
AVON LA.
Vine Cottage
THE SHALLOWS
ROUNDMOOR CL.
WITNEY CL.
JUSTICE AV.
Liby.
TRENCHARD RD.
WEST CLAVERTON ROAD
ANSON CL.
DRAKE CL.
PEPYS CL.
MONTAGUE RD.
Saltford C. of E. Prim. Sch.
MANOR ROAD
MANOR RD.
COLLINGWOOD CL.
TYNING ROAD
RODNEY ROAD
HARCROFT CL.
UPLANDS ROAD
UPLANDS DR.
HASELBURY GRO.
LANE
GOLF CLUB
FAIRWAYS
BERESFORD CL.
SOMERVILLE CL.
THE FOLLY
THE GLEN
Hill Farm
Club House
Kelston Lock
Marina
Boat Houses
Tennant's Wood
Bitton
RIVER
Ashton Leaze
Avonmead Cottage
Avonwood
Folly Wood
North Breach
South Breach
Windy Ridge
Brigadoon
Homemead
GOOLD CL.
Swiss Cottage
THE BARTON
Church Farm
Batchelor's Farm
Lime Works
Corston Field
Woodenhouse Covert
527
510
528
559
561
13

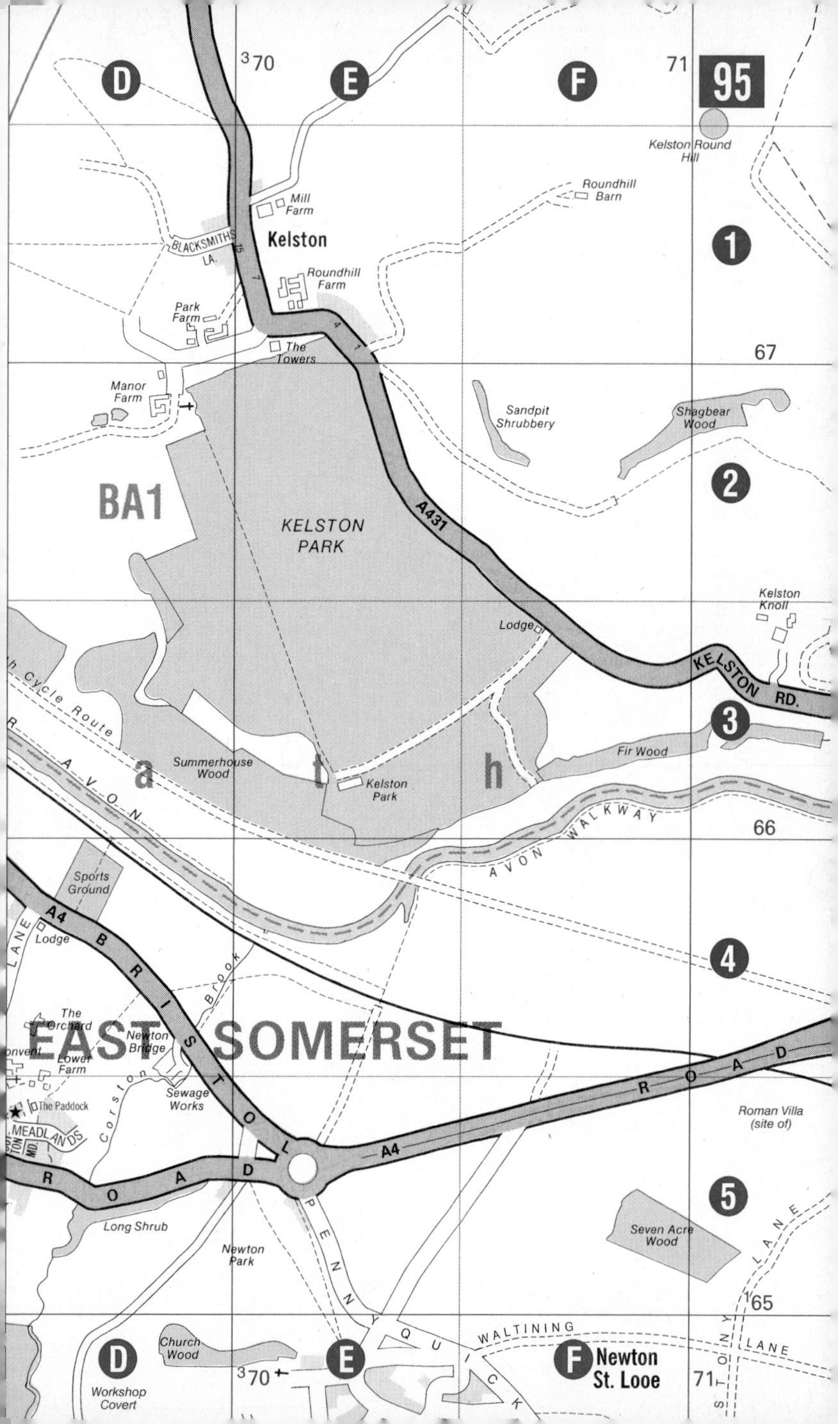

95
D
E
F
370
71
67
66
65
1
2
3
4
5
Kelston Round Hill
Roundhill Barn
Mill Farm
Kelston
BLACKSMITHS LA.
Roundhill Farm
Park Farm
The Towers
Manor Farm
Sandpit Shrubbery
Shagbear Wood
BA1
KELSTON PARK
A431
Kelston Knoll
Lodge
KELSTON RD.
Cycle Route
AVON
Summerhouse Wood
Kelston Park
Fir Wood
AVON WALKWAY
a t h
Sports Ground
A4
BRISTOL ROAD
Lodge
LANE
Brook
The Orchard
Newton Bridge
Lower Farm
EAST SOMERSET
Convent
Corston
Sewage Works
The Paddock
MEADLANDS
Roman Villa (site of)
Long Shrub
Newton Park
Seven Acre Wood
PENNY QUICK
LANE
Church Wood
WALTINING LANE
Newton St. Looe
Workshop Covert

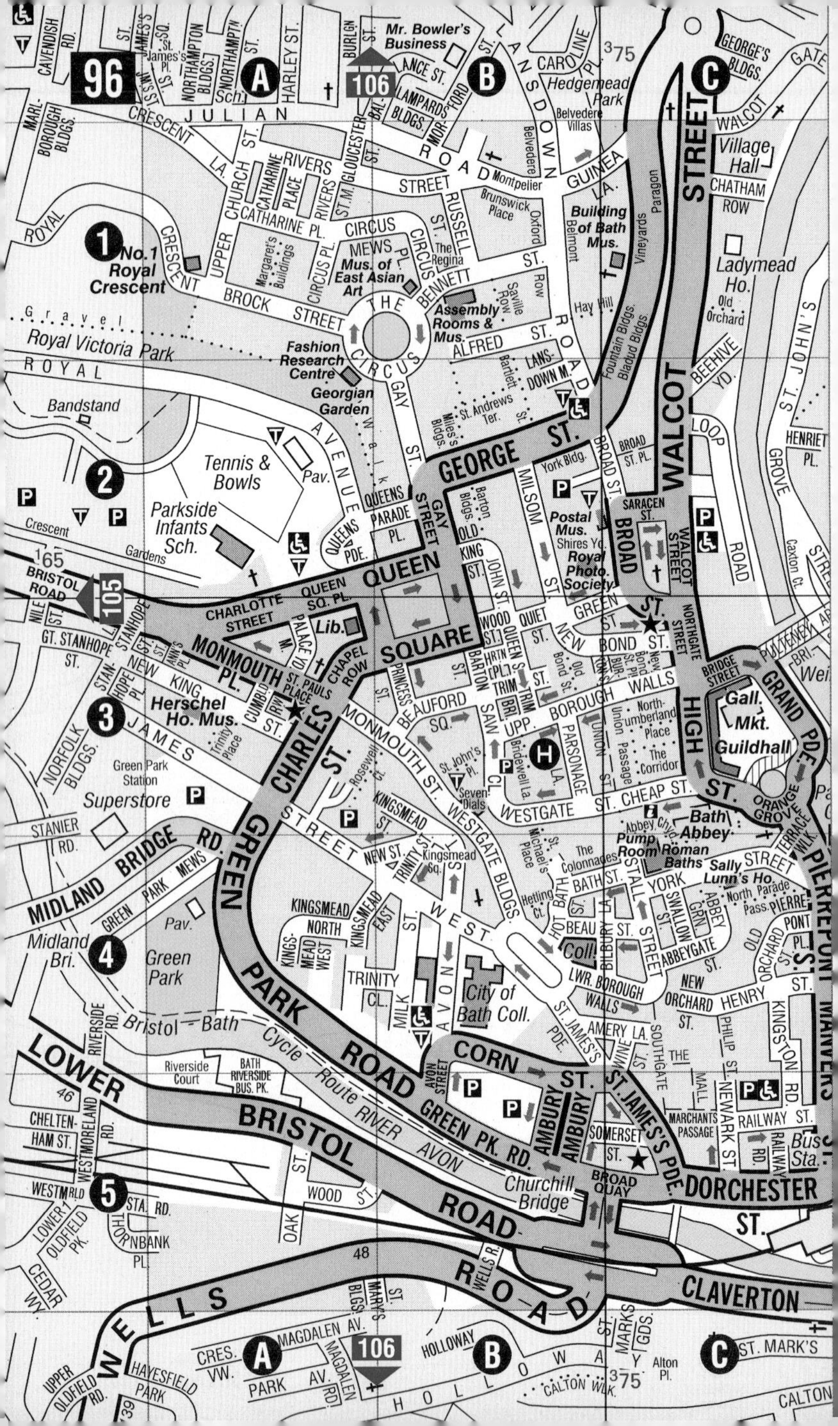

96
A
B
C
106
105
Mr. Bowler's Business
CAVENDISH RD.
JAMES'S SQ.
St. James's Pl.
NORTHAMPTON BLDGS.
NORTHAMPTN. ST.
Sch.
HARLEY ST.
BURLGN ST.
LANCE ST.
LAMPARDS BLDGS.
MOR-FORD ST.
LANSDOWN
CAROLINE PL.
375
Hedgemead Park
GEORGE'S BLDGS.
GATE
MARL-BOROUGH BLDGS.
JULIAN
CRESCENT
LA.
ST.
GLOUCESTER ST.
ROAD
Belvedere Villas
Belvedere
WALCOT
Village Hall
CHATHAM ROW
UPPER CHURCH ST.
CATHARINE PLACE
RIVERS ST.
RIVERS ST. M.
STREET
Montpelier
GUINEA LA.
Paragon
Vineyards
STREET
ROYAL
CRESCENT
No.1 Royal Crescent
CATHARINE PL.
Margaret's Buildings
CIRCUS PL.
CIRCUS MEWS
Mus. of East Asian Art
CIRCUS PL.
The Regina
RUSSELL ST.
Brunswick Place
Oxford Row
BENNETT ST.
Building of Bath Mus.
Belmont
Ladymead Ho.
Old Orchard
BROCK STREET
THE CIRCUS
Assembly Rooms & Mus.
Saville Row
Hay Hill
Fountain Bldgs.
Bladud Bldgs.
Gravel
Royal Victoria Park
ROYAL
AVENUE
Fashion Research Centre
Georgian Garden
GAY ST.
ALFRED ST.
Bartlett St.
LANSDOWN M.
St. Andrews Ter.
Miles's Bldgs.
WALCOT
BEEHIVE YD.
ST. JOHN'S
Bandstand
Tennis & Bowls
Pav.
Walk
GEORGE ST.
York Bldg.
BROAD ST. PL.
BROAD ST.
LOOP
HENRIETTA PL.
GROVE
Parkside Infants Sch.
Crescent Gardens
QUEENS PARADE PL.
QUEENS PDE.
GAY STREET
Barton Bldgs.
OLD KING ST.
MILSOM ST.
Postal Mus.
Shires Yd.
Royal Photo. Society
SARACEN ST.
BROAD ST.
WALCOT STREET
ROAD
Caxton Ct.
BRISTOL ROAD
165
QUEEN SQ. PL.
QUEEN SQUARE
CHARLOTTE STREET
JOHN ST.
WOOD ST.
QUIET ST.
QUEEN ST.
GREEN ST.
NEW BOND ST.
NORTHGATE STREET
PULTENEY
NILE ST.
GT. STANHOPE ST.
STANHOPE ST.
ST. ANN'S PL.
MONMOUTH PL.
Lib.
PALACE YD. M.
CHAPEL ROW
BARTON ST.
HRTN PL.
TRIM ST.
TRIM BRI.
Old Bond St.
New Bond St. Pl.
BRIDGE STREET
GRAND PDE.
STAN-HOPE PL.
NEW KING ST.
Herschel Ho. Mus.
CUMBLD. RW.
ST. PAULS PLACE
PRINCESS ST.
BEAUFORD SQ.
SAW CL.
UPP. BOROUGH WALLS
North-umberland Place
The Corridor
Union Passage
UNION ST.
HIGH ST.
Gall.
Mkt.
Guildhall
NORFOLK BLDGS.
JAMES ST.
Trinity Place
CHARLES ST.
MONMOUTH ST.
Rosewell Ct.
St. John's Pl.
Seven Dials
Bridewell La.
PARSONAGE LA.
WESTGATE ST.
CHEAP ST.
ORANGE GROVE
TERRACE WLK.
Green Park Station
Superstore
KINGSMEAD ST.
STANIER RD.
STREET
NEW ST.
TRINITY ST.
Kingsmead Sq.
ST. MICHAEL'S Place
WESTGATE BLDGS.
Abbey Chyd.
Bath Abbey
Pump Room
Roman Baths
The Colonnades
BATH ST.
STALL STREET
YORK STREET
Sally Lunn's Ho.
PIERREPONT
MIDLAND BRIDGE RD.
GREEN PARK MEWS
Pav.
KINGSMEAD NORTH
KINGSMEAD EAST
KINGSMEAD WEST
WEST ST.
Hetling Ct.
HOT BATH ST.
BEAU ST.
BILBURY LA.
SWALLOW ST.
ABBEY GRN.
North Parade Pass.
PONT ST.
Midland Bri.
Green Park
GREEN
PARK
TRINITY CL.
MILK ST.
AVON ST.
City of Bath Coll.
Coll.
LWR. BOROUGH WALLS
ABBEYGATE ST.
NEW ORCHARD ST.
HENRY ST.
ORCHARD ST.
KINGSTON ST.
MANVERS ST.
RIVERSIDE RD.
Bristol - Bath Cycle Route
ROAD
ST. JAMES'S PDE.
AMERY LA.
WINE ST.
SOUTHGATE
THE MALL
PHILIP ST.
LOWER
46
Riverside Court
BATH RIVERSIDE BUS. PK.
RIVER AVON
CORN ST.
AVON STREET
AMBURY
GREEN PK. RD.
ST. JAMES'S PDE.
SOMERSET ST.
MARCHANTS PASSAGE
NEWARK ST.
RAILWAY ST.
RAILWAY RD.
KINGSTON RD.
Bus Sta.
CHELTEN-HAM ST.
WESTMORELAND RD.
BRISTOL
ST.
Churchill Bridge
BROAD QUAY
DORCHESTER ST.
WESTMRLD STA. RD.
WOOD ST.
ROAD
LOWER OLDFIELD PK.
THORNBANK PL.
OAK ST.
48
WELLS RD.
CEDAR WY.
WELLS ROAD
CLAVERTON
MAGDALEN AV.
ST. MARY'S BLDGS.
ST. MARKS GDS.
CRES. VW.
MAGDALEN AV.
HOLLOWAY
St. MARK'S
UPPER OLDFIELD RD.
HAYESFIELD PARK
PARK AV.
HOLLOWAY
CALTON WLK.
Alton Pl.
375
CALTON
39

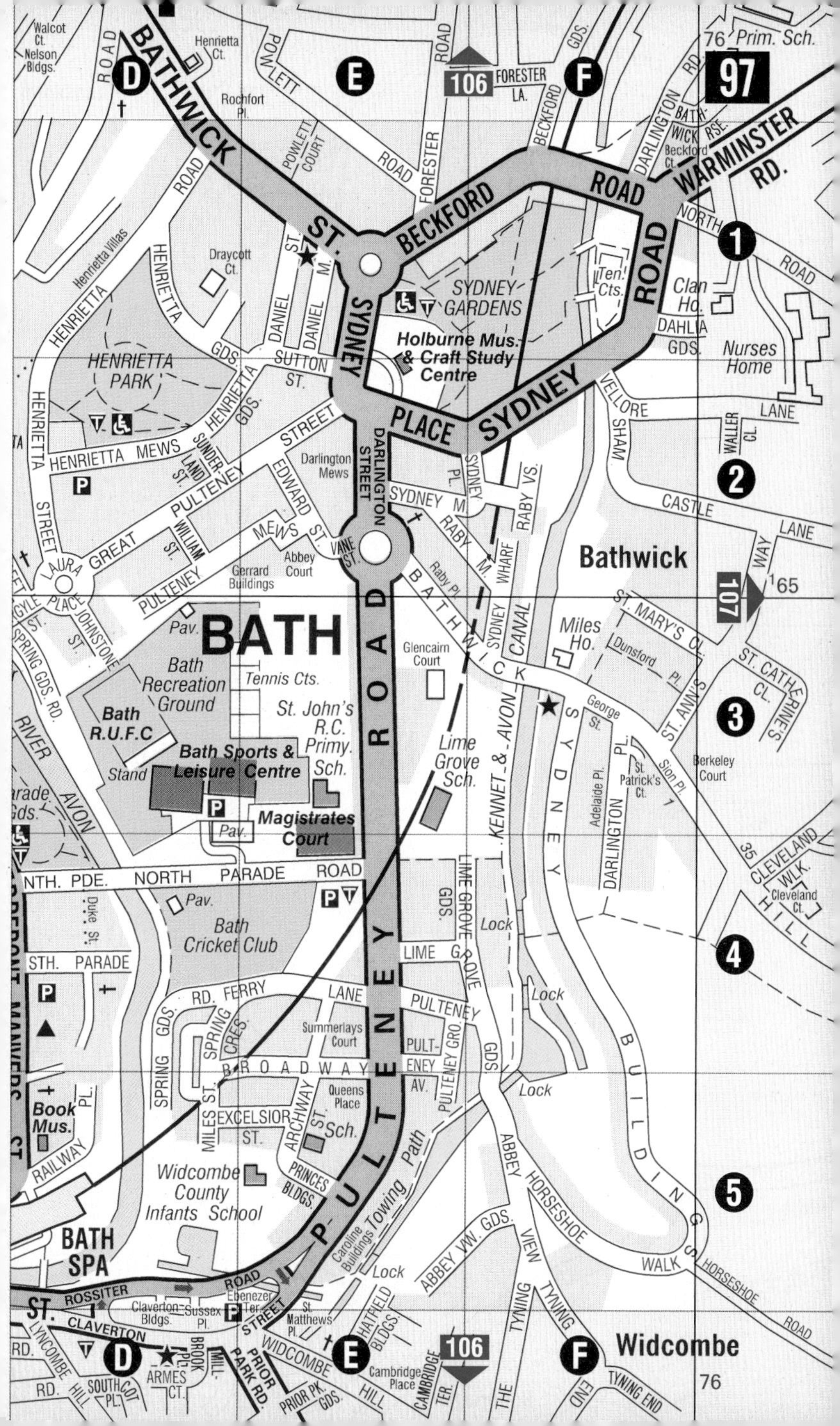

97
BATH
Bathwick
Widcombe
BATH SPA
Holburne Mus. & Craft Study Centre
SYDNEY GARDENS
HENRIETTA PARK
Bath Recreation Ground
Bath R.U.F.C
Bath Sports & Leisure Centre
Magistrates Court
Bath Cricket Club
Widcombe County Infants School
Lime Grove Sch.
St. John's R.C. Primy. Sch.
Nurses Home
PULTENEY ROAD
SYDNEY PLACE
BECKFORD ROAD
SYDNEY ROAD
BATHWICK ST.
WARMINSTER RD.
GREAT PULTENEY STREET
NORTH PARADE ROAD
BATHWICK HILL
SYDNEY BUILDINGS
KENNET & AVON CANAL
106
107
76

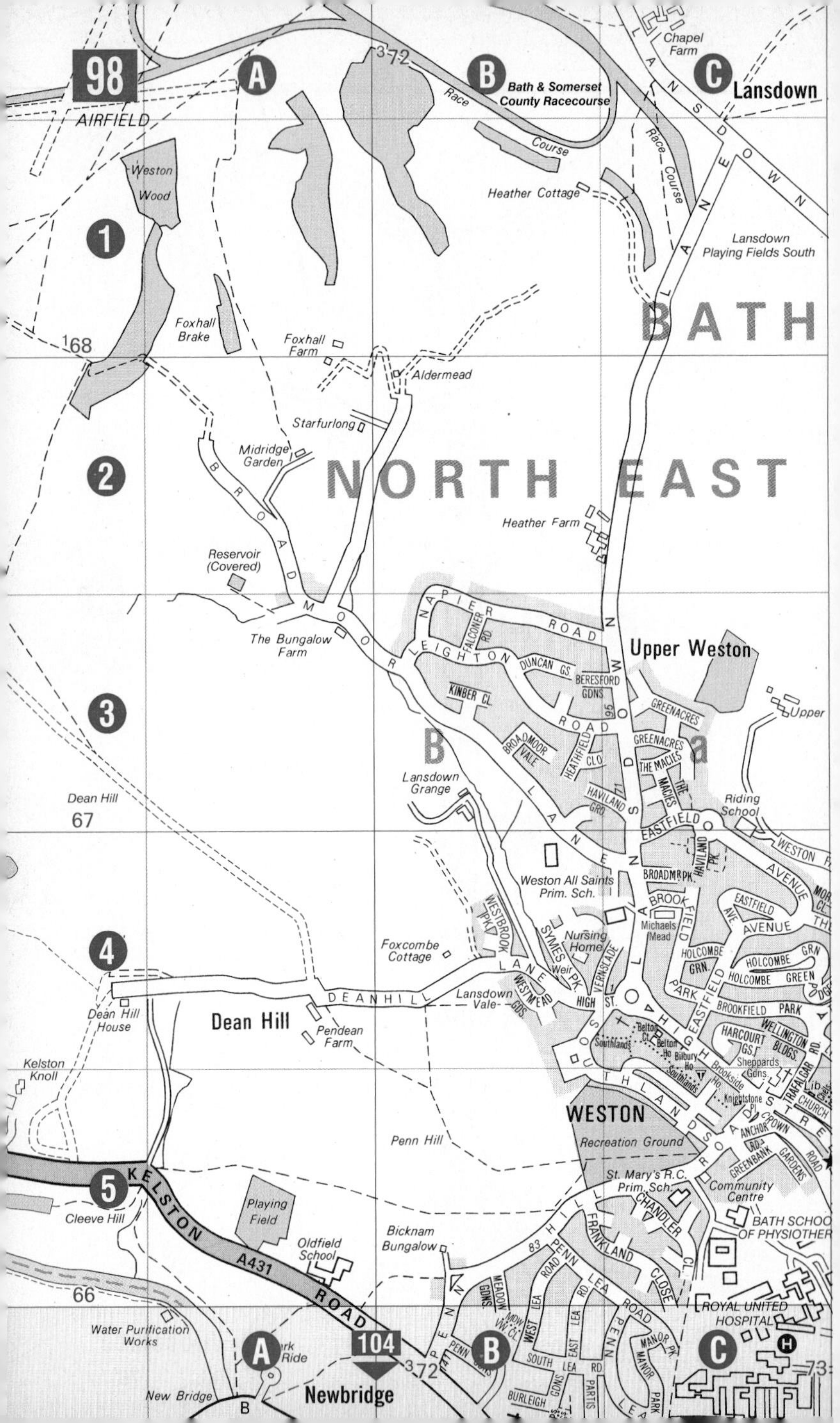

98

AIRFIELD

A

B Bath & Somerset County Racecourse

C Lansdown

Chapel Farm

1 Weston Wood

Heather Cottage

Lansdown Playing Fields South

B A T H

Foxhall Brake

Foxhall Farm

Aldermead

Starfurlong

2 Midridge Garden

Heather Farm

N O R T H   E A S T

Reservoir (Covered)

BROAD MOOR LANE

The Bungalow Farm

NAPIER ROAD

LEIGHTON RD

FALCONER RD

DUNCAN GS

BERESFORD GDNS

Upper Weston

Upper

KINBER CL

GREENACRES

BROADMOOR VALE

HEATHFIELD CLO

GREENACRES

THE MAZES

THE MAZES

Riding School

3 Dean Hill 67

Lansdown Grange

ROAD

HAVILAND GRO

EASTFIELD

HAVILAND PK

WESTON PK

Weston All Saints Prim. Sch.

BROADMEAD

BROOK

Michaels Mead

EASTFIELD GRN

EASTFIELD AVENUE

MORFORD CT

4 Dean Hill House

Foxcombe Cottage

WESTBROOK PK

SYMES PK

Nursing Home

Weir

WESTMEAD GDNS

HIGH ST

HOLCOMBE GRN

HOLCOMBE

HOLCOMBE GREEN

BROOKFIELD PARK

PARK

Kelston Knoll

Dean Hill

DEAN HILL

Lansdown Vale

Pendean Farm

LANE

Belton
Southfront
Belton Ho
Bilbury Ho
Southfield

Brookside
Knightstone

HARCOURT GDNS

Sheppards

WELLINGTON BLDGS

RD

TRAFALGAR RD

CHURCH

Penn Hill

SOUTHLANDS

WESTON

Recreation Ground

ANCHOR

CROWN RD

GREENBANK GDNS

St. Mary's R.C. Prim. Sch.

CHANDLER CL

Community Centre

5 KELSTON

Cleeve Hill

Playing Field

Oldfield School

Bicknam Bungalow

A431 ROAD

PENN LEA

FRANKLAND CL

MEAD GDNS

PENN LEA ROAD

WEST LEA

WEST LEA RD

PENN LEA ROAD

MANOR PARK

BATH SCHOOL OF PHYSIOTHER

ROYAL UNITED HOSPITAL

H

73

66

Water Purification Works

New Bridge

A Park Ride

B

104

Newbridge

PENN GDNS

SOUTH LEA RD

PARTIS
BURLEIGH

B 372

C

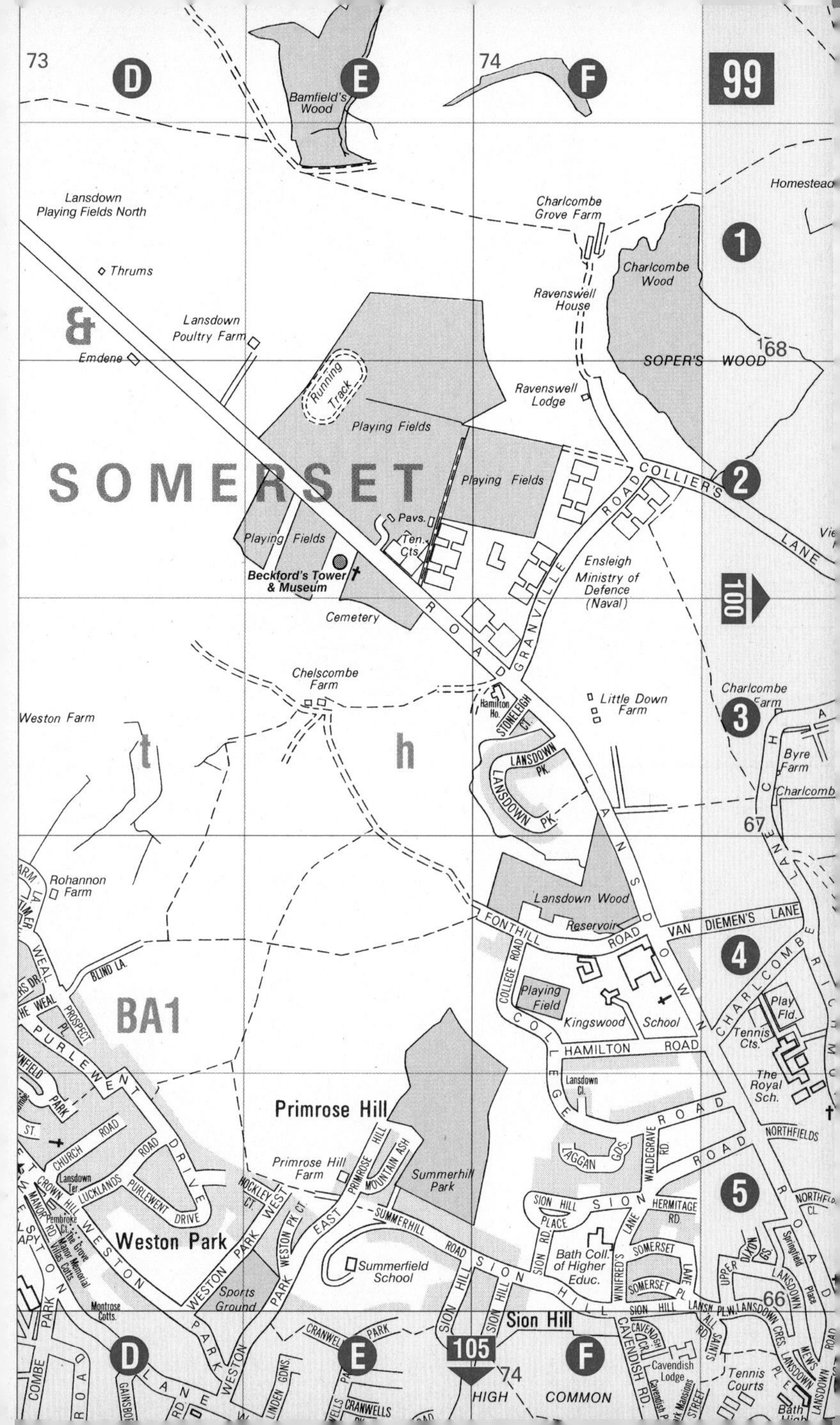
73
74
D
E
F
Bamfield's Wood
Lansdown Playing Fields North
Thrums
Lansdown Poultry Farm
Emdene
Charlcombe Grove Farm
Charlcombe Wood
Ravenswell House
SOPER'S WOOD
68
Homestead
Ravenswell Lodge
Running Track
Playing Fields
SOMERSET
Playing Fields
Pavs.
Ten. Cts.
Playing Fields
Beckford's Tower & Museum
Cemetery
ROAD
GRANVILLE ROAD
COLLIER'S LANE
Ensleigh Ministry of Defence (Naval)
100
Chelscombe Farm
Hamilton Ho.
STONELEIGH CT.
Little Down Farm
Charlcombe Farm
Weston Farm
Byre Farm
Charlcombe
LANSDOWN PK.
LANSDOWN PK.
LANSDOWN
67
Rohannon Farm
Lansdown Wood
Reservoir
FONTHILL ROAD
VAN DIEMEN'S LANE
CHARLCOMBE
COLLEGE ROAD
Playing Field
Kingswood School
Play Fld.
Tennis Cts.
The Royal Sch.
BLIND LA.
BA1
WEAL
PROSPECT PL.
PURLEWENT DRIVE
HAMILTON ROAD
Lansdown Cl.
ROAD
NORTHFIELDS
Primrose Hill
CHURCH ROAD
ST.
Lansdown Ter.
CROWN HILL
LUCKLANDS ROAD
PURLEWENT DRIVE
Primrose Hill Farm
PRIMROSE HILL
MOUNTAIN ASH
Summerhill Park
LAGGAN GDS.
WALDEGRAVE RD.
ROAD
SION HILL PLACE
SION
HERMITAGE RD.
NORTHFIELD CL.
HOCKLEY CT.
WESTON PARK WEST
WESTON PK. CT.
EAST
SUMMERHILL ROAD
SION RD.
WINIFRED'S LANE
SOMERSET LANE
UPPER
DIXON GS.
Springfield Place
LANSDOWN ROAD
MANOR RD.
Pembroke Ct.
The Grove
Manor Memorial Villas Cotts.
Weston Park
WESTON
Summerfield School
Bath Coll. of Higher Educ.
SOMERSET PL.
SION HILL
LANSN. PL.W.
LANSDOWN CRES.
66
Montrose Cotts.
Sports Ground
PARK
WESTON
SION HILL
SION HILL
Sion Hill
CAVENDISH CR.
CAVENDISH RD.
ALL SAINTS
CRANWELLS PARK
105
74
Cavendish Lodge
Park Mansions
STREET
Tennis Courts
MEWS
LANSDOWN
Bath
COMBE
ROAD
GAINSBOROUGH
LANE
LINDEN GDNS.
CRANWELLS
HIGH
COMMON

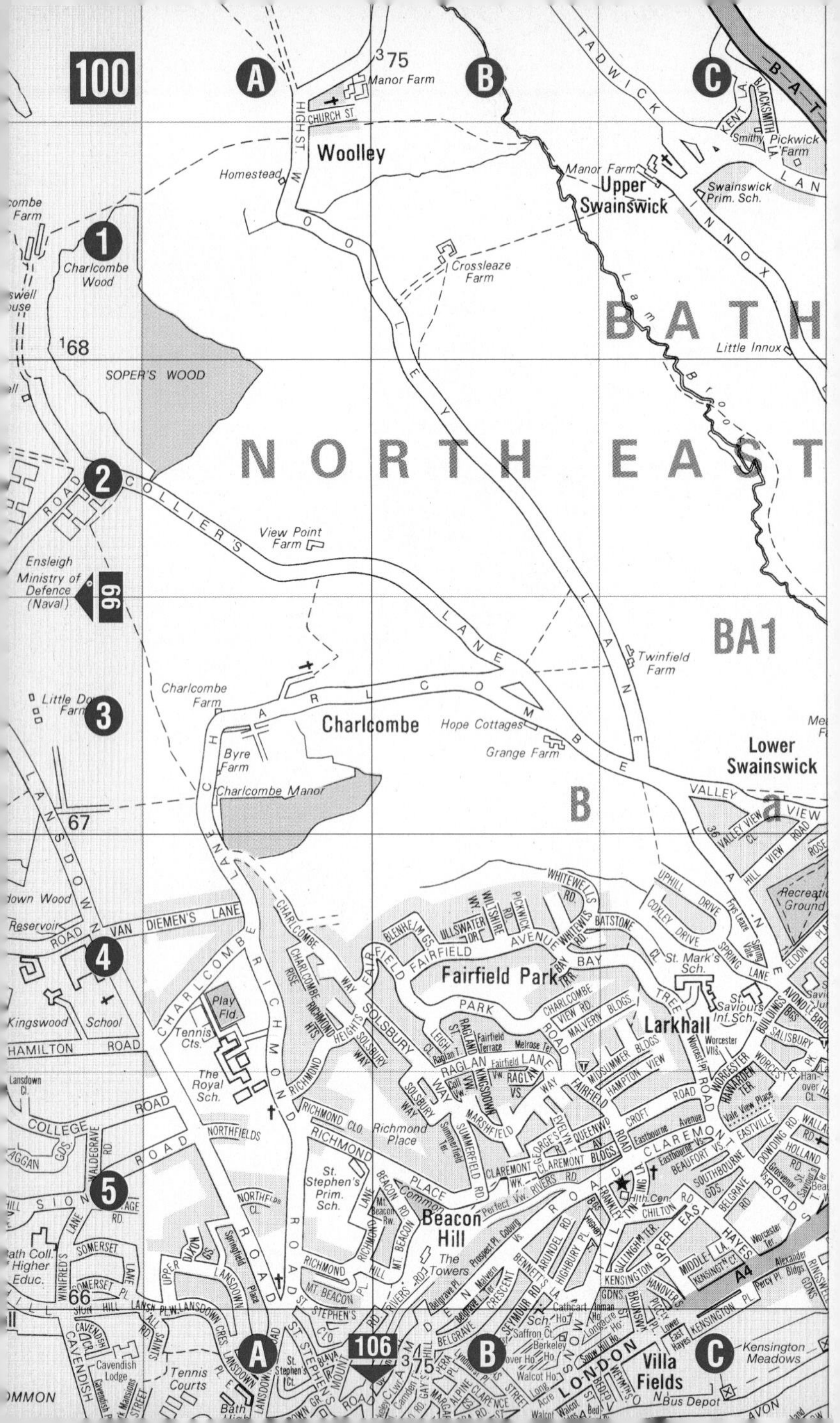

Woolley
Manor Farm
Church St
High St
Homestead
Upper Swainswick
Manor Farm
Tadwick Lane
Kent La.
Blacksmith La.
Smithy
Pickwick Farm
Swainswick Prim. Sch.
Innox Lane
Crossleaze Farm
Lam Brook
BATH
Little Innox
Charlcombe Wood
Soper's Wood
NORTH EAST
Collier's Lane
View Point Farm
Ensleigh Ministry of Defence (Naval)
Woolley Lane
Twinfield Farm
BA1
Charlcombe Farm
Charlcombe Lane
Charlcombe
Hope Cottages
Grange Farm
Byre Farm
Charlcombe Manor
Lower Swainswick
Valley View
Little Down Farm
Lansdown Road
Van Diemen's Lane
Reservoir
Kingswood School
Hamilton Road
College Road
Sion Hill
Bath Coll. Higher Educ.
Charlcombe Rise
Richmond Hts
Solsbury Way
Fairfield Park
Fairfield Avenue
Whitewells Rd.
Batstone Cl.
Uphill Drive
Coxley Drive
Spring Lane
St. Mark's Sch.
Larkhall
St. Saviours Inf. Sch.
Recreation Ground
Play Fld.
Tennis Cts.
The Royal Sch.
Richmond Road
Richmond Place
St. Stephen's Prim. Sch.
Beacon Hill
The Towers
Claremont Road
Camden Road
Northfields
Lansdown Crescent
Tennis Courts
Cavendish Lodge
Villa Fields
London Road
Kensington Meadows
Bus Depot
Hlth.Cen.
A4

99
106

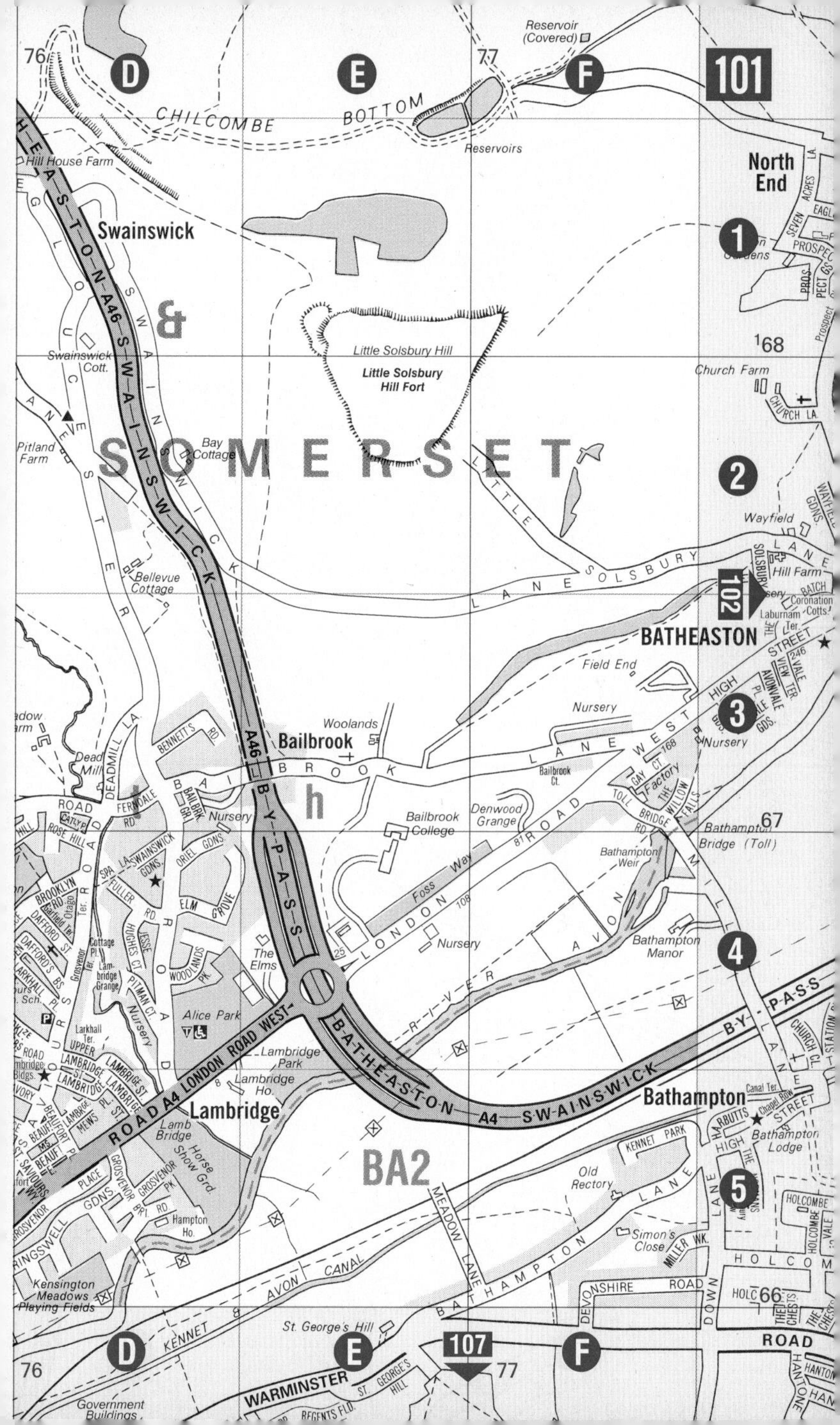

D **E** **F**

76 77

CHILCOMBE BOTTOM

Reservoir (Covered)

Reservoirs

Hill House Farm

North End

SEVEN ACRES LA

EAGL

PROSPECT

BROS

PROSPECT PL

1

Gardens

Swainswick

&

Swainswick Cott.

Little Solsbury Hill

Little Solsbury Hill Fort

68

Church Farm

CHURCH LA

S O M E R S E T

Pitland Farm

Bay Cottage

Bellevue Cottage

LITTLE SOLSBURY

2

Wayfield

SOLSBURY LANE

Green

Hill Farm

BATCH

Coronation Cotts.

Laburnam

Ter

STREET HIGH

102

BATHEASTON

A46-SWAINSWICK

Deadmill

Meadow Farm

ROAD

ROSE HILL

BROOKLYN

DAFFORD'S

BENNETT'S RD

FERNDALE

BAILBROOK LA

Bailbrook

Nursery

BY-PASS

h

Woolands

Bailbrook Ct.

LANE

WEST

Field End

Nursery

3

AVONDALE

GDNS

WILLOW

67

Nursery

BATH 246

GAY

Factory

TOLL BRIDGE

THE FALLS

Bathampton Bridge (Toll)

BROAD

Denwood Grange

Bailbrook College

Foss Way

LONDON

ORIEL GDNS

ELM

G's GROVE

SPR.

LA.

SWAINSWICK GDNS

TULLER RD

HIGHES

ROSS

RD

WOODS

The Elms

Cottage

Lam-

bridge

Grange

Alice Park

Larkhall

Inf.

Sch.

UPPER

LAMBRIDGE

LAMBRIDGE ST

LAMBROOK RD

Nursery

ROAD

Bathampton Weir

AVON

Bathampton Manor

4

BY-PASS

CHURCH LA

STATION

BATHEASTON A4 SWAINSWICK

Bathampton

Canal Ter

Chapel Row

ROAD A4 LONDON ROAD WEST

Lambridge

Lamb Bridge

Lambridge Park

Lambridge Ho.

Horse Show Grd.

Hampton Ho.

BA2

KENNET PARK

Old Rectory

Simon's Close

HIGH ST

HARBUTTS

Bathampton Lodge

THE

SWAINS

5

MILLER WK.

HOLCOMBE

HOLCOMBE VALE

Kensington Meadows Playing Fields

AVON CANAL

MEADOW LANE

BATHAMPTON LANE

DEVONSHIRE ROAD

DOWN

HOL

66

HOLCOM

THE CRESTS

HANTON

HAN

KENNET

St. George's Hill

ROAD

76 **D** **E** 77 **F**

WARMINSTER

ST. GEORGE'S HILL

▼**107**

REGENTS FLD.

Government Buildings

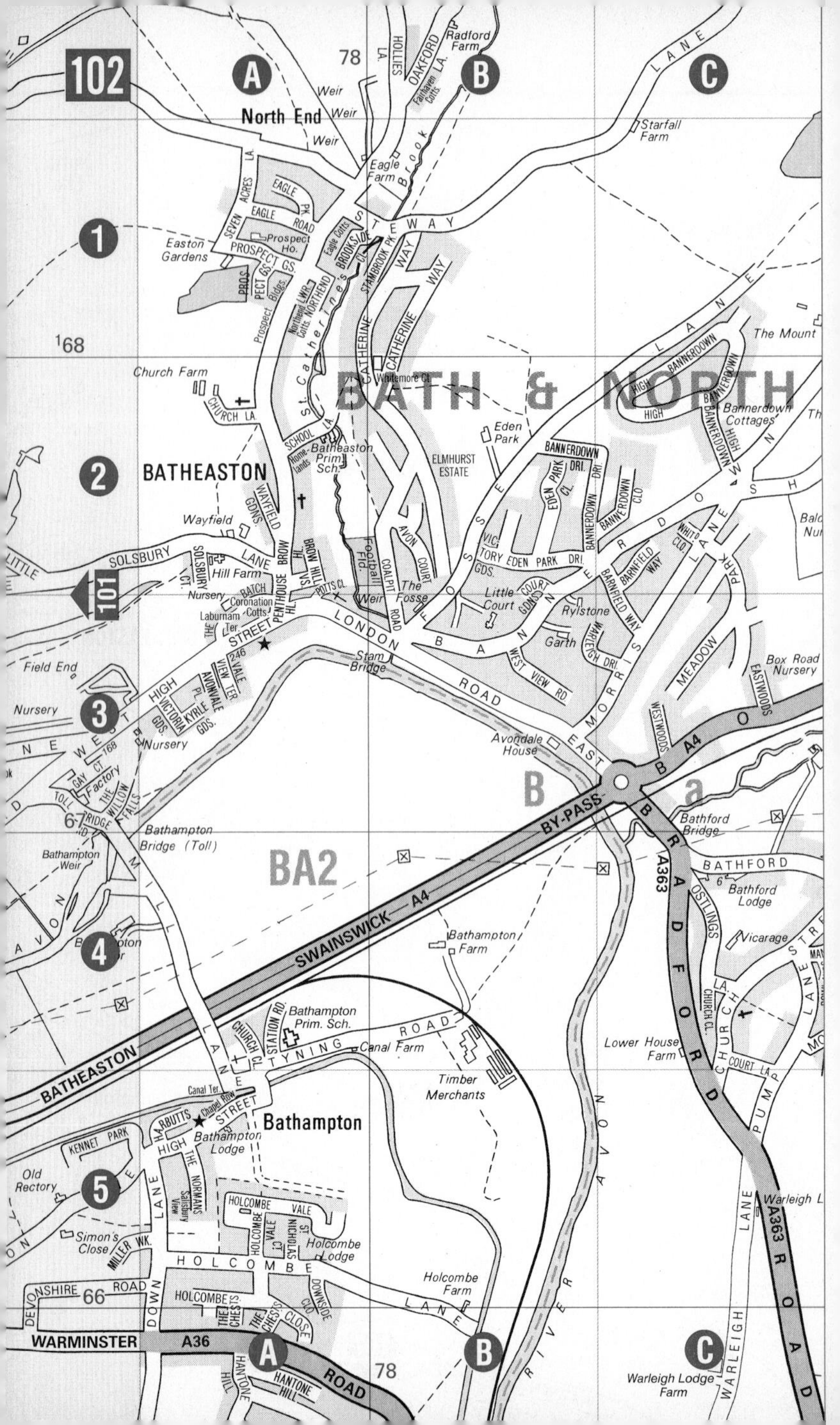

102

A North End

B Radford Farm

C Starfall Farm

78

1

Weir
Weir
Weir

Eagle Farm

SEVEN ACRES LA.
EAGLE ROAD
EAGLE
Prospect Ho.
PROSPECT GDS.
Easton Gardens
PROSPECT Bdgs.

St. Catherine's LANE (OLD NORTHEND)
BROADLEYS
STAMBRIDGE PK.

THE STEWAY

CATHERINE WAY
CATHERINE WAY

¹68

Church Farm

CHURCH LA.

Whitemore Gdns.

B A T H   &   N O R T H

Eden Park

The Mount

BANNERDOWN

HIGH

BANNERDOWN

Bannerdown Cottages

Th

2 BATHEASTON

SCHOOL LANE
Home Island
Batheaston Prim. Sch.

ELMHURST ESTATE

BANNERDOWN DRI.
EDEN PARK DRI.
EDEN PARK CL.
BANNERDOWN CL.
BANNERDOWN

DOWN

Bald
Nur

Wayfield

WAYFIELD GDNS.

AVON COURT

VICTORY GDNS.
EDEN PARK DRI.

BANFIELD WAY
WHITLS CLO.

BANNERDOWN WAY

MEADOW PARK

101 SOLSBURY LANE

LITTLE
SOLSBURY CT.
Hill Farm
Nursery
Coronation Cotts.
Laburnum

BATCH
PENHOUSE BROW
BROW

Little Court
Court Gdns.
Rylstone Garth

Box Road Nursery
EASTWOODS

Field End

HIGH STREET
AVONVALE ROAD
KYRLE GDS.
Factory
BROOKSIDE

NEW LEAF
KYRLE GDS.

PITTS LA.
Weir
The Fosse

WEST VIEW RD.

MORRIS

A4

3
Nursery
Nursery

WEST ¹68

LONDON ROAD EAST

Stam Bridge

HIGH DRI.
WESTWOODS

Avondale House

B
BY-PASS
BRADFORD
A363
Bathford Bridge

a

TOLL
BRIDGE
Bathampton Bridge (Toll)

Bathampton Weir

BA2

SWAINSWICK A4

Bathampton Farm

B A T H F O R D
Bathford Lodge
6
Vicarage

OSTLINGS LA.

CHURCH CL.

4
Bathampton or

BATHEASTON

CHURCH LA.

Station Rd.
Bathampton Prim. Sch.
Canal Farm

TYNING ROAD

Timber Merchants

Lower House Farm

COURT LA.

PUMP

RIVER AVON

CHURCH LANE

A363 ROAD

Canal Ter.
Chapel Row

Bathampton

HIGH STREET
HARBUTTS
Bathampton Lodge

Kennet Park
Simon's Close

MILLER WK.
THE SWANS
MEADOW GDNS

HOLCOMBE VALE
STOTHERT
HOLCOMBE VALE
HOLCOMBE
Holcombe Lodge

5

Old Rectory

DEVONSHIRE ROAD
66

HOLCOMBE LANE
DOWN LANE
CHESTNUT CLOSE
HOLCOMBE CLOSE

Holcombe Farm

HOLCOMBE LANE

Warleigh L

Warleigh LANE

WARMINSTER A36

A
HANTONE HILL
HANTONE HILL

ROAD

78

B

Warleigh Lodge Farm

C

WARLEIGH LANE

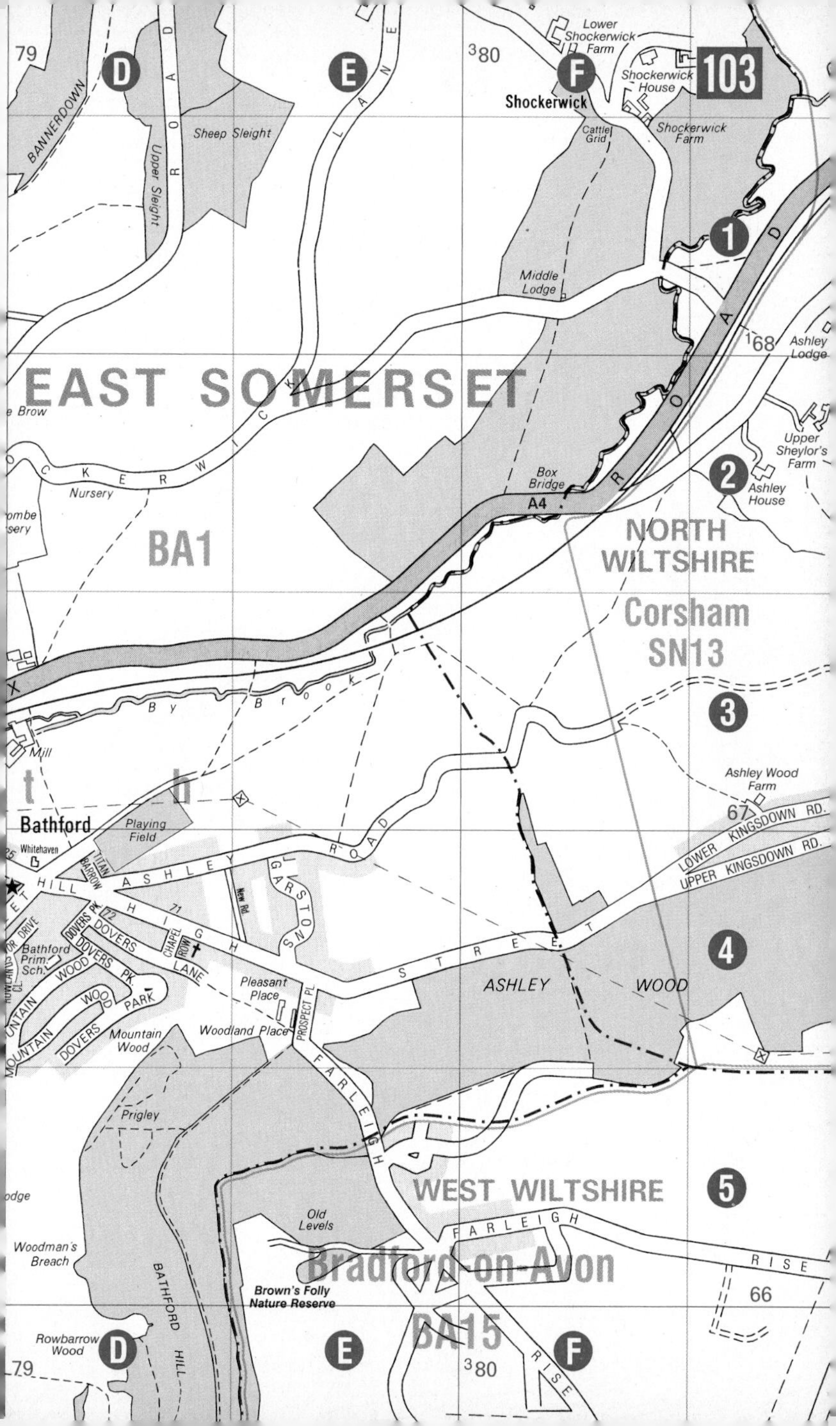
103
D
E
F
79
380
BANNERDOWN
ROAD
Upper Sleight
Sheep Sleight
LANE
Lower Shockerwick Farm
Shockerwick
Shockerwick House
Shockerwick Farm
Cattle Grid
Middle Lodge
1
2
3
4
5
ROAD
168
Ashley Lodge
EAST SOMERSET
SHOCKERWICK
Nursery
Upper Sheylor's Farm
Box Bridge
A4
Ashley House
NORTH WILTSHIRE
Corsham
SN13
BA1
By Brook
Mill
Bathford
Playing Field
Whitehaven
Ashley Wood Farm
67
LOWER KINGSDOWN RD.
UPPER KINGSDOWN RD.
ASHLEY ROAD
TITAN BARROW
HILL
HIGH STREET
GARSTONS
New Rd
CHAPEL ROW
DOVERS PK.
DOVERS
DOVERS LANE
DOVERS PARK
Bathford Prim. Sch.
WOOD
MOUNTAIN
MOUNTAIN WOOD
Pleasant Place
PROSPECT PL.
ASHLEY
WOOD
Mountain Wood
Woodland Place
FARLEIGH
Prigley
WEST WILTSHIRE
Old Levels
FARLEIGH RISE
Woodman's Breach
Bradford-on-Avon
BATHFORD HILL
Brown's Folly Nature Reserve
66
BA15
Rowbarrow Wood
RISE

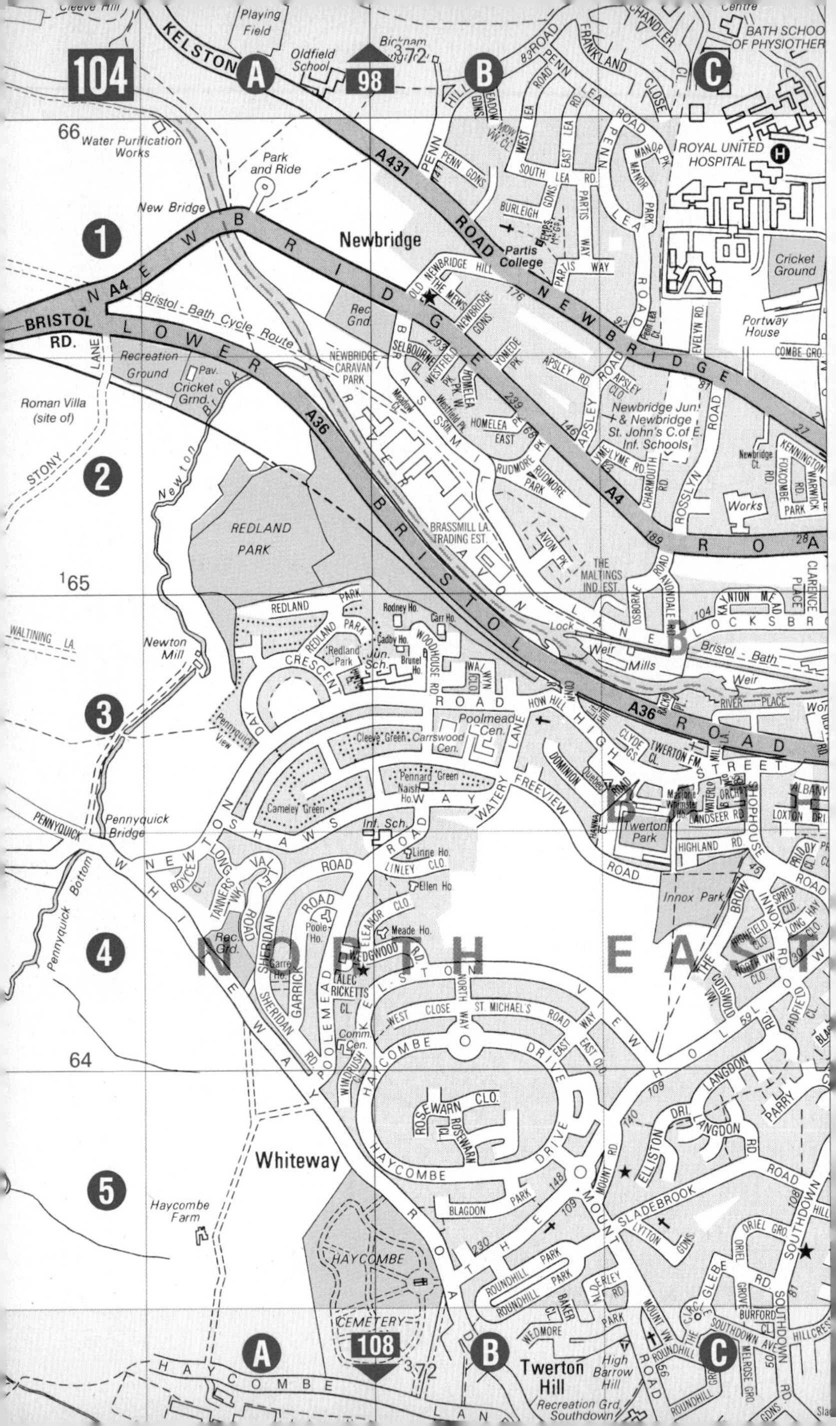
98
108
Playing Field
Oldfield School
Water Purification Works
Park and Ride
New Bridge
Newbridge
Partis College
ROYAL UNITED HOSPITAL
Cricket Ground
Portway House
BATH SCHOOL OF PHYSIOTHER
KELSTON ROAD
A431
NEWBRIDGE ROAD
NEWBRIDGE HILL
A4
BRISTOL RD.
LOWER BRISTOL ROAD
A36
Bristol - Bath Cycle Route
Recreation Ground
Cricket Grnd.
Roman Villa (site of)
Rec. Gnd.
NEWBRIDGE CARAVAN PARK
BRASSMILL LA. TRADING EST.
THE MALTINGS IND. EST.
Newbridge Jun. & Newbridge St. John's C. of E. Inf. Schools
Works
REDLAND PARK
Newton Brook
Newton Mill
WALTINING LA.
STONY LANE
Lock
Weir
Mills
Redland Park Jun. Sch.
Poolmead Cen.
Carrswood Cen.
Cleeve Green
Pennard Green
Cameley Green
Pennyquick View
Pennyquick Bridge
Pennyquick Bottom
PENNYQUICK
Inf. Sch.
Twerton Park
Innox Park
BATH
NORTH EAST
WHITEWAY ROAD
Rec. Grd.
Comm. Cen.
HAYCOMBE DRIVE
Whiteway
Haycombe Farm
HAYCOMBE CEMETERY
HAYCOMBE LANE
Twerton Hill
High Barrow Hill
Recreation Grd. Southdown
SLADEBROOK ROAD
MOUNT ROAD
SOUTHDOWN RD.
A
B
C
1
2
3
4
5
66
165
64
372

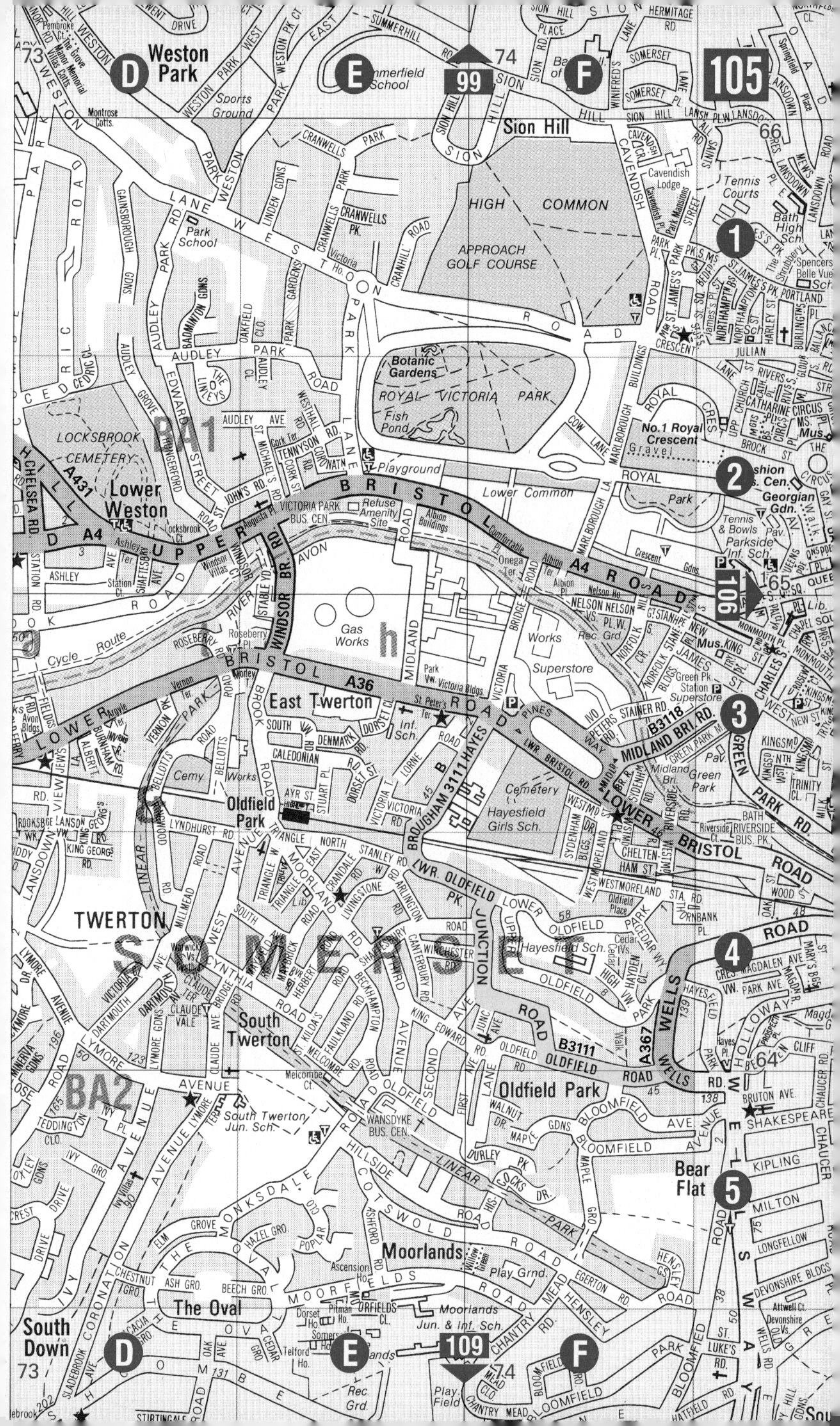
105
99
106
109
Weston Park
Sports Ground
Summerfield School
Sion Hill
HIGH COMMON
APPROACH GOLF COURSE
Cavendish Lodge
Tennis Courts
Bath High Sch.
Park School
Botanic Gardens
ROYAL VICTORIA PARK
Fish Pond
Playground
No.1 Royal Crescent
Gravel Walk
Lower Common
Park
Fashion Mus. Cen.
Georgian Gdn.
Tennis & Bowls Pav.
Parkside Inf. Sch.
THE CIRCUS
LOCKSBROOK CEMETERY
BA1
Lower Weston
A431
A4
UPPER BRISTOL ROAD
VICTORIA PARK BUS. CEN.
Refuse Amenity Site
Albion Buildings
Gas Works
Works
Superstore
Green Pk. Station Superstore
Mus. KING
Cycle Route
LOWER BRISTOL ROAD
A36
East Twerton
Inf. Sch.
Cemy.
Works
Oldfield Park
Cemetery
Hayesfield Girls Sch.
Green Park
Midland Bri.
B3118
MIDLAND BRI. RD.
GREEN PARK RD.
BATH RIVERSIDE BUS. PK.
B3111
TWERTON
SOMERSET
Hayesfield Sch.
South Twerton
A367
WELLS ROAD
Oldfield Park
BA2
South Twerton Jun. Sch.
WANSDYKE BUS. CEN.
Bear Flat
Moorlands
Play Grnd.
Moorlands Jun. & Inf. Sch.
The Oval
South Down
Rec. Grd.
Play Field
73
74
D
E
F
1
2
3
4
5
64
65
66

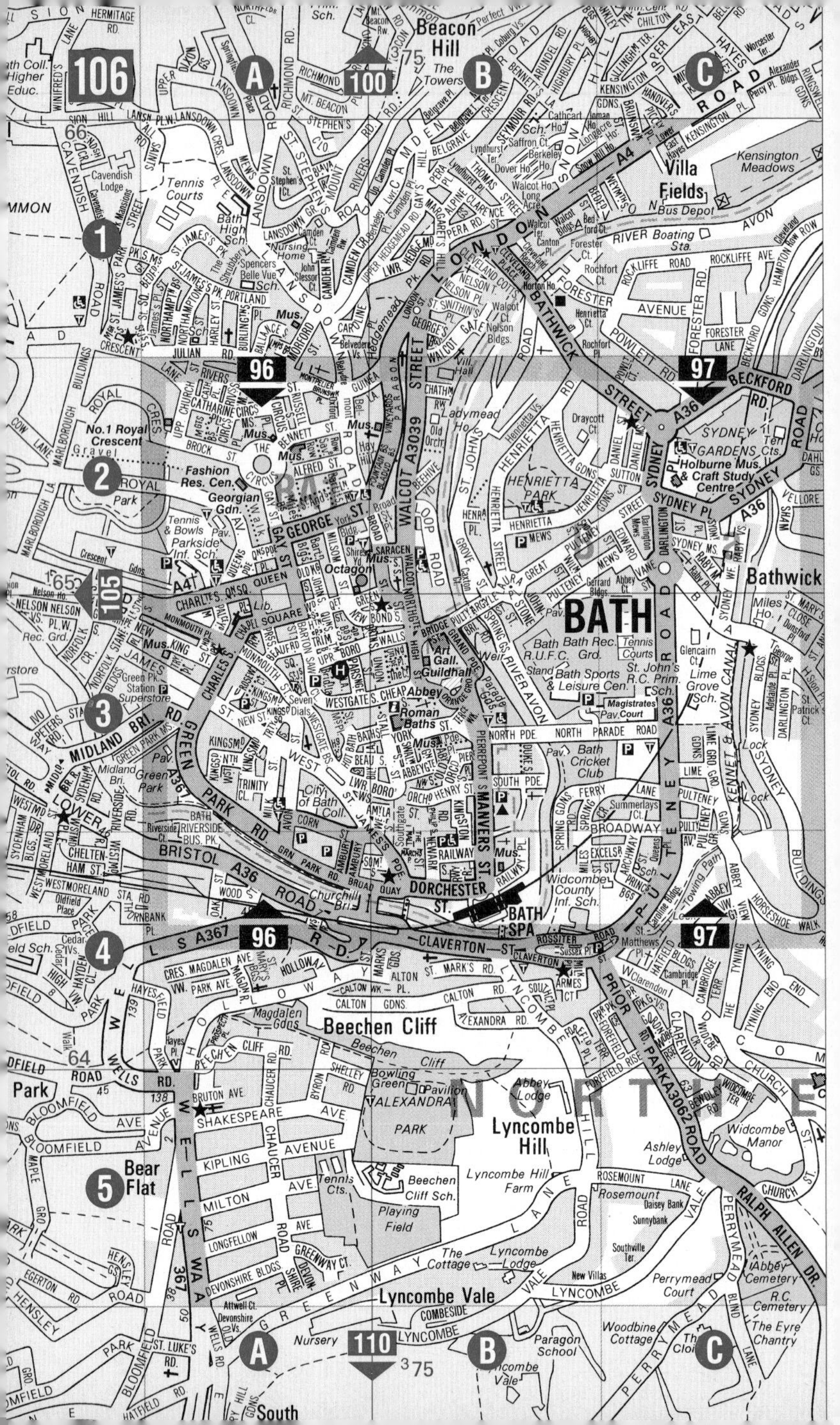

106
100
96
97
105
110
BATH
Beacon Hill
The Towers
Villa Fields
Kensington Meadows
Bus Depot
River Boating Sta.
LONDON ROAD
A4
ROAD
WALCOT A3039 STREET
No.1 Royal Crescent
Fashion Res. Cen.
Georgian Gdn.
THE CIRCUS
ROYAL Park
GEORGE ST.
QUEEN SQ.
Octagon
Lib.
Art Gall. Guildhall
Abbey
Roman Baths
City of Bath Coll.
Holburne Mus. & Craft Study Centre
SYDNEY GARDENS
HENRIETTA PARK
Bathwick
Bath R.U.F.C.
Bath Rec. Grd.
Bath Sports & Leisure Cen.
Magistrates Court
Bath Cricket Club
RIVER AVON
NORTH PARADE ROAD
KENNET & AVON CANAL
BATH SPA
DORCHESTER ST.
MANVERS ST.
BRISTOL A36 ROAD
MIDLAND BRI. RD.
GREEN PARK RD.
LOWER BRISTOL RD.
Green Park
CLAVERTON ST.
A367
Beechen Cliff
ALEXANDRA PARK
Beechen Cliff Sch.
Playing Field
Lyncombe Hill
Lyncombe Hill Farm
Lyncombe Vale
NORTH
Widcombe Manor
Abbey Cemetery
R.C. Cemetery
The Eyre Chantry
Paragon School
Bear Flat
WELLS ROAD
GREENWAY LANE
PRIOR PARK A3062 ROAD
RALPH ALLEN DR.
South
A
B
C
1
2
3
4
5
375

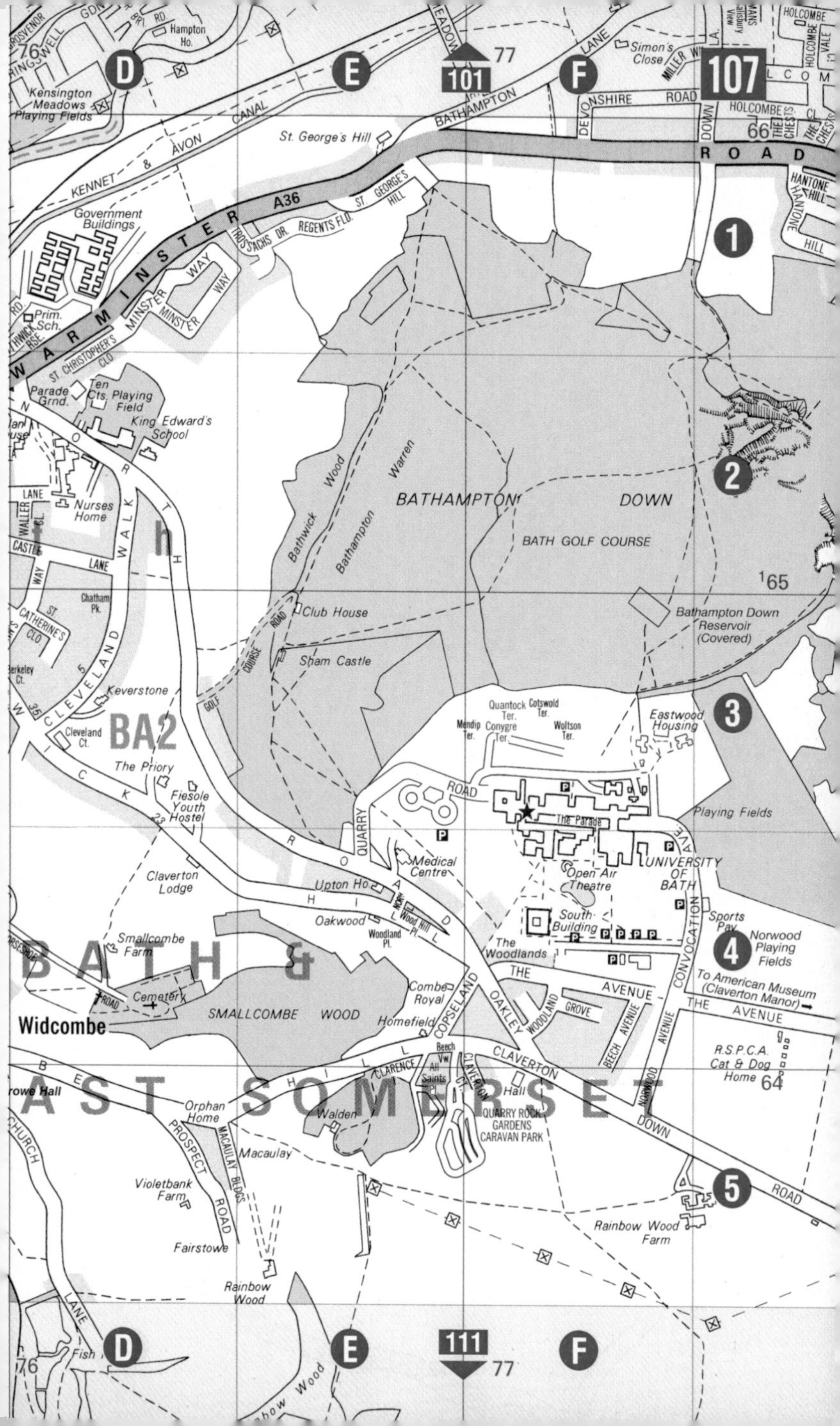
107
101
111
77
76
66
64
165
BATHAMPTON DOWN
BATH GOLF COURSE
Bathampton Down Reservoir (Covered)
Bathwick Wood
Bathampton Warren
Club House
Sham Castle
GOLF COURSE ROAD
KENNET & AVON CANAL
WARMINSTER ROAD
A36
BATHAMPTON LANE
DEVONSHIRE ROAD
HOLCOMBE
ROAD
HANTONE HILL
St. George's Hill
Simon's Close
Government Buildings
Kensington Meadows Playing Fields
Hampton Ho.
TROSSACHS DR.
REGENTS FLD.
ST. GEORGE'S HILL
MINSTER WAY
ST. CHRISTOPHER'S CLO.
Prim. Sch.
Parade Grnd.
Ten Cts.
Playing Field
King Edward's School
NORTH ROAD
Nurses Home
WALLER CL.
CASTLE LANE
Chatham Pk.
ST. CATHERINE'S CLO.
Berkeley Ct.
CLEVELAND WALK
Keverstone
Cleveland Ct.
BA2
The Priory
Fiesole Youth Hostel
Claverton Lodge
QUARRY ROAD
Medical Centre
Upton Ho.
Oakwood
Woodland Pl.
NORTH ROAD
Smallcombe Farm
Cemetery
SMALLCOMBE WOOD
Widcombe
Combe Royal
Homefield
COPSELAND
OAKLEY
CLAVERTON HILL
Beech Vw.
CLARENCE
All Saints Pl.
Hall
QUARRY ROCK GARDENS CARAVAN PARK
Walden
Orphan Home
PROSPECT ROAD
MACAULAY BLDGS
Macaulay
Violetbank Farm
Fairstowe
Rainbow Wood
Rainbow Wood Farm
CHURCH LANE
Fish
Quantock Ter.
Cotswold Ter.
Mendip Ter.
Conygre Ter.
Woltson Ter.
Eastwood Housing
The Parade
UNIVERSITY OF BATH
Open Air Theatre
South Building
The Woodlands
CONVOCATION AVE.
Playing Fields
Sports Pav.
Norwood Playing Fields
To American Museum (Claverton Manor)
THE AVENUE
WOODLAND GROVE
BEECH AVENUE
NORWOOD AVENUE
R.S.P.C.A. Cat & Dog Home
CLAVERTON DOWN ROAD
BATH & NORTH EAST SOMERSET
D
E
F
1
2
3
4
5

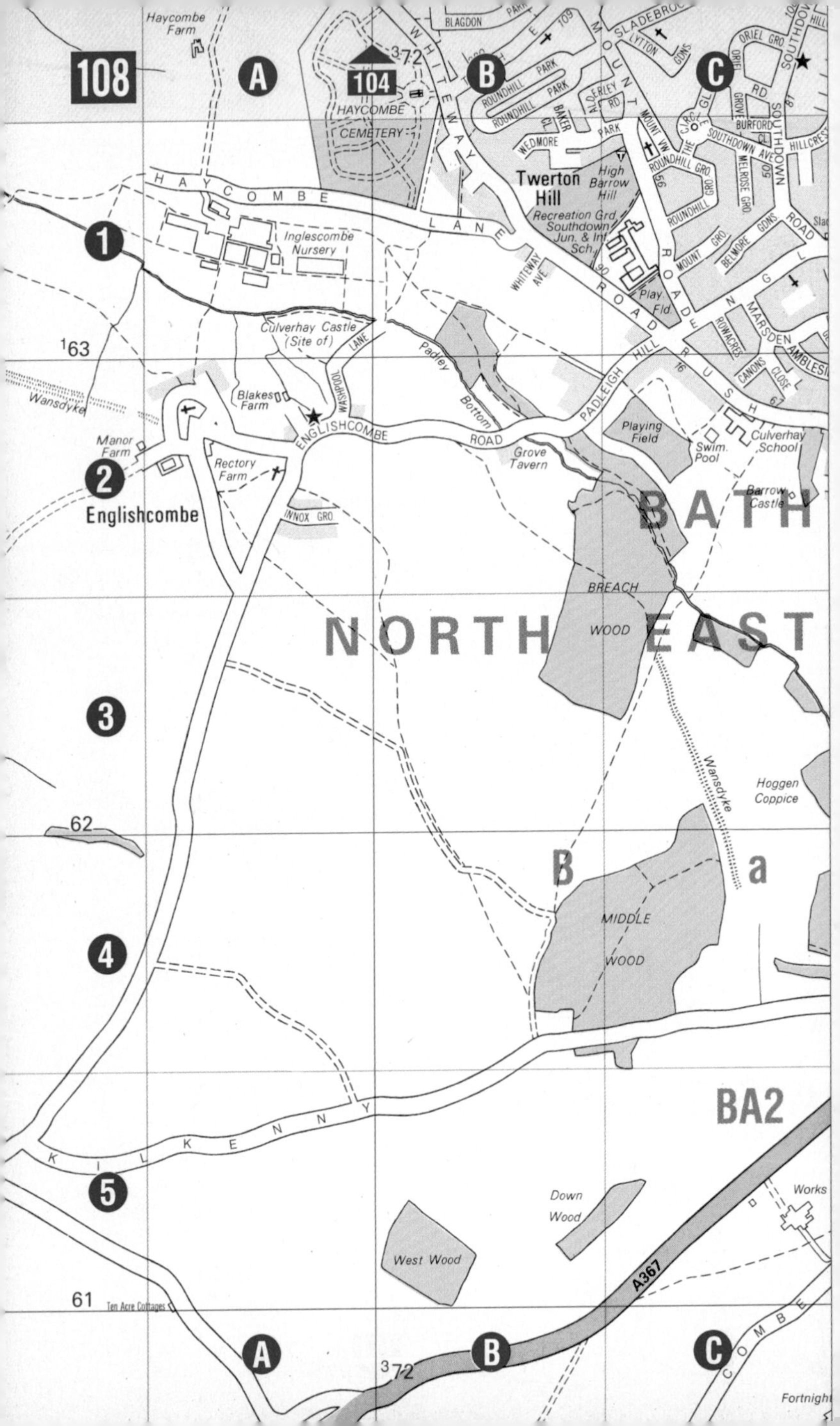

Haycombe Farm
104
HAYCOMBE CEMETERY
372
BLAGDON PARK
WHITEWAY
ROUNDHILL PARK
SLADEBROOK
LYTTON GDNS
ORIEL GRO
SOUTHDOWN
BAKER CL
ALDERLEY RD
MOUNT VW
WEDMORE PARK
THE CIRCLE
BURFORD CL
SOUTHDOWN AVE
HILLCREST
Twerton Hill
High Barrow Hill
ROUNDHILL GRO
MELROSE GRO
SOUTHDOWN ROAD
HAYCOMBE LANE
Inglescombe Nursery
Recreation Grd.
Southdown Jun. & Inf. Sch.
WHITEWAY AVE
MOUNT GRO
BELMORE GDNS
Play Fld.
ROAD
ROWACRES
MARSDEN
CANONS CLOSE
Culverhay Castle (Site of)
LANE
Padley Bottom
PADLEIGH HILL
RUSH HILL
Wansdyke
WASHPOOL
Blakes Farm
Playing Field
Swim. Pool
Culverhay School
Manor Farm
ENGLISHCOMBE ROAD
Grove Tavern
Rectory Farm
Barrow Castle
Englishcombe
INNOX GRO
BATH
BREACH WOOD
NORTH EAST
Wansdyke
Hoggen Coppice
B a
MIDDLE WOOD
BA2
KILKENNY
Down Wood
Works
West Wood
A367
Ten Acre Cottages
COMBE
Fortnight
A B C
1 2 3 4 5
163 62 61
372

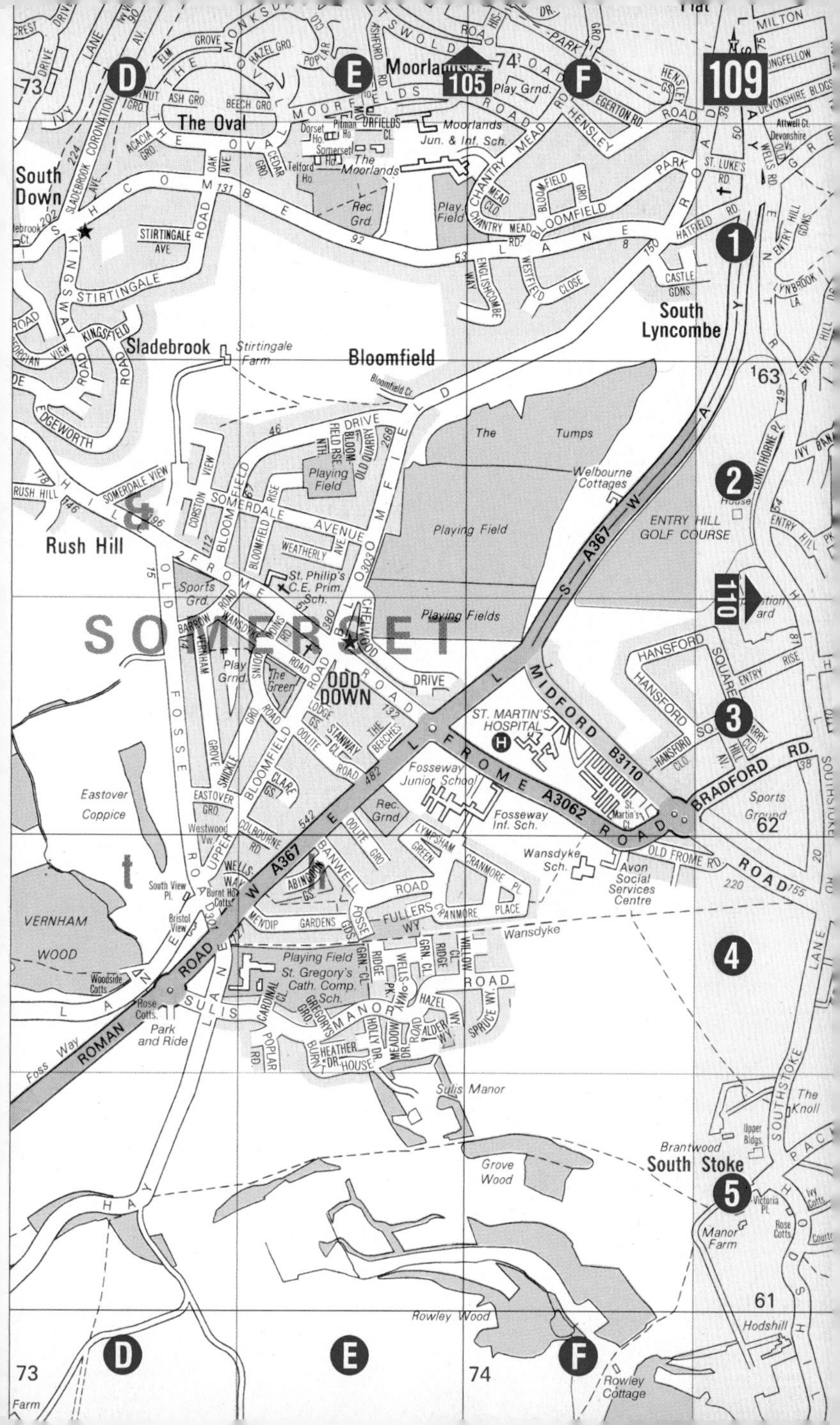

D
E
F
105
110
1
2
3
4
5
73
74
61
62
163
South Down
The Oval
Moorlands
Moorlands Jun. & Inf. Sch.
The Moorlands
Rec. Grd.
Play. Field
Play Grnd.
Sladebrook
Stirtingale Farm
Bloomfield
South Lyncombe
The Tumps
Welbourne Cottages
Playing Field
ENTRY HILL GOLF COURSE
Rush Hill
SOMERSET
Playing Fields
Sports Grd.
St. Philip's C.E. Prim. Sch.
ODD DOWN
The Green
ST. MARTIN'S HOSPITAL
Fosseway Junior School
Fosseway Inf. Sch.
Rec. Grnd
Wansdyke Sch.
Avon Social Services Centre
Sports Ground
Eastover Coppice
VERNHAM WOOD
Woodside Cotts
Rose Cotts.
Park and Ride
Playing Field
St. Gregory's Cath. Comp. Sch.
Sulis Manor
Grove Wood
Brantwood
South Stoke
The Knoll
Upper Bldgs.
Manor Farm
Victoria Pl.
Ivy Cotts.
Rose Cotts.
Hodshill
Rowley Wood
Rowley Cottage
Farm
Wansdyke
Foss Way
A367
A3062
B3110
WELLS WAY
ROMAN ROAD
FROME ROAD
MIDFORD ROAD
BRADFORD RD.
SOUTHSTOKE LANE
OLD FOSSE ROAD
COMBE ROAD
KINGSWAY
STIRTINGALE ROAD
STIRTINGALE AVE.
BLOOMFIELD ROAD
BLOOMFIELD RISE
BLOOMFIELD DRIVE
SOMERDALE AVENUE
SOMERDALE VIEW
CORSTON VIEW
WEATHERLY AVE.
CHELWOOD DRIVE
HANSFORD SQUARE
ENTRY HILL
ENTRY RISE
LYNBROOK LA.
HATFIELD RD.
ST. LUKE'S RD.
WELLSWAY
ENGLISHCOMBE WAY
WESTFIELD CLOSE
CASTLE GDNS.
BLOOMFIELD PARK
CHANTRY MEAD RD.
HENSLEY ROAD
EGERTON RD.
MOORFIELDS ROAD
COTSWOLD ROAD
EDGEWORTH ROAD
GEORGIAN VIEW
KINGSFIELD
RUSH HILL
BARROW ROAD
VERNHAM GROVE
SHICKLE GROVE
EASTOVER GRO.
WESTWOOD VW.
COLBOURNE RD.
UPPER BLOOMFIELD ROAD
OOLITE ROAD
STANWAY CL.
THE BEECHES
LODGE GS.
CLARE GS.
BANWELL ROAD
ABINGDON GS.
MENDIP GARDENS
FULLERS WY.
CRANMORE PLACE
LYMPSHAM GREEN
OLD FROME RD.
SULIS MANOR ROAD
HAZEL WY.
ALDER WY.
SPRUCE WY.
HOLLY DR.
HEATHER DR.
POPLAR RD.
HAY LANE
SOUTHSTOKE ROAD

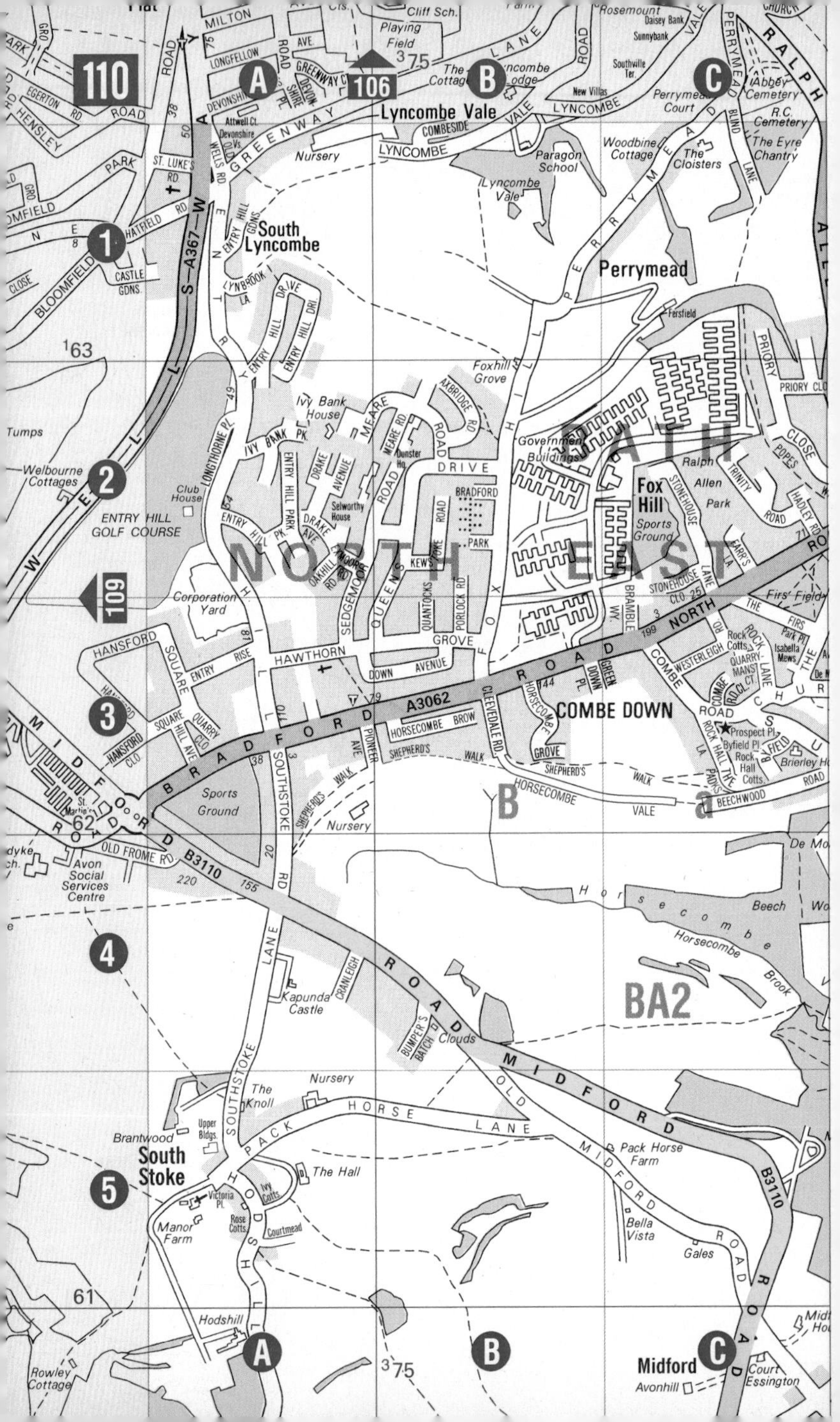

110
106
109
A
B
C
1
2
3
4
5
Lyncombe Vale
South Lyncombe
Perrymead
BATH
NORTH EAST
Fox Hill
COMBE DOWN
BA2
South Stoke
Midford
Cliff Sch.
Playing Field
Rosemount
Daisey Bank
Sunnybank
Southville Ter.
New Villas
The Cottage
Lyncombe Lodge
Perrymead Court
Abbey Cemetery
R.C. Cemetery
The Eyre Chantry
Woodbine Cottage
The Cloisters
Paragon School
Lyncombe Vale
Nursery
MILTON AVE.
LONGFELLOW
DEVONSHIRE
GREENWAY
GREENWAY CT.
DEVON
SHIRE
Attwell Ct.
Devonshire Vs.
WELLS RD.
COMBESIDE
LYNCOMBE
LYNCOMBE VALE
RALPH ALLEN
PERRYMEAD
BLIND LANE
EGERTON RD
HENSLEY ROAD
PARK
ST. LUKE'S RD.
HATFIELD RD
BLOOMFIELD
CASTLE GDNS.
CLOSE
WELLSWAY
A367
ENTRY HILL
ENTRY HILL GDNS.
LYNBROOK LA.
ENTRY HILL DRIVE
ENTRY HILL DRI.
163
Tumps
Welbourne Cottages
Club House
ENTRY HILL GOLF COURSE
LONGTHORNE PL.
IVY BANK PK.
Ivy Bank House
MEARE ROAD
MEARE RD
AXBRIDGE RD.
Dunster Ho.
DRAKE AVENUE
Selworthy House
ENTRY HILL PARK
ENTRY HILL PK.
DRAKE AVE
EXMOOR RD.
OAKHILL RD
SEDGEMOOR
QUEENS
KEWSTOKE ROAD
BRADFORD PARK
QUANTOCKS
PORLOCK RD
DRIVE
Foxhill Grove
FOX HILL
Government Buildings
Fersfield
PRIORY
PRIORY CLO
POPES
CLOSE
TRINITY ROAD
Ralph Allen Park
HADLEY RD
STONEHOUSE
Sports Ground
FARR'S LA
STONEHOUSE CLO.
STONEHOUSE LANE
BRAMBLE WY.
Firs' Field
THE FIRS
Corporation Yard
HANSFORD SQUARE
HANSFORD CLO.
ENTRY RISE
SQUARE HILL AVE
QUARRY CLO.
HAWTHORN GROVE
DOWN AVENUE
NORTH ROAD
BRADFORD ROAD
A3062
CLEVEDALE RD.
HORSECOMBE BROW
HORSECOMBE GROVE
DOWN PL.
GREEN
WESTERLEIGH RD.
COMBE ROAD
Rock Cotts.
ROCK LANE
Park Pl.
Isabella Mews
QUARRY-MANS CT.
COMBE RD.CL.
CHURCH
Prospect Pl.
Byfield Pl.
Rock Hall Cotts.
BYFIELD
Brierley Ho
ROCK HALL LA
THE PADDOCKS
BEECHWOOD ROAD
PIONEER AVE
SHEPHERD'S WALK
SOUTHSTOKE RD
Nursery
Sports Ground
HORSECOMBE VALE
MIDFORD
St. Martin's
OLD FROME RD.
B3110
Avon Social Services Centre
62
220
155
De Mo
Beech Wo
Horsecombe
Horsecombe Brook
SOUTHSTOKE LANE
Kapunda Castle
CRANLEIGH
BUMPER'S BATCH
Clouds
MIDFORD ROAD
OLD MIDFORD ROAD
The Knoll
Nursery
PACK HORSE LANE
Brantwood
Upper Bldgs.
The Hall
Pack Horse Farm
Ivy Cotts.
Victoria Pl.
Rose Cotts.
Courtmead
Manor Farm
HODSHILL
Bella Vista
Gales
61
Hodshill
Rowley Cottage
375
Court Essington
Avonhill

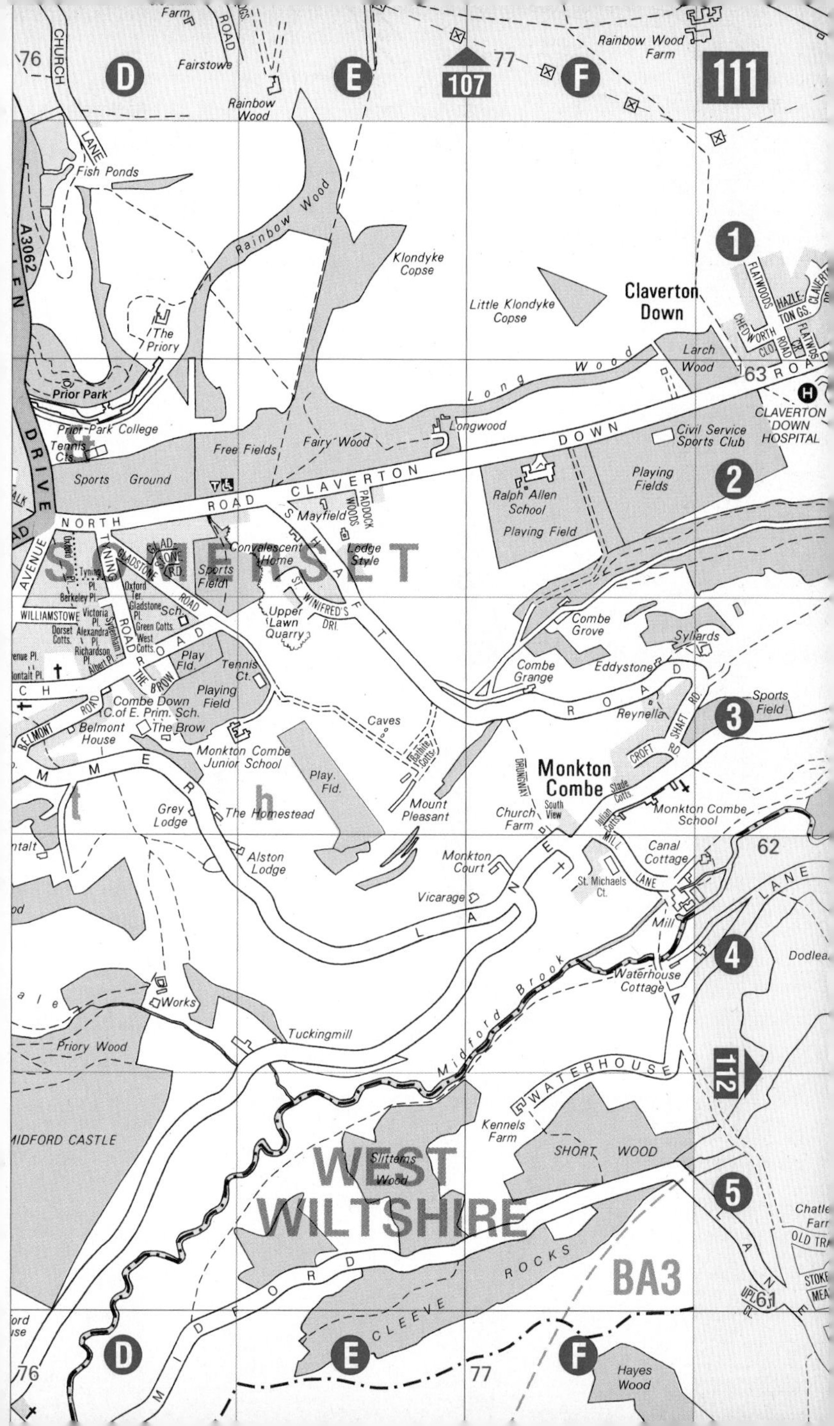
Rainbow Wood Farm
Fairstowe
Rainbow Wood
107
Fish Ponds
Rainbow Wood
Klondyke Copse
Little Klondyke Copse
Claverton Down
The Priory
Prior Park
Prior Park College
Long Wood
Larch Wood
Longwood
CLAVERTON DOWN HOSPITAL
Civil Service Sports Club
Free Fields
Fairy Wood
Sports Ground
CLAVERTON DOWN ROAD
NORTH ROAD
Ralph Allen School
Playing Field
Playing Fields
Mayfield
Convalescent Home
Lodge Style
SOMERSET
Sports Field
Upper Lawn Quarry
ST. WINIFRED'S DRI.
Combe Grove
Syllards
Combe Grange
Eddystone
Reynella
Sports Field
Tennis Ct.
Play Fld.
Playing Field
Combe Down C.of E. Prim. Sch.
Belmont House
The Brow
Caves
Monkton Combe Junior School
Play. Fld.
Monkton Combe
Monkton Combe School
Grey Lodge
The Homestead
Mount Pleasant
Church Farm
Alston Lodge
Monkton Court
Canal Cottage
St. Michaels Ct.
Vicarage
Mill
Waterhouse Cottage
Works
Tuckingmill
Midford Brook
Priory Wood
WATERHOUSE LANE
112
Kennels Farm
MIDFORD CASTLE
SHORT WOOD
WEST WILTSHIRE
Slittems Wood
MIDFORD ROAD
ROCKS
CLEEVE
BA3
Hayes Wood
Dodleaze
A3062
76
77
62
63
61

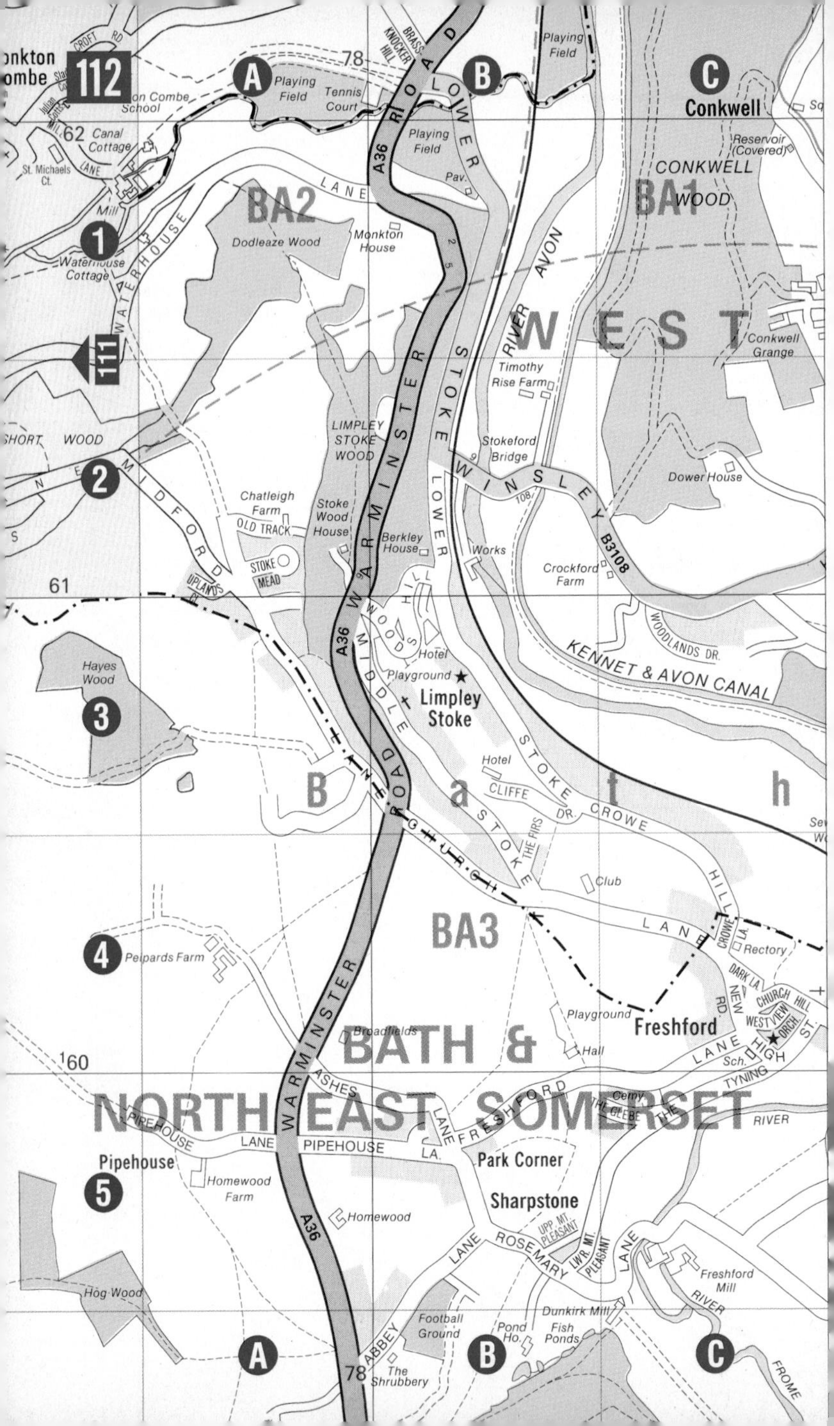

112
111
A
B
C
1
2
3
4
5
78
62
61
160
Playing Field
Tennis Court
Conkwell
Reservoir (Covered)
CONKWELL WOOD
BA1
BA2
BA3
Canal Cottage
St. Michaels Ct.
Mill
Waterhouse Cottage
WATERHOUSE LANE
Dodleaze Wood
Monkton House
Pav.
LOWER STOKE
A36
WARMINSTER ROAD
RIVER AVON
WEST
Conkwell Grange
Timothy Rise Farm
Stokeford Bridge
WINSLEY
B3108
Dower House
SHORT WOOD
LIMPLEY STOKE WOOD
Chatleigh Farm
OLD TRACK
Stoke Wood House
Berkley House
Works
Crockford Farm
STOKE MEAD
UPLANDS
MIDFORD
Hayes Wood
WOODLANDS DR.
KENNET & AVON CANAL
Hotel
Playground
Limpley Stoke
MIDDLE STOKE
CLIFFE DR.
CROWE HILL
THE FIRS
Bath
CHURCH
Club
LANE
CROWE LA.
Rectory
DARK LA.
NEW RD
CHURCH HILL
WESTVIEW
ORCH.
HIGH ST.
Pelpards Farm
Playground
Freshford
Broadfields
Hall
Sch.
BATH &
NORTH EAST SOMERSET
ASHES LANE
FRESHFORD LANE
Cemy.
THE GLEBE
THE TYNING
RIVER
PIPEHOUSE LANE
PIPEHOUSE LA.
Pipehouse
Homewood Farm
Park Corner
Sharpstone
Homewood
ROSEMARY LANE
UPP. MT. PLEASANT
LWR. MT. PLEASANT
Freshford Mill
RIVER FROME
Hog Wood
Football Ground
Dunkirk Mill
Pond Ho.
Fish Ponds
ABBEY
The Shrubbery

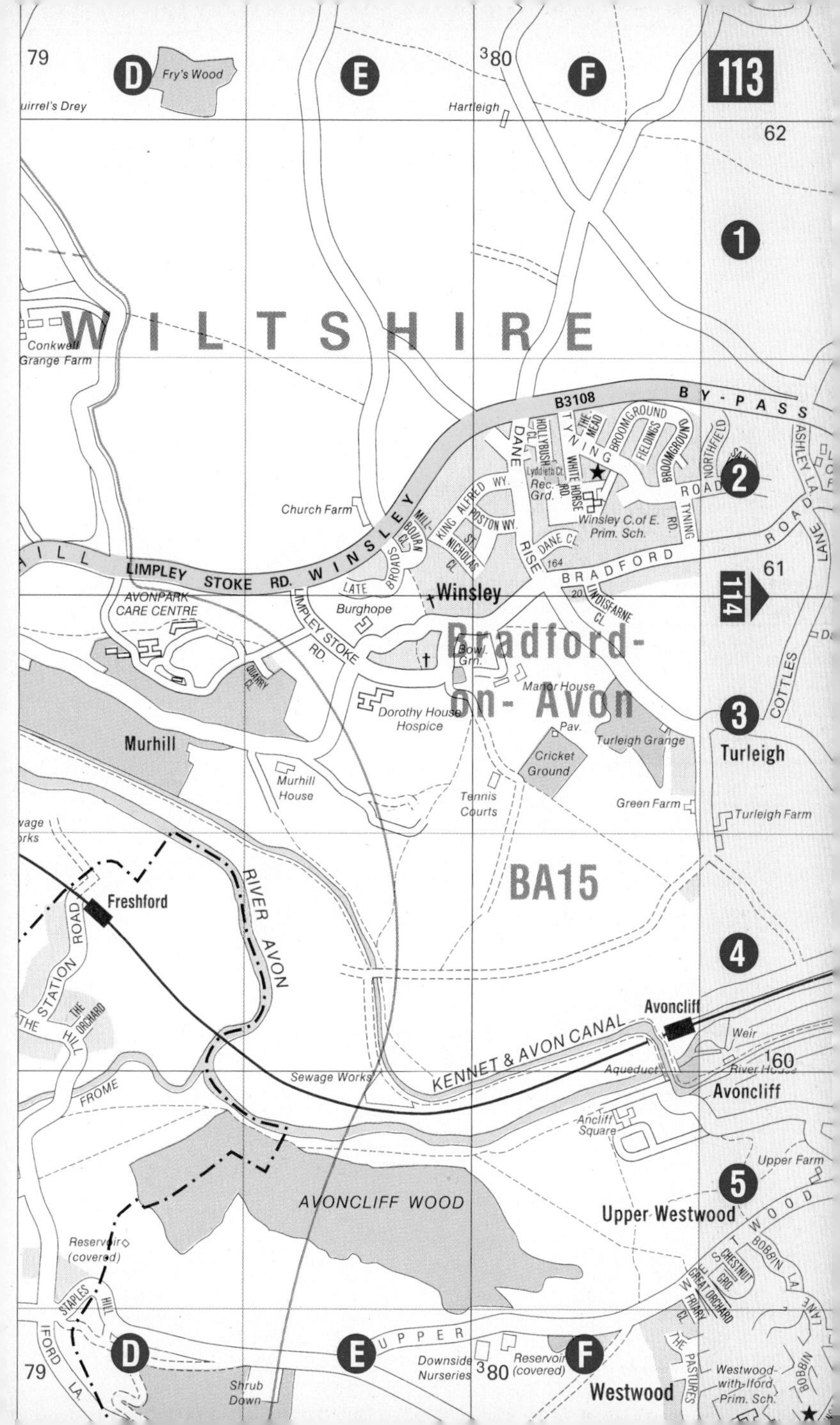

D Fry's Wood   **E** ³80   **F**   **113**

62

Squirrel's Drey

Hartleigh

1

W I L T S H I R E

Conkwell
Grange Farm

B3108   B Y - P A S S

BROOMGROUND

TYNING MEAD

FEELINGS

UNBROOKS

BROOMSGROVE

NORTHFIELD CL.

ASHLEY LA.

2

TYNING DANE

HOLLYBUSH

WHITE HORSE RD.

Leaders Clo.

Rec. Grd.

TYNING RD.

BROOM

ROAD

ROAD

114

61

Church Farm

King ALFRED DR.

WESTON WY.

ST. NICHOLAS CL.

Winsley C.of E. Prim. Sch.

BRADFORD

ASHLEY LANE

COTTLES

H I L L   LIMPLEY STOKE RD.   WINSLEY   MILL   BROADS

164

DANE RD.

DANE CL.

20

LINDISFARNE CL.

ROAD

AVONPARK
CARE CENTRE

LATE

✝ Winsley

Burghope

LIMPLEY STOKE RD.

CHERRY CL.

RISE

Bradford-

Murhill

Murhill
House

✝

✝

Dorothy House
Hospice

Bowl.
Grn.

Manor House

Pav.

-On-Avon

Cricket
Ground

Turleigh Grange

3

Turleigh

Da.

Tennis
Courts

Green Farm

Turleigh Farm

Sewage
Works

RIVER   AVON

BA15

Freshford

STATION ROAD

THE ORCHARD

4

Avoncliff

Weir

River House

160

THE

FROME

KENNET & AVON CANAL

Aqueduct

Avoncliff

Sewage Works

Ancliff
Square

Upper Farm

5

AVONCLIFF WOOD

Upper Westwood

W O O D

CHESTNUT GR.

BOBBIN LA.

Reservoir
(covered)

GREAT ORCHARD

THE ORCHARD

W. FRANK...

STAPLES HILL

THE PASTURES

ILFORD LA.

D   **E** UPPER   Downside
Nurseries   ³80   Reservoir
(covered)   **F**

79

Shrub
Down

Westwood

Westwood-
with-Iford
Prim. Sch.

BOBBIN LA.

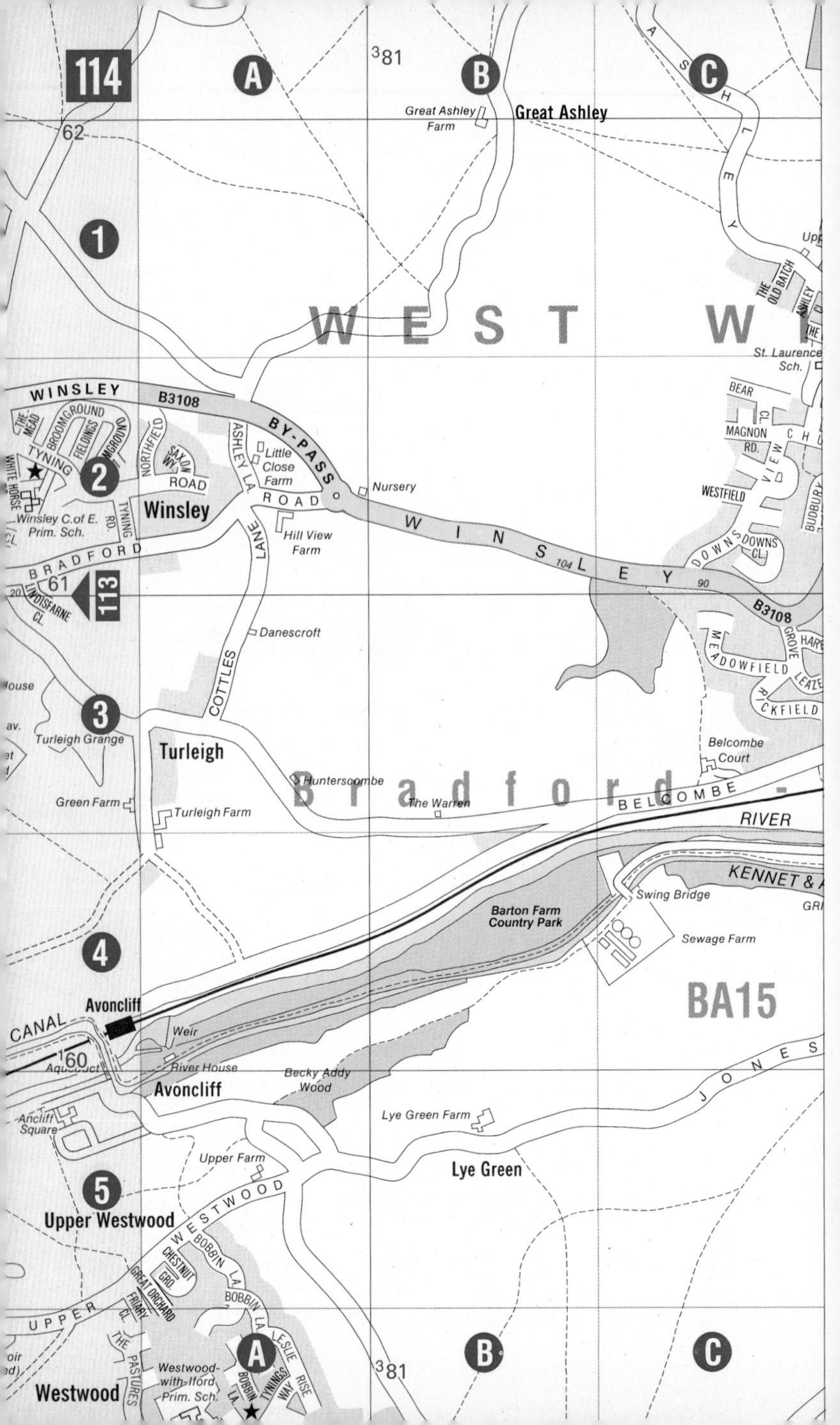

114

A · B · C

Great Ashley Farm · Great Ashley

62

1

W E S T W

St. Laurence Sch.

WINSLEY · B3108

THE MEAD · BROOMGROUND · FIELDINGS · KINGSDOWN · NORTHFIELD

TYNING · WHITE HORSE · SAXON ROAD · ASHLEY LA.

2 · Winsley · Little Close Farm · Nursery · BEAR · MAGNON RD. · VIEW · CHO · BLUDBURY

BY-PASS · ROAD · W I N S L E Y · WESTFIELD · DOWNS CL. · DOWNS

Winsley C.of E. Prim. Sch. · Hill View Farm · 104 · 90

BRADFORD · 61 · 20 · LINDISFARNE CL. · 113

B3108 · MEADOWFIELD · LEAZE · GROVE · HAPP · BUCKFIELD

Danescroft

House · av. · Turleigh Grange

3 · Turleigh · Hunterscoombe · B r a d f o r d

Green Farm · Turleigh Farm · The Warren · BELCOMBE · RIVER

Belcombe Court

KENNET & A · GRE

Swing Bridge

Barton Farm Country Park · Sewage Farm

4 · Avoncliff · BA15

CANAL · Weir · J O N E S

160 · River House · Becky Addy Wood

Aqueduct · Avoncliff · Lye Green Farm

Ancliff Square · Upper Farm · Lye Green

5 · Upper Westwood · WESTWOOD · W. BOBBIN LA. · CHESTNUT GRO.

GREAT ORCHARD · PRIORY CL. · BOBBIN LA. · LESLIE RISE

UPPER · THE PASTURES · BOBBIN LA · TYNINGS WAY

Westwood · Westwood-with-Iford Prim. Sch.

A · B · C

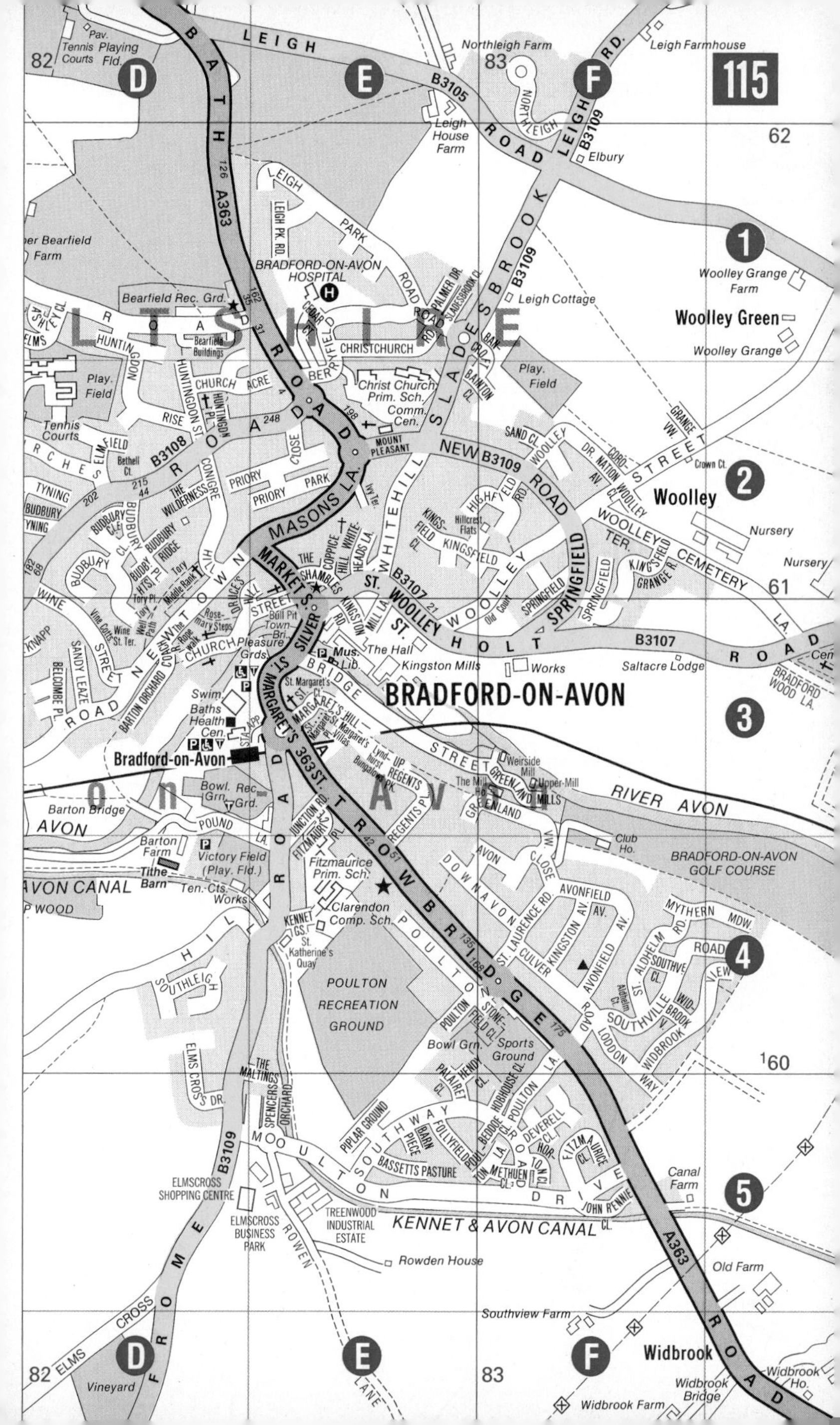
BRADFORD-ON-AVON
Bradford-on-Avon
Woolley Green
Woolley
Widbrook
Northleigh Farm
Leigh Farmhouse
Leigh House Farm
Elbury
Woolley Grange Farm
Woolley Grange
Leigh Cottage
BRADFORD-ON-AVON HOSPITAL
Bearfield Rec. Grd.
Bearfield Buildings
Upper Bearfield Farm
Tennis Courts
Playing Fld.
Play. Field
Christ Church Prim. Sch.
Comm. Cen.
MOUNT PLEASANT
Crown Ct.
Nursery
Hillcrest Flats
Old Court
Kingston Mills
Works
Saltacre Lodge
The Hall
Mus.
Lib.
Pleasure Grds.
Swim. Baths
Health Cen.
Town Bri.
Bull Pit
Rose-mary Steps
St. Margaret's Ct.
St. Margaret's Villas
Lynd-hurst
Bungalows
Weirside Mill
Upper Mill
GREENLAND MILLS
RIVER AVON
Club Ho.
BRADFORD-ON-AVON GOLF COURSE
Barton Bridge
Barton Farm
Tithe Barn
Victory Field (Play. Fld.)
Bowl. Grn.
Rec. Grd.
KENNET & AVON CANAL
Fitzmaurice Prim. Sch.
Clarendon Comp. Sch.
St. Katherine's Quay
POULTON RECREATION GROUND
Bowl Grn.
Sports Ground
ELMSCROSS SHOPPING CENTRE
ELMSCROSS BUSINESS PARK
TREENWOOD INDUSTRIAL ESTATE
Rowden House
Canal Farm
Old Farm
Southview Farm
Widbrook Bridge
Widbrook Ho.
Widbrook Farm
Vineyard
BATH ROAD
A363
B3105
LEIGH ROAD
B3109
B3108
B3107
NEW ROAD
MASONS LA.
MARKET ST.
SILVER ST.
ST. MARGARET'S ST.
TROWBRIDGE ROAD
FROME ROAD
WOOLLEY STREET
HOLT ROAD
SPRINGFIELD
KINGSFIELD
WHITEHILL
NEWTOWN
CHURCH ST.
BRIDGE ST.
REGENTS PL.
MOULTON DRIVE
ELMS CROSS DR.
SOUTHWAY
POULTON LA.
DOWNAVON
AVONFIELD AV.
MYTHERN MDW.
LODDON WAY
WIDBROOK VIEW
BRADFORD WOOD LA.
ROWDEN LANE
WILTSHIRE
D
E
F
1
2
3
4
5
82
83
62
61
160

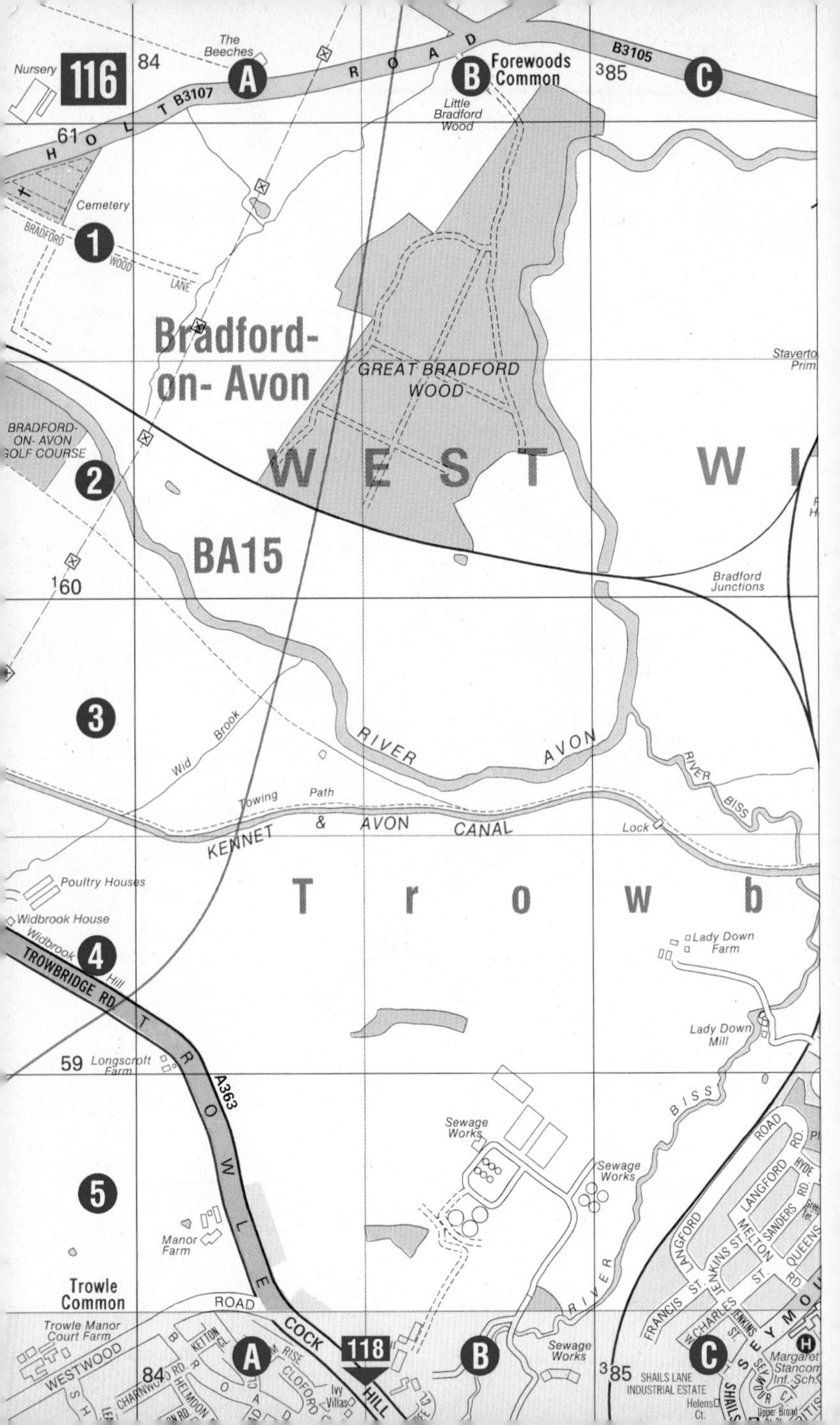

116
Nursery
The Beeches
Forewoods Common
B3105
HOLT ROAD B3107
Little Bradford Wood
Cemetery
BRADFORD WOOD LANE
Bradford-on-Avon
GREAT BRADFORD WOOD
BRADFORD-ON-AVON GOLF COURSE
WEST WI
BA15
Bradford Junctions
Staverto Prim
Wid Brook
RIVER AVON
RIVER BISS
Towing Path
KENNET & AVON CANAL
Lock
Trowb
Poultry Houses
Widbrook House
Widbrook Hill
TROWBRIDGE RD.
Lady Down Farm
Lady Down Mill
Longscroft Farm
A363
TROWLE
Sewage Works
Sewage Works
BISS
RIVER
LANGFORD ROAD
LANGFORD RD.
HYDE RD.
SANDERS RD.
MELTON ST.
QUEENS RD.
JENKINS ST.
FRANCIS ST.
CHARLES ST.
JENKINS ST.
SEYMOUR
SEYMOUR CT.
Manor Farm
Trowle Common
ROAD
Trowle Manor Court Farm
WESTWOOD
BROAD
KETTON CL.
CHARNWOOD RD.
HELMDON
RISE
CLOFORD
COCK HILL
Ivy Villas
118
Sewage Works
SHAILS LANE INDUSTRIAL ESTATE
Helens Ct.
Margaret Stancomb Inf. Sch.
Upper Broad
84
385
61
160
59
84
385

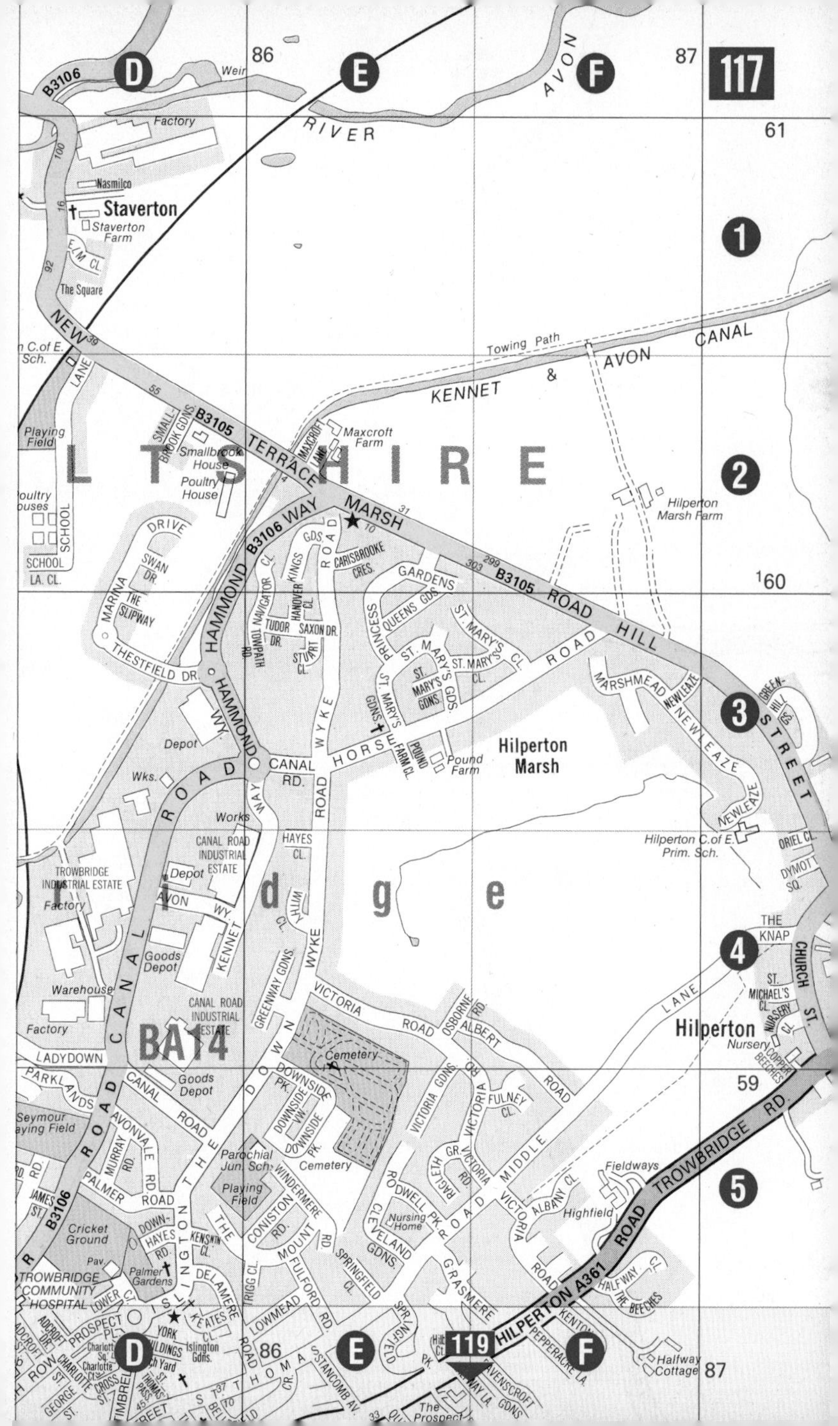
117
D
E
F
86
87
61
160
59
1
2
3
4
5
B3106
Weir
RIVER
AVON
Factory
Nasmilco
Staverton
Staverton Farm
ELM CL.
The Square
NEW
TERRACE
B3105
SMALLBROOK GDNS.
Smallbrook House
Poultry House
Poultry Houses
Playing Field
SCHOOL LANE
SCHOOL LA. CL.
Towing Path
KENNET & AVON CANAL
Maxcroft Farm
MAXCROFT LANE
LTSHIRE
MARSH
B3106 WAY
HAMMOND
DRIVE
SWAN DR.
MARINA
THE SLIPWAY
THESTFIELD DR.
NAVIGATOR CL.
TOWPATH RD.
KINGS GDS.
HANOVER CL.
TUDOR DR.
SAXON DR.
STUART CL.
CARISBROOKE CRES.
GARDENS
QUEENS GDS.
PRINCESS
ST. MARY'S CL.
ST. MARY'S GDS.
ST. MARY'S GDNS.
B3105 ROAD HILL
Hilperton Marsh Farm
MARSHMEAD
NEWLEAZE
GREEN-HILL GS.
STREET
HAMMOND WY.
Depot
Wks.
CANAL RD.
HORSE ROAD
FARM CL.
POUND
Pound Farm
Hilperton Marsh
WYKE ROAD
CANAL ROAD
Works
CANAL ROAD INDUSTRIAL ESTATE
HAYES CL.
TROWBRIDGE INDUSTRIAL ESTATE
Factory
AVON WY.
KENNET
WHITLEY CL.
Hilperton C.of E. Prim. Sch.
ORIEL CL.
DYMOTT SQ.
THE KNAP
CHURCH ST.
ST. MICHAEL'S CL.
NURSERY CL.
Hilperton
Nursery
COPPER BEECHES
Goods Depot
Warehouse
GREENWAY GDNS.
VICTORIA ROAD
OSBORNE RD.
ALBERT RD.
LANE
BA14
LADYDOWN
PARKLANDS
Cemetery
DOWNSIDE PK.
DOWNSIDE VW.
VICTORIA GDNS.
FULNEY CL.
Seymour Playing Field
AVONVALE RD.
MURRAY RD.
THE DOWN
Parochial Jun. Sch.
Cemetery
MIDDLE
TROWBRIDGE RD.
Fieldways
PALMER ROAD
Playing Field
WINDERMERE
RODWELL PK.
RAGLETH GR.
VICTORIA RD.
ALBANY CL.
Highfield
B3106
Cricket Ground
Pav.
HAYES RD.
ISLINGTON
KENSINGTON CL.
CONISTON RD.
MOUNT
CLEVELAND GDNS.
Nursing Home
GRASMERE
VICTORIA ROAD
ROAD
TROWBRIDGE COMMUNITY HOSPITAL
Palmer Gardens
DELAMERE
TRIGG CL.
FULFORD RD.
SPRINGFIELD CL.
HALFWAY CL.
THE BEECHES
HILPERTON A361
KEATES CL.
YORK BUILDINGS
Islington Gdns.
LOWMEAD
PROSPECT
Charlotte Sq.
CHARLOTTE ST.
CROSS ST.
GEORGE ST.
TIMBRELL
ST. THOMAS PASS.
THOMAS
STANCOMB AV.
SPRINGFIELD PK.
119
RAVENSCROFT GDNS.
PEPPERACRE LA.
KENTON
Halfway Cottage
The Prospect

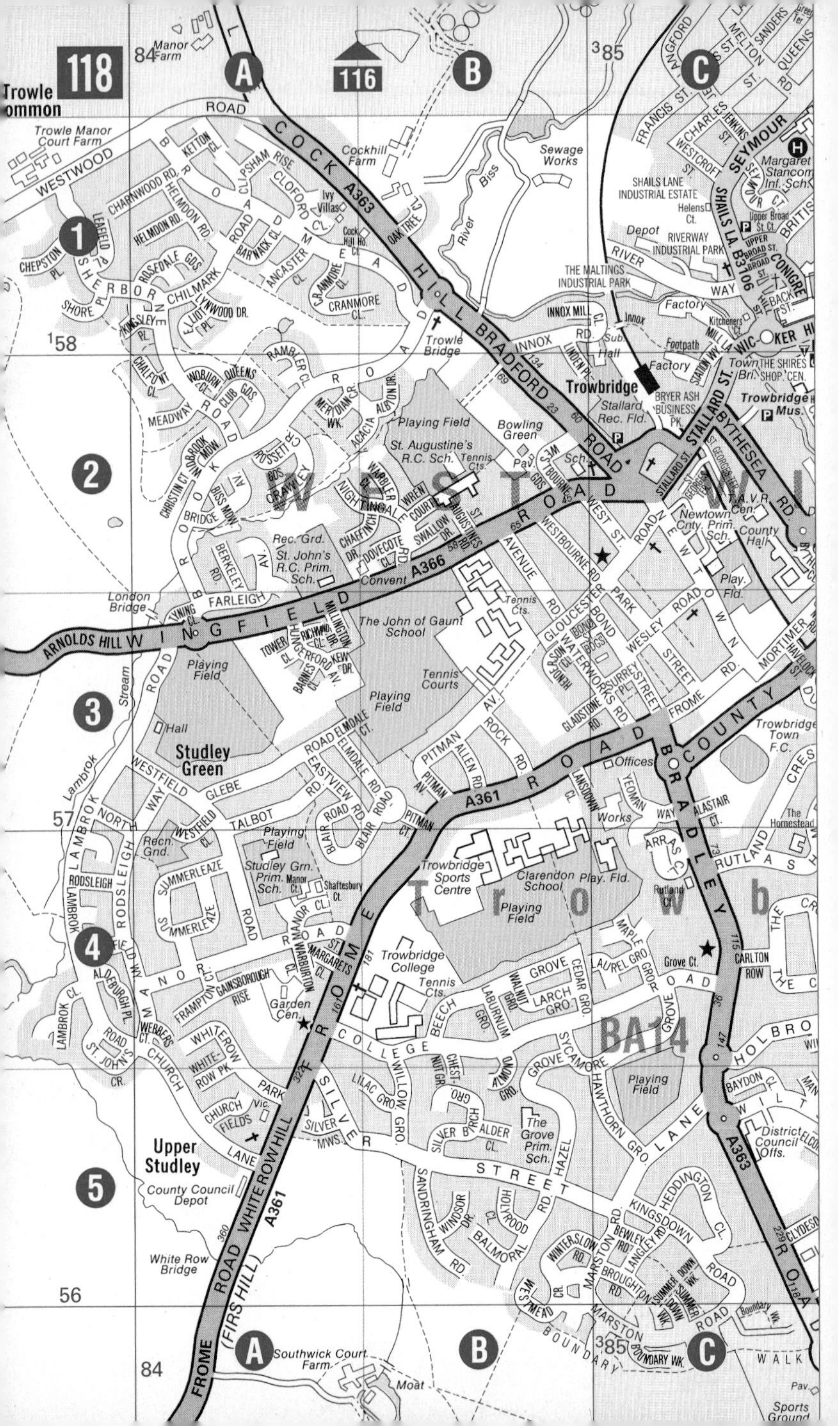

116
Trowle Common
Trowle Manor Court Farm
Manor Farm
Cockhill Farm
Sewage Works
SHAILS LANE INDUSTRIAL ESTATE
RIVERWAY INDUSTRIAL PARK
THE MALTINGS INDUSTRIAL PARK
Trowbridge
Stallard Rec. Fld.
BRYER ASH BUSINESS PK.
Trowbridge Mus.
THE SHIRES SHOP. CEN.
Margaret Stancomb Inf. Sch.
Trowle Bridge
Playing Field
St. Augustine's R.C. Sch.
Bowling Green
St. John's R.C. Prim. Sch.
Convent
The John of Gaunt School
Newtown Cnty. Prim. Sch.
County Hall
T.A.V.R. Cen.
London Bridge
Studley Green
Trowbridge Town F.C.
Trowbridge Sports Centre
Clarendon School
Studley Grn. Prim. Sch.
Trowbridge College
Garden Cen.
The Grove Prim. Sch.
District Council Offs.
Upper Studley
County Council Depot
White Row Bridge
Southwick Court Farm
Moat
Sports Ground
BA14
A361
A363
A366
B3106
WESTWOOD ROAD
COCK HILL
BRADFORD ROAD
WINGFIELD ROAD
ARNOLDS HILL
FROME ROAD
WHITEROW HILL
(FIRS HILL)
BROADMEAD
BROOK DRIVE
CLIPSHAM RISE
CLOFORD CL.
OAK TREE CL.
CHARNWOOD RD.
HELMDON RD.
KETTON CL.
LEAFIELD PL.
CHEPSTON PL.
SHERBORNE PL.
SHORE PL.
CHILMARK RD.
ROSEDALE GDS.
LYNWOOD DR.
ELLIOTT PL.
KINGSLEY PL.
ANCASTER CL.
CRANMORE CL.
CHALFONT CL.
WOBURN CL.
QUEENS CLUB GDS.
RAMBLER CL.
MERIDIAN WK.
ACACIA CR.
ALBYON DR.
MEADWAY
WINDBROOK MDW.
ROSSETTI GDS.
CRAWLEY CR.
WARBLER CL.
NIGHTINGALE DR.
WREN COURT
SWALLOW DR.
ST. AUGUSTINES RD.
CHAFFINCH DR.
DOVECOTE CL.
BERKELEY RD.
FARLEIGH AV.
LYNING CL.
BISS MDW.
CHRISTIN CT.
TOWER CL.
RICHMOND CL.
MILLINGTON DR.
HUNGERFORD AV.
KEW DR.
BARNES CL.
INNOX RD.
INNOX MILL CL.
LINDEN PL.
STATION WY.
STALLARD ST.
BYTHESEA RD.
WESTBOURNE RD.
WEST ST.
AVENUE RD.
GLOUCESTER RD.
BOND ST.
WATERWORKS RD.
HENDERSON CL.
SURREY PL.
NEWTOWN
WESLEY ROAD
PARK ROAD
FROME RD.
MORTIMER ST.
HAVELOCK ST.
COUNTY WAY
GLADSTONE RD.
ROCK RD.
PITMAN AV.
ALLEN RD.
ELMDALE CT.
ELMDALE RD.
EASTVIEW RD.
BLAIR ROAD
PITMAN CT.
LANSDOWN CL.
YEOMAN WAY
ALASTAIR CT.
ARRAS CL.
BRADLEY ROAD
RUTLAND CRES.
Rutland Cl.
WESTFIELD WAY
GLEBE
TALBOT
NORTH
LAMBROK
RODSLEIGH
SUMMERLEAZE
MANOR ROAD
WARBURTON CL.
ST. MARGARETS
GAINSBOROUGH RISE
FRAMPTON CT.
ALDEBURGH PL.
WEBBERS CT.
ST. JOHN'S CR.
CHURCH FIELDS
CHURCH LANE
WHITEROW PARK
WHITE-ROW PK.
COLLEGE ROAD
SILVER STREET
SILVER MWS.
LILAC GRO.
WILLOW GRO.
CHESTNUT GRO.
ALMOND GRO.
BEECH GRO.
LABURNUM GRO.
WALNUT GRO.
LARCH GRO.
CEDAR GRO.
LAUREL GRO.
MAPLE GRO.
GROVE ROAD
Grove Ct.
SYCAMORE GROVE
HAWTHORN GRO.
HAZEL GRO.
SILVER BIRCH GRO.
ALDER CL.
SANDRINGHAM RD.
WINDSOR DR.
HOLYROOD CL.
BALMORAL RD.
WINTERSLOW RD.
MARSTON RD.
BEWLEY RD.
LANGLEY RD.
KINGSDOWN RD.
HEDDINGTON CL.
BROUGHTON RD.
SUMMERDOWN WK.
WESTMEAD CR.
BOUNDARY WK.
HOLBROOK LANE
BAYDON CL.
CARLTON ROW
FRANCIS ST.
CHARLES ST.
WESTCROFT ST.
SEYMOUR RD.
SHAILS LA.
RIVER WAY
Kitcheners Ct.
MILL LA.
WICKER HILL
Town Bri.
Upper Broad St. Ct.
Helens Ct.
Depot
Factory
Footpath
Innox
Hall
Offices
Works
Rec. Grd.
Recn. Gnd.
Tennis Courts
Tennis Cts.
Pav.
Sch.
Play. Fld.
Vic.
Ivy Villas
Cock Hill Ho. Ct.
Manor Ct.
Shaftesbury Ct.
Stream
River Biss
Lambrok
The Homestead
CLYDESDALE

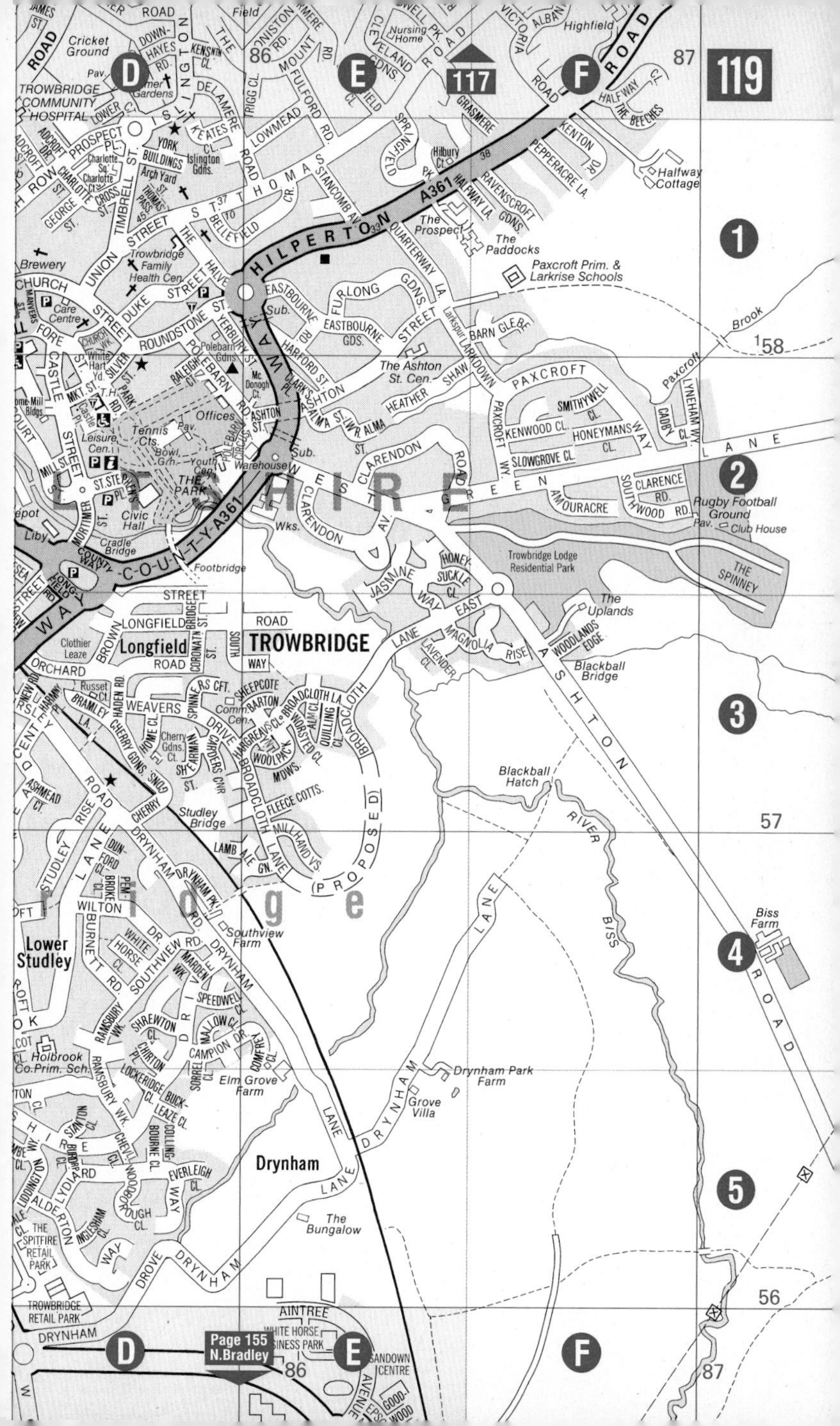
119
117
Page 155
N.Bradley
D
E
F
1
2
3
4
5
86
87
58
57
56
TROWBRIDGE
Longfield
Lower Studley
Drynham
Cricket Ground
TROWBRIDGE COMMUNITY HOSPITAL
Highfield
Halfway Cottage
The Prospect
The Paddocks
Paxcroft Prim. & Larkrise Schools
Brook
Trowbridge Family Health Cen.
Brewery
Care Centre
The Ashton St. Cen.
Leisure Cen.
Tennis Cts.
Bowl. Grn.
Youth Cen.
THE PARK
Civic Hall
Offices
Warehouse
Wks.
Cradle Bridge
Footbridge
Rugby Football Ground
Club House
Trowbridge Lodge Residential Park
THE SPINNEY
The Uplands
Blackball Bridge
Blackball Hatch
RIVER BISS
Biss Farm
Clothier Leaze
Studley Bridge
Southview Farm
Holbrook Co.Prim. Sch.
Elm Grove Farm
Drynham Park Farm
Grove Villa
The Bungalow
THE SPITFIRE RETAIL PARK
TROWBRIDGE RETAIL PARK
WHITE HORSE BUSINESS PARK
SANDOWN CENTRE
HILPERTON ROAD
A361
COUNTY WAY
ST. THOMAS ROAD
ASHTON STREET
ASHTON ROAD
WEST ASHTON ROAD
GREEN LANE
PAXCROFT WAY
LARKDOWN
EASTBOURNE RD.
EASTBOURNE GDS.
FURLONG GDNS.
QUARTERWAY LA.
HALFWAY LA.
RAVENSCROFT GDNS.
PEPPERACRE LA.
KENTON DR.
THE BEECHES
HALFWAY CL.
GRASMERE
STANCOMB AV.
LOWMEAD
FULFORD RD.
CLEVELAND GDNS.
VICTORIA ROAD
ISLINGTON
DELAMERE
KEATES CL.
PROSPECT PL.
CHURCH STREET
UNION STREET
DUKE STREET
ROUNDSTONE ST.
YERBURY ST.
POLEBARN RD.
FORE ST.
CASTLE ST.
MORTIMER ST.
CLARENDON AV.
CLARENDON ROAD
HEATHER SHAW
SMITHYWELL CL.
KENWOOD CL.
HONEYMANS CL.
SLOWGROVE CL.
AMOURACRE
SOUTHWOOD RD.
CLARENCE RD.
CADBY CL.
LYNEHAM WY.
JASMINE WAY
HONEYSUCKLE CL.
MAGNOLIA RISE
LAVENDER CL.
WOODLANDS EDGE
LANE EAST
LONGFIELD ROAD
ORCHARD
WEAVERS DRIVE
SHEEPCOTE BARTON
BROADCLOTH LA.
BROADCLOTH LANE
WORSTED CL.
QUILLING CL.
WOOLPACK MDWS.
FLEECE COTTS.
MILLHAND VS.
(PROPOSED)
CHERRY GDNS.
BRAMLEY LA.
HADEN RD.
ASHMEAD CT.
STUDLEY RISE
STUDLEY LANE
DRYNHAM ROAD
DRYNHAM LANE
DRYNHAM PK.
WILTON DR.
BURNETT RD.
WHITE HORSE CL.
SOUTHVIEW RD.
MARDEN WK.
SPEEDWELL CL.
MALLOW CL.
CAMPION DR.
COMFREY CL.
SHREWTON CL.
CHIRTON PL.
LOCKERIDGE CL.
BUCKLEAZE CL.
RAMSBURY WK.
EVERLEIGH CL.
WOODBOROUGH CL.
INGLESHAM CL.
LYDIARD RD.
ALDERTON WAY
DROVE
AINTREE
AVENUE
GOODWOOD
DRYNHAM

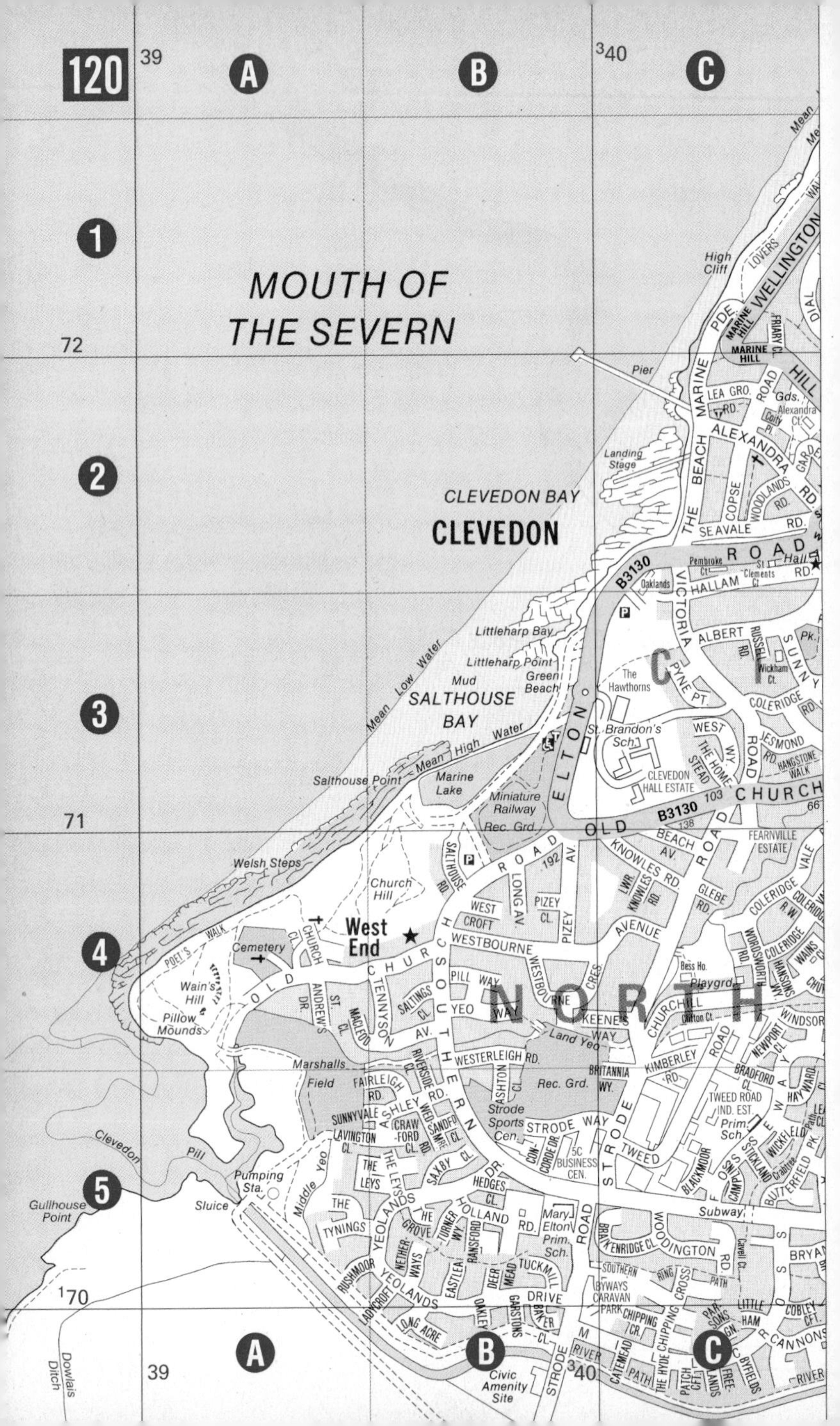

39
A
B
340
C
1
2
3
4
5
72
71
170
MOUTH OF THE SEVERN
CLEVEDON BAY
CLEVEDON
High Cliff
Pier
Landing Stage
Littleharp Bay
Littleharp Point
Green Beach
Mud
SALTHOUSE BAY
Mean Low Water
Mean High Water
Salthouse Point
Marine Lake
Miniature Railway
Rec. Grd.
Welsh Steps
Church Hill
West End
Cemetery
Wain's Hill
Pillow Mounds
POET'S WALK
Marshalls Field
Clevedon Pill
Gullhouse Point
Pumping Sta.
Sluice
Middle Yeo
Land Yeo
Strode Sports Cen.
5C BUSINESS CEN.
Mary Elton Prim. Sch.
TWEED ROAD IND. EST.
Prim. Sch.
St. Brandon's Sch.
CLEVEDON HALL ESTATE
The Hawthorns
FEARNVILLE ESTATE
Civic Amenity Site
Dowlais Ditch
BYWAYS CARAVAN PARK
NORTH
B3130
MARINE PDE.
WELLINGTON
MARINE HILL
HILL
LOVERS
FRIARY CL.
DIAL
THE BEACH
LEA GRO.
ALEXANDRA RD.
Alexandra Ct.
Gds.
COPSE
WOODLANDS RD.
SEAVALE RD.
ROAD
Pembroke Ct.
St. Clements Ct.
Hall
HALLAM RD.
Oaklands
VICTORIA ROAD
ALBERT RD.
RUSSELL RD.
Wickham Ct.
Pk.
SUNNY
PYNE PT.
COLERIDGE RD.
WEST WY.
THE HOMESTEAD
JESMOND RD.
HANGSTONE WALK
ELTON
CHURCH
OLD CHURCH ROAD
BEACH AV.
KNOWLES RD.
LWR. KNOWLES RD.
GLEBE RD.
LONG AV.
PIZEY CL.
PIZEY AV.
AVENUE
SALTHOUSE RD.
WEST CROFT
WESTBOURNE
WESTBOURNE CRES.
SOUTHERN WAY
PILL WAY
YEO WAY
KEENE'S WAY
SALTINGS CL.
TENNYSON AV.
MACLEOD CL.
ST. ANDREW'S DR.
CHURCH CL.
OLD CHURCH
CHURCHILL
Bess Ho.
Playgrd.
Clifton Ct.
WESTERLEIGH RD.
RIVERSIDE CL.
ASHTON CL.
BRITANNIA WY.
KIMBERLEY RD.
FAIRLEIGH RD.
ASHLEY RD.
SUNNYVALE
LAVINGTON CL.
CRAWFORD CL.
WEDMORE CL.
SANDFORD RD.
SAXBY CL.
THE LEYS
STRODE WAY
CONCORDE DR.
STRODE ROAD
TWEED
BLACKMOOR
HEDGES CL.
HOLLAND RD.
THE GROVE
TURNER WY.
RANSFORD
THE TYNINGS
YEOLANDS DR.
NETHERWAYS
RUSHMOOR
YEOLANDS DRIVE
EASTLEA
DEER MEAD
TUCKMILL
LADYCROFT
LONG ACRE
OAKLEY
GARSTONS
BAKER CL.
BRAIKENRIDGE CL.
WOODINGTON RD.
SOUTHERN RING PATH
CROSS
Subway
Cavell Ct.
CHIPPING CR.
CHIPPING
THE HYDE
CATEMEAD
PATH
RIVER
PATCH CFT.
PARSONS GN.
LITTLE HAM
COBLEY CFT.
CANNONS
BYFIELDS
FREESTONE
BRYAN
WORDSWORTH RD.
COLERIDGE R.W.
COLERIDGE VALE
WAINS
HANSONS WY.
WINDSOR
NEWPORT CL.
BRADFORD CL.
HAYWARD
WICKFIELD
Crabtree
BUTTERFIELD PK.
STICKLAND
CAMPION
FOSS
Mean
WAY
192
138
103
66

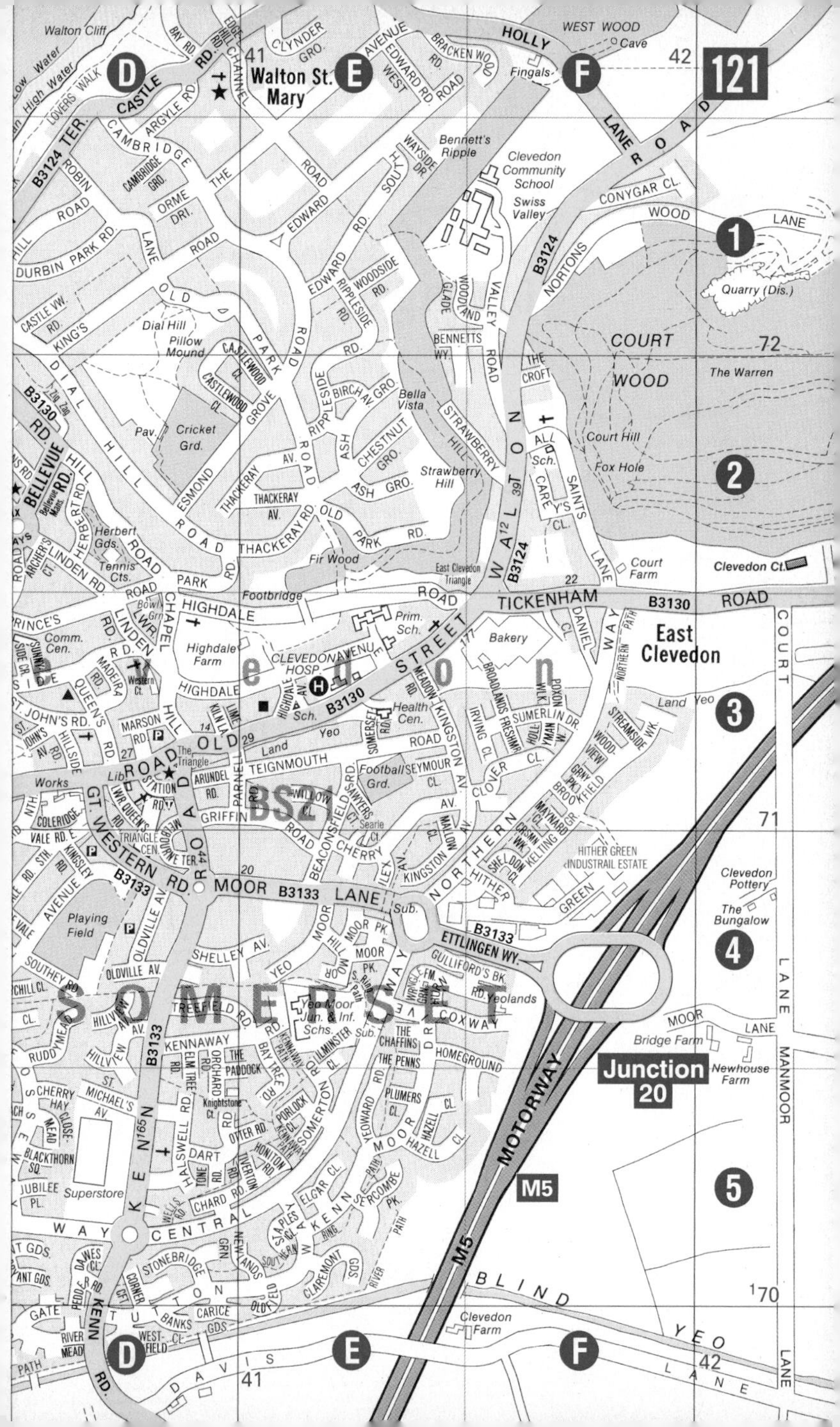
Walton Cliff
Low Water
High Water
LOVERS' WALK
CASTLE RD.
B3124 TER.
BAY RD.
EDGE HILL RD.
CHANNEL
CLYNDER GRO.
Walton St. Mary
AVENUE
EDWARD RD.
WEST
BRACKEN WOOD RD.
ROAD
HOLLY LANE ROAD
WEST WOOD
Cave
Fingals
42
41
ARGYLE RD.
CAMBRIDGE
CAMBRIDGE GRO.
ROBIN ROAD
ORME DRI.
THE
ROAD
SOUTH
WAYSIDE DR.
Bennett's Ripple
Clevedon Community School
Swiss Valley
CONYGAR CL.
WOOD LANE
DURBIN PARK RD.
LANE
ROAD
EDWARD RD.
RIPPLESIDE RD.
WOODSIDE RD.
GLADE
WOODLAND
VALLEY ROAD
B3124
NORTONS
Quarry (Dis.)
CASTLE VW. RD.
KING'S
OLD PARK ROAD
Dial Hill
Pillow Mound
CASTLEWOOD CL.
BENNETTS WY.
THE CROFT
COURT WOOD
72
The Warren
DIAL HILL ROAD
B3130 RD.
Zig Zag
Pav.
Cricket Grd.
GROVE
BIRCH AV.
GRO.
Bella Vista
STRAWBERRY HILL
WALTON
Court Hill
Fox Hole
BELLEVUE RD.
HILL RD.
Bellevue Mans.
HERBERT RD.
ESMOND
THACKERAY AV.
ROAD
RIPPLESIDE
ASH
CHESTNUT GRO.
ASH GRO.
Strawberry Hill
ALL SAINTS
Sch.
CAREY'S CL.
Herbert Gds.
Tennis Cts.
ARCHER'S CT.
LINDEN RD.
ROAD
THACKERAY RD.
OLD PARK RD.
Fir Wood
East Clevedon Triangle
LANE
Court Farm
Clevedon Ct.
PARK RD.
Footbridge
ROAD
TICKENHAM
B3130
ROAD
22
PRINCE'S
CHAPEL
LWR. LINDEN RD.
Bowl Grn.
HIGHDALE
Prim. Sch.
STREET
Bakery
DANIEL CL.
WAY
NORTHERN PATH
East Clevedon
COURT
Comm. Cen.
Highdale Farm
CLEVEDON HOSP.
AVENUE
Clevedon
MADEIRA RD.
Western Ct.
HIGHDALE
HIGHDALE AV.
KILN LA.
LIME
B3130
Sch.
MEADOW RD.
BROADLANDS
POXON WLK.
Land Yeo
ST. JOHN'S RD.
QUEEN'S RD.
MARSON RD.
HILL
14
29
Health Cen.
KINGSTON
IRVING CL.
FRESHMR.
SUMERLIN DR.
STREAMSIDE WK.
WOODVIEW
HILLSIDE RD.
27
OLD ROAD
The Triangle
Land Yeo
SOMERSET RD.
ROAD
CLOVER CL.
Works
Lib.
STATION RD.
ARUNDEL RD.
TEIGNMOUTH
PARNELL RD.
Football Grd.
SEYMOUR CL.
BROOKFIELD
NTH.
COLERIDGE
LWR. QUEEN'S RD.
WILLOW CL.
BS21
SAWYERS CT.
AV.
MAYNARD CL.
71
VALE RD. E.
GT. WESTERN RD.
TRIANGLE CEN.
MELBOURNE TER.
GRIFFIN ROAD
BEACONSFIELD
Searle Ct.
CHERRY
MALLOW CL.
NORTHERN
KELTING GR.
HITHER GREEN INDUSTRAIL ESTATE
KINGSLEY
AVENUE
B3133
20
ILEX AV.
KINGSTON AV.
SHELDON CL.
Clevedon Pottery
MOOR B3133 LANE
Sub.
HITHER GREEN
The Bungalow
Playing Field
OLDVILLE AV.
MOOR HILL
MOOR PK.
B3133
ETTLINGEN WY.
4
SHELLEY AV.
SOUTHEY RD.
OLDVILLE AV.
YEO
GULLIFORD'S BK.
Yeolands
SOMERSET
TREEFIELD RD.
Yeo Moor Jun. & Inf. Schs.
COXWAY
MOOR LANE
Bridge Farm
HILLVIEW AV.
KENNAWAY
THE PADDOCK
BAY TREE RD.
THE CHAFFINS
THE PENNS
HOMEGROUND
Junction 20
Newhouse Farm
MANMOOR
RUDDYMEAD
ELM TREE RD.
ORCHARD RD.
ILMINSTER CL.
MOTORWAY
CHERRY HAY
ST. MICHAEL'S AV.
Knightstone Ct.
OTTER RD.
SOMERTON RD.
PLUMERS CL.
HAZELL CL.
MOOR
HAZELL CL.
KENN
HALSWELL RD.
DART RD.
HONITON RD.
YEOWARD RD.
BLACKTHORN SQ.
TONE RD.
TIVERTON RD.
M5
5
JUBILEE PL.
Superstore
CHARD RD.
ELGAR CL.
SERCOMBE PK.
CENTRAL WAY
NEWLANDS
STAPLES CL.
WAKENN
DAWES CL.
STONEBRIDGE
CLAREMONT GDS.
RIVER PATH
M5
BLIND YEO
70
TUTTON
CARICE GDS.
OLDFIELD
GATE
BANKS CL.
WESTFIELD CL.
Clevedon Farm
RIVER MEAD
PATH
DAVIS LANE
KENN RD.
LANE
1
2
3
4
5
D
E
F

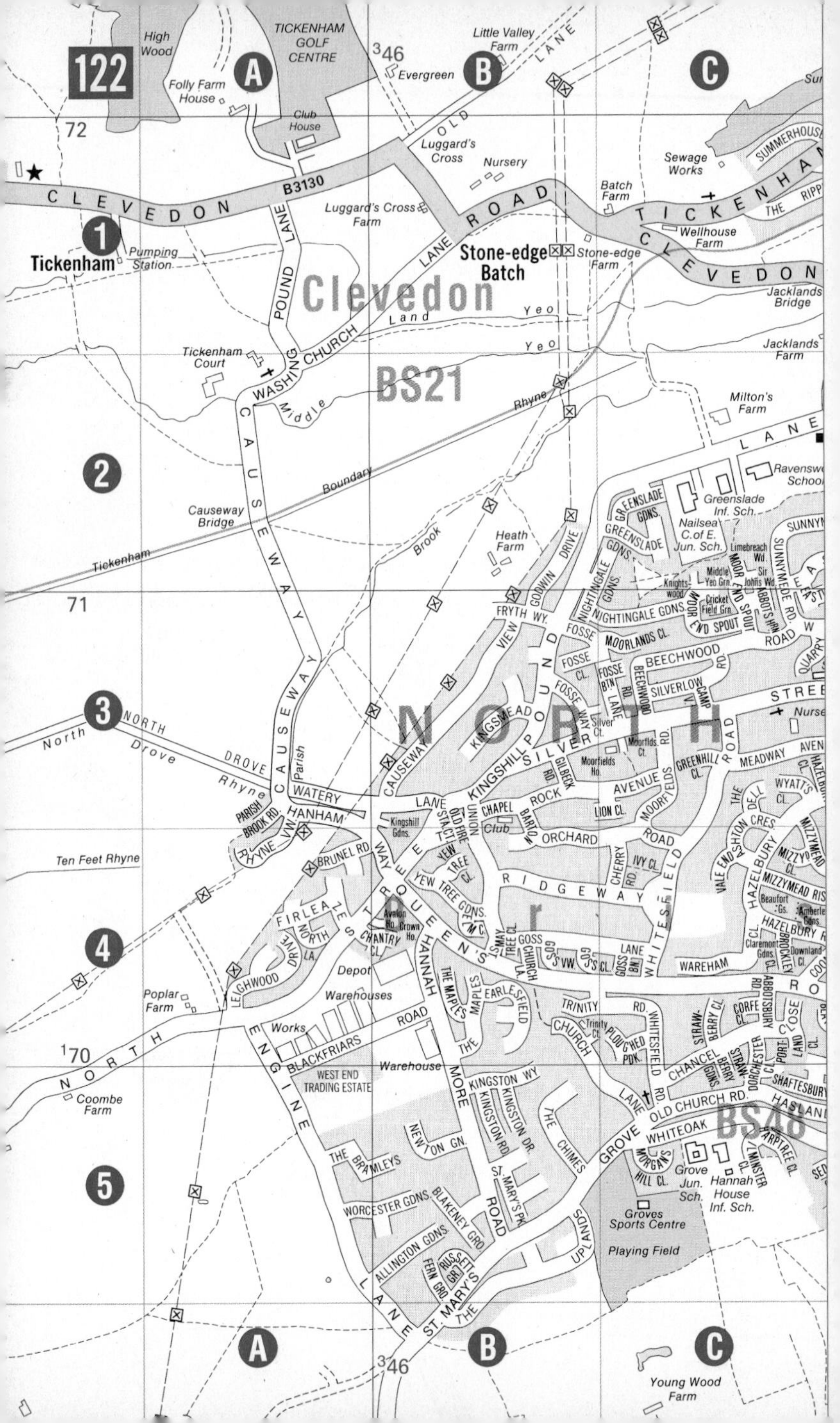

122
High Wood
TICKENHAM GOLF CENTRE
Folly Farm House
Club House
Evergreen
Little Valley Farm
OLD LANE
Luggard's Cross
Nursery
Luggard's Cross Farm
B3130
CLEVEDON ROAD
POUND LANE
Tickenham
Pumping Station
Stone-edge Batch
Stone-edge Farm
Batch Farm
Sewage Works
SUMMERHOUSE
TICKENHAM
CLEVEDON
Wellhouse Farm
Jacklands Bridge
Jacklands Farm
Clevedon Land Yeo
Tickenham Court
WASHING CHURCH LANE
BS21
Middle Rhyne
Milton's Farm
LANE
Ravenswood School
Boundary
Causeway Bridge
CAUSEWAY
Tickenham
Brook
Heath Farm
Greenslade Inf. Sch.
Nailsea C.of E. Jun. Sch.
GREENSLADE GDNS.
NIGHTINGALE GDNS.
GODWIN DRIVE
FRYTH WY.
MOORLANDS CL.
MOOR END SPOUT
BEECHWOOD RD.
SILVERLOW
SUNNYMEDE RD.
NORTH
North Drove Rhyne
NORTH DROVE
KINGSMEAD
KINGSHILL
SILVER ST.
POUND ROAD
Moorfields Ho.
AVENUE
GREENHILL CL.
MEADWAY
WATERY LANE
HANHAM
PARISH BROOK RD.
RHYNE VW.
Kingshill Gdns.
CHAPEL
Club
ROCK
LION CL.
MOORFIELDS ROAD
ORCHARD
RIDGEWAY
CHERRY RD.
IVY CL.
WHITESFIELD
ASHTON CRES.
HAZELBURY
MIZZYMEAD RISE
Ten Feet Rhyne
BRUNEL RD.
FIRLEA
NORTH LA.
QUEEN'S WAY
Avalon Ho.
Crown Ho.
CHANTRY CL.
YEW TREE GDNS.
GOSS VW.
GOSS CL.
WAREHAM
Poplar Farm
LEIGHWOOD DRIVE
Depot
Warehouses
Works
BLACKFRIARS ROAD
HANNAH MORE
THE MAPLES
EARLESFIELD
TRINITY RD.
CHURCH LANE
PLOUGHED PDK.
CHANCEL
ABBOTSBURY RD.
NORTH
Coombe Farm
ENGINE LANE
WEST END TRADING ESTATE
Warehouse
KINGSTON WY
KINGSTON DR.
THE CHIMES
OLD CHURCH RD.
WHITEOAK
BS48
GROVE
HANNAH MORE
THE BRAMLEYS
NEWTON GN.
ST. MARY'S RD.
MORGANS HILL CL.
Grove Jun. Sch.
Hannah House Inf. Sch.
WORCESTER GDNS.
BLAKENEY GRO.
Groves Sports Centre
Playing Field
UPLANDS
ALLINGTON GDNS.
FERN GRO.
RUSSET GR.
THE ST. MARY'S
Young Wood Farm

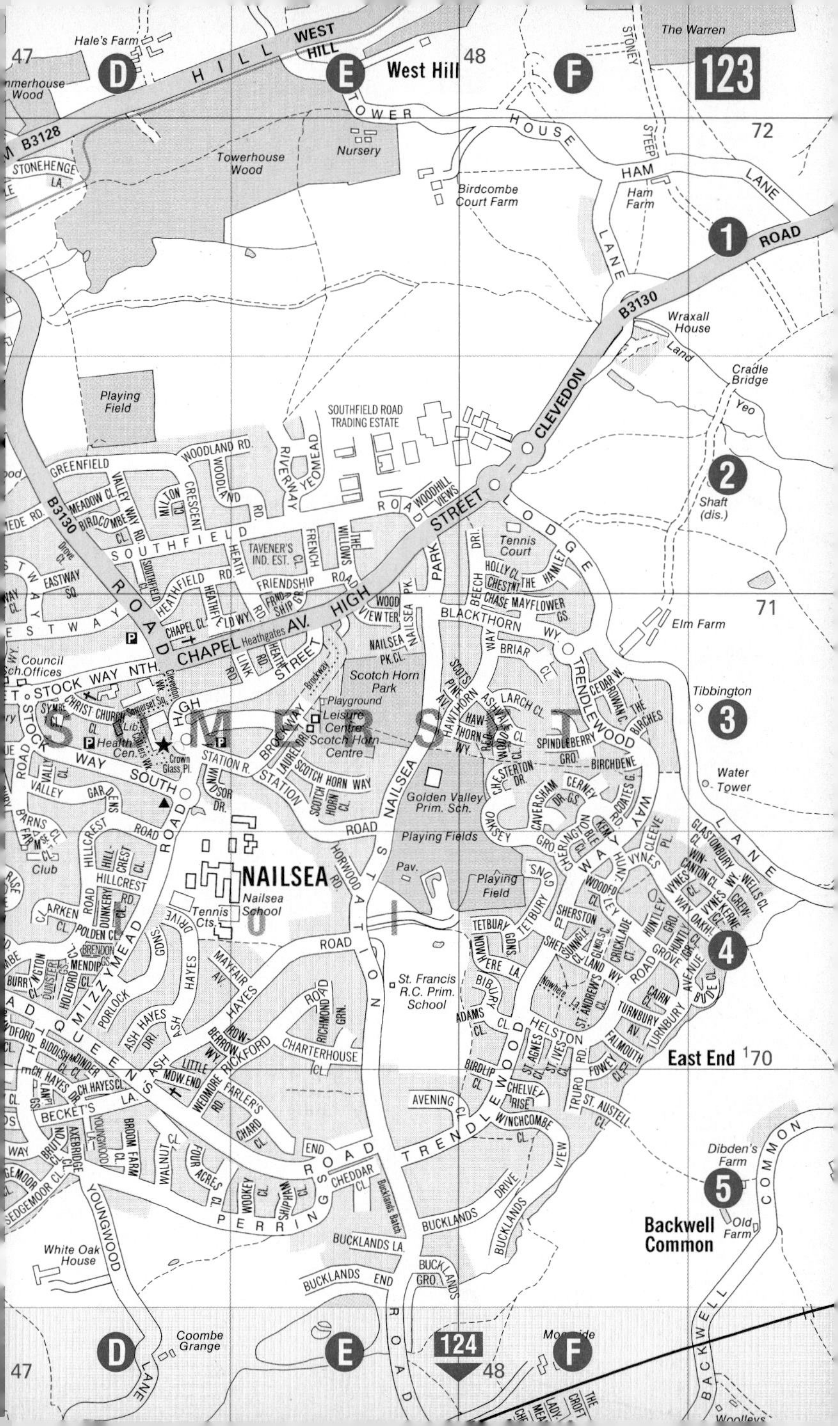
D
E
F
47
48
72
71
170
1
2
3
4
5
124
Hale's Farm
WEST HILL
West Hill
HILL
Towerhouse Wood
B3128
STONEHENGE LA.
Nursery
TOWER HOUSE
STONEY STEEP
The Warren
HAM LANE
Ham Farm
Birdcombe Court Farm
ROAD
B3130
Wraxall House
Land Yeo
Cradle Bridge
Shaft (dis.)
Playing Field
SOUTHFIELD ROAD TRADING ESTATE
CLEVEDON
WOODLAND RD.
GREENFIELD
RIVERWAY
YEOMEAD
WOODHILL VIEWS
MEADOW CL.
VALLEY WAY RD.
MILTON CL.
CRESCENT
BIRDCOMBE CL.
SOUTHFIELD
TAVENER'S IND. EST.
FRENCH CL.
THE WILLOWS
HEATH RD.
HEATHFIELD RD.
FRIENDSHIP ROAD
EASTWAY SQ.
EASTWAY
Drove
PARK DRI.
LODGE
Tennis Court
HOLLY CL.
THE HAMLET
BEECH
CHESTNT. CHASE
MAYFLOWER GS.
Elm Farm
BLACKTHORN WY.
BRIAR CL.
HIGH STREET
CHAPEL AV.
Heathgates
CHAPEL CL.
WOOD VIEW TER.
NAILSEA PK. CL.
STOCK WAY NTH.
Council Offices
LINK RD.
HEATH RD.
Scotch Horn Park
Brockway
Playground
Leisure Centre
Scotch Horn Centre
SCOTS PINE AV.
HAWTHORN WY.
ASHVALE CL.
LARCH CL.
TRENDLEWOOD WAY
CEDAR W.
ROWAN C.
THE BIRCHES
Tibbington
SOMERSET
CHRIST CHURCH CL.
Somerset Sq.
Lib.
Health Cen.
Crown Glass Pl.
STATION R.
BROCKWAY
LAUREL DRI.
SCOTCH HORN WAY
SPINDLEBERRY GRO.
BIRCHDENE
Water Tower
STOCK WAY SOUTH
VALLEY GARDENS
WINDSOR DR.
STATION ROAD
NAILSEA
Golden Valley Prim. Sch.
CHESTERTON DR.
CAVERSHAM DR.
CERNEY GS.
COATES G.
HILLCREST ROAD
Club
Playing Fields
OAKSEY GRO.
CHERINGTON
KEMBLE CL.
GLASTONBURY CL.
WELLS CL.
LANE
HORWOOD RD.
Pav.
Playing Field
NAILSEA School
Tennis Cts.
TETBURY GDNS.
SHERSTON CL.
WOODFORD CL.
VYNES WAY
CLEEVE PL.
WINCANTON CL.
LARKEN CL.
POLDEN CL.
BRENDON GS.
MENDIP
DUNKERY RD.
MIZZYMEAD
DRIVE
HAYES
MAYFAIR AV.
St. Francis R.C. Prim. School
CRICKLADE CT.
HUNTLEY GRO.
AVENUE
BUDE CL.
Nowhere La.
ST. ANDREW'S CL.
BIBURY CL.
ADAMS CL.
HELSTON RD.
TURNBURY AV.
CAIRN CL.
FALMOUTH CL.
FOWEY CL.
East End
ST. AGNES CL.
ST. IVES CL.
TRURO RD.
ST. AUSTELL CL.
QUEEN'S ROAD
PORLOCK
ASH HAYES DRI.
BERROW WY.
RICKFORD ROW
RICHMOND ROAD
CHARTERHOUSE CL.
BIRDLIP CL.
CHELVEY RISE
WINCHCOMBE CL.
AVENING
TRENDLEWOOD
VIEW
DRIVE
BUCKLANDS
Dibden's Farm
LITTLE MDW. END
WEDMORE RD.
FARLER'S
CHARD CL.
BECKET'S LA.
BROOM FARM CL.
WALNUT CL.
FOUR ACRES CL.
END
PERRINGS ROAD
CHEDDAR CL.
WOOKEY CL.
SHIPHAM CL.
Bucklands Batch
COMMON
Backwell Common
Old Farm
AXEBRIDGE CL.
SEDGEMOOR CL.
YOUNGWOOD
BUCKLANDS LA.
BUCKLANDS END
BUCKLANDS GRO.
White Oak House
Coombe Grange
LANE
Mosside
BACKWELL
THE CROFT
Woolleys

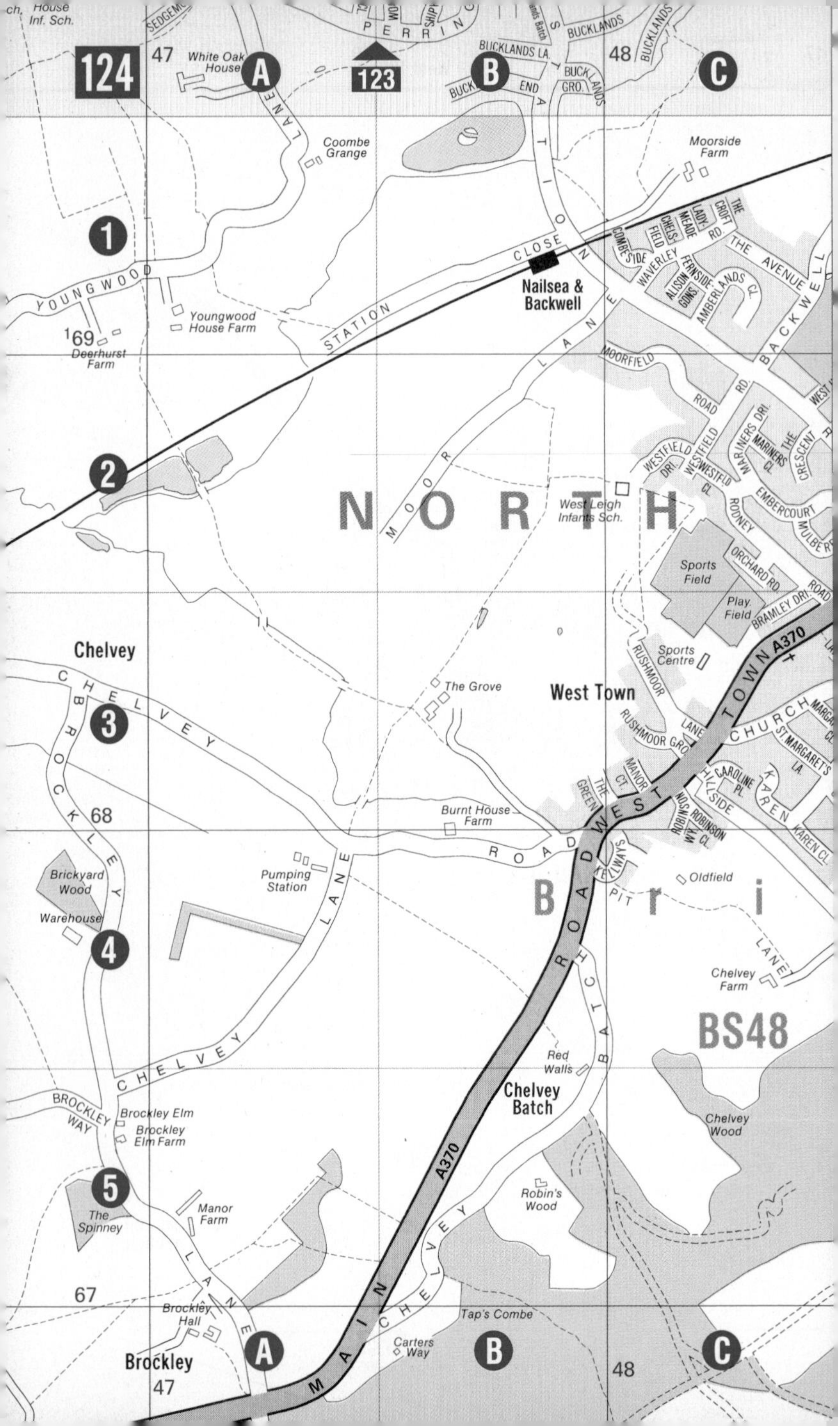
123
A
B
C
47
48
White Oak House
Coombe Grange
Bucklands La.
Bucklands
Buckland End
Bucklands Gro.
Moorside Farm
1
Youngwood
Youngwood House Farm
169
Deerhurst Farm
Station Close
Nailsea & Backwell
Station Lane
Combe Side
Chelsfield
Ladymeade
The Croft
Waverley Rd.
The Avenue
Alison Gdns.
Fernside
Amberlands Cl.
Backwell
Moorfield Road
West Leigh
Westfield Rd.
Westfield Dri.
Westfield Cl.
Mariners Dri.
Mariners Cl.
The Crescent
Moor Lane
2
NORTH
West Leigh Infants Sch.
Rodney
Embercourt
Mulberry
Sports Field
Orchard Rd.
Play. Field
Bramley Dri.
Road
Chelvey
Rushmoor
Sports Centre
A370
The Grove
West Town
3
Rushmoor Gro.
Rushmoor Lane
Church
St. Margaret's La.
Chelvey Road
Brockley
The Green
Manor Ct.
Caroline Pl.
Karen
Hillside
Robinson Way
Robinson Cl.
68
Burnt House Farm
Karen Cl.
Brickyard Wood
Pumping Station
Chelvey Lane
West Town Road
Kelways
Oldfield
Pit Lane
Warehouse
4
B r i
Chelvey Farm
BS48
Batch
Red Walls
Chelvey Batch
Brockley Way
Brockley Elm
Brockley Elm Farm
Chelvey Wood
5
Manor Farm
Robin's Wood
The Spinney
Brockley Lane
67
Chelvey
Tap's Combe
Brockley Hall
Carters Way
Main Road
Brockley

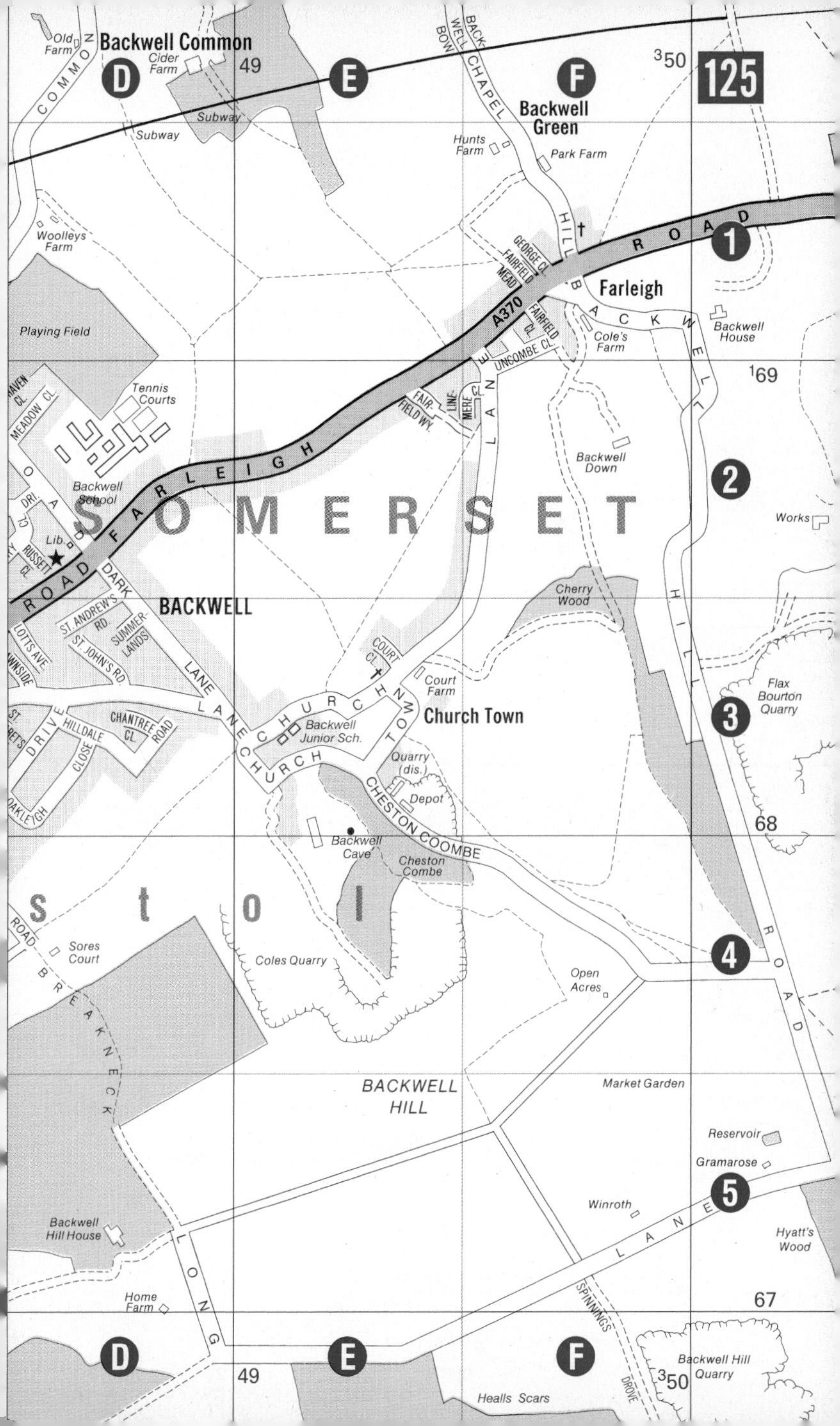

Old Farm

Backwell Common

COMMON

Cider Farm

D   49   **E**

Subway

Subway

BACK WELL CHAPEL BOW

F

Backwell Green

125

Hunts Farm

Park Farm

Woolleys Farm

Playing Field

HILL BACKWELL ROAD

1

Farleigh

GEORGE LA FAIRFIELD MEAD A370 FAIRFIELD

Backwell House

Cole's Farm

MEADOW CL HAVEN CL

Tennis Courts

Backwell School

Lib.

MUSSELL CL

DARK LANE

FARLEIGH

FAIR FIELD WY. LIME MERE UNCOMBE CL. LANE

¹69

S O M E R S E T

Backwell Down

Works

2

ROAD FARLEIGH

BACKWELL

ST. ANDREW'S RD. SUMMER-LANDS

LOTTS AVE. HAWKS RD. ST. JOHN'S RD.

DRIVE HILLDALE CLOSE CHANTREE CL. ROAD

Cherry Wood

HILL

Flax Bourton Quarry

OAKLEY CL.

LANE LANE CHURCH CHURCH

COURT CL. MONMOUTH

Court Farm

Backwell Junior Sch.

Church Town

Quarry (dis.)

Depot

3

68

S t o l

CHESTON COOMBE

Backwell Cave

Cheston Combe

Sores Court

BREAKNECK ROAD

Coles Quarry

Open Acres

ROAD

4

BACKWELL HILL

Market Garden

Reservoir

Gramarose

5

Winroth

LONG LANE

Hyatt's Wood

Backwell Hill House

Home Farm

SPINNINGS DROVE

67

D   49   **E**

F

Backwell Hill Quarry

Healls Scars

³50

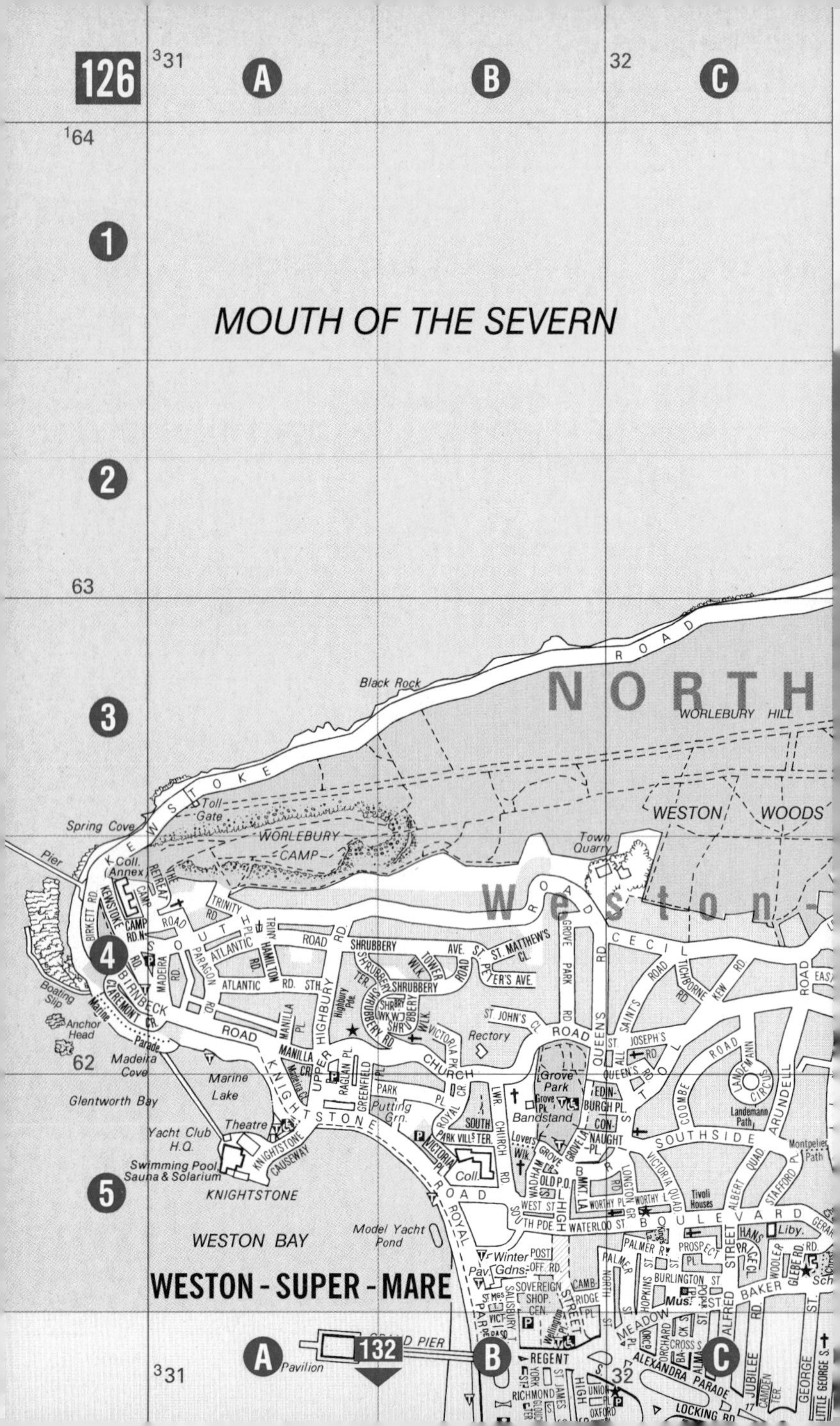
126
331
A
B
32
C
164
1
MOUTH OF THE SEVERN
2
63
3
NORTH
WORLEBURY HILL
Black Rock
KEWSTOKE ROAD
Toll Gate
WORLEBURY CAMP
WESTON WOODS
Town Quarry
Weston-
Spring Cove
Pier
Coll. (Annex)
BIRKETT RD.
KEWSTOKE
RETREAT
CAMP RD. N.
TRINITY RD.
SOUTH ROAD
TRINITY PL.
HAMILTON RD.
ATLANTIC RD.
ATLANTIC RD. STH.
PARAGON
MADEIRA RD.
4
BIRNBECK ROAD
CLAREMONT CR.
Boating Slip
Anchor Head
Marine Parade
Madeira Cove
62
Marine Lake
Glentworth Bay
Theatre
Yacht Club H.Q.
Swimming Pool Sauna & Solarium
KNIGHTSTONE
KNIGHTSTONE CAUSEWAY
KNIGHTSTONE ROAD
MANILLA PL.
MANILLA CR.
UPPER HIGHBURY RD.
RAGLAN PL.
GREENFIELD PL.
PARK PL.
Putting Grn.
SHRUBBERY AVE.
SHRUBBERY WLK.
SHRUBBERY TER.
SHRUBBERY RD.
Highbury Pde.
TOWER WLK.
ST. PETER'S AVE.
ST. MATTHEW'S CL.
VICTORIA PK.
CHURCH ROAD
ROYAL CR.
ST. JOHN'S CL.
Rectory
GROVE PARK RD.
Grove Park
Bandstand
QUEEN'S ROAD
ALL SAINTS RD.
ST. JOSEPH'S RD.
EDINBURGH PL.
CONNAUGHT PL.
CECIL ROAD
TICHBORNE RD.
KEW RD.
LANDEMANN CIRCUS
Landemann Path
COOMBE ROAD
ARUNDELL ROAD
SOUTHSIDE
Montpelier Path
VICTORIA QUAD
ALBERT QUAD
STAFFORD PL.
Tivoli Houses
LONGTON GR. RD.
WORTHY PL.
WORTHY L.
BOULEVARD
WATERLOO ST.
Liby.
HANS PRICE CL.
WOOLER RD.
GLEBE RD.
SOUTH PDE.
WEST ST.
HIGH ST.
MKT. LA.
OLD P.O.
WADHAM ST.
GROVE LA.
Lovers Wlk.
SOUTH PARK VILLS TER.
LWR. CHURCH RD.
Coll.
VICTORIA PL.
ROYAL PARADE
5
WESTON BAY
Model Yacht Pond
Winter Gdns.
Pav.
POST OFF. RD.
SOVEREIGN SHOP. CEN.
SALISBURY T.
CAMBRIDGE PL.
NORTH ST.
PALMER ST.
PALMER R.
PROSPECT PL.
BURLINGTON ST.
HOPKINS ST.
Mus.
MEADOW ST.
ORCHARD ST.
CROSS ST.
ALMA ST.
ALFRED ST.
BAKER ST.
JUBILEE RD.
CAMDEN TER.
GEORGE ST.
LITTLE GEORGE ST.
ALEXANDRA PARADE
LOCKING RD.
WESTON - SUPER - MARE
GRAND PIER
Pavilion
132
A
B
C
331
32
REGENT ST.
YORK ST.
ST. JAMES ST.
RICHMOND ST.
HIGH ST.
UNION PL.
OXFORD

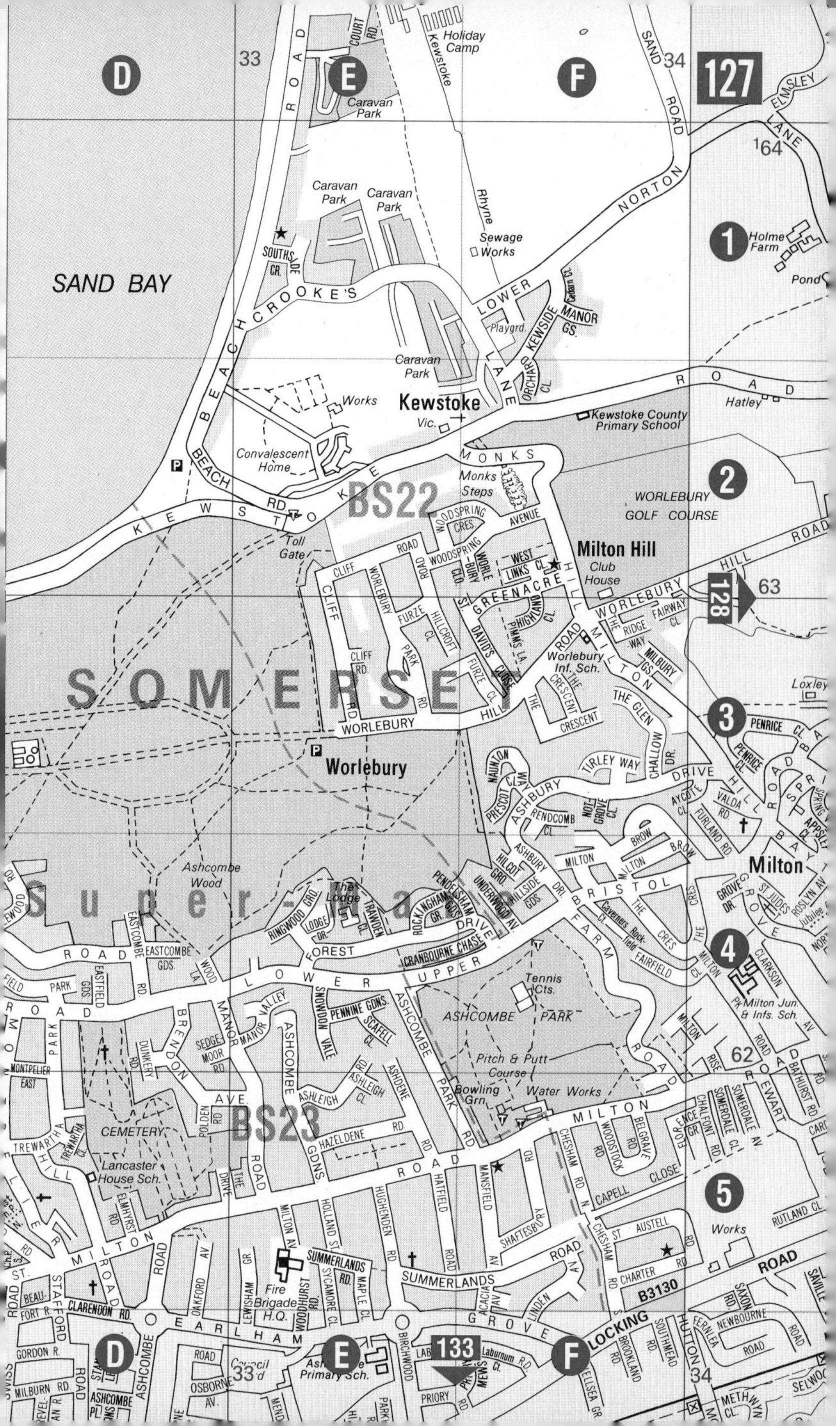
SAND BAY
Kewstoke
Milton Hill
Worlebury
Milton
SOMERSET
Weston-super-Mare
BS22
BS23
WORLEBURY GOLF COURSE
ASHCOMBE PARK
Ashcombe Wood
CEMETERY
Kewstoke County Primary School
Worlebury Inf. Sch.
Milton Jun. & Infs. Sch.
Lancaster House Sch.
Fire Brigade H.Q.
Holiday Camp
Caravan Park
Sewage Works
Convalescent Home
Monks Steps
Toll Gate
Club House
Holme Farm
Hatley
Loxley
Tennis Cts.
Pitch & Putt Course
Bowling Grn.
Water Works
Works
The Lodge
B3130
LOCKING ROAD
MILTON ROAD
KEWSTOKE RD.
BEACH RD.
NORTON LANE
SAND ROAD
WORLEBURY HILL ROAD
UPPER BRISTOL ROAD
FARM ROAD
LOWER ASHCOMBE ROAD
GROVE PARK ROAD
EARLHAM GROVE
SUMMERLANDS ROAD
ASHCOMBE PARK RD.
MILTON HILL
Milton Rd
128
133
63
164
62
33
34

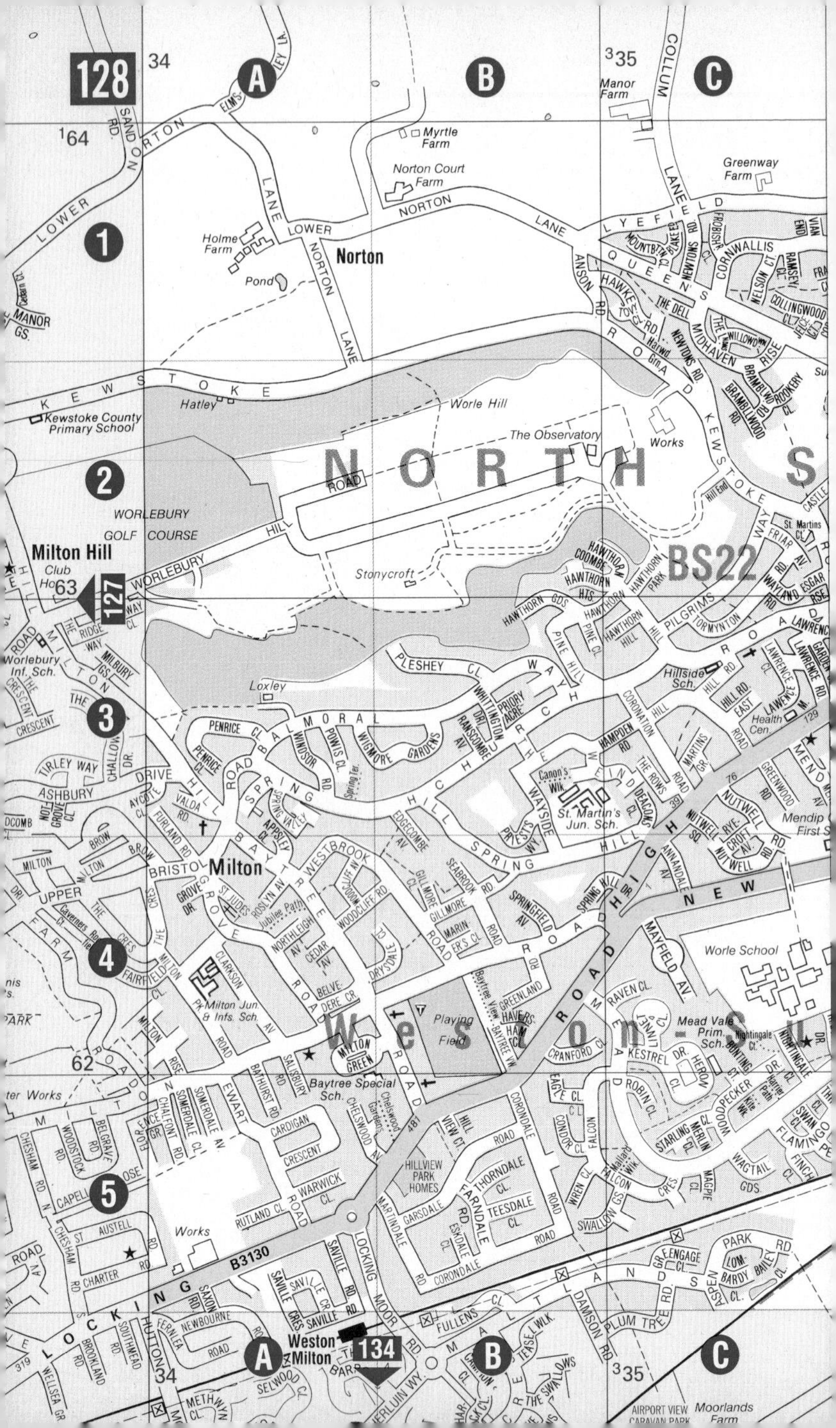
128
34
A
B
C
335
164
1
2
3
4
5
63
62
127
134
Manor Farm
Collum Lane
Myrtle Farm
Norton Court Farm
Greenway Farm
Norton Lane
Lower Norton Lane
Lower Norton
Sand Rd.
Elms
Holme Farm
Pond
Norton
Lyefield Rd.
Queen's Road
Anson Rd.
Hawke Rd.
Coronation Rd.
The Dell
Newtons Rd.
Cornwallis
Nelson Ct.
Ramsey Cl.
Collingwood Cl.
Midhaven Rise
Bramblewood Rd.
Rookery Cl.
Kewstoke
Kewstoke Road
Hatley
Kewstoke County Primary School
Worle Hill
The Observatory
Works
NORTH S
Worlebury Hill Road
Worlebury Golf Course
Milton Hill
Club Ho.
Stonycroft
BS22
Hill End
St. Martins Cl.
Friar Av.
Wayland Rd.
Esgar Rise
Pilgrims Way
Tormynton Road
Lawrence Rd.
Hawthorn Combe
Hawthorn Hts.
Hawthorn Hill
Hawthorn Park
Hawthorn Gds.
Pine Hill
Pine Cl.
Pleshey Cl.
Church Way
Hillside Sch.
Hill Rd.
Hill Rd. East
Lawrence Cl.
Health Cen.
Worlebury Inf. Sch.
The Ridge
Milbury Gs.
The Crescent
Tirley Way
Challow Dr.
Ashbury Drive
Loxley
Penrice Cl.
Balmoral Way
Windsor Rd.
Powis Cl.
Wigmore Gardens
Whittington Dr.
Priory Acre
Ransscombe Av.
Hampden Rd.
The Rows
Martins Gr.
Greenwood Rd.
Mendip Av.
Mendip First S
Nutwell Rd.
Nutwell Sq.
Rye Croft Av.
Canon's Wlk.
St. Martin's Jun. Sch.
Wayside
Priests Wy.
Deacons Cl.
Spring Hill
Spring Hill Dr.
Annandale Av.
High Street
New Road
Spring Valley
Appsley Cl.
Edgecombe Av.
Aycote Cl.
Valda Rd.
Furland Rd.
Milton Brow
Upper Milton
Bristol Road
Milton
Grove Dr.
St. Judes
Roslyn Av.
Jubilee Path
Westbrook Rd.
Woodcliff Av.
Woodcliff Rd.
Gillmore Cl.
Gillmore Road
Seabrook Rd.
Mariner's Cl.
Springfield Av.
Mayfield Av.
Worle School
Baytree Road
Northleigh Av.
Cedar Av.
Drysdale Cl.
Belvedere Cr.
Farm Rd.
The Cres.
Fairfield
Milton Cl.
Clarkson Av.
Milton Jun. & Infs. Sch.
Milton Rise
Milton Green
Playing Field
Baytree View
Greenland Rd.
Havers Ham Cl.
Raven Cl.
Linnet Cl.
Mead Vale Prim. Sch.
Nightingale Cl.
Kestrel Dr.
Heron Cl.
Robin Cl.
Cranford Cl.
Eagle Cl.
Weston-super-Mare
Baytree Special Sch.
Salisbury Rd.
Bathurst Rd.
Ewart Rd.
Somerdale Av.
Somerdale Cl.
Chalfont Rd.
Florence Gr.
Belgrave Rd.
Woodstock Rd.
Chesham Rd. N
Capell Cl.
St. Austell Rd.
Charter Rd.
Cardigan Crescent
Warwick Cl.
Rutland Cl.
Chelswood Av.
Chelswood Gardens
Hill View Ct.
Hillview Park Homes
Corondale Road
Farndale Rd.
Thorndale Cl.
Teesdale Cl.
Garsdale
Eskdale Rd.
Condor Cl.
Falcon Cres.
Wren Cl.
Mallard Wlk.
Swallow Gs.
Starling Cl.
Merlin Cl.
Woodpecker
Wagtail Gds.
Magpie
Swan Cl.
Flamingo
Finch
Works
B3130
Locking Road
Saville Rd.
Saville Cr.
Saville Cres.
Locking Moor Rd.
Martindale Rd.
Saxon Rd.
Hutton Rd.
Newbourne Road
Fernlea
Southmead Rd.
Brookland Rd.
Wellsea Gr.
Weston Milton
Selwood Cl.
Methwyn Cl.
Fullens Cl.
Teasel Wlk.
The Swallows
Merluin Wy.
Oaklands
Damson Rd.
Plum Tree Rd.
Greengage Cl.
Aspen Park Rd.
Lombardy Cl.
Bailey Cl.
Airport View Caravan Park
Moorlands Farm
481
487
319
129
76
39

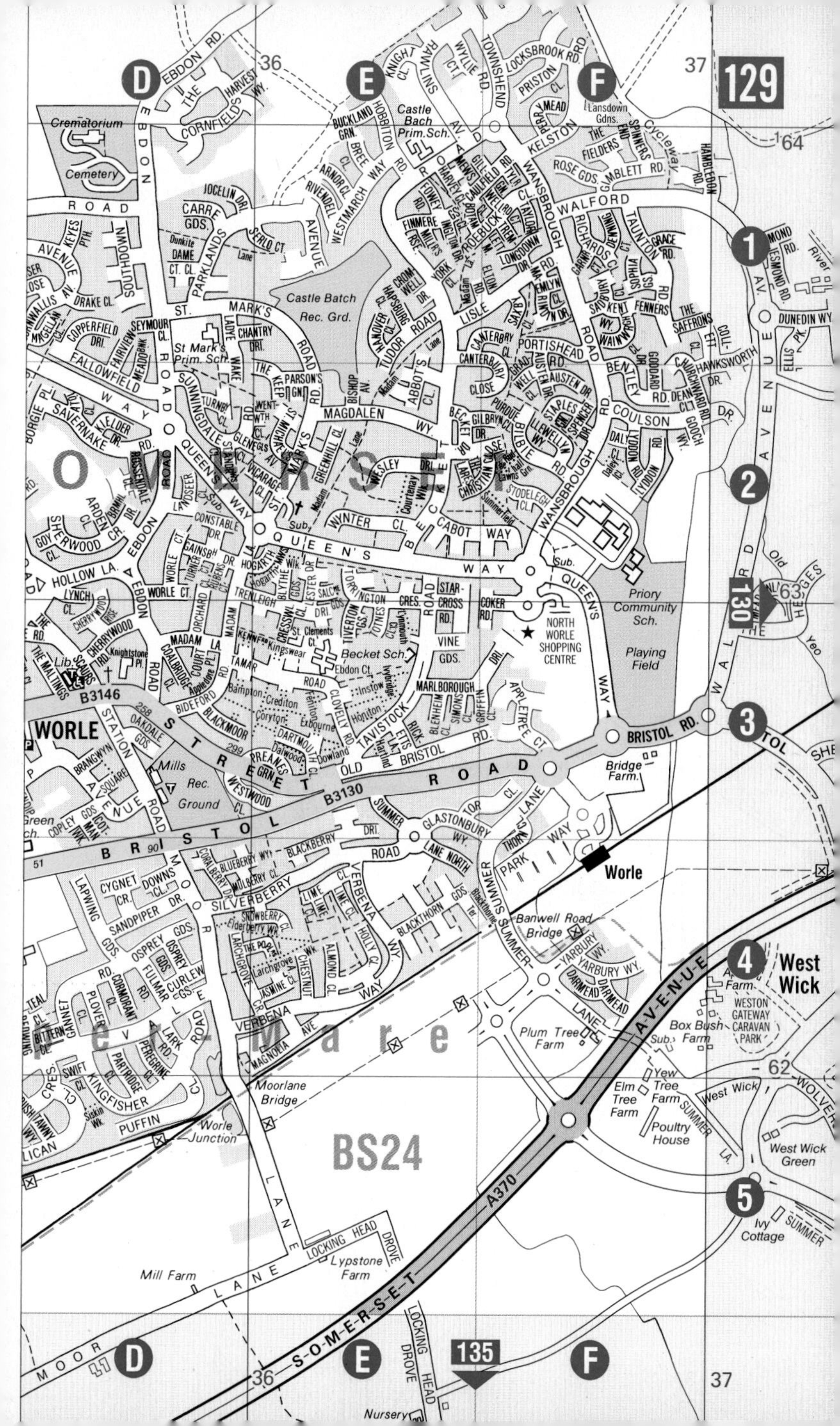
129
D
E
F
36
37
64
63
62
1
2
3
4
5
130
135
Crematorium
Cemetery
DEBDON RD.
THE HARVEST
CORNFIELDS WY.
EBDON ROAD
JOCELIN DR.
CARRE GDS.
Dunkite Lane
DAME CT. CL.
PARKLANDS
SERLO CT.
SOUTHDOWN
KEYES PTH.
AVENUE
DRAKE CL.
COPPERFIELD DRI.
SEYMOUR CL.
FAIRVIEW
MEADOWBK.
FALLOWFIELD
WAY
BORGIE PL.
SAVERNAKE
KIELDER DR.
ST. MARK'S ROAD
St Mark's Prim. Sch.
CHANTRY DRI.
LADYE WAKE
SUNNINGDALE
TURNBY CL.
THE KEEP
PARSON'S GN.
WENTWTH CL.
ST. MICHAEL'S AV.
GLENEAGLS
VICARAGE
QUEEN'S WAY
ROSSENDALE
SOMERSET
ARDEN CL.
SHERWOOD CR.
GOY CL.
HOLLOW LA.
LYNCH CL.
CHERRYWOOD RISE
CHERRYWOOD
THE MALTINGS
Lib.
Knightstone Pl.
COALBRIDGE CL.
MADAM COURT LA.
LANDSEER
CONSTABLE DR.
GAINSBH DR.
WORLE CT.
ORCHARD
HOGARTH
Hogarth Wk.
BLYTHE GDS.
LESTER DR.
TRENLEIGH
CRESSWL CL.
KENNFRD
Kingswear
TAMAR
St. Clements Ct.
Becket Sch.
Ebdon Ct.
TORRINGTON CRES.
TIVERTON GS.
TOTNES CL.
Lynmouth Cl.
STAR-CROSS RD.
COKER RD.
VINE GDS.
NORTH WORLE SHOPPING CENTRE
WANSBROUGH
QUEEN'S WAY
Priory Community Sch.
Playing Field
Sub.
CABOT WAY
WYNTER CL.
BECKET
WESLEY DRI.
Courtenay Wlk.
CHRISTIAN CLOSE
STODELEGH CL.
Summerfield
GILBRYN DR.
BILBIE RD.
LLEWELLYN WY.
STAPLES CL.
SPENCER DR.
AUSTEN DR.
PORTISHEAD
CANTERBURY CL.
CANTERBURY CLOSE
PURDUE
GRADWELL CL.
MAGDALEN WY.
BISHOP AV.
ABBOT'S CL.
GREENHILL CL.
Castle Batch Rec. Grd.
HAPSBURG CL.
CROMWELL DR.
HANOVER CL.
TUDOR ROAD
LISLE
YORK CL.
FINMERE RISE
FOWEY RD.
ELTON
LONGDOWN DR.
EMLYN CL.
MARTINDALE
CASTLE BACH
Castle Bach Prim. Sch.
BUCKLAND GRN.
HOBBITON RD.
BREE CL.
ARNOR CL.
RIVENDELL
WESTMARCH WAY
AVENUE
KNIGHT CL.
RAWLINS AV.
WYLLIE CT.
TOWNSHEND RD.
LOCKSBROOK RD.
PRISTON CL.
PERRYMEAD
KELSTON
Lansdown Gdns.
THE FIELDERS
SPINNERS END
Cycleway
HAMBLEDON RD.
ROSE GDS.
GAMBLETT RD.
WALFORD
RICHARDS CL.
DENNING CL.
TAUNTON
GRACE RD.
SAYBURY WY.
KENT WAINWRIGHT
FENNERS
THE SAFFRONS
HAWKSWORTH DR.
BENTLEY
GODDARD
CHURCHWARD RD.
DEAN CT.
COULSON DR.
GOOCH WY.
DALY CL.
LYDDON RD.
LYDDON
ESMOND RD.
JESMOND RD.
River
DUNEDIN WY.
ELLIS PK.
WALFORD AVENUE
Old
HEDGES
Yeo
BRISTOL RD.
BRISTOL ROAD
B3146
B3130
WORLE
STATION ROAD
OAKDALE GDS.
STREET
BIDEFORD
BLACKMOOR
Bampton
Crediton
Coryton
Exbourne
DARTMOUTH CL.
Dawlish
Dowland
CLOVELLY RD.
TAVISTOCK
Instow
Ivybridge
Honiton
MARLBOROUGH
BLENHEIM CL.
SIMONS CL.
GRIFFIN CL.
APPLETREE CT.
OLD BRISTOL RD.
Mills
Rec. Ground
WESTWOOD CL.
PREANES GRN.
BRANGWYN
SQUARE
AVENUE
COPLEY GDS.
Bridge Farm
Worle
SUMMER LANE
GLASTONBURY WY.
LANE NORTH
PARK WAY
THORN
BLACKBERRY
BLUEBERRY WY.
MULBERRY CL.
SILVERBERRY
VERBENA WY.
LAPWING
CYGNET CR.
DOWNS CL.
SANDPIPER DR.
MOOR LANE
OSPREY GDS.
CORMORANT CL.
FULMAR
CURLEW GS.
PLOVER CL.
TEAL
BITTERN CL.
GANNET CL.
PARTRIDGE CL.
PEREGRINE CL.
LARK RD.
SWIFT CL.
KINGFISHER
PUFFIN
Siskin Wk.
PELICAN
SNOWBERRY CL.
Elderberry Wk.
LARCHGROVE
Larchgrove Wk.
JASMINE CL.
CHESTNUT
ALMOND CL.
HOLLY CL.
BLACKTHORN GDS.
Blackthorn Ter.
VERBENA
MAGNOLIA AVE.
Weston-super-Mare
Banwell Road Bridge
YARBURY WY.
DARMEAD
Plum Tree Farm
West Wick
Weston Gateway Caravan Park
Box Bush Farm
Yew Tree Farm
Elm Tree Farm
Poultry House
West Wick Green
SUMMER LA.
Ivy Cottage
WOLVERSHILL
AVENUE
A370
SOMERSET
Moorlane Bridge
Worle Junction
BS24
LANE
LOCKING HEAD DROVE
Lypstone Farm
Mill Farm
MOOR
LOCKING HEAD DROVE
Nursery

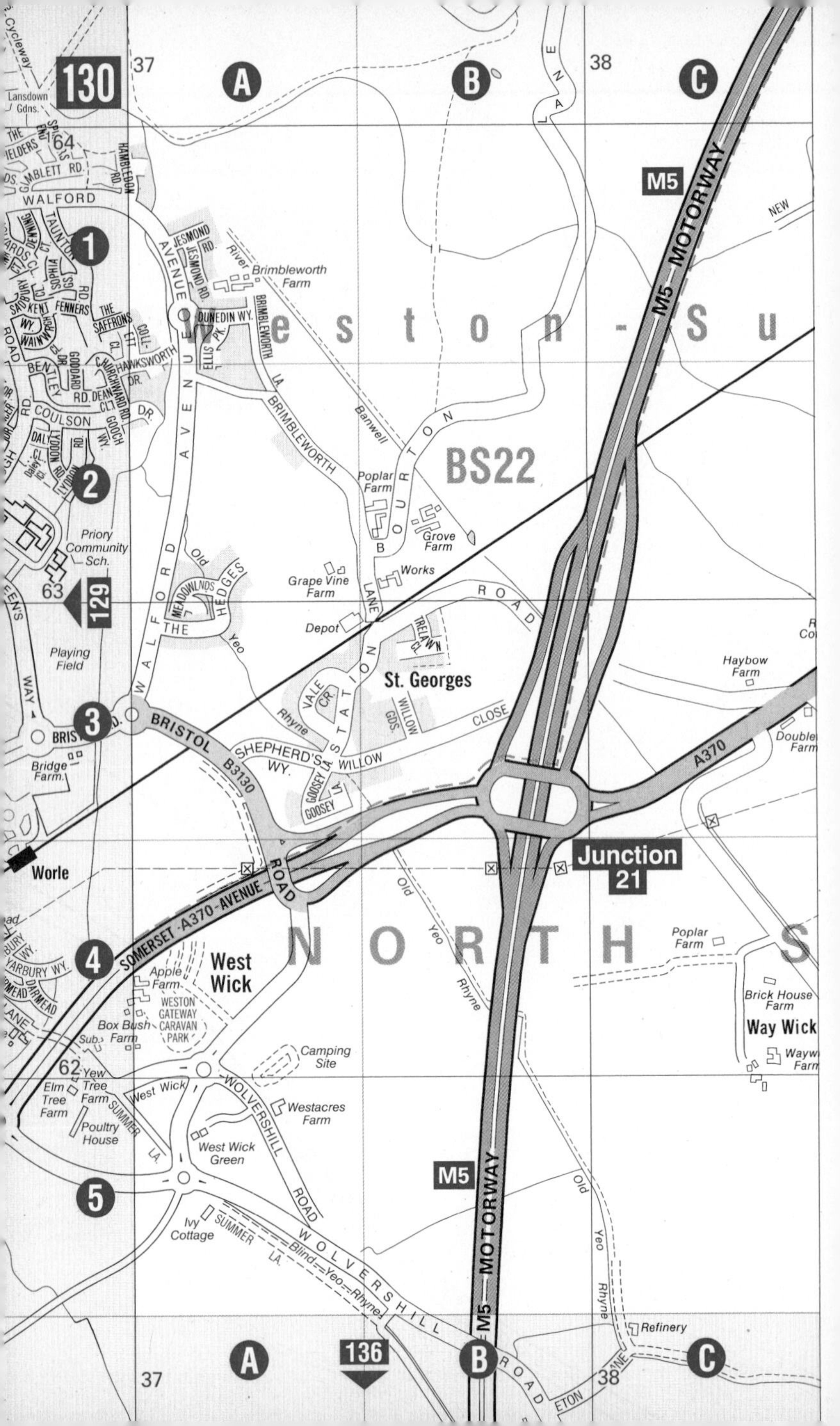
Weston-Super-Mare
BS22
NORTH SOMERSET
M5 MOTORWAY
Junction 21
St. Georges
West Wick
Way Wick
Worle
BRISTOL ROAD
B3130
SOMERSET AVENUE
A370
WALFORD AVENUE
BRIMBLEWORTH LA.
BOURTON LANE
STATION ROAD
WOLVERSHILL ROAD
SUMMER LA.
WILLOW CLOSE
SHEPHERD'S WY.
GOOSEY LA.
VALE CR.
WILLOW GDS.
TRELAWN CL.
THE MEADOWLANDS
THE HEDGES
JESMOND RD.
DUNEDIN WY.
ELLIS PK.
HAWKSWORTH DR.
CHURCHWARD RD.
COULSON DR.
GODDARD DR.
BENTLEY RD.
LYDDON RD.
DALY CL.
GAMBLETT RD.
HAMBLEDON RD.
TAUNTON RD.
FENNERS
THE SAFFRONS
YARBURY WY.
DARMEAD
Lansdown Gdns.
Cycleway
Brimbleworth Farm
Poplar Farm
Grove Farm
Works
Grape Vine Farm
Depot
Haybow Farm
Double Farm
Poplar Farm
Brick House Farm
Waywick Farm
Refinery
Priory Community Sch.
Playing Field
Bridge Farm
Apple Farm
Weston Gateway Caravan Park
Box Bush Farm
Sub. Sta.
Yew Tree Farm
Elm Tree Farm
Poultry House
West Wick Green
Camping Site
Westacres Farm
Ivy Cottage
River Banwell
Old Yeo Rhyne
Blind Yeo Rhyne
Yeo Rhyne
ETON LANE
NEW
37
38
64
63
62
A
B
C
1
2
3
4
5

129

136

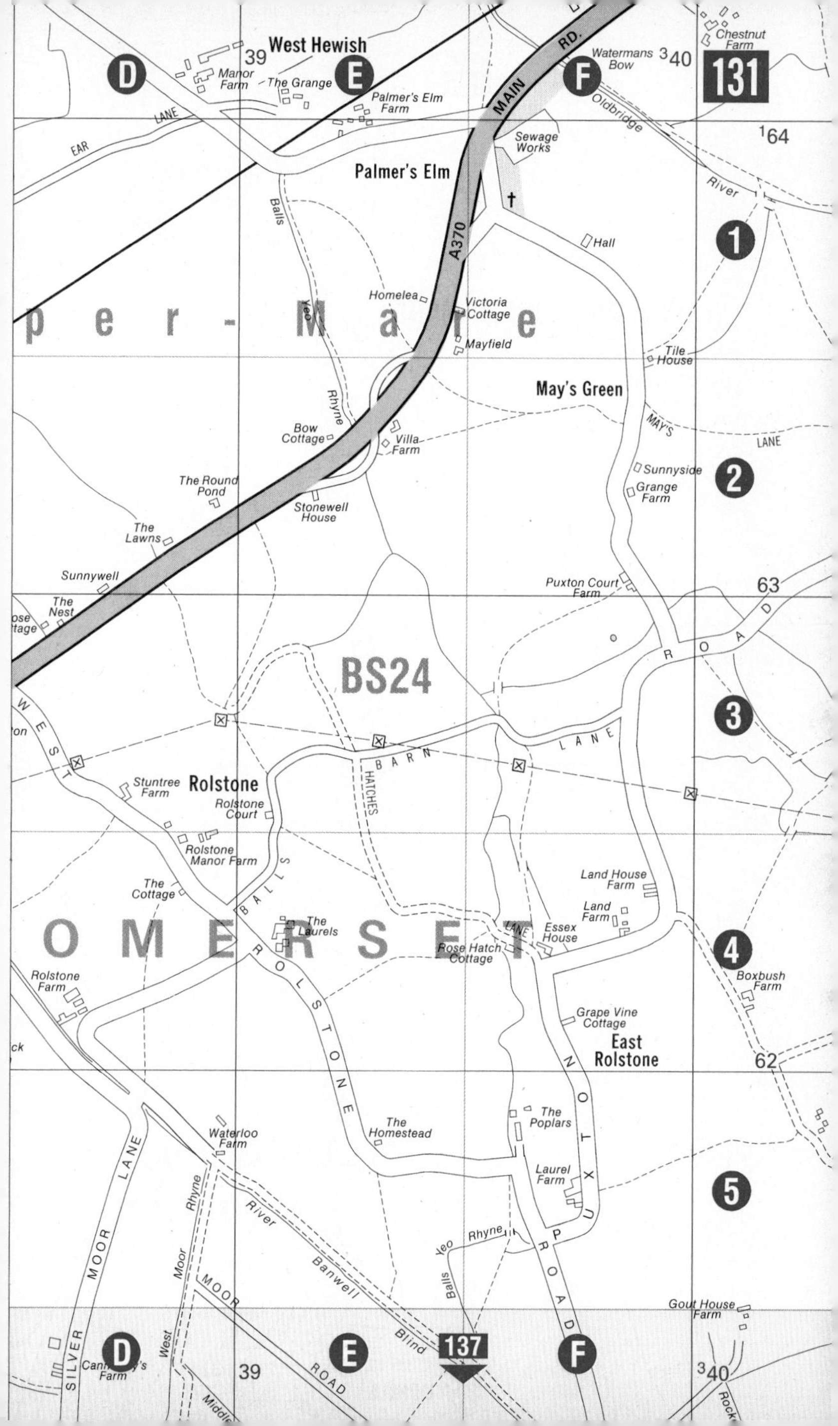

D

E West Hewish

F

Chestnut Farm

Manor Farm

The Grange

Palmer's Elm Farm

Watermans Bow

3 40

¹64

EAR LANE

Palmer's Elm

MAIN RD.

Oldbridge

River

Sewage Works

Balls

Hall

1

Homelea

Victoria Cottage

Mayfield

Tile House

Rhyne

May's Green

MAY'S LANE

Bow Cottage

Villa Farm

Sunnyside

Grange Farm

2

The Round Pond

Stonewell House

The Lawns

Puxton Court Farm

63

Sunnywell

The Nest

ose tage

BS24

ROAD

on

WEST

3

Stuntree Farm

Rolstone

BARN LANE

Rolstone Court

HATCHES

Rolstone Manor Farm

BALLS

The Cottage

Land House Farm

Land Farm

O M E R S E T

The Laurels

ROLSTONE

Rose Hatch Cottage

LANE

Essex House

4

Rolstone Farm

Boxbush Farm

ck

Grape Vine Cottage

East Rolstone

62

Waterloo Farm

The Homestead

The Poplars

NOTXUP

Laurel Farm

ROAD

5

SILVER MOOR LANE

Rhyne

Moor

RIVER

Banwell

Balls

Yeo Rhyne

Gout House Farm

D

Cann ey's Farm

E

West

MOOR ROAD

Middle

Blind

137

F

3 40

39

Rock

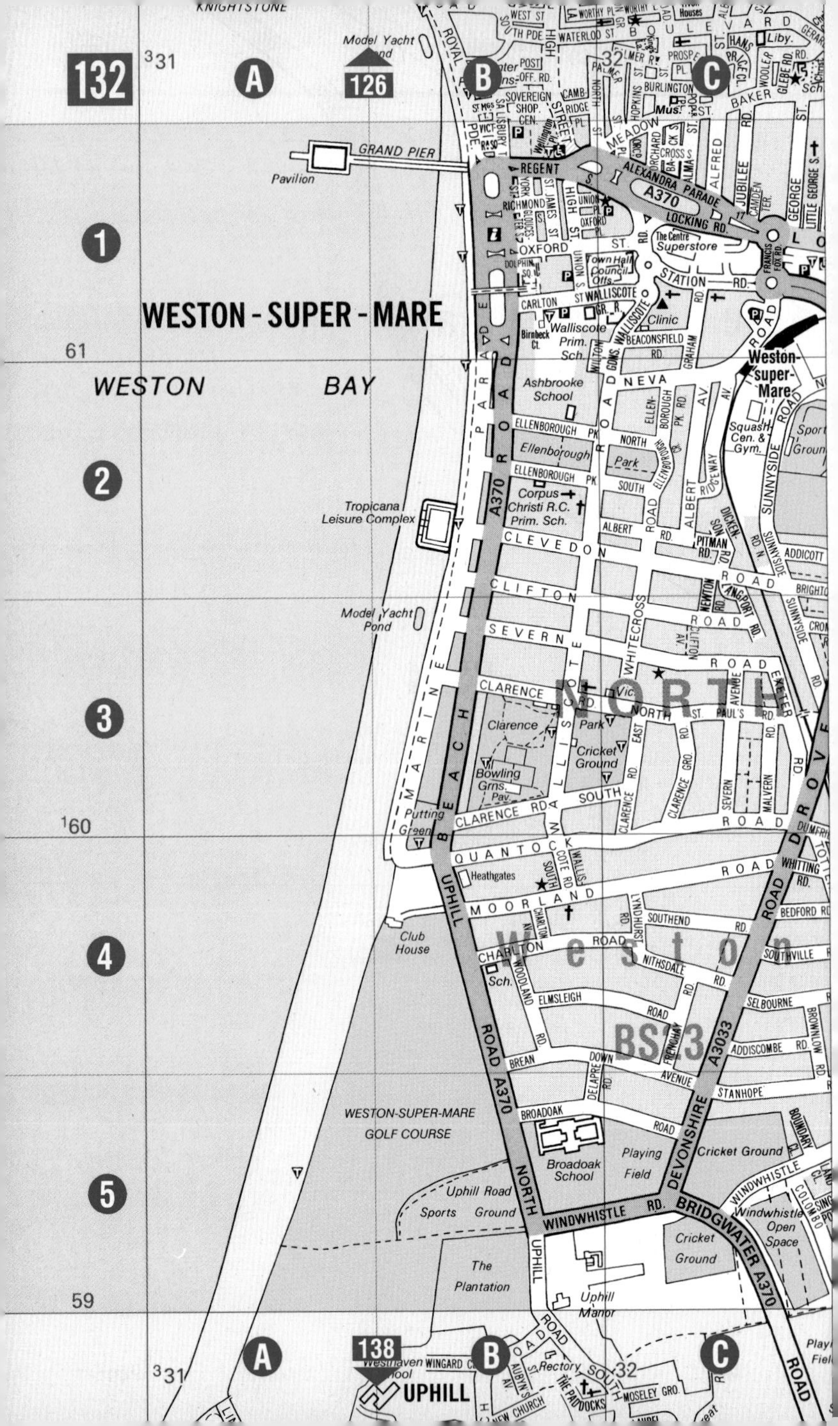

KNIGHTSTONE
Model Yacht Pond
126
GRAND PIER
Pavilion
WESTON - SUPER - MARE
WESTON BAY
Tropicana Leisure Complex
Model Yacht Pond
Putting Green
Club House
WESTON-SUPER-MARE GOLF COURSE
Uphill Road Sports Ground
The Plantation
138
UPHILL
Westhaven School
Uphill Manor
Rectory
ROYAL PDE.
REGENT ST.
ALEXANDRA PARADE
A370
LOCKING RD.
The Centre Superstore
Town Hall Council Offs.
STATION RD.
Clinic
Walliscote Prim. Sch.
Weston-super-Mare
Ashbrooke School
ELLENBOROUGH PK. NORTH
Ellenborough Park
ELLENBOROUGH PK. SOUTH
Corpus Christi R.C. Prim. Sch.
Squash Cen. & Gym.
Sports Ground
BEACH ROAD
MARINE PARADE
CLEVEDON ROAD
CLIFTON ROAD
SEVERN ROAD
CLARENCE RD. NORTH
Clarence Park
Bowling Grns.
Cricket Ground
CLARENCE RD. SOUTH
WALLISCOTE ROAD
WHITECROSS ROAD
NORTH
QUANTOCK ROAD
Heathgates
MOORLAND ROAD
CHARLTON ROAD
Weston
ELMSLEIGH ROAD
BS23
BREAN DOWN AVENUE
BROADOAK ROAD
Broadoak School
Playing Field
DEVONSHIRE ROAD
A3033
DROVE ROAD
UPHILL ROAD NORTH
WINDWHISTLE RD.
BRIDGWATER ROAD
Cricket Ground
Windwhistle Open Space
SOUTHEND RD.
NITHSDALE RD.
SELBOURNE
ADDISCOMBE RD.
STANHOPE
SUNNYSIDE ROAD
ADDICOTT
EXETER RD.
A
B
C
1
2
3
4
5
331
332
61
160
59

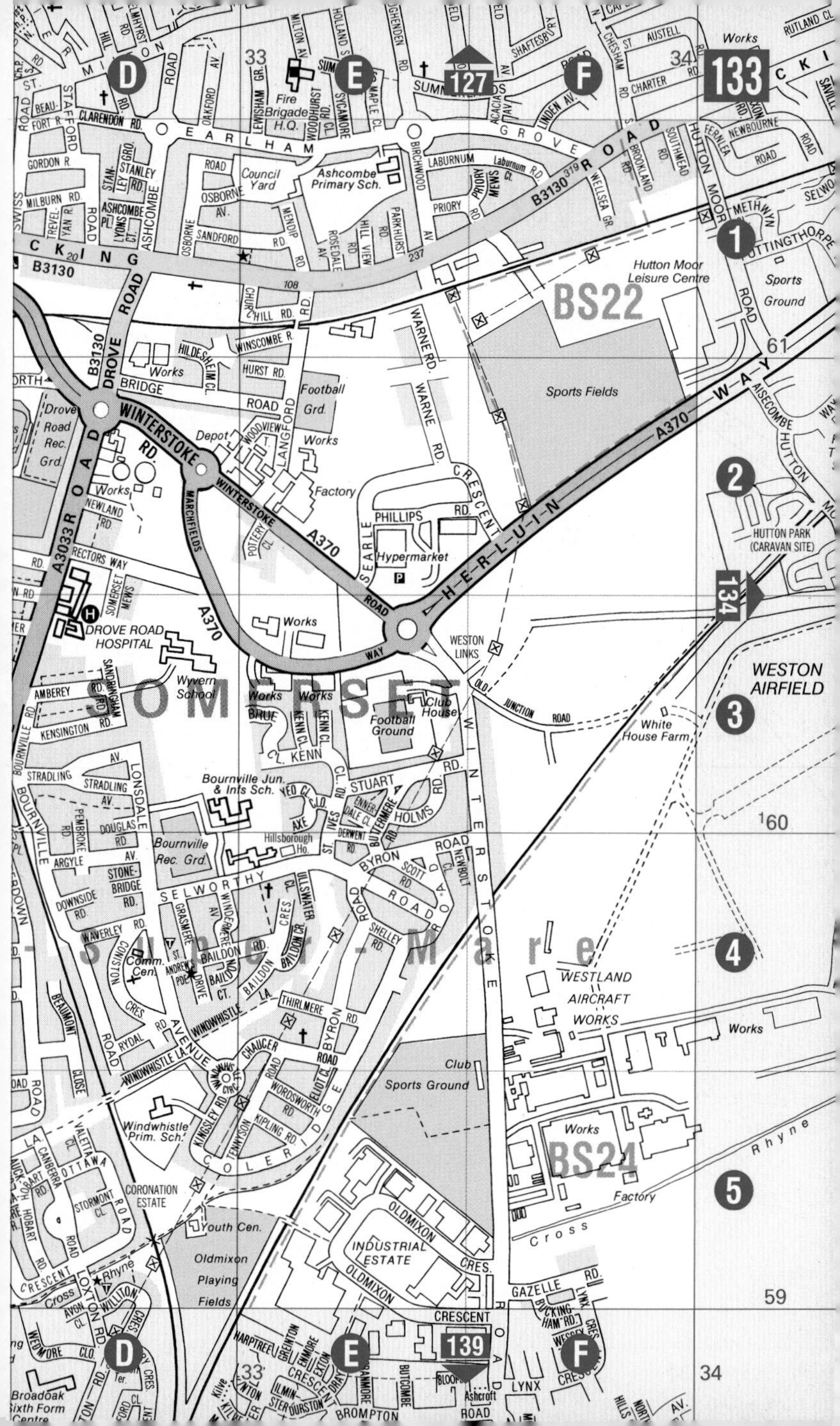
133
127
134
139
D
E
F
1
2
3
4
5
33
34
61
160
59
BS22
BS24
SOMERSET
Super-Mare
B3130
A370
A3033
Works
Fire Brigade H.Q.
Council Yard
Ashcombe Primary Sch.
Hutton Moor Leisure Centre
Sports Ground
Sports Fields
Football Grd.
Factory
Depot
Hypermarket
Drove Road Rec. Grd.
DROVE ROAD HOSPITAL
Wyvern School
Football Ground
Club House
WESTON LINKS
WESTON AIRFIELD
White House Farm
HUTTON PARK (CARAVAN SITE)
Bournville Jun. & Infs Sch.
Bournville Rec. Grd.
Hillsborough Ho.
Comm. Cen.
WESTLAND AIRCRAFT WORKS
Club
Windwhistle Prim. Sch.
CORONATION ESTATE
Youth Cen.
Oldmixon Playing Fields
INDUSTRIAL ESTATE
Broadoak Sixth Form Centre
Rhyne
Cross
EARLHAM GROVE
LOCKING ROAD
DROVE ROAD
BRIDGE ROAD
WINTERSTOKE RD.
WINTERSTOKE ROAD
MARCHFIELDS
HERLUIN WAY
HUTTON MOOR ROAD
OLD JUNCTION ROAD
CLARENDON RD.
MILTON
SUMMERLANDS
NEWBOURNE ROAD
CHARTER RD.
ST. AUSTELL
RUTLAND CL.
SOUTHMEAD RD.
BROOKLAND RD.
WELLSEA GR.
LABURNUM RD.
PRIORY RD.
PRIORY MEWS
BIRCHWOOD AV.
PARKHURST RD.
HILL VIEW RD.
ROSEDALE AV.
MENDIP RD.
OSBORNE AV.
SANDFORD RD.
CHURCHILL RD.
WINSCOMBE R.
HURST RD.
HILDESHEIM CL.
LANGFORD RD.
WARNE RD.
PHILLIPS RD.
SEARLE CRESCENT
POTTERY CL.
NEWLAND RD.
RECTORS WAY
SOMERSET MEWS
SANDRINGHAM RD.
AMBEREY RD.
KENSINGTON RD.
STRADLING AV.
LONSDALE AV.
KENN CL.
STUART RD.
HOLMS RD.
BUTTERMERE RD.
DERWENT RD.
BYRON ROAD
SCOTT RD.
NEWBOLT CL.
SELWORTHY ROAD
ULLSWATER CL.
SHELLEY RD.
GRASMERE
WINDERMERE AV.
BAILDON RD.
BAILDON CT.
BAILDON CRES.
ST. ANDREWS PDE
WINDWHISTLE LA.
WINDWHISTLE LANE
THIRLMERE RD.
CHAUCER ROAD
WORDSWORTH RD.
KIPLING RD.
TENNYSON
KINGSLEY RD.
ELIOT CL.
COLERIDGE ROAD
OLDMIXON CRES.
GAZELLE RD.
LYNX CRES.
BUCKINGHAM RD.
WESSEX
CRESCENT
LOXTON RD.
AVON CL.
WILLITON CRES.
OTTAWA RD.
CANBERRA
HOBART RD.
STORMONT CL.
VALETTA CL.
BEAUMONT CLOSE
RYDAL RD.
CONISTON CRES.
DOWNSIDE RD.
STONEBRIDGE RD.
ARGYLE AV.
PEMBROKE RD.
DOUGLAS RD.
BOURNVILLE RD.
GORDON R.
MILBURN RD.
STANLEY RD.
ASHCOMBE PL.
ASHCOMBE
LYONS CT.
TREVELYAN R.
WEDMORE CLO.
HARPTREE
GREINTON
ENMORE
EXTON
ILMINSTER
DURSTON
BUTCOMBE
BROMPTON
LYNX
Ashcroft
ROAD

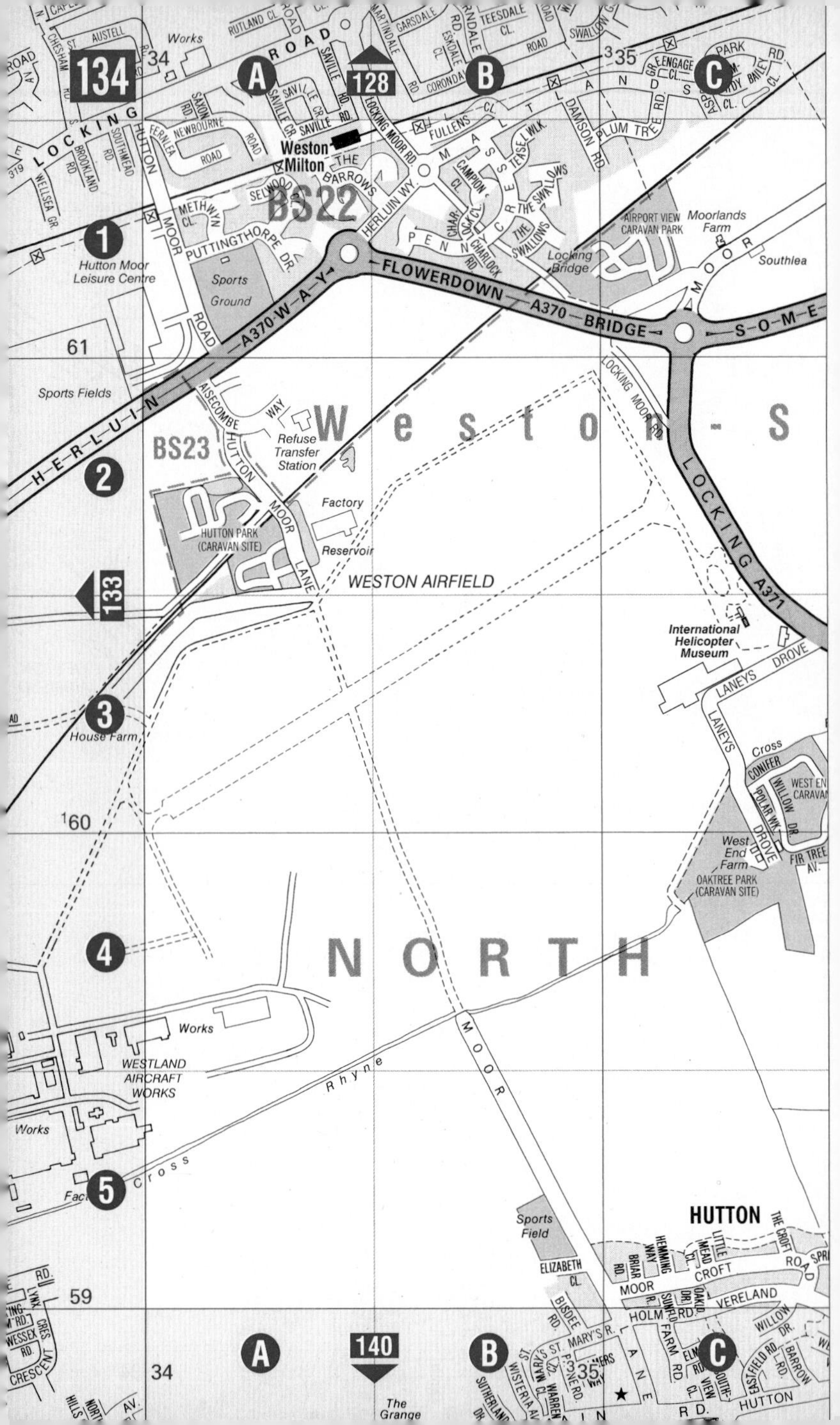
134
128
133
140
A
B
C
1
2
3
4
5
34
35
61
60
59
Works
RUTLAND CL.
ROAD
SAVILLE RD.
MARTINDALE RD.
GARSDALE
ESKDALE CL.
TEESDALE CL.
CORONDALE RD.
SWALLOW
GREENGAGE CL.
PARK RD.
BAILEY CL.
CHESHAM RD.
ST. AUSTELL RD.
LOCKING
SAXON RD.
SAVILLE CR.
LOCKING MOOR RD.
FULLENS CL.
DAMSON RD.
PLUM TREE RD.
NEWBOURNE ROAD
FERNLEA
HUTTON MOOR ROAD
BROOKLAND RD.
SOUTHMEAD RD.
WELLSEA GR.
Weston Milton
THE BARROWS
HERLUIN WY.
CAMPION CL.
TEASEL WLK.
THE SWALLOWS
SELWOOD
METHWYN CL.
BS22
PUTTINGTHORPE DR.
PENNYCRESS
CHARLOCK CL.
CHARLOCK RD.
AIRPORT VIEW CARAVAN PARK
Moorlands Farm
MOOR
Southlea
Hutton Moor Leisure Centre
Sports Ground
Locking Bridge
FLOWERDOWN
A370
BRIDGE
HERLUIN WAY
Sports Fields
AISECOMBE WAY
LOCKING MOOR RD.
Weston-S
BS23
Refuse Transfer Station
HUTTON MOOR LANE
Factory
HUTTON PARK (CARAVAN SITE)
Reservoir
WESTON AIRFIELD
LOCKING A371
International Helicopter Museum
LANEYS DROVE
House Farm
Cross
CONIFER
WILLOW DR.
POLAR WK.
WEST END CARAVAN
West End Farm
DROVE
FIR TREE AV.
OAKTREE PARK (CARAVAN SITE)
NORTH
Works
WESTLAND AIRCRAFT WORKS
Rhyne
Works
Cross
MOOR
Sports Field
HUTTON
THE CROFT
HEMMING WAY
LITTLE MEAD CL.
BRIAR RD.
CROFT ROAD
ELIZABETH CL.
MOOR
SUNFLD.
OAKLD. DR.
VERELAND
BISDEE RD.
HOLM RD.
FARM RD.
WILLOW DR.
ST. MARY'S R.
LANE
ELM
VIEW CL.
FASTFIELD RD.
BARROW RD.
RD.
LYNX CRES.
WESSEX RD.
CRESCENT
WISTERIA AV.
WARREN CL.
SUTHERLAND DR.
The Grange
HUTTON
RD.

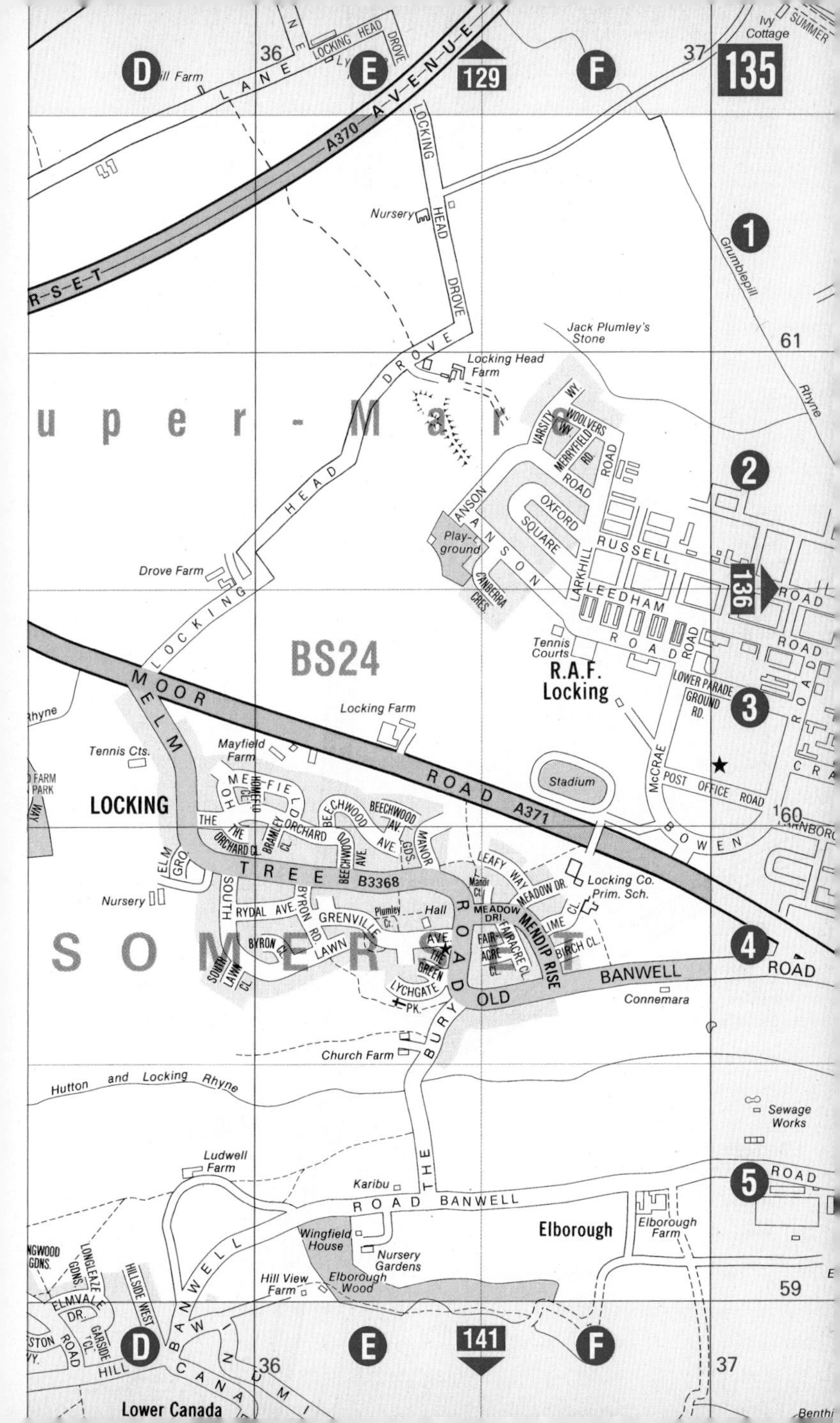
D
E
F
36
37
129
135
Ivy Cottage
SUMMER
LOCKING HEAD DROVE
LANE
A370 AVENUE
Nursery
LOCKING HEAD DROVE
Grumblepill Rhyne
61
1
2
3
4
5
Jack Plumley's Stone
Locking Head Farm
super-Mare
VARSITY WY.
WOOLVERS WY.
MERRYFIELD RD.
ROAD
OXFORD SQUARE
ANSON
Play-ground
CANBERRA CRES.
RUSSELL
LARKHILL
LEEDHAM ROAD
136
ROAD
Drove Farm
LOCKING HEAD DROVE
BS24
Tennis Courts
R.A.F. Locking
LOWER PARADE
GROUND RD.
McCRAE
POST OFFICE ROAD
Stadium
MOOR ROAD A371
BOWEN
160
Locking Farm
Mayfield Farm
Tennis Cts.
Rhyne
LOCKING
MELM
HOMEFIELD
THE ORCHARD
BRAMLEY CL.
ORCHARD CL.
BEECHWOOD
BEECHWOOD AV.
MANOR GDS.
ELM GRO.
TREE B3368
LEAFY WAY
MEADOW DR.
Locking Co. Prim. Sch.
Manor Ct.
Nursery
SOUTH
RYDAL AVE.
BYRON RD.
GRENVILLE
Plumley Cr.
Hall
MEADOW DRI.
FAIRACRE CL.
MENDIP RISE
LIME CL.
BIRCH CL.
BYRON CL.
LAWN
THE GREEN
SOUTH LAWN CL.
LYCHGATE PK.
OLD
BANWELL
ROAD
Connemara
SOMERSET
BURY
Church Farm
Hutton and Locking Rhyne
Sewage Works
Ludwell Farm
THE
Karibu
ROAD BANWELL
Elborough
Elborough Farm
Wingfield House
Nursery Gardens
Elborough Wood
Hill View Farm
59
LONGLEAZE GDNS.
HILLSIDE WEST
ELMVALE DR.
GARSIDE CL.
ROAD
HILL
BANWELL
CANAL
141
Lower Canada

37

A 38 **B** 38 **C**

Ivy Cottage
SUMMER LA.
Blind Yeo Rhyne
Old Yeo Rhyne

WOLVERSHILL

M5 MOTORWAY

Refinery

ETON LANE

1

Grumblepill

Ivy House Farm

k Plumley's one 61

Wolvershill Manor

M5

Manor Farm

Woolvers Hill

2

R.A.F. Locking

RUSSELL ROAD

N O R T H

Wolvershill Batch Farm

WOLVER

RS ROAD

WOLVER

LEED

135

HAM ROAD

ROAD

ROAD

RD.

Rhyne

Woolvershill Batch

SUMMER LA.

Laurel Farm

Cott

3

LOWER PARADE GROUND Road

McCRAE

★

POST OFFICE ROAD

CRANWELL

PARKES

FARNBOROUGH

Park Farm

160

BOWEN

W e s t o n

S u

4

Locking Co. Prim. Sch.

LOCKING A371

ROAD

Playground

Tall Timbers

OLD BANWELL ROAD

B3368

Connemara

MOOR

PINETREE RD.

MENDIP

TOWER HILL ROAD

ADASTRAL RD.

RD.

FLOWERDOWN

BROAD WAY

TRENCHARD

RD.

Cave View

SUMMER LANE CARAVAN PARK

Club

GROVE RD.

PARK END

NEW RD.

FEW AVE.

CENTRE DR.

ASH

A371 ROAD

M5

MOTORWAY

KNIGHT

5

Elborough

BANWELL

Sewage Works

ROAD

Perries

Industrial Estate

Longcroft

Roughmo

Elborough Farm

Engineering Works

59

37

A Hillend **B** 38 **C**

Hillend Farm

Manor Farm

Caves – The Caves

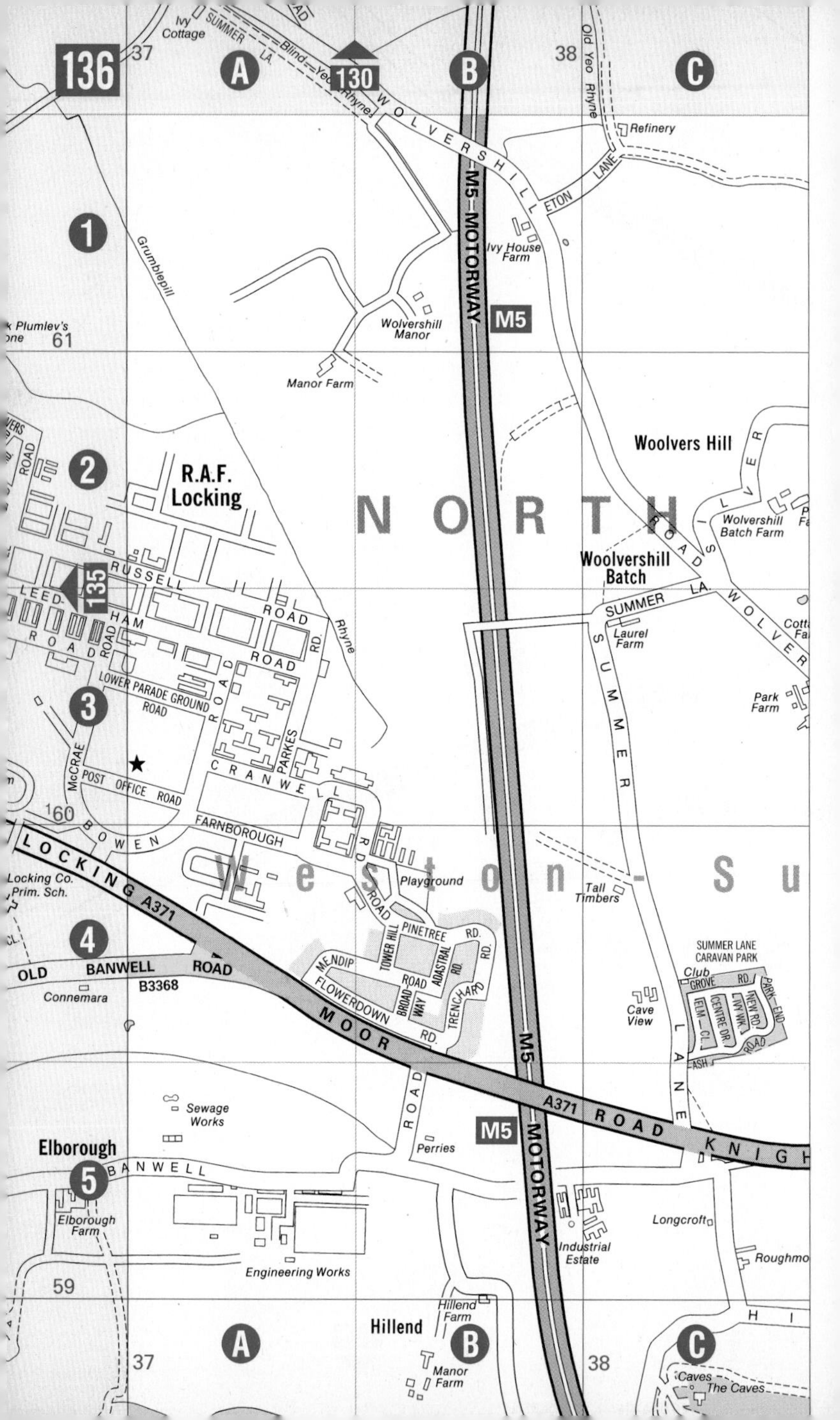

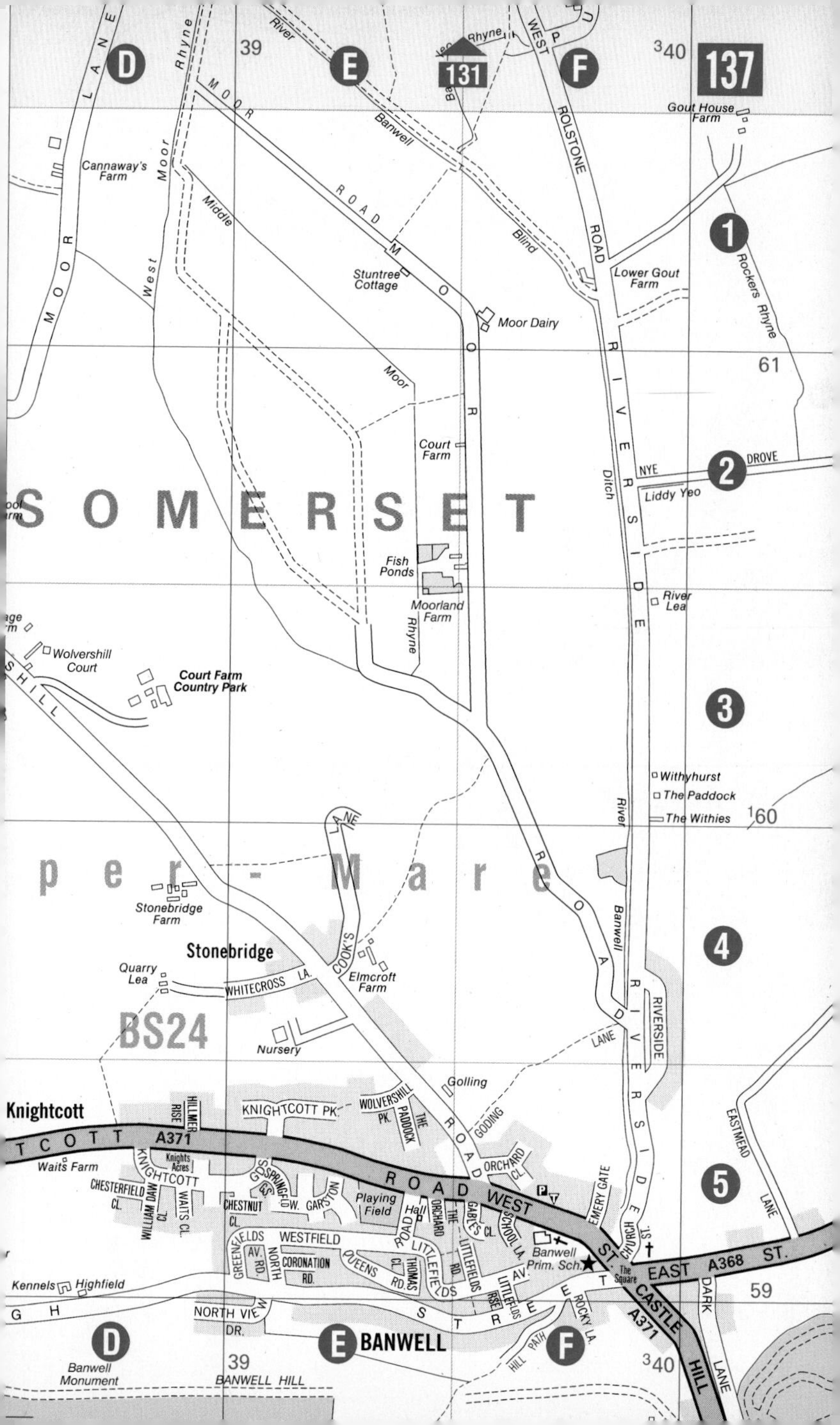
D
E
F
39
340
131
1
2
3
4
5
61
160
59
SOMERSET
per - Mare
BS24
MOOR LANE
West Moor Rhyne
River Banwell
Yeo Rhyne
Banwell Blind
MOOR ROAD
Middle Moor Rhyne
ROLSTONE ROAD
WEST
Gout House Farm
Cannaway's Farm
Rockers Rhyne
Lower Gout Farm
Stuntree Cottage
Moor Dairy
Court Farm
NYE DROVE
Liddy Yeo
Ditch
RIVERSIDE
Fish Ponds
Moorland Farm
River Lea
Wolvershill Court
Court Farm Country Park
Withyhurst
The Paddock
The Withies
River Banwell
ROAD
COOK'S LANE
Stonebridge Farm
Stonebridge
Quarry Lea
WHITECROSS LA.
Elmcroft Farm
Nursery
LANE
RIVERSIDE
Golling
GODING
Knightcott
HILLMER RISE
KNIGHTCOTT PK.
WOLVERSHILL PK.
THE PADDOCK
EASTMEAD LANE
A371
Waits Farm
Knights Acres
KNIGHTCOTT
CHESTERFIELD CL.
WILLIAM DAW CL.
WAITS CL.
CHESTNUT CL.
SPRINGFIELD
W. GARSTON
Playing Field
Hall
ROAD WEST
ORCHARD CL.
EMERY GATE
CHURCH ST.
GREENFIELDS AV.
NORTH RD.
WESTFIELD
CORONATION RD.
QUEENS RD.
THOMAS CL.
LITTLEFIELDS RD.
THE LITTLEFIELDS
GABLES CL.
SCHOOL LA.
Banwell Prim. Sch.
The Square
EAST ST.
A368
CASTLE HILL
DARK LANE
Kennels
Highfield
NORTH VIEW DR.
HIGH STREET
LITTLEFIELDS RISE
ROCKY LA.
HILL PATH
BANWELL
Banwell Monument
BANWELL HILL

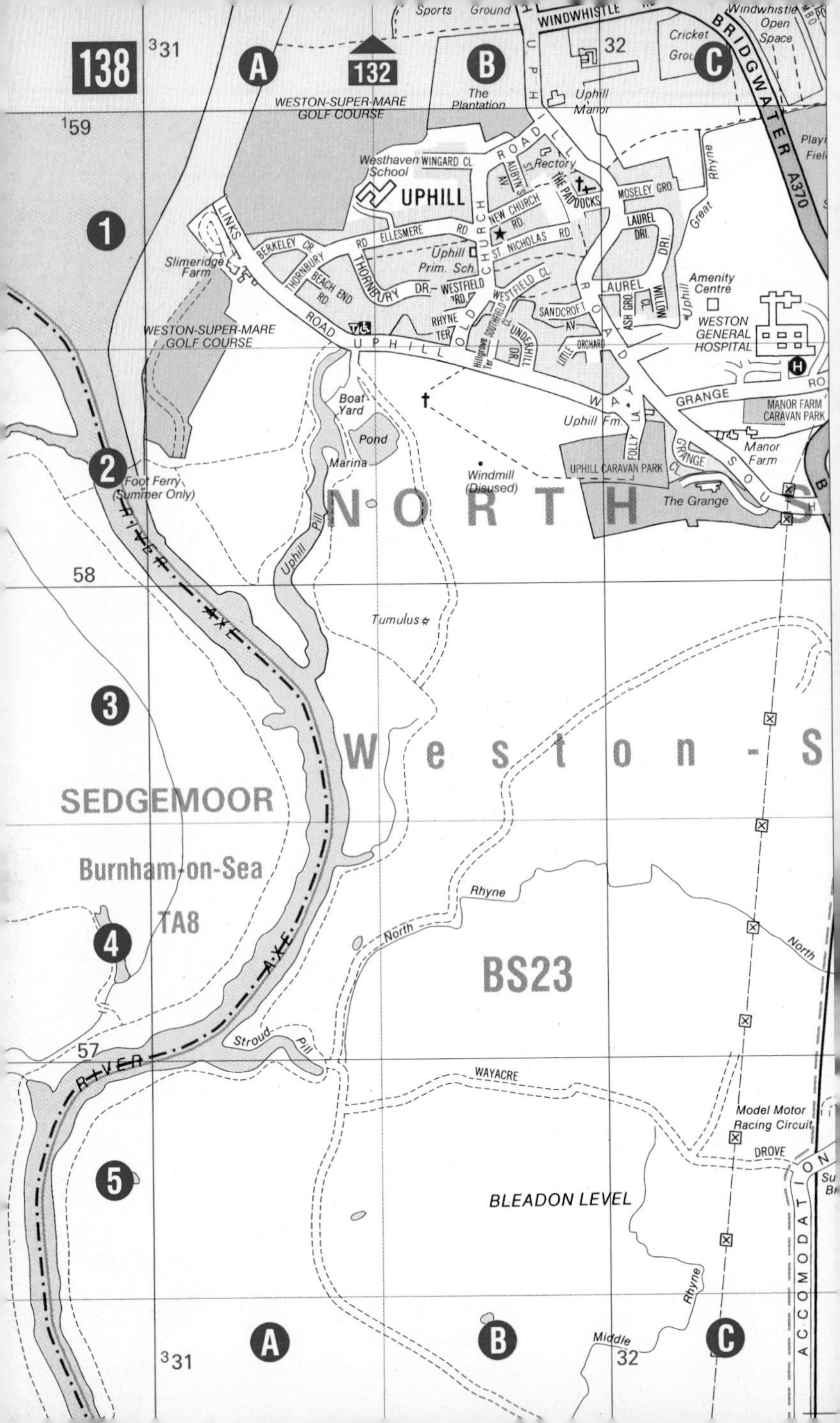
132
A
B
C
Sports Ground
WINDWHISTLE
Windwhistle Open Space
Cricket Ground
BRIDGWATER
A370
WESTON-SUPER-MARE GOLF COURSE
The Plantation
Uphill Manor
Westhaven School
WINGARD CL.
UPHILL
Rectory
THE PADDOCKS
MOSELEY GRO.
LAUREL DRI.
Great Rhyne
LINKS
BERKELEY CR.
ELLESMERE RD.
NEW CHURCH RD.
ST. NICHOLAS RD.
Uphill Prim. Sch.
Slimeridge Farm
THORNBURY RD.
THORNBURY DR.
BEACH END RD.
WESTFIELD RD.
WESTFIELD CL.
OLD CHURCH ROAD
LAUREL
WILLOW CL.
ASH GRO.
SANDCROFT AV.
Amenity Centre
WESTON GENERAL HOSPITAL
WESTON-SUPER-MARE GOLF COURSE
UPHILL ROAD
RHYNE TER.
SOUTHFIELD CL.
UNDERHILL DR.
LITTLE ORCHARD
GRANGE RD.
MANOR FARM CARAVAN PARK
Boat Yard
Pond
Marina
Uphill Fm.
FOLLY LA.
UPHILL CARAVAN PARK
GRANGE CL.
Manor Farm
Foot Ferry (Summer Only)
Windmill (Disused)
The Grange
NORTH
RIVER AXE
Uphill Pill
Tumulus
Weston-S
SEDGEMOOR
Burnham-on-Sea
TA8
Rhyne
North
BS23
Stroud Pill
RIVER
WAYACRE
Model Motor Racing Circuit
DROVE
ACCOMODATION
BLEADON LEVEL
Middle Rhyne
1
2
3
4
5
59
58
57
331
32

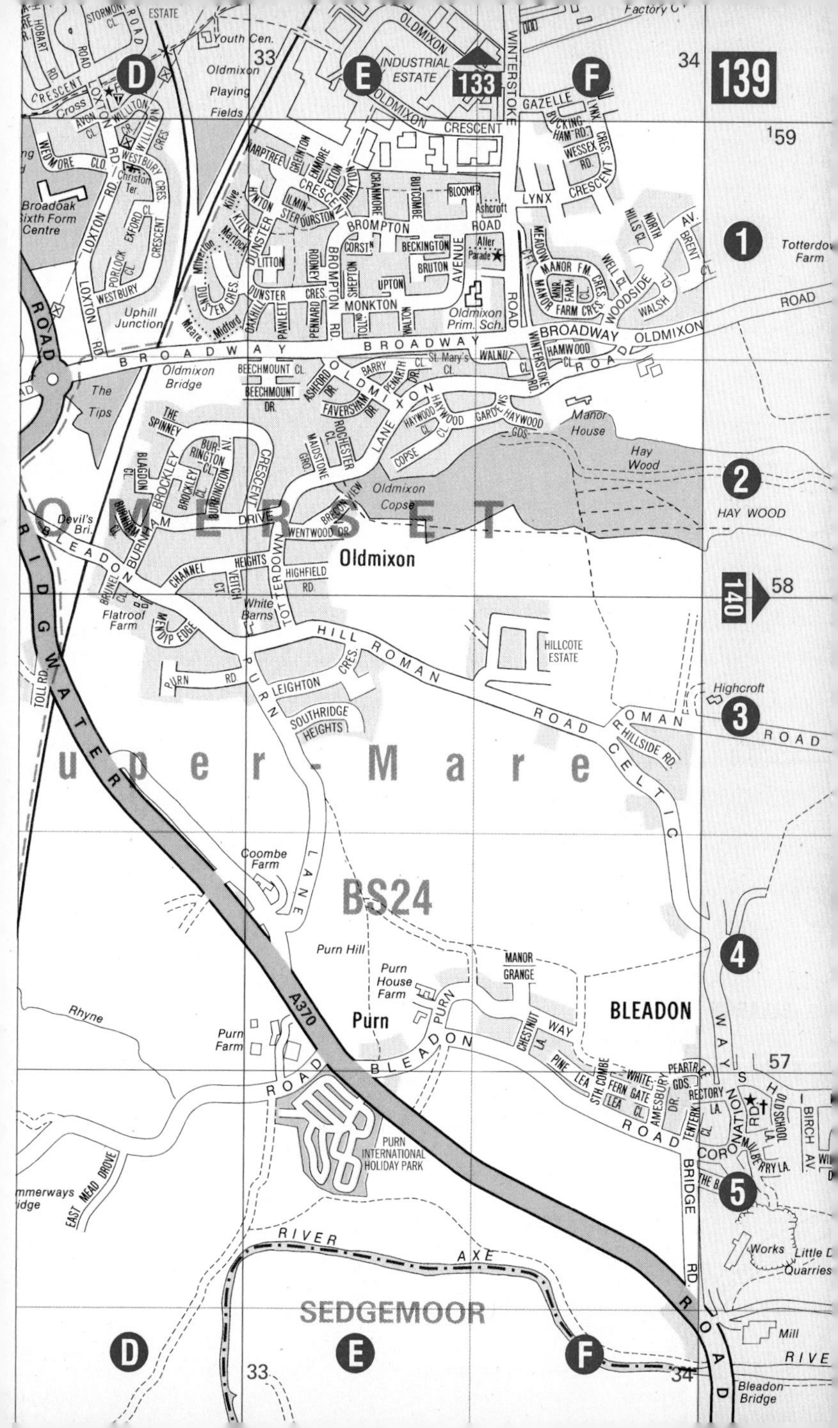
139
133
140
D
E
F
33
34
159
58
57
1
2
3
4
5
Youth Cen.
Oldmixon Playing Fields
INDUSTRIAL ESTATE
OLDMIXON CRESCENT
WINTERSTOKE ROAD
GAZELLE
LYNX CRES.
BUCKING HAM RD.
WESSEX RD.
CRESCENT
LYNX
Broadoak Sixth Form Centre
LOXTON RD.
WEDMORE CLO.
WESTBURY CRES.
Christon Ter.
EXFORD CL.
CRESCENT
PORLOCK CL.
WESTBURY
Uphill Junction
HARPTREE
GREINTON
ENMORE
EXTON
DRAYTON
CRESCENT
ILMINSTER
DURSTON
CRANMORE
BUTCOMBE
BLOOMFD.
Ashcroft
BROMPTON
BECKINGTON
BRUTON
UPTON
AVENUE
Aller Parade
MONKTON
Oldmixon Prim. Sch.
HINTON
KILVE
Martock
DUNSTER CRES.
Midford
Meare
LITTON
RODNEY
DUNSTER
PAWLETT
PENNARD
CRES.
BROMPTON RD.
SHEPTON
WALTON
MEADOW
MANOR FM. CRES.
WELL CL.
NORTH
HILLS CL.
BRENT AV.
WOODSIDE
WALSH CL.
Totterdown Farm
ROAD
BROADWAY
OLDMIXON
HAMWOOD CL.
ROAD
WALNUT CL.
St. Mary's Cl.
Oldmixon Bridge
BEECHMOUNT CL.
BEECHMOUNT DR.
BARRY
PENARTH
ASHFORD DR.
FAVERSHAM DR.
OLDMIXON LANE
HAYWOOD CL.
HAYWOOD GARDENS
HAYWOOD GDS.
Manor House
Hay Wood
HAY WOOD
The Tips
THE SPINNEY
BURRINGTON AV.
BLAGDON CL.
BROCKLEY
CRESCENT
MAIDSTONE GRO.
ROCHESTER CL.
COPSE
Oldmixon Copse
BRECON VIEW
WENTWOOD DR.
BURNHAM DRIVE
Devil's Bri.
BLEADON
CHANNEL HEIGHTS
VEITCH CL.
TOTTERDOWN
HIGHFIELD RD.
Oldmixon
White Barns
Flatroof Farm
MENDIP EDGE
BRUNEL CL.
TOLL RD.
PURN RD.
HILL ROMAN
HILLCOTE ESTATE
LEIGHTON CRES.
SOUTHRIDGE HEIGHTS
ROAD
ROMAN ROAD
Highcroft
HILLSIDE RD.
CELTIC WAY
SOMERSET
Weston-super-Mare
BRIDGWATER ROAD
Coombe Farm
LANE
BS24
Purn Hill
Purn House Farm
MANOR GRANGE
BLEADON
Purn
A370
Rhyne
Purn Farm
ROAD
BLEADON
CHESTNUT LA.
WAY
PINE LEA
STH. COMBE
WHITE FERN GATE
LEA CL.
AMESBURY DR.
PEARTREE GDS.
TENTERK CL.
RECTORY LA.
CORONATION RD.
OLD SCHOOL LA.
BIRCH AV.
MULBERRY LA.
ROAD
PURN INTERNATIONAL HOLIDAY PARK
EAST MEAD DROVE
BRIDGE RD.
RIVER AXE
Works
Little D
Quarries
SEDGEMOOR
Mill
RIVE
Bleadon Bridge
ROAD

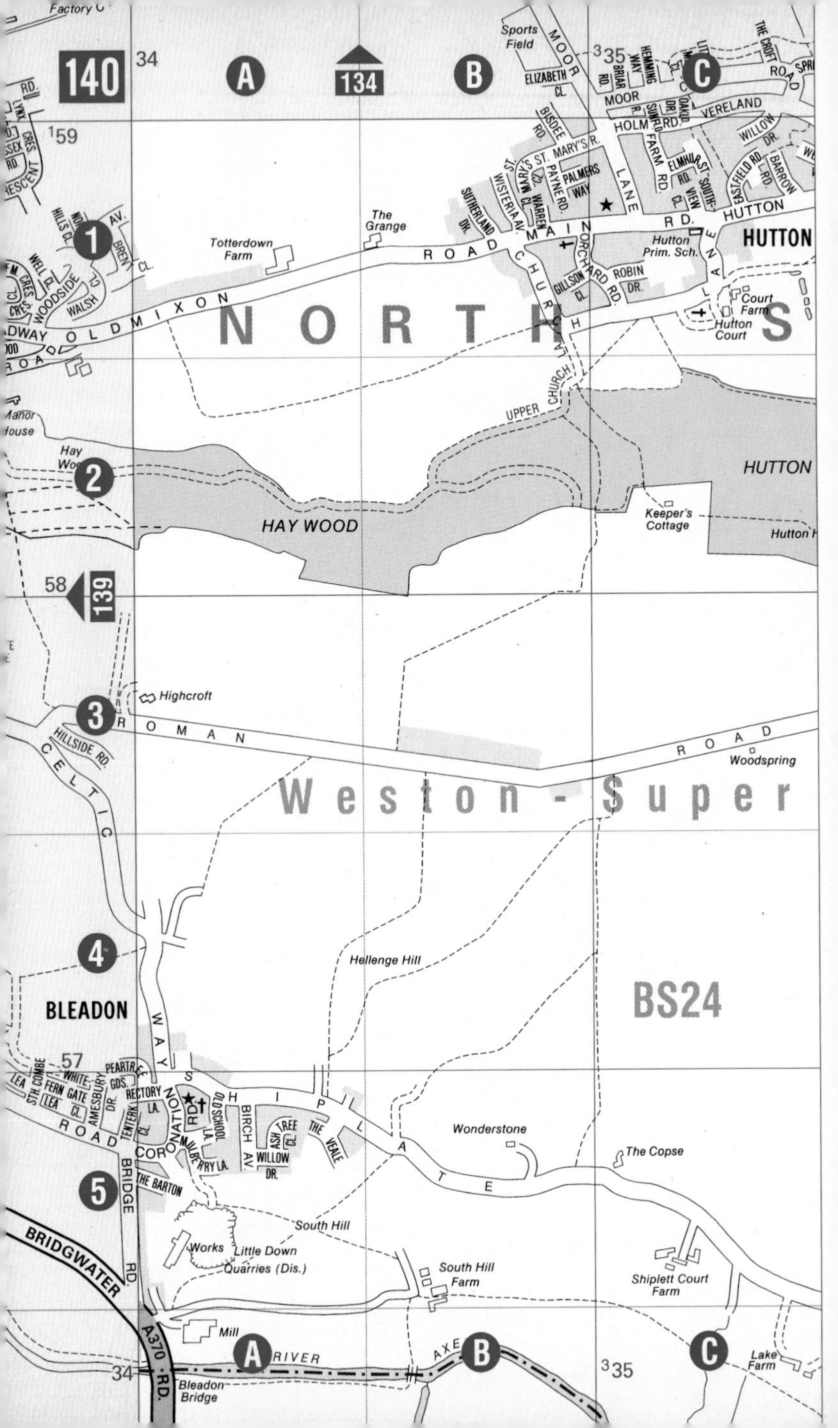

A   ▲ 134   **B**   **C**

34   159   58 ◀ 139   35

1

2

3

4

5

N O R T H   S

HUTTON

Sports Field

ELIZABETH

MOOR

HEMMING WAY   THE KNOLL   ROAD

BRIAR RD   CLOUD   VERELAND

HOLM   MOOR   HEMMING

BISHLEE   ST. MARY'S R.

SUTHERLAND   ST. MARY'S R.   PALMERS WAY

WARREN   PAYNE RD   BISHLEE

WISTERIA AV   MYRTLE RD   HOLME   SWORD   FARM RD   ELMHLG   RD VIEW   ELM SOUTH   EASTFIELD RD   WILLOW   DR   BARROW

The Grange   M A I N   L A N E   RD   HUTTON

ORCHARD RD   GILLSON CL   ROBIN DR   Hutton Prim. Sch.   Court Farm   L A

LANE   Hutton Court

Totterdown Farm   R O A D   C H U R C H   L   Court Farm

FACTORY   BRENT CL   AV   WALSH CL   WOODSIDE   HILLS RD   NORTH   WELL   CRES.   CRESCENT   RD   SEDGE   OLDMIXON   ROAD

Manor House

Hay Wood

H A Y   W O O D   UPPER   C H U R C H   HUTTON

Keeper's Cottage   Hutton H

☼ Highcroft

HILLSIDE RD   R O M A N   R O A D   Woodspring

CELTIC   C E L T I C

W e s t o n - S u p e r

BLEADON   Hellenge Hill   BS24

57   STA COMBE   LEA   LEA   WHITE   FERN GATE   CL   AMESBURY DR   PEARTREE   GDS   ENTRY CL   RECTORY   LA   H   I   P   P   L   A   T   E   R   O   A   D

CORONATION   RD   BIRCH AV   ASH TREE   WILLOW DR   THE VEALE   Wonderstone   The Copse

THE BARTON   FRY LA   S   ROAD   W   A   Y

BRIDGE

South Hill

Works   Little Down   Quarries (Dis.)   South Hill Farm   Shiplett Court Farm

BRIDGWATER   A370 RD   Mill

RD

A RIVER   A X E   **B**   **C**   Lake Farm

34   Bleadon Bridge   35

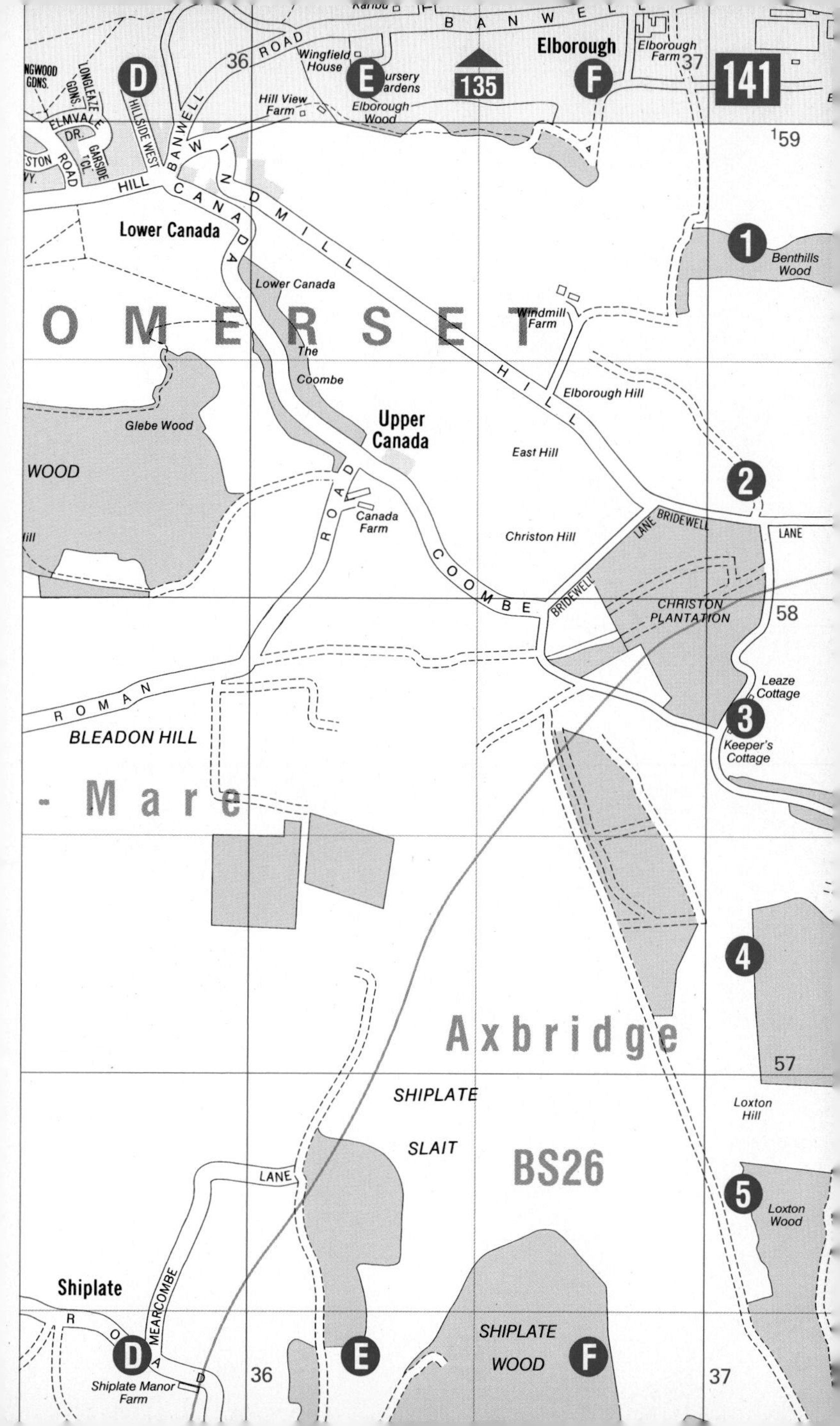

BANWELL
Elborough
Wingfield House
Nursery Gardens
135
141
Elborough Farm
37
D
E
F
36 ROAD
HILLSIDE WEST
LONGLEAZE GDNS.
ELMVALE DR.
GARSIDE TCL.
BANWELL
Hill View Farm
Elborough Wood
159
HILL
WINDMILL HILL
CANADA
Lower Canada
Lower Canada
1
Benthills Wood
SOMERSET
Windmill Farm
The Coombe
Elborough Hill
Glebe Wood
Upper Canada
East Hill
WOOD
2
ROAD
Canada Farm
Christon Hill
BRIDEWELL LANE
LANE
COOMBE
BRIDEWELL
CHRISTON PLANTATION
58
ROMAN
Leaze Cottage
3
Keeper's Cottage
BLEADON HILL
- Mare
4
Axbridge
57
SHIPLATE
Loxton Hill
SLAIT
BS26
LANE
5
Loxton Wood
Shiplate
MEARCOMBE
ROAD
SHIPLATE WOOD
D
E
F
36
37
Shiplate Manor Farm

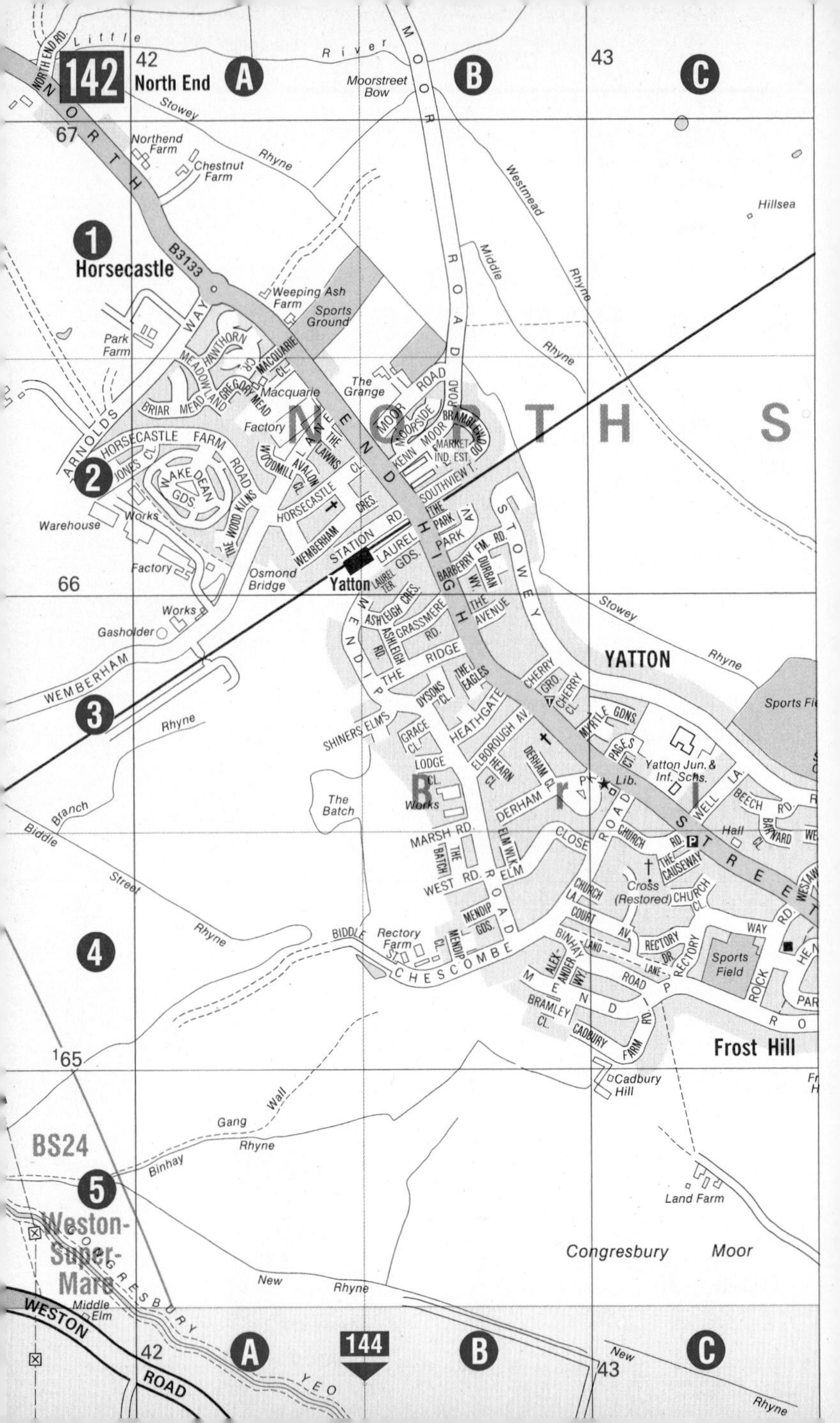
142
North End
A
B
C
42
43
67
66
165
1
2
3
4
5
NORTH END RD.
NORTH
B3133
Little River
Stowey Rhyne
Moorstreet Bow
MOOR ROAD
Northend Farm
Chestnut Farm
Westmead
Hillsea
Middle Rhyne
Horsecastle
Weeping Ash Farm
Sports Ground
Park Farm
WAY
HAWTHORN CR.
MACQUARIE CL.
Macquarie
MEADOWLAND
GREGORY MEAD
BRIAR MEAD
The Grange
MOOR ROAD
MOORSIDE
BRAMBLEWOOD
KENN MOOR ROAD
MARKET IND. EST.
SOUTHVIEW T.
ARNOLDS WAY
HORSECASTLE FARM ROAD
Factory
JONES CL.
WAKE DEAN GDS.
THE WOOD KILNS
WOODMILL
AVALON CL.
LANE
THE LAWNS
HORSECASTLE CL.
CRES.
HIGH STREET
NORTH S
Warehouse
Works
Factory
Osmond Bridge
WEMBERHAM
STATION RD.
Yatton
LAUREL GDS.
LAUREL TER.
THE PARK
PARK AV.
BARBERRY FM. RD.
DURBAN WY.
STOWEY RD.
THE AVENUE
Works
Gasholder
MENDIP
ASHLEIGH CRES.
ASHLEIGH RD.
GRASSMERE RD.
THE RIDGE
Stowey Rhyne
YATTON
WEMBERHAM
Rhyne
DYSONS CL.
THE EAGLES
HEATHGATE
CHERRY GRO.
CHERRY CL.
MYRTLE GDNS.
PAGES CT.
Sports Field
SHINERS ELMS
GRACE CL.
LODGE CL.
ELBOROUGH AV.
HEARN CL.
DERHAM CL.
DERHAM
Yatton Jun. & Inf. Schs.
Lib.
PK
Works
The Batch
Br
WELL LA.
BEECH RD.
BARNARD CL.
Hall
Branch
Biddle Street Rhyne
MARSH RD.
THE BATCH
ELM WLK.
CLOSE
ROAD
CHURCH RD.
THE CAUSEWAY
WEST RD.
ELM ROAD
CHURCH LA.
Cross (Restored)
CHURCH CL.
WESTAWAY
COURT AV.
WAY
MENDIP GDS.
BIDDLE ST.
Rectory Farm
MENDIP CL.
CHESCOMBE
BINHAY LAND
RECTORY DR.
RECTORY LANE
Sports Field
ROCK
ALEXANDER WY
ROAD
MEND IP
BRAMLEY CL.
CADBURY FARM RD.
Frost Hill
Cadbury Hill
Gang Wall
Rhyne
BS24
Binhay
Land Farm
Weston-Super-Mare
Congresbury Moor
CONGRESBURY
New Rhyne
Middle Elm
WESTON ROAD
YEO
144
New Rhyne

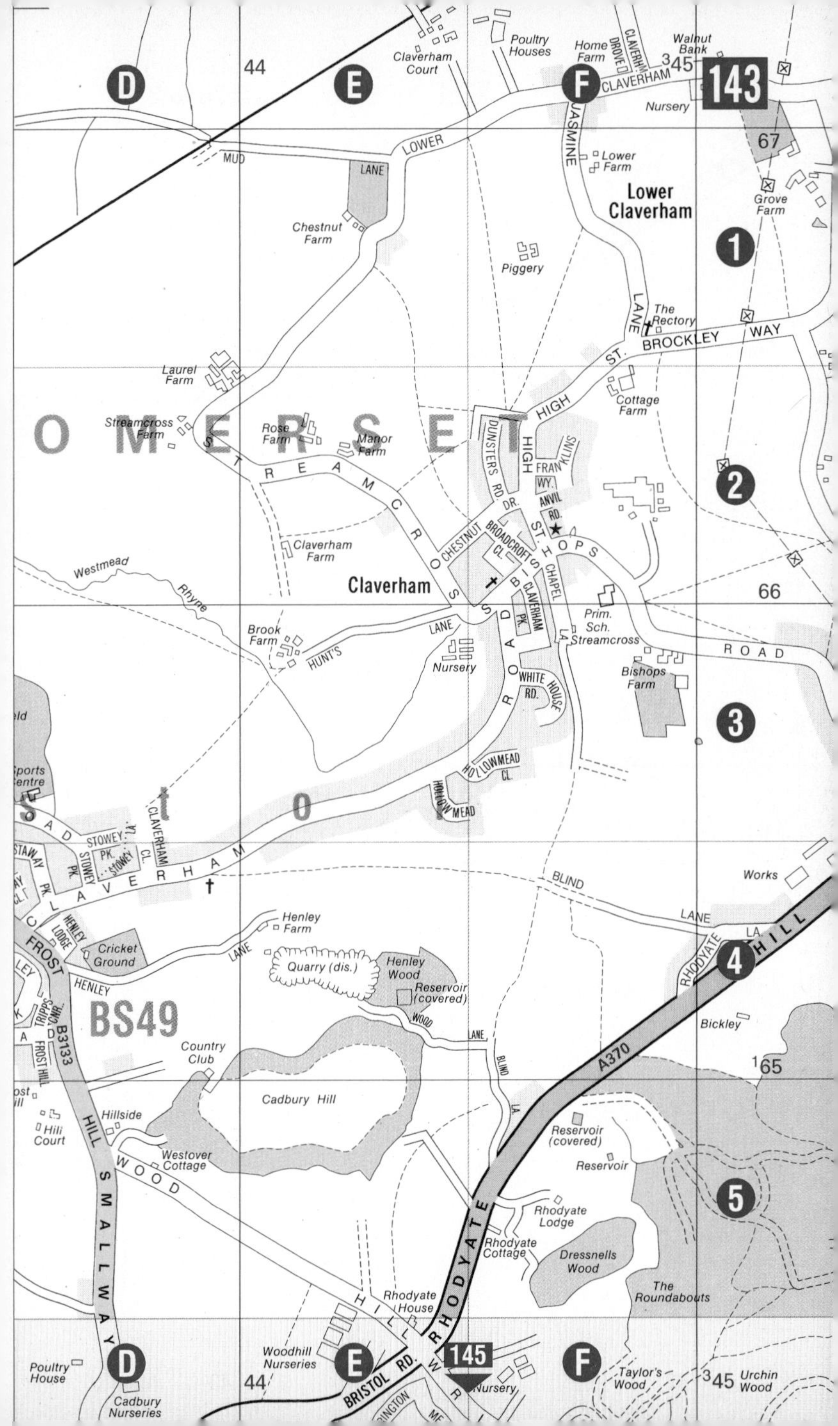

143
D
E
F
44
345
Claverham Court
Poultry Houses
Home Farm
DROVE
CLAVERHAM
Walnut Bank
CLAVERHAM
Nursery
67
LOWER
MUD
LANE
JASMINE
Lower Farm
Grove Farm
Lower Claverham
Chestnut Farm
Piggery
1
LANE
The Rectory
BROCKLEY
WAY
ST.
HIGH
Laurel Farm
Cottage Farm
HIGH
Streamcross Farm
Rose Farm
Manor Farm
DUNSTERS RD.
HIGH ST.
FRANKLINS WY.
S T R E A M C R O S S
DR.
ANVIL RD.
2
CHESTNUT
BROADCROFT CL.
BISHOPS
Claverham Farm
Westmead
Rhyne
Claverham
CHAPEL
CLAVERHAM PK.
66
Brook Farm
LANE
HUNT'S
ROAD
LA
Prim. Sch.
Streamcross
ROAD
Nursery
WHITE RD.
WHITE HOUSE
Bishops Farm
3
Sports Centre
HOLLOWMEAD CL.
HOLLOWMEAD
STOWEY
LA.
CLAVERHAM CL.
PK.
STOWEY PK.
STOWEY
C L A V E R H A M
BLIND
Works
LANE
Henley Farm
HENLEY LODGE
LA
RHODYATE
HILL
4
FROST
Cricket Ground
LANE
Quarry (dis.)
Henley Wood
Reservoir (covered)
HENLEY
BS49
TRIPPS CNR.
B3133
WOOD
LANE
Bickley
FROST HILL
Country Club
BLIND
A370
165
Cadbury Hill
LA
Hillside
Hili Court
Reservoir (covered)
Westover Cottage
Reservoir
HILL
SMALLWAY
WOOD
5
RHODYATE
Rhodyate Lodge
Rhodyate Cottage
Dressnells Wood
The Roundabouts
Rhodyate House
HILL
Woodhill Nurseries
BRISTOL RD.
145
Nursery
Taylor's Wood
345
Urchin Wood
Poultry House
Cadbury Nurseries
44

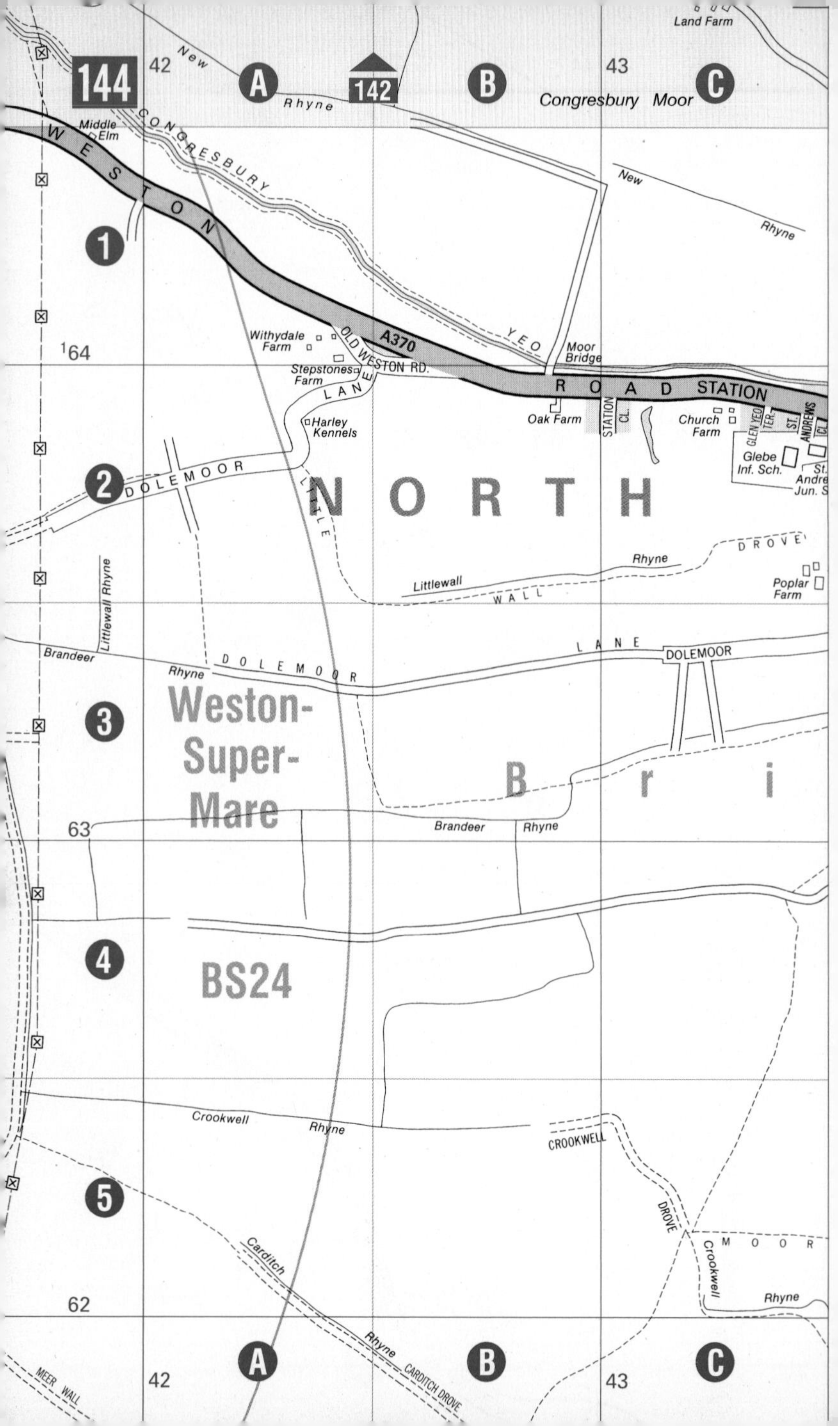

144 42 43

New Rhyne

A 142 **B** Congresbury Moor **C**

Land Farm

Middle Elm CONGRESBURY

WESTON

New Rhyne

1

YEO

Withydale Farm

OLD WESTON RD.

A370

Moor Bridge

Stepstones Farm

LANE

R O A D STATION

Oak Farm STATION CL. Church Farm GLENVIEW TER. ST. ANDREWS CL.

Harley Kennels

Glebe Inf. Sch. St. Andre Jun. S

2 DOLEMOOR

N O R T H

LITTLE

Littlewall Rhyne Littlewall WALL Rhyne DROVE Poplar Farm

Brandeer DOLEMOOR Rhyne LANE DOLEMOOR

3 Weston-Super-Mare

B **r** **i**

63 Brandeer Rhyne

4 BS24

Crookwell Rhyne CROOKWELL M O O R

5 DROVE Crookwell

62 Cardich Rhyne Rhyne

MEER WALL

A 42 Rhyne CARDITCH DROVE **B** 43 **C**

¹64

63

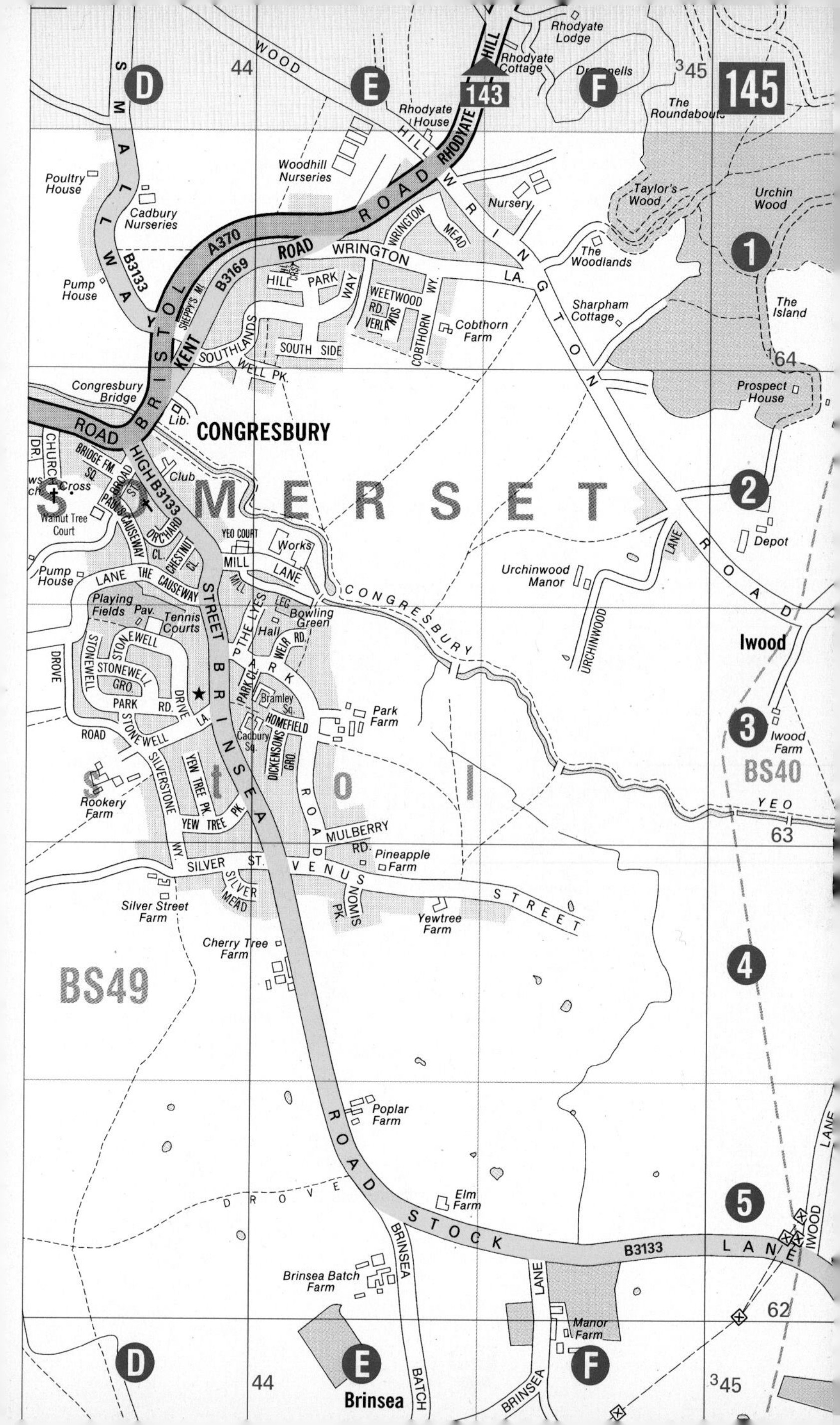

143
Rhodyate Lodge
Rhodyate Cottage
Rhodyate House
The Roundabouts
Woodhill Nurseries
Poultry House
Cadbury Nurseries
Pump House
Nursery
Taylor's Wood
Urchin Wood
The Woodlands
Sharpham Cottage
The Island
Cobthorn Farm
Prospect House
Congresbury Bridge
CONGRESBURY
SOMERSET
Club
Walnut Tree Court
Works
Depot
Urchinwood Manor
Playing Fields
Pav.
Tennis Courts
Bowling Green
Hall
Iwood
Park Farm
Iwood Farm
BS40
Rookery Farm
Pineapple Farm
Silver Street Farm
Yewtree Farm
Cherry Tree Farm
BS49
Poplar Farm
Elm Farm
Brinsea Batch Farm
Manor Farm
Brinsea
RHODYATE HILL
WRINGTON ROAD
WRINGTON LA.
BRISTOL ROAD
A370
B3169
B3133
SMALLWAY
HIGH STREET
BRINSEA ROAD
STOCK LANE
VENUS STREET
SILVER ST.
MILL LANE
CONGRESBURY YEO

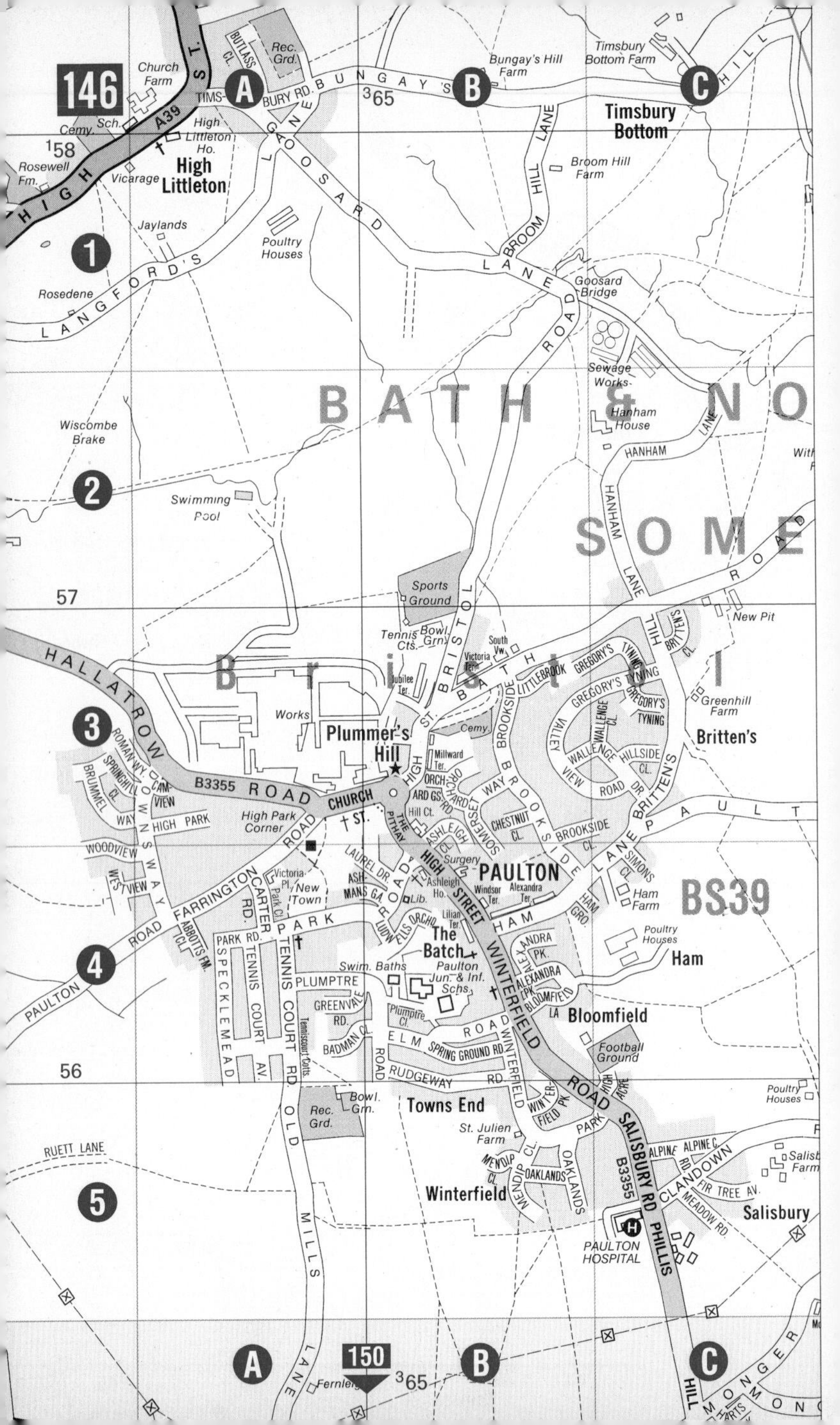

158

1

Church Farm
Cemy. Sch.
High Littleton
Rosewell Fm.
Littleton Ho.
Vicarage
High

BUTLASS CL.
Rec. Grd.
A39
TIMS
A
BURY RD.
GOOSARD
LANE
BUNGAY'S
365
B
Bungay's Hill Farm
Timsbury Bottom Farm
HILL
C
Timsbury Bottom

Jaylands
Poultry Houses
Broom Hill Farm
Goosard Bridge
BROOM
HILL
LANE

Rosedene
LANGFORD'S

B A T H   &   N O

2
Wiscombe Brake
Swimming Pool

Sewage Works
Hanham House
HANHAM
HANHAM
LANE
LANE
ROAD

S O M E

57

Sports Ground
Tennis Bowl Cts. Grn.
Victoria
South VW.
Jubilee Ter.
Works
Plummer's Hill
Cemy.
BROOKSIDE
WAY
GREGORY'S
VALLEY
WALLENGE
VIEW
GREGORY'S
TYNING
GREGORY'S
TYNING
HILL
TYNING
New Pit
BRI
Greenhill Farm
Britten's

B r i t i
HALLATROW
ROMAN
CM.
TOWNSEND
VIEW
BRUNEL
SPRINGHILL
CL.
BRUNEL
WAY
HIGH PARK
WOODVIEW
WAY
VIEW
B3355   ROAD
CHURCH
High Park Corner
ROAD
ST.
Milward Ter.
ORCH.
ARD GS.
Hill Ct.
ORCHARD
WAY
SOMERSET
PTH.
HIGH
STREET
ASHLEIGH
CHESTNUT
BROOKSIDE
BROOKSIDE
LANE
SIMONS
CL.
Ham Farm
P A U L T
3

4
FARRINGTON
ROAD
WELLS
Victoria Pl.
New Town
Park CL.
CARTER
RD.
ABBOTS FM.
Park RD.
TENNIS
COURT
Surgery
LAUREL DR.
ASH
MANS.GA.
Ashleigh Ho.
ORCHD.
ELM ST.
Windsor Ter.
Alexandra Ter.
Lilliput Ter.
ANDRA
PK.
ALEXANDRA
BLOOMFIELD
LA.
WINTERFIELD
HAM
GRO.
PAULTON
Poultry Houses
BS39
Ham

SPECKLEMEAD
PLUMPTRE
GREENVALE RD.
BADMAN CL.
Swim. Baths
The Batch
Paulton Jun. & Inf. Schs.
Plumptre CL.
Pleasant Fds.
SPRING GROUND RD.
ELM
WINTERFIELD
ROAD
Bloomfield
Football Ground

56
PAULTON
ROAD
PARK
OLD
MILLS
TENNIS
COURT
RD.
AV.
Rec. Grd.
Bowl. Grn.
RUDGEWAY
ROAD
WINTERFIELD
RD.
Towns End
St. Julien Farm
WIN
FIELD
PARK
SALISBURY
ROAD
CLANDOWN
B3355
Poultry Houses

5
RUETT LANE
Winterfield
MENDIP
OAKLANDS
OAKLANDS
ALPINE
ALPINE CL.
FIR TREE AV.
MEADOW RD.
Salisbury
Salisb

PAULTON HOSPITAL
SALISBURY RD.
PHILLIS
HILL
MONGER
HARTS
MON

A
LANE
Fernleigh
150
365
B
C

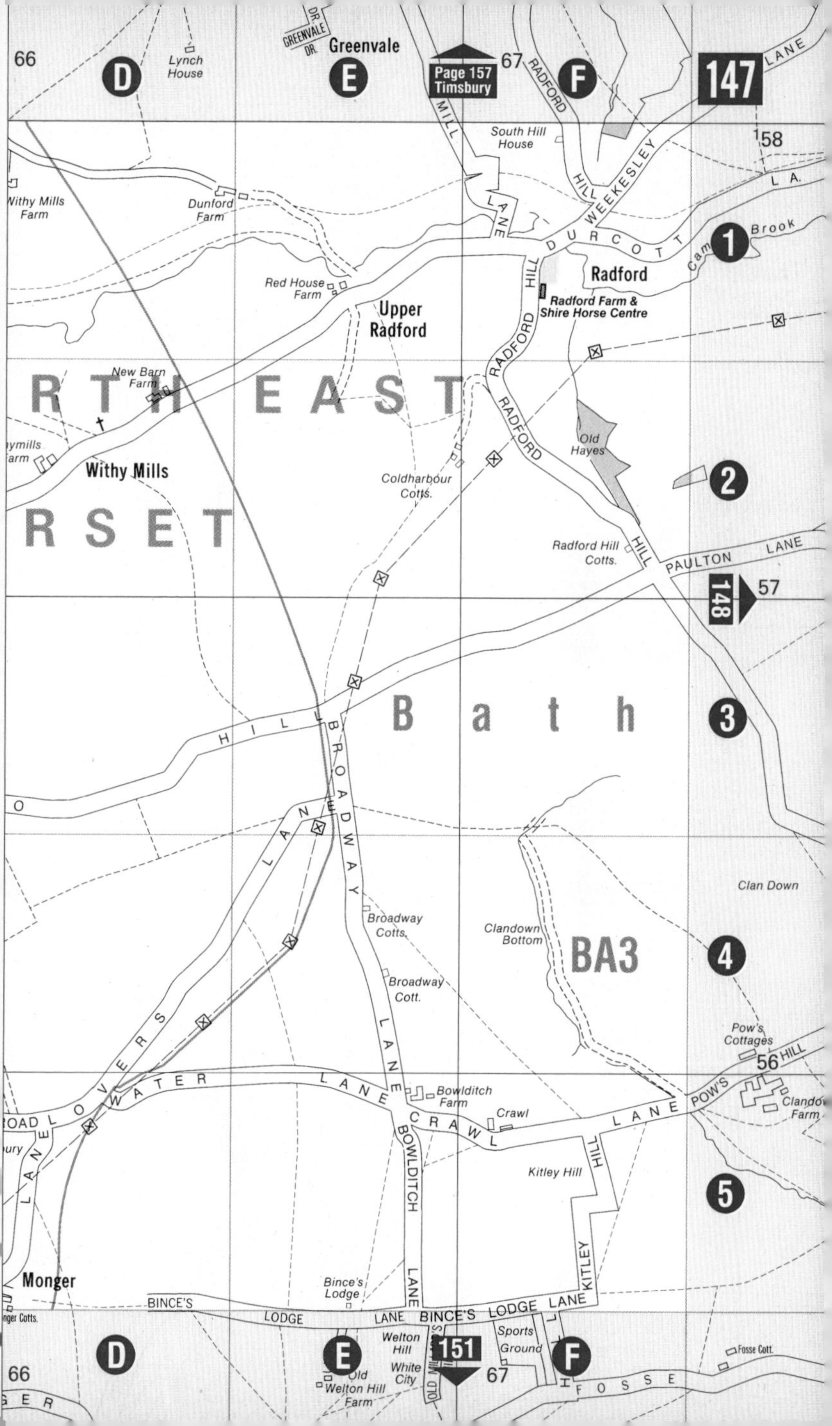

D

Lynch House

GREENVALE DR.
GREENVALE DR.

Greenvale

E

Page 157
Timsbury

67

F

South Hill House

158

L.A.

Withy Mills Farm

Dunford Farm

Red House Farm

Upper Radford

New Barn Farm

WEEKESLEY

MILL LANE

RADFORD HILL

DURCOTT

Radford

Radford Farm & Shire Horse Centre

Cam Brook

1

RT **EAST**

Withy Mills

Coldharbour Cotts.

RADFORD

RADFORD HILL

Old Hayes

2

RSET

ymills arm

Radford Hill Cotts.

PAULTON LANE

148 57

HILL

BROADWAY

Bath

3

O

LANE

Clan Down

Broadway Cotts.

Clandown Bottom

BA3

4

Broadway Cott.

Pow's Cottages

56 HILL

ROAD

LANE

LOVERS

WATER

LANE

Bowlditch Farm

Crawl

CRAWL LANE

POW'S LANE

Clandown Farm

Kitley Hill

HILL

5

BOWLDITCH LANE

KITLEY

Monger

ger Cotts.

BINCE'S

LODGE

Bince's Lodge

LANE

BINCE'S LODGE LANE

OLD

FOSSE

Sports Ground

Welton Hill

D

66

E

Old Welton Hill Farm

White City

151

67

F

Fosse Cott.

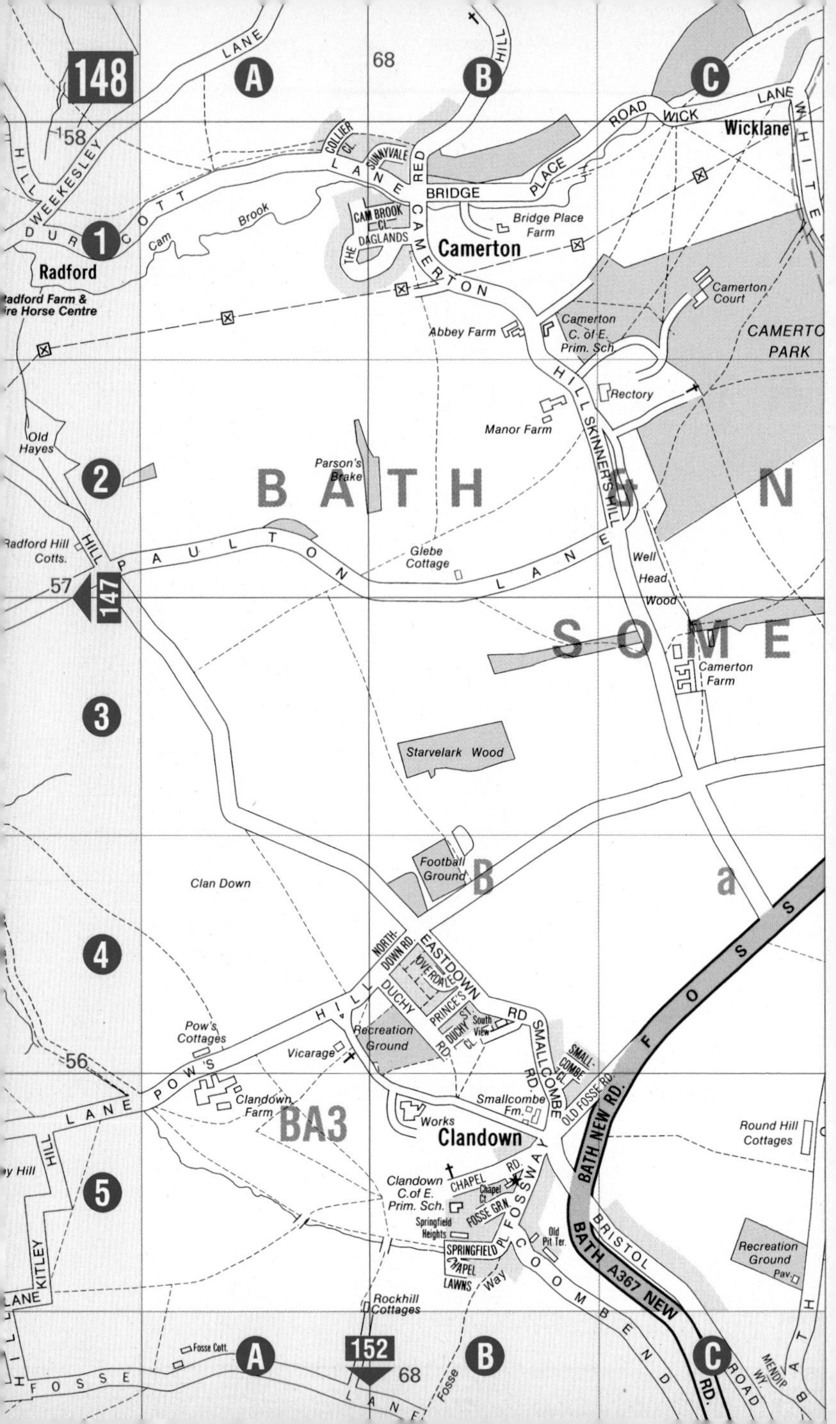

68

A

B

C

LANE

COLLIER

CL.

RED

BRIDGE

WICK

ROAD

LANE

WHITE

PLACE

Wicklane

WEEKESLEY

HILL

DURCOTT

158

SUNNYVALE

LA.

CAMERTON

Bridge Place Farm

Camerton

Brook

Cam

CAM BROOK CL.

DAGLANDS

THE

Abbey Farm

Camerton C. of E. Prim. Sch.

Camerton Court

CAMERTON PARK

1

Radford

Radford Farm & re Horse Centre

HILL

SKINNERS

Rectory

Old Hayes

2

Manor Farm

Parson's Brake

B A T H

HILL

Well Head Wood

Radford Hill Cotts.

HILL

57

147

PAULTON

Glebe Cottage

LANE

N

S O M E

Camerton Farm

3

Starvelark Wood

Clan Down

B

a

F O S S

4

Pow's Cottages

HILL

EASTDOWN

NORTH DOWN RD.

OVERTON

PRINCE'S RD.

DUCHY RD.

South View

RD.

SMALLCOMBE

SMALL-COMBE

OLD FOSSE RD.

BATH NEW RD.

Round Hill Cottages

Vicarage

POW'S

DUCHY

Recreation Ground

UNION CL.

Smallcombe Fm.

56

BA3

Clandown Farm

Works

Smallcombe

BRISTOL

Recreation Ground Pav.

5

LANE

KITLEY

HILL

y Hill

Clandown C. of E. Prim. Sch.

Clandown

CHAPEL RD.

Chapel Ct.

FOSSE GRN.

FOSSEWAY

Old Pit Ter.

COOMBEND

BATH A367 NEW

Springfield Heights

SPRINGFIELD

CHAPEL LAWNS

Way

Rockhill Cottages

LANE

FOSSE

Fosse Cott.

A

152

68

B

Fosse

LANE

COOMBEND

RD.

C

MENDIP WY.

HILL

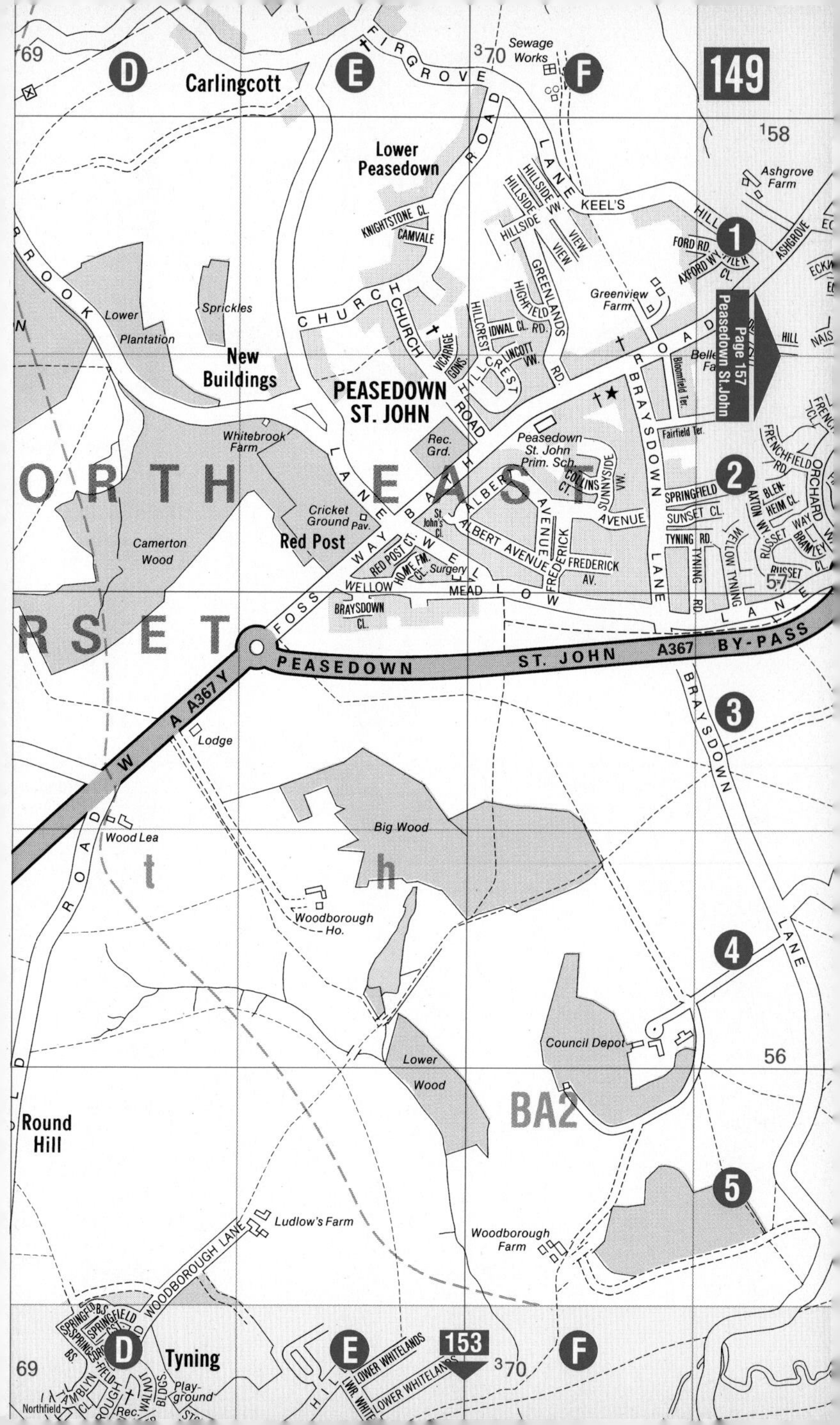

D Carlingcott

E FIRGROVE

3 70 Sewage Works

F

158

Lower
Peasedown

Ashgrove
Farm

KNIGHTSTONE CL.

CAMVALE

HILLSIDE

HILLSIDE VIEW

KEEL'S

HILL

FORD RD.
AXFORD WAY
TYLER H.
CL.

ASHGROVE

1

ECK
ECKI
EN

CHURCH ROAD

CHURCH LANE

VICARAGE RD.

HILLCREST

IDWAL CL.
HILLCREST

GREENLANDS

HIGHFIELD RD.

LINCOTT VW.

RD.

Greenview
Farm

HILL

Bell
Fa

Page 157
Peasedown St.John

FRENCHFIELD
RD.
ORCHARD

HILL

NAIS

Sprickles

Lower
Plantation

**New
Buildings**

**PEASEDOWN
ST. JOHN**

★ ★

BRAYSDOWN

Fairfield Ter.

Bloomfield Ter.

FRENCHFIELD
RD.
BLEN-
HEIM CL.

RUSSEL
WAY

BRAMLEY CL.

Whitebrook
Farm

Rec.
Grd.

St
John's
Cl.

Peasedown
St. John
Prim. Sch.

SUNNYSIDE
VW.

COLLINS
CT.

SPRINGFIELD

SUNSET CL.

AXTON WLK.

WELL

BRAMLEY

RUSSEL

2

N
O
R
T
H

E
A
S
T

Cricket
Ground
Pav.

Red Post

ALBERT AVENUE

FREDERICK

FREDERICK
AV.

TYNING RD.

TYNING RD.

NEW TYNING

57

HILL

Camerton
Wood

WELLOW

RED POST CT.
HOME FM.
CL.

FOSS

WAY

ALBERT AVENUE

W
E
L
L
O
W

MEAD

Surgery

LANE

R
S
E
T

BRAYSDOWN
CL.

FOSS

LANE

PEASEDOWN

ST. JOHN A367 BY-PASS

WAY
A A367 Y
ROAD

Lodge

BRAYSDOWN

3

W

ROAD

Wood Lea

t

h

Big Wood

LANE

4

Woodborough
Ho.

Council Depot

56

Lower
Wood

BA2

**Round
Hill**

5

WOODBOROUGH LANE

Ludlow's Farm

Woodborough
Farm

SPRINGFIELD RD.
SPRINGFIELD
SPRINGFIELD
FIELD
BLDGS.

Northfield

WALNUT
BOROUGH
Rec.

MAIN

D **Tyning**

Playground

E

HILL

LOWER WHITELANDS

LWR. WHITE

LOWER WHITELANDS

153

3 70

F

69

69

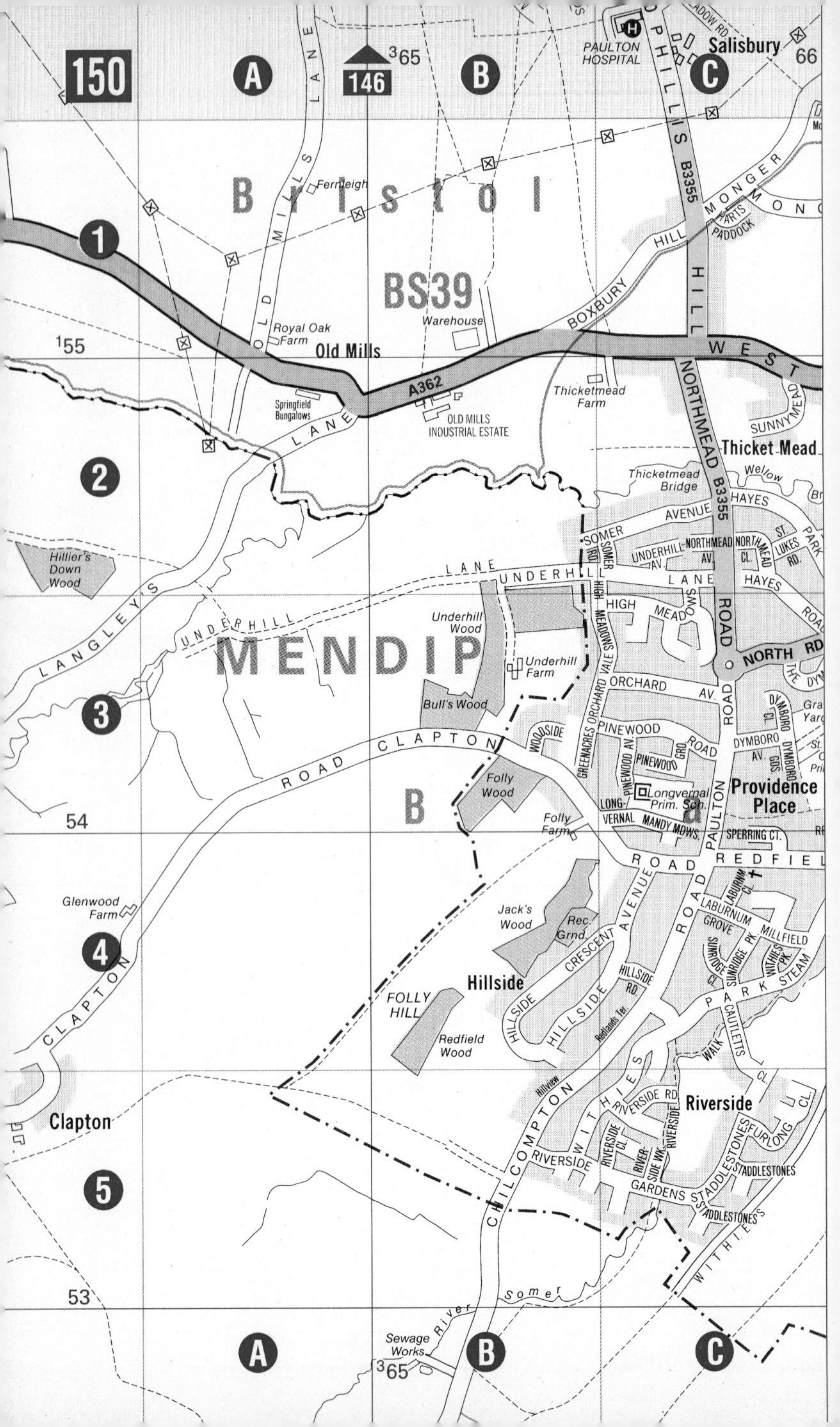
150
A
B
C
146
365
66
PAULTON HOSPITAL
Salisbury
HILL
B3355
MONGER
PARTS PADDOCK
Bristol
BS39
Fernleigh
OLD MILLS LANE
Royal Oak Farm
Old Mills
Warehouse
BOXBURY HILL
WEST
155
A362
Springfield Bungalows
LANE
OLD MILLS INDUSTRIAL ESTATE
Thicketmead Farm
NORTHMEAD ROAD
SUNNYMEAD
Thicket Mead
Thicketmead Bridge
Wellow
HAYES
AVENUE
SOMER AVE.
SOMER RD.
UNDERHILL AV.
NORTHMEAD AV.
NORTHMEAD CL.
ST. LUKES RD.
PARK
UNDERHILL LANE
HAYES ROAD
HIGH MEADOWS
Hillier's Down Wood
LANGLEYS LANE
UNDERHILL
MENDIP
Underhill Wood
Underhill Farm
NORTH RD.
ORCHARD AV.
VALE
GREENACRES
ORCHARD
Bull's Wood
PINEWOOD ROAD
PINEWOOD AV.
PINEWOOD GRO.
WOODSIDE
DYMBORO CL.
DYMBORO AV.
DYMBORO GDS.
DYMBORO
CLAPTON ROAD
Folly Wood
Longvernal Prim. Sch.
LONGVERNAL
MANDY MDWS.
PAULTON ROAD
Providence Place
SPERRING CT.
B
a
54
Folly Farm
REDFIELD ROAD
AVENUE
Glenwood Farm
Jack's Wood
Rec. Grnd.
LABURNUM CL.
LABURNUM GROVE
MILLFIELD
SUNRIDGE CL.
SUNRIDGE PK.
WITHIES PK.
CRESCENT
HILLSIDE RD.
PARK
STEAM
CLAPTON
Hillside
FOLLY HILL
HILLSIDE
Redlands Ter.
CAUTLETTS
WALK
Redfield Wood
CL.
FURLONG CL.
Hillview
WITHIES
RIVERSIDE RD.
Riverside
Clapton
RIVERSIDE CL.
RIVERSIDE WK.
RIVERSIDE
STADDLESTONES
CHILCOMPTON
RIVERSIDE GARDENS
5
53
River Somer
Sewage Works
365
WITHIES

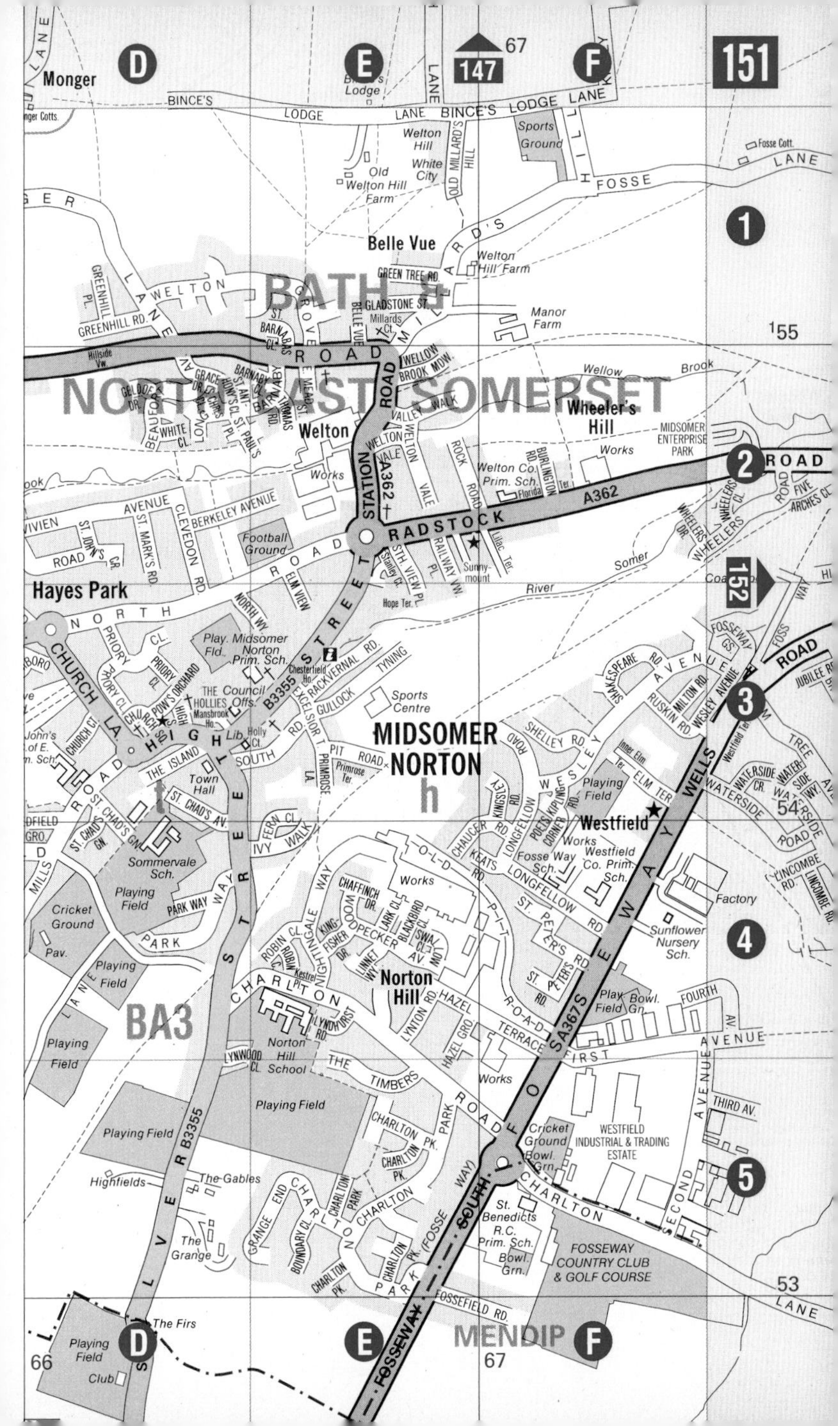
151
147
152
155
D
E
F
1
2
3
4
5
66
67
54
53
Monger
Bince's Lodge
BINCE'S LODGE LANE
Sports Ground
Welton Hill
White City
Old Welton Hill Farm
OLD MILLARD'S HILL
FOSSE LANE
Fosse Cott.
Belle Vue
Welton Hill Farm
GREEN TREE RD.
GLADSTONE ST.
Millards Ct.
Manor Farm
BATH & NORTH EAST SOMERSET
WELTON
GREENHILL PL.
GREENHILL RD.
Hillside Vw.
ROAD
WELLOW BROOK MDW.
Wellow Brook
Wheeler's Hill
MIDSOMER ENTERPRISE PARK
Works
Welton
VALLEY WALK
WELTON VALE
STATION ROAD
A362
ROCK ROAD
Welton Co. Prim. Sch.
BURLINGTON RD.
Florida Ter.
RADSTOCK ROAD
FIVE ARCHES CL.
WHEELERS DR.
WHEELERS CL.
BEAUFORT AV.
WHITE CL.
ST. PAULS PL.
AVENUE
VIVIEN AVENUE
BERKELEY AVENUE
ST. JOHN'S CR.
ST. MARK'S RD.
CLEVEDON RD.
Football Ground
Sunnymount
Lilac Ter.
RAILWAY VW.
STH. VIEW PL.
Hope Ter.
Somer River
Hayes Park
NORTH ROAD
NORTH WY.
ELM VIEW
CHURCH LA.
PRIORY RD.
PRIORY CL.
Play. Fld.
Midsomer Norton Prim. Sch.
POW'S ORCHARD
THE HOLLIES
Council Offs.
Mansbrook Ho.
Chesterfield Ho.
B3355
STREET
RACKVERNAL RD.
TYNING
Sports Centre
GULLOCK
EXCELSIOR T.
MIDSOMER NORTON
FOSSEWAY GS.
SHAKESPEARE RD.
AVENUE
MILTON RD.
WESLEY AVENUE
RUSKIN RD.
JUBILEE RD.
TREE AV.
Westfield Ter.
HIGH ST.
Lib.
Holly Ct.
SOUTH RD.
PIT ROAD
Primrose Ter.
PRIMROSE LA.
SHELLEY RD.
WESLEY
Inner Elm Ter.
ELM TER.
Playing Field
Westfield
WELLS ROAD
WATERSIDE CR.
WATERSIDE WY.
WATERSIDE RD.
THE ISLAND
Town Hall
ST. CHAD'S AV.
ST. CHAD'S GN.
FERN CL.
IVY WALK
KINGSLEY RD.
LONGFELLOW RD.
POETS CORNER
KIPLING RD.
CHAUCER RD.
KEATS RD.
Fosse Way Sch.
Westfield Co. Prim. Sch.
Factory
LINCOMBE RD.
Sommervale Sch.
Playing Field
PARK WAY
Cricket Ground
Pav.
PARK
OLD PIT ROAD
NIGHTINGALE WAY
CHAFFINCH DR.
WOODPECKER AV.
KINGFISHER DR.
LARK CL.
BLACKBIRD WY.
SWALLOW CL.
LINNET WY.
ROBIN CL.
Kestrel
ST. PETER'S RD.
Sunflower Nursery Sch.
Norton Hill
HAZEL TERRACE
LYNTON RD.
HAZEL GRO.
CHARLTON ROAD
LYNDHURST RD.
FOSSEWAY SOUTH
A367
Play Field
Bowl. Gn.
FOURTH AV.
FIRST AVENUE
BA3
Norton Hill School
LYNWOOD CL.
THE TIMBERS
Playing Field
Works
CHARLTON PK.
PARK ROAD
Cricket Ground
Bowl. Grn.
WESTFIELD INDUSTRIAL & TRADING ESTATE
THIRD AV.
SECOND AVENUE
SILVER ST.
Highfields
The Gables
The Grange
GRANGE END
BOUNDARY CL.
CHARLTON PARK
St. Benedicts R.C. Prim. Sch.
FOSSEWAY COUNTRY CLUB & GOLF COURSE
FOSSE WAY
FOSSEFIELD RD.
LANE
The Firs
Playing Field
Club
MENDIP

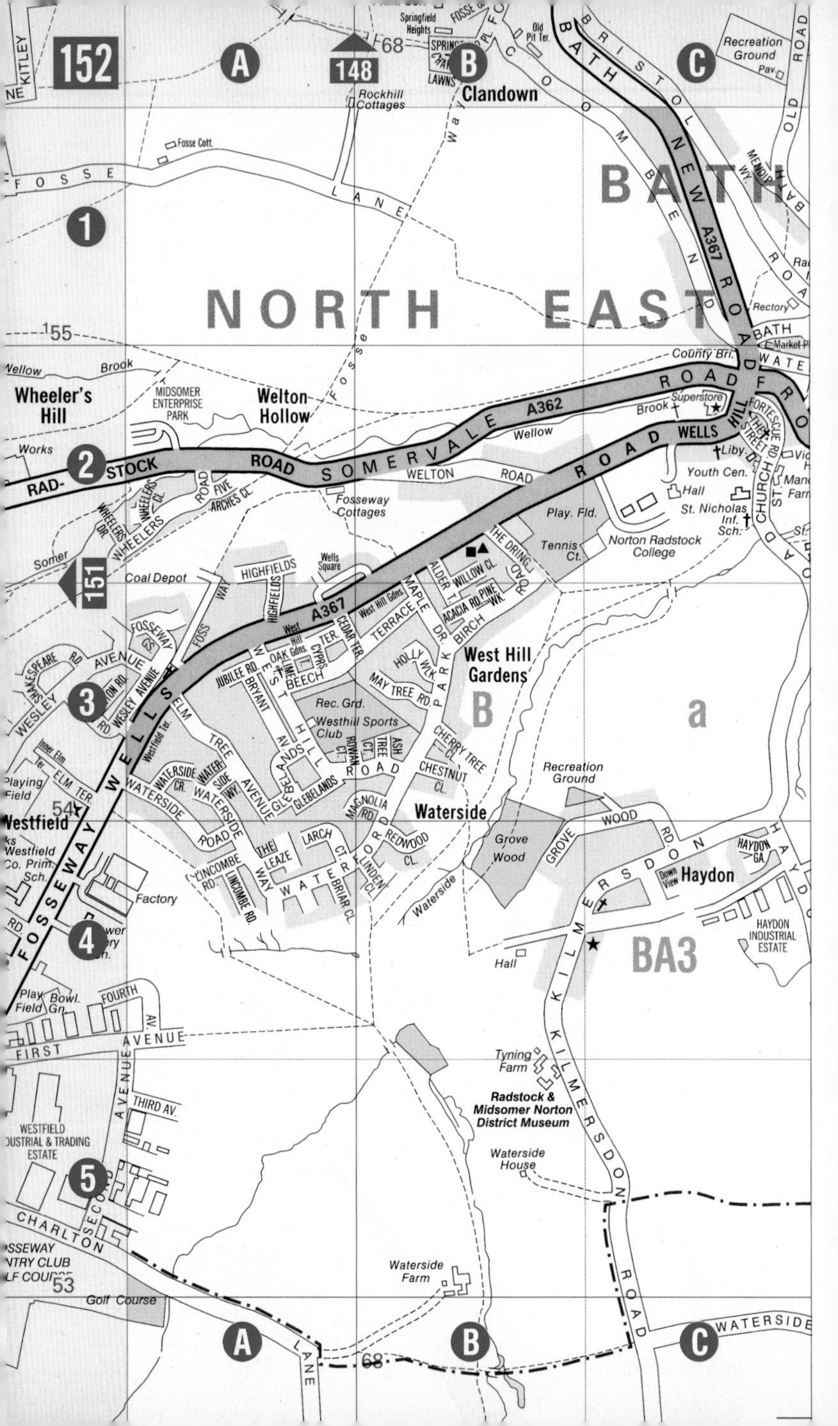
A
B
C
148
Clandown
Springfield Heights
Old Pit Ter.
Recreation Ground
Rockhill Cottages
Fosse Cott.
FOSSE LANE
BATH NEW ROAD
BRISTOL ROAD
BATH
NORTH EAST
A367
A362
Wheeler's Hill
Welton Hollow
MIDSOMER ENTERPRISE PARK
RADSTOCK ROAD
SOMERVALE ROAD
WELTON ROAD
WELLS ROAD
Fosseway Cottages
Play. Fld.
Tennis Ct.
Norton Radstock College
St. Nicholas Inf. Sch.
Superstore
Youth Cen.
Hall
County Bri.
Rectory
151
Coal Depot
HIGHFIELDS
Wells Square
West Hill Gardens
Rec. Grd.
Westhill Sports Club
GLEBELANDS
Waterside
Recreation Ground
Grove Wood
Haydon
HAYDON INDUSTRIAL ESTATE
BA3
KILMERSDON ROAD
Westfield
Factory
FOSSEWAY
FIRST AVENUE
THIRD AV.
WESTFIELD INDUSTRIAL & TRADING ESTATE
CHARLTON
Golf Course
Tyning Farm
Radstock & Midsomer Norton District Museum
Waterside House
Waterside Farm
WATERSIDE
1
2
3
4
5
155
68
54
53

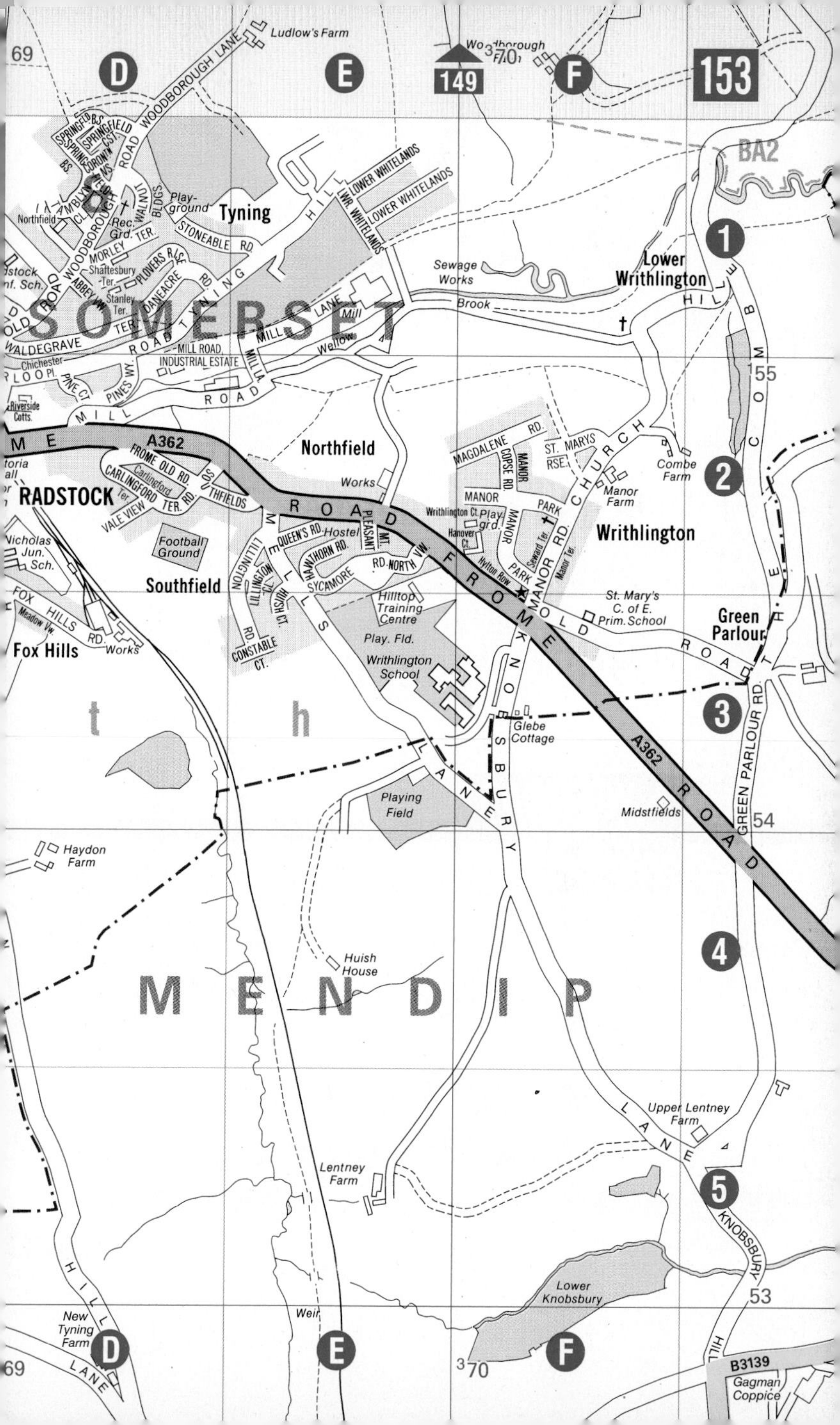

D

Ludlow's Farm

E

Wo_thorough
F/O

149

F

153

BA2

SPRINGFIELD
SPRING
SPRINGFIELD
BS

WOODBOROUGH LANE

WOODBOROUGH ROAD

Northfield
Inf. Sch.

Play-
ground

Rec.
Grd.

WALNUT

BLDGS

STONEABLE RD.

LOWER WHITELANDS

LWR. WHITELANDS

LOWER WHITELANDS

WR. WHITELANDS

Tyning

Lower
Writhlington

1

stock
nf. Sch.

MORLEY

Stanley
Ter.

Shaftesbury
Ter.

ABBEY

OLD ROAD

WOODBOROUGH RD.

PLOWERS RD.

CANEACRE

RING

Chichester
PL.

PINE CT.

PINES RD.

Sewage
Works

Brook

HILL

COOMBE

C

155

S O M E R S E T

WALDEGRAVE

MILL ROAD

MILL ROAD
INDUSTRIAL ESTATE

ROAD

MILL

Wellow

MILL
LANE

Brook

†

MILL   ME

Cityside
Catts.

A362

Carlingford

Carlingford
Ter.

CARLINGFORD

VALE VIEW TER.

THFIELDS

FROME OLD RD.

Northfield

Works

Football
Ground

RADSTOCK

Southfield

Nicholas
Jun.
Sch.

Meadow Vw.

FOX
HILLS
RD.

Fox Hills

Works

CONSTABLE
CT.

LILLINGTON

HILLS RD.

QUEEN'S RD.

HAWTHORN RD.

PLEASANT

MT.

RD.
NORTH

SYCAMORE
RD.

Hostel

MAGDALENE

COPSE RD.

RD.

ST. MARYS
RSE.

St. MARYS

MANOR
PARK

Writhlington CI.

Hanover

MANOR
Farm

Combe
Farm

2

ROAD   FROME

Hilltop
Training
Centre

Play. Fld.

**Writhlington
School**

KNOBSBURY

MANOR RD.

MANOR
PARK

Water Ter.

Hylton Row

Play
grd.

CHURCH   ROAD

Writhlington

St. Mary's
C. of E.
Prim. School

**Green
Parlour**

GREEN PARLOUR RD.

3

Glebe
Cottage

A362

Midstfields

ROAD

54

MENDIP

Playing
Field

LANE

4

t   h

Haydon
Farm

Huish
House

Upper Lentney
Farm

LANE

5

53

KNOBSBURY

Lentney
Farm

New
Tyning
Farm

HILL

LANE

D

Weir

E

³70

F

Lower
Knobsbury

HILL

B3139

Gagman
Coppice

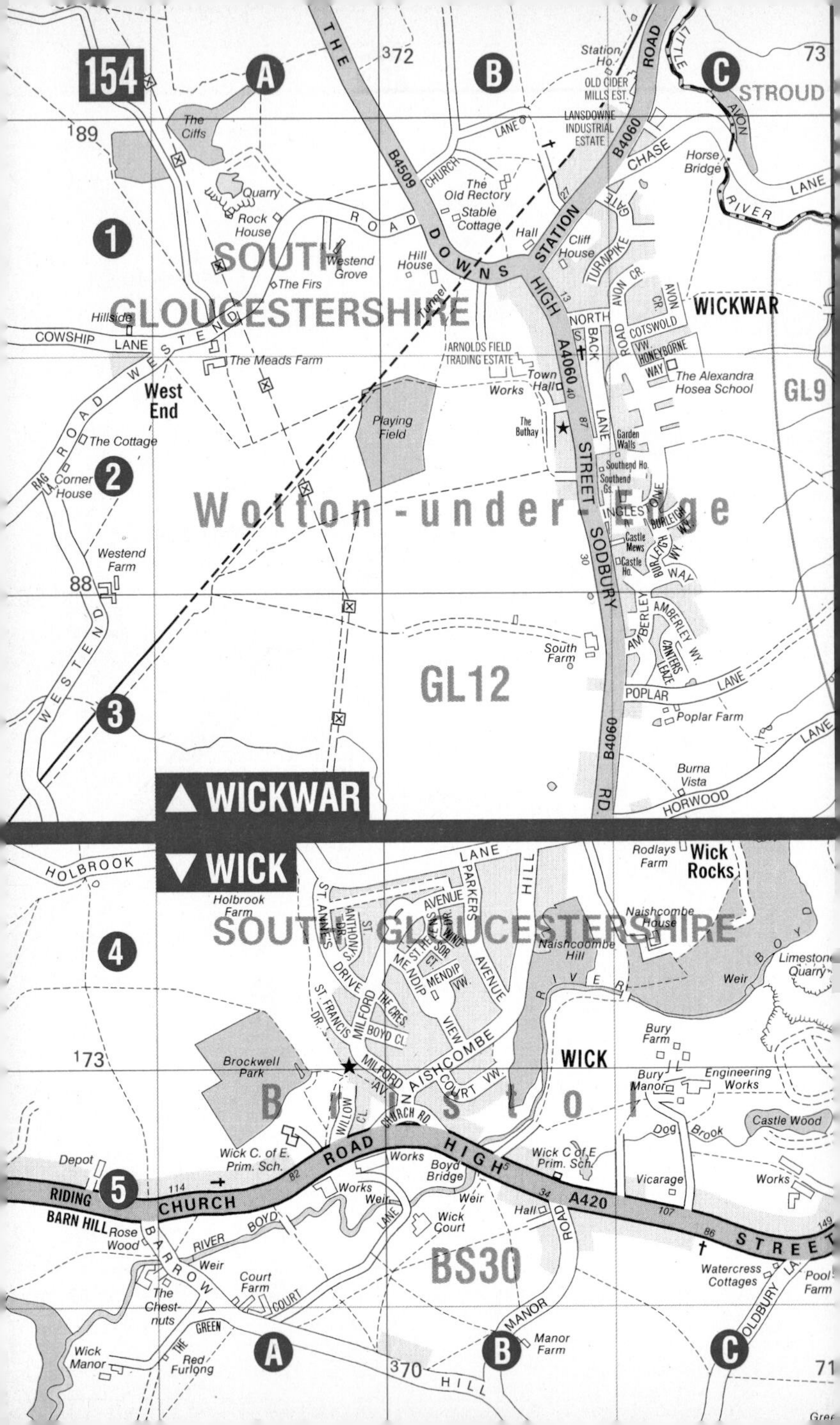
154
WICKWAR
WICK
SOUTH GLOUCESTERSHIRE
Wotton-under-Edge
GL12
GL9
WICKWAR
West End
The Ciffs
Quarry
Rock House
Westend Grove
The Firs
Hillside
COWSHIP LANE
WESTEND ROAD
The Meads Farm
The Cottage
Corner House
Westend Farm
Playing Field
The Old Rectory
Stable Cottage
Hall
Hill House
Cliff House
Station Ho.
OLD CIDER MILLS EST.
LANSDOWNE INDUSTRIAL ESTATE
DOWNS ROAD
STATION ROAD
HIGH STREET
SODBURY RD.
B4509
B4060
A4060
ARNOLDS FIELD TRADING ESTATE
Town Hall
Works
The Buthay
Garden Walls
Southend Ho.
Southend Gs.
INGLESTONE
BURLEIGH WY.
Castle Mews
Castle Ho.
AMBERLEY WY.
CANTERS LEAZE
South Farm
POPLAR LANE
Poplar Farm
Burna Vista
HORWOOD LANE
The Alexandra Hosea School
COTSWOLD VW.
HONEYBORNE WAY
AVON CR.
TURNPIKE
CHASE
Horse Bridge
LITTLE AVON
RIVER
STROUD
HOLBROOK LANE
Holbrook Farm
Rodlays Farm
Wick Rocks
Naishcombe House
Naishcombe Hill
Limestone Quarry
Weir
RIVER BOYD
Bury Farm
Bury Manor
Engineering Works
Castle Wood
Dog Brook
Vicarage
Works
WICK
Brockwell Park
ST. ANNE'S DRIVE
PARKERS AVENUE
MENDIP VIEW
MILFORD AVE
AISHCOMBE
COURT VW.
CHURCH RD
WILLOW CL.
Wick C. of E. Prim. Sch.
Boyd Bridge
Wick Court
HIGH STREET
A420
CHURCH ROAD
RIDING
BARN HILL
Rose Wood
BARROW
Depot
Court Farm
COURT
The Chestnuts
THE GREEN
Wick Manor
Red Furlong
MANOR ROAD
Manor Farm
HILL
Watercress Cottages
OLDBURY LA.
Pool Farm
Bristol
BS30
A
B
C
1
2
3
4
5
372
370
73
71
189
173
88

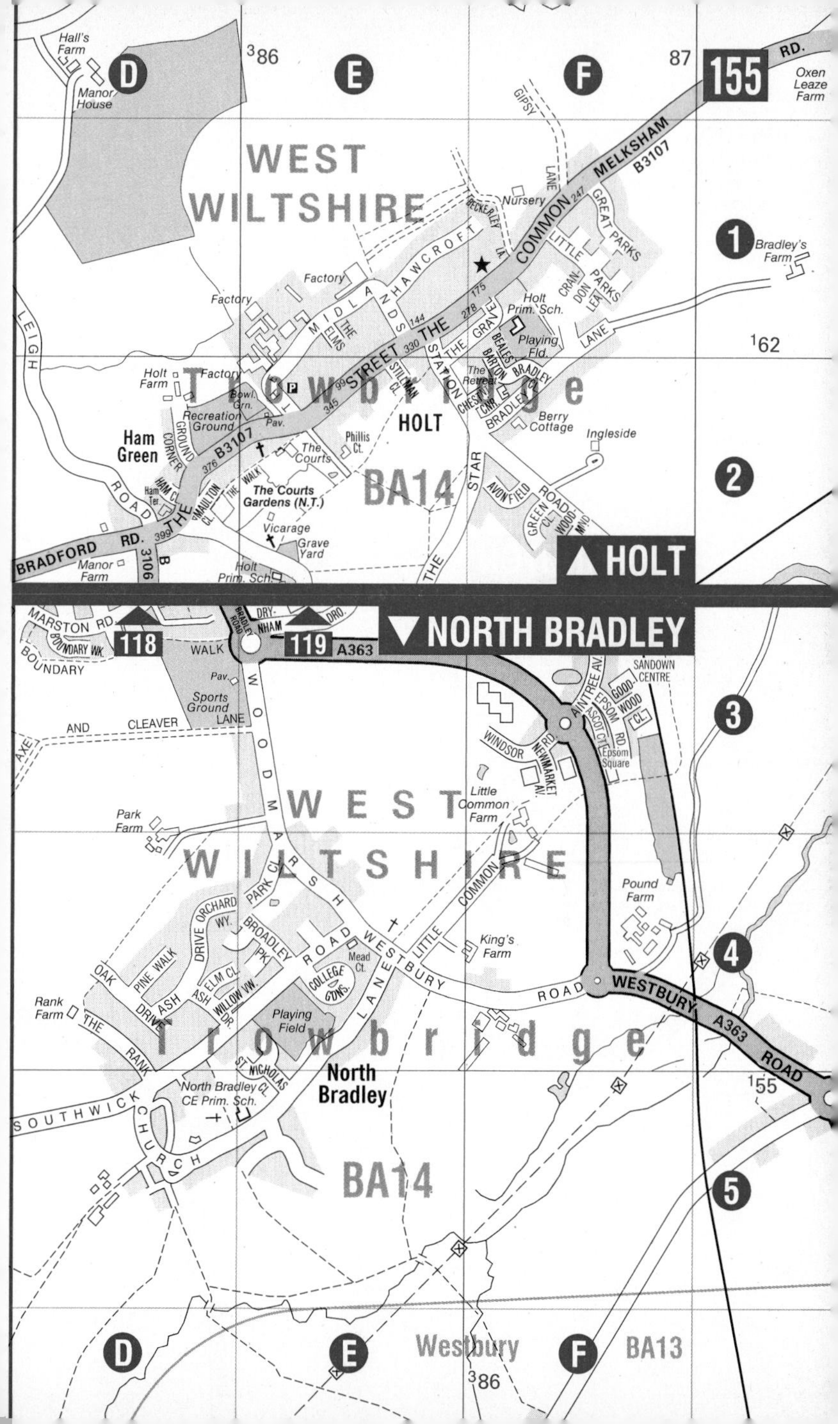
▲HOLT
▼NORTH BRADLEY
WEST WILTSHIRE
Trowbridge
BA14
HOLT
Ham Green
North Bradley
Westbury
BA13
Hall's Farm
Manor House
Oxen Leaze Farm
Bradley's Farm
Nursery
Factory
Holt Farm
Recreation Ground
Bowl. Grn.
Pav.
The Courts
The Courts Gardens (N.T.)
Phillis Ct.
Vicarage
Grave Yard
Manor Farm
Holt Prim. Sch.
Playing Fld.
The Retreat
Berry Cottage
Ingleside
MELKSHAM RD. B3107
THE COMMON
THE STREET
B3107
BRADFORD RD.
B3106
LEIGH ROAD
GIPSY LANE
GREAT PARKS
LITTLE PARKS
CRANDON LEA
LANE
BECKERLEY LA.
HAWCROFT
MIDLANDS
THE ELMS
STILLMAN CL.
STATION
THE GRAVE
BEALES
BARTON
BRADLEY CL.
CHESTNUT CNR.
BRADLEY
STAR
AVONFIELD
WOODMEAD
ROAD
GREEN CL.
GROUND CORNER
HAM CL.
Ham Ter.
MAULTON CL.
THE WALK
THE STAR
MARSTON RD.
BOUNDARY WK.
BOUNDARY
WALK
DRYNHAM DRO.
BRADLEY ROAD
A363
Pav.
Sports Ground
LANE
AXE AND CLEAVER
SANDOWN CENTRE
AINTREE AV.
EPSOM RD.
GOODWOOD CL.
ASCOT CT.
Epsom Square
WINDSOR RD.
NEWMARKET AV.
Little Common Farm
Park Farm
WOODMARSH
PARK CL.
ORCHARD DRIVE
WY.
BROADLEY PK.
OAK
PINE WALK
ASH DRIVE
ASH
ELM CL.
WILLOW VW.
DR.
COLLEGE GDNS.
Mead Ct.
Playing Field
LANE
LITTLE COMMON
ROAD
WESTBURY
King's Farm
Pound Farm
WESTBURY A363 ROAD
Rank Farm
THE RANK
SOUTHWICK
CHURCH
ST. NICHOLAS CL.
North Bradley CE Prim. Sch.
118
119
D
E
F
1
2
3
4
5
386
87
162
155
247
175
278
144
330
99
345
376
399

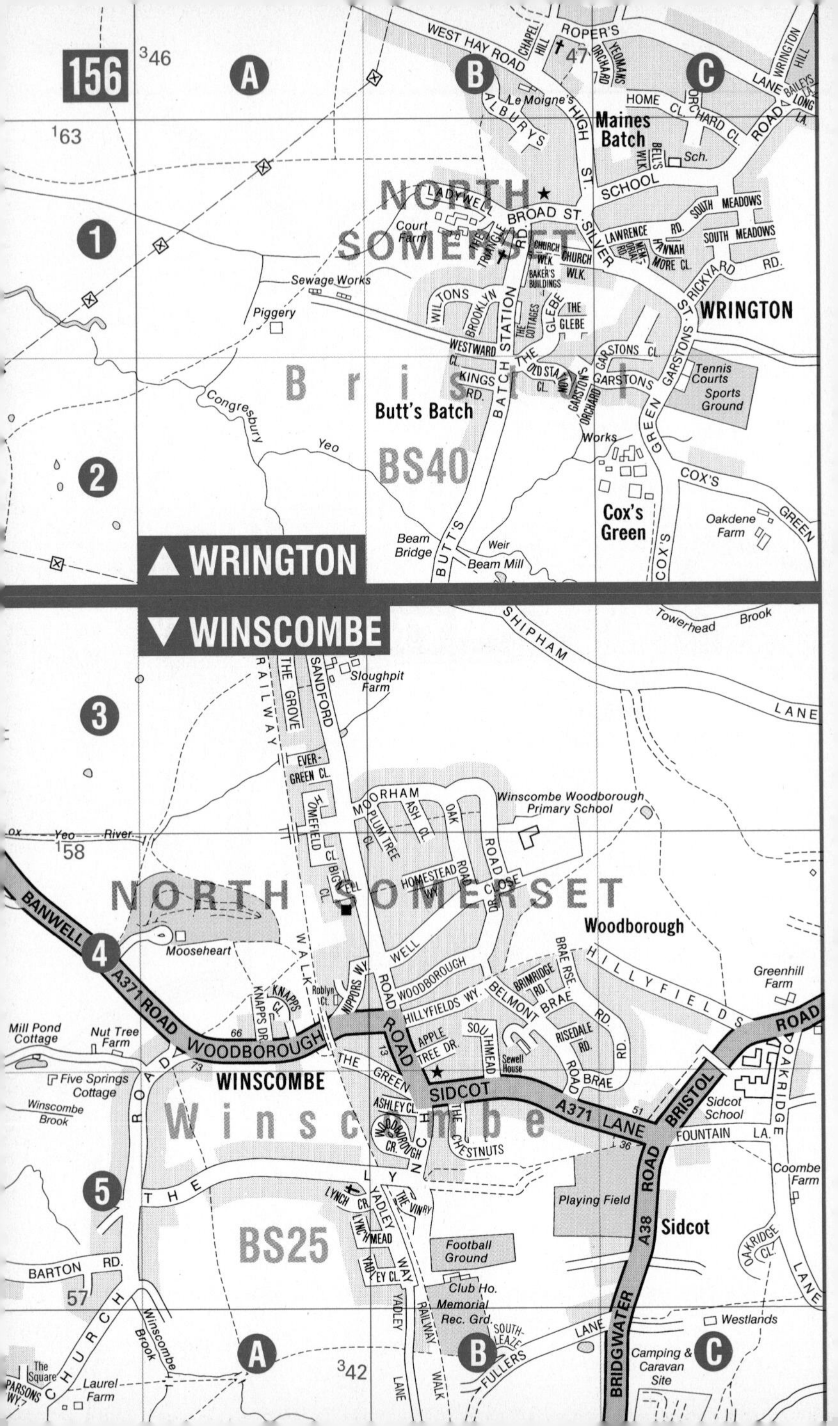

156 ³46

¹63

NORTH SOMERSET

WEST HAY ROAD

ROPER'S ORCHARD

FERNANS ORCHARD

CHAPEL HILL

HIGH ST.

Le Moigne's

ALBURYS

HOME CL.

ORCHARD CL.

ORCHARD RD.

Sch.

BELLS

WRINGTON LANE

LONG LA.

BAILIFF'S

Maines Batch

BROAD ST.

SILVER ST.

LADYWELL

Court Farm

TRIANGLE

CHURCH WLK.

BAKER'S Buildings

CHURCH WLK.

LAWRENCE

RD.

SOUTH MEADOWS

SOUTH MEADOWS

CYNNAH

MORE CL.

RICKYARD RD.

WRINGTON

Sewage Works

Piggery

Congresbury

WILTONS CL.

BROOKLYN

WESTWARD CL.

KINGS CL.

BATCH STATION RD.

THE COTTAGES

THE GLEBE

OLD STN.

ORCHARD

GARSTONS

GARSTONS CL.

GARSTONS

GARSTONS

GREEN

Works

Tennis Courts

Sports Ground

B r i s t o l

Yeo

Butt's Batch

BS40

Cox's Green

COX'S GREEN

COX'S

Oakdene Farm

COX'S GREEN

Beam Bridge

Weir

Beam Mill

BUTTS

SHIPHAM LANE

Towerhead Brook

▲ **WRINGTON**

▼ **WINSCOMBE**

RAILWAY

THE GROVE

SANDFORD

Sloughpit Farm

EVER-GREEN CL.

HOMEFIELD CL.

MOORHAM

ASH CL.

PLUM TREE CL.

OAK

ROAD

Winscombe Woodborough Primary School

NORTH SOMERSET

Woodborough

Yeo River

¹58

Mooseheart

WELL

HOMESTEAD WY.

CLOSE

BRAE RISE

HILLYFIELDS

Greenhill Farm

BANWELL

A371 ROAD

KNAPPS

KNAPPS DR.

WALK

WOODBOROUGH ROAD

NIPPORS WY.

BELMONT

BROMRIDGE RD.

BRAE RD.

RISEDALE RD.

BRAE

ROAD

BRISTOL ROAD

OAKRIDGE

Mill Pond Cottage

Nut Tree Farm

66

WOODBOROUGH ROAD

73

THE GREEN

APPLE TREE DR.

HILLYFIELDS WY.

SOUTHMEAD

Sewell House

BRAE

Sidcot School

Five Springs Cottage

WINSCOMBE

73

SIDCOT

A371 LANE

FOUNTAIN LA.

OAKRIDGE CL.

Winscombe Brook

ASHLEY CL.

CROUGH

THE CHESTNUTS

A38 ROAD

Sidcot

Coombe Farm

OAKRIDGE LANE

W i n s c o m b e

THE ROAD

LYNCH CR.

ADLEY MEAD

VINNY

THE VINNY

YADLEY WAY

Playing Field

Football Ground

BARTON RD.

BS25

57

THE

CHURCH

Winscombe Brook

Laurel Farm

The Square

PARSONS WY.

LYNCH CL.

YADLEY CL.

Club Ho.

Memorial Rec. Grd.

SOUTH-LEAZE LANE

FULLERS LANE

RAILWAY WALK

BRIDGWATER ROAD

Camping & Caravan Site

Westlands

³42

36

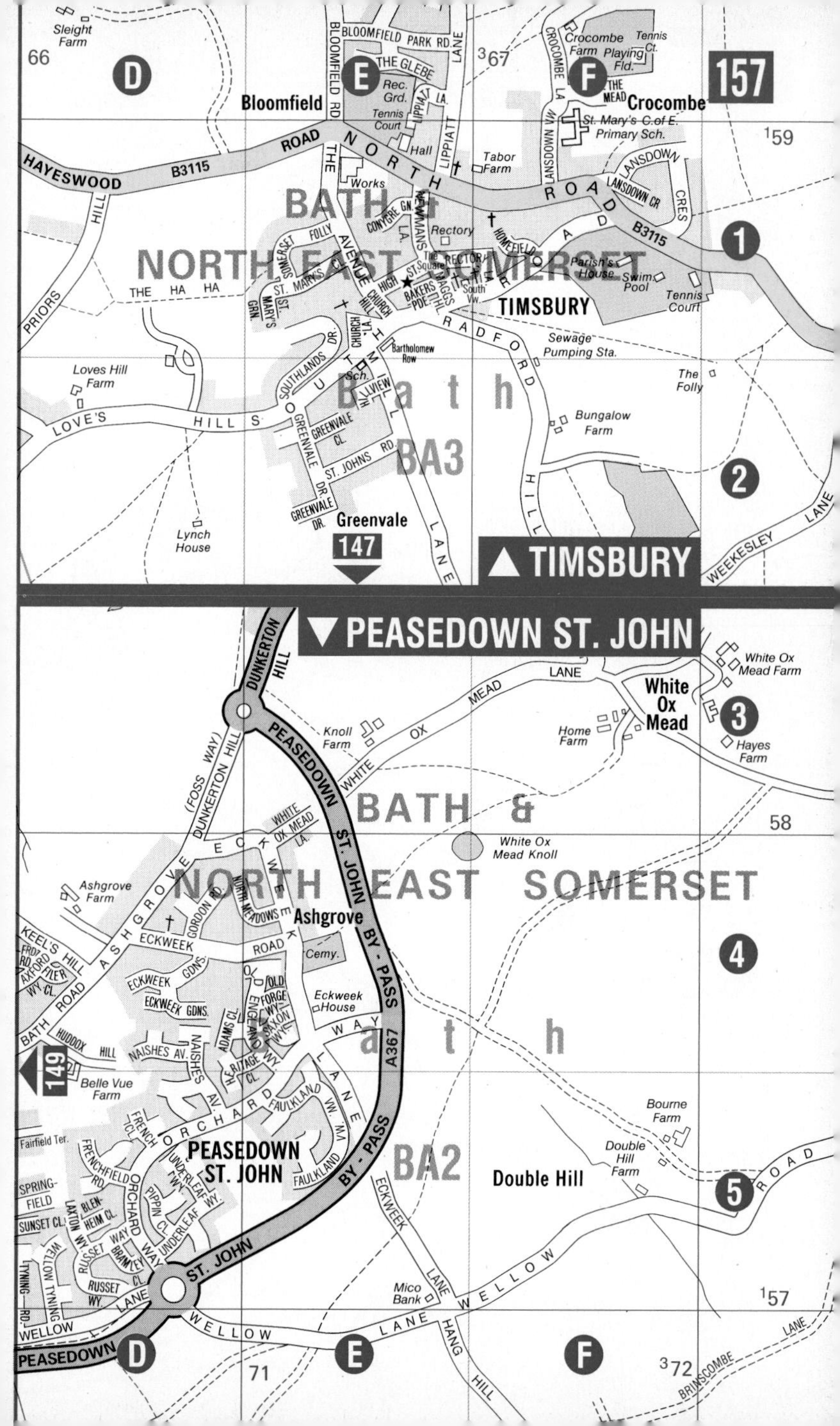

TIMSBURY
PEASEDOWN ST. JOHN
BATH & NORTH EAST SOMERSET
Bath
BA3
BA2
Bloomfield
Crocombe
TIMSBURY
Greenvale
Ashgrove
PEASEDOWN ST. JOHN
White Ox Mead
Double Hill
HAYESWOOD ROAD
NORTH ROAD
B3115
RADFORD HILL
LOVE'S HILL
SOUTH HILL
GREENVALE DR.
ST. JOHNS RD.
DUNKERTON HILL
PEASEDOWN ST. JOHN BY-PASS
A367
WHITE OX MEAD LANE
ECKWEEK ROAD
ECKWEEK LANE
ASHGROVE
BATH ROAD
WELLOW LANE
ORCHARD WAY
HANG HILL
WEEKESLEY LANE
BRINSCOMBE LANE
Sleight Farm
Loves Hill Farm
Lynch House
Tabor Farm
Bungalow Farm
Sewage Pumping Sta.
The Folly
White Ox Mead Farm
Home Farm
Hayes Farm
Knoll Farm
White Ox Mead Knoll
Ashgrove Farm
Eckweek House
Belle Vue Farm
Bourne Farm
Double Hill Farm
Mico Bank
St. Mary's C.of E. Primary Sch.
147
149

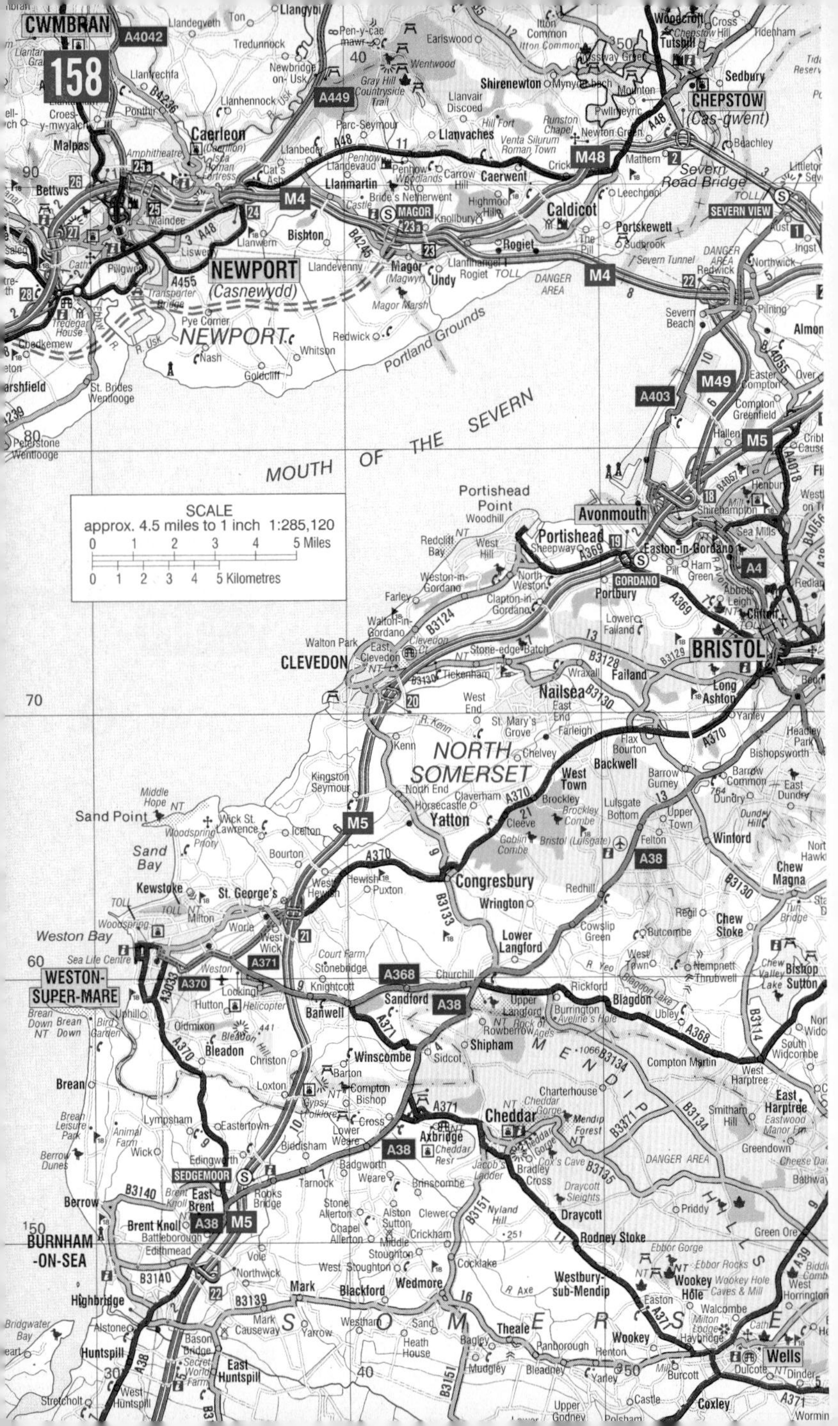

CWMBRAN
158
A4042
Llandegveth
Llangybi
Tredunnock
Llanfrechfa
Ponthir
Croes-y-mwyalch
Malpas
Bettws
Caerleon
Amphitheatre
Roman Fortress
Llanhennock
Newbridge-on-Usk
Pen-y-cae-mawr
Earlswood
Wentwood
Gray Hill Countryside Trail
A449
Parc-Seymour
Llanvaches
Llanvair Discoed
Shirenewton
Mynydd-bach
Itton Common
Crossway Green
Mounton
Pwllmeyric
Woodcroft
Cross
Chepstow Hill
Tutshill
Tidenham
Sedbury
CHEPSTOW
(Cas-gwent)
Beachley
Runston Chapel
Newton Green
Venta Silurum Roman Town
Hill Fort
M48
Mathern
Crick
Caerwent
Carrow Hill
Penhow
Llandevaud
Llanbeder
Cat's Ash
Llanmartin
Bride's Netherwent
Highmoor Hill
Caldicot
Leechpool
Portskewett
Sudbrook
Severn Road Bridge
SEVERN VIEW
Severn Tunnel
The Pill
Rogiet
Llanfihangel Rogiet
MAGOR
Magor
(Magwyr)
Undy
Magor Marsh
M4
Bishton
Llanwern
Llandevenny
B4245
Maindee
Liswerry
NEWPORT
(Casnewydd)
A455
A48
Pillgwenlly
Transporter Bridge
Tredegar House
Coedkernew
Pye Corner
NEWPORT
Nash
Goldcliff
Whitson
Redwick
Portland Grounds
DANGER AREA
TOLL
Redwick
Northwick
Severn Beach
Pilning
Almondsbury
B4055
Easter Compton
Compton Greenfield
Hallen
M49
A403
M5
A4018
B4057
Henbury
Cribbs Causeway
Marshfield
St. Brides Wentlooge
Peterstone Wentlooge
MOUTH OF THE SEVERN
SCALE
approx. 4.5 miles to 1 inch 1:285,120
0 1 2 3 4 5 Miles
0 1 2 3 4 5 Kilometres
Portishead Point
Woodhill
Avonmouth
Shirehampton
Sea Mills
Portishead
Sheepway
A369
Easton-in-Gordano
Pill
Ham Green
GORDANO
Portbury
A4
Abbots Leigh
Clifton
Redcliff Bay
West Hill
Weston-in-Gordano
North Weston
Clapton-in-Gordano
Farley
Walton-in-Gordano
B3124
Walton Park
East Clevedon
CLEVEDON
Clevedon Ct.
Stone-edge Batch
Lower Failand
BRISTOL
B3129
B3128
Failand
Wraxall
Tickenham
B3130
Nailsea
Long Ashton
West End
East End
St. Mary's Grove
Farleigh
Kenn
R. Kenn
NORTH SOMERSET
Chelvey
Flax Bourton
Backwell
A370
Yanley
Headley Park
Bishopsworth
Barrow Gurney
Barrow Common
Dundry
East Dundry
Kingston Seymour
North End
Horsecastle
Claverham
Yatton
West Town
Brockley
Brockley Combe
Cleeve
Goblin Combe
Lulsgate Bottom
Bristol (Lulsgate)
Upper Town
Felton
Winford
A38
Chew Magna
Middle Hope
Sand Point
Wick St. Lawrence
Woodspring Priory
Icelton
Bourton
Sand Bay
Kewstoke
St. George's
West Hewish
Hewish
Puxton
Congresbury
B3133
Wrington
Redhill
Regil
Butcombe
Chew Stoke
Cowslip Green
Lower Langford
Milton
Worle
West Wick
Weston Bay
Sea Life Centre
WESTON-SUPER-MARE
A371
A3033
Weston
Locking
Hutton
Helicopter
Court Farm
Stonebridge
Knightcott
Banwell
A368
Churchill
Sandford
Upper Langford
Rickford
Burrington
Aveline's Hole
Blagdon
Blagdon Lake
Ubley
West Town
Nempnett Thrubwell
Chew Valley Lake
Bishop Sutton
Brean Down
Bird Garden
Uphill
Oldmixon
Bleadon Hill
Bleadon
Christon
Winscombe
Sidcot
Shipham
Rowberrow
Rock of Ages
MENDIP HILLS
B3134
Compton Martin
West Harptree
B3114
South Widcombe
Brean
Barton
Loxton
Compton Bishop
Cross
Charterhouse
Cheddar Gorge
Cheddar
Mendip Forest
B3371
Smitham Hill
East Harptree
Eastwood Manor Fm
Greendown
Brean Leisure Park
Lympsham
Eastertown
Animal Farm
Wick
Berrow Dunes
Edingworth
Lower Weare
Biddisham
Axbridge
Cheddar Resr
Cox's Cave
Bradley Cross
B3135
DANGER AREA
SEDGEMOOR
Badgworth
Weare
Brinscombe
Jacob's Ladder
Draycott Sleights
Draycott
Priddy
Berrow
B3140
Brent Knoll
East Brent
Rooks Bridge
Tarnock
Stone Allerton
Alston Sutton
Clewer
B3151
Nyland Hill
Rodney Stoke
Green Ore
BURNHAM-ON-SEA
Battleborough
Edithmead
Chapel Allerton
Crickham
Stoughton
Middle Stoughton
Cocklake
Ebbor Gorge
Ebbor Rocks
Wookey Hole
Wookey Hole Caves & Mill
Vole
Northwick
West Stoughton
Wedmore
Westbury-sub-Mendip
R. Axe
Highbridge
B3139
Mark
Blackford
Mark Causeway
Yarrow
Westham
Sand
Heath House
Theale
Easton
Walcombe
Milton Lodge
Haybridge
Wells
Dulcote
Dinder
Wookey
Henton
Panborough
Bagley
Bridgwater Bay
Alstone
Huntspill
Bason Bridge
Secret World Farm
East Huntspill
Mudgley
Bleadney
Yarley
Burcott
Coxley
West Huntspill
Stretcholt
Upper Godney
Castle
Polsham
A39
A371

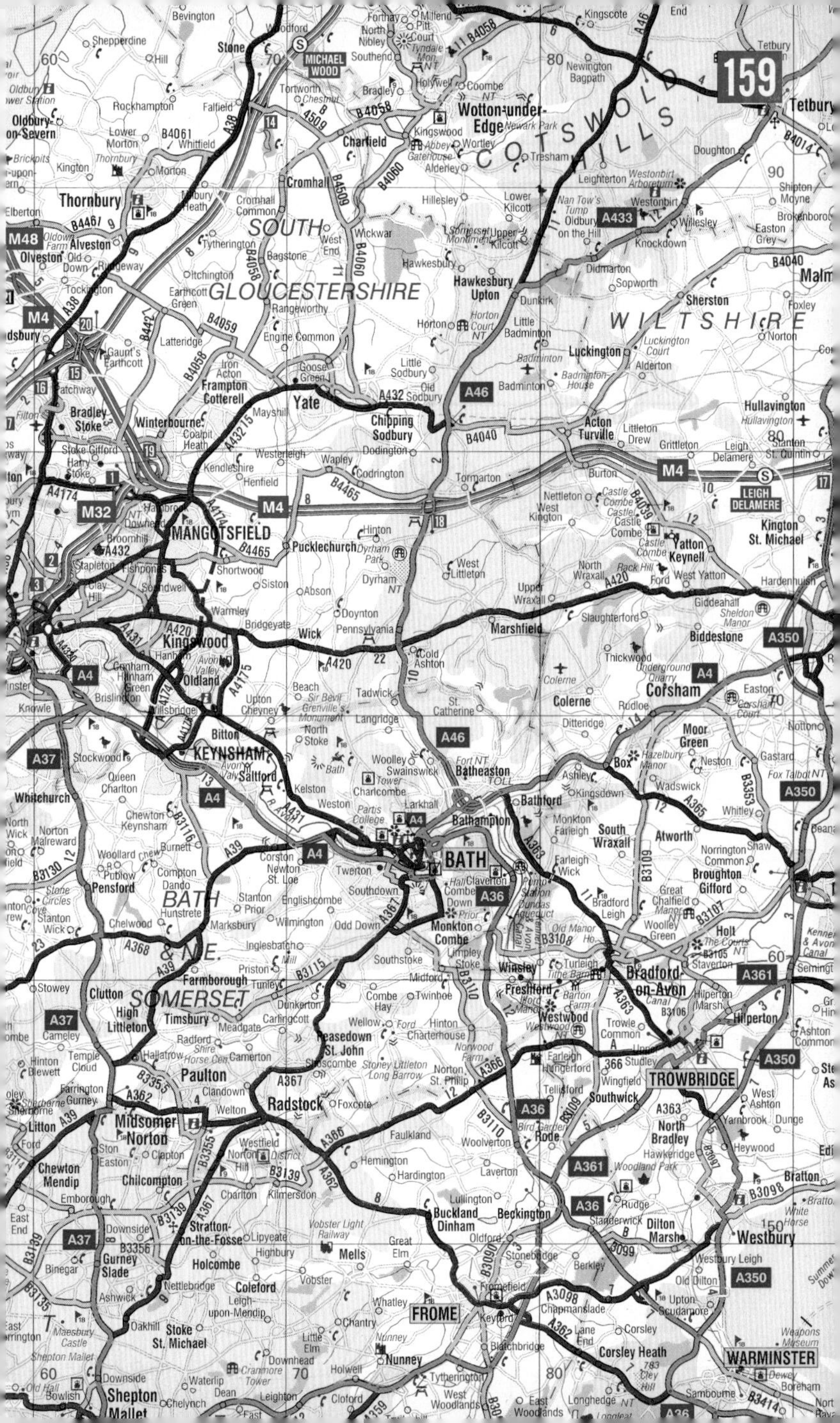
159
COTSWOLD HILLS
SOUTH GLOUCESTERSHIRE
WILTSHIRE
BATH & N.E. SOMERSET
MICHAEL WOOD
LEIGH DELAMERE
M4
M5
M32
M48
A46
A433
A432
A420
A4
A36
A37
A39
A350
A361
A363
A367
A362
A366
A368
A4174
A4175
A38
A3098
B4058
B4060
B4509
B4061
B4040
B4039
B4465
B4059
B3109
B3108
B3107
B3105
B3106
B3110
B3115
B3116
B3130
B3139
B3135
B3355
B3356
B3098
B3097
B3099
B3090
B3353
B3414
B4014
B4427
Bevington
Woodford
Stone
Shepperdine
Hill
Oldbury-on-Severn
Rockhampton
Falfield
Tortworth
Lower Morton
Whitfield
Thornbury
Kington
Morton
Milbury Heath
Cromhall
Cromhall Common
Charfield
Kingswood
Wotton-under-Edge
Newark Park
Wortley
Alderley
Tresham
Forthay
Millend
North Nibley
Pitt Court
Southend
Tyndale Mon.
Bradley
Holywell
Coombe
Kingscote
Newington Bagpath
Tetbury
Doughton
Leighterton
Westonbirt Arboretum
Westonbirt
Shipton Moyne
Brokenborough
Easton Grey
Willesley
Knockdown
Lower Kilcott
Upper Kilcott
Nan Tow's Tump
Oldbury on the Hill
Hillesley
Somerset Monument
Hawkesbury
Hawkesbury Upton
Didmarton
Sopworth
Sherston
Foxley
Norton
Malm
Elberton
Alveston
Olveston
Old Down
Ridgeway
Tytherington
Tockington
Itchington
Earthcott Green
Bagstone
West End
Wickwar
Rangeworthy
Engine Common
Latteridge
Gaunt's Earthcott
Iron Acton
Frampton Cotterell
Goose Green
Yate
Little Sodbury
Old Sodbury
Horton
Horton Court NT
Little Badminton
Badminton
Badminton House
Luckington
Luckington Court
Alderton
Dunkirk
Patchway
Bradley Stoke
Filton
Winterbourne
Coalpit Heath
Mayshill
Chipping Sodbury
Dodington
Acton Turville
Littleton Drew
Grittleton
Hullavington
Leigh Delamere
Stanton St. Quintin
Stoke Gifford
Harry Stoke
Westerleigh
Kendleshire
Henfield
Wapley
Codrington
Tormarton
Burton
Nettleton
West Kington
Castle Combe
Yatton Keynell
Kington St. Michael
Hambrook
Downend
Mangotsfield
Broomhill
Stapleton
Fishponds
Shortwood
Pucklechurch
Hinton
Dyrham Park
Dyrham
West Littleton
North Wraxall
Ford
West Yatton
Hardenhuish
Soundwell
Siston
Abson
Doynton
Upper Wraxall
Slaughterford
Giddeahall
Sheldon Manor
Clay Hill
Warmley
Bridgeyate
Wick
Pennsylvania
Marshfield
Biddestone
Kingswood
Hanham
Oldland
Avon Valley
Cold Ashton
Thickwood
Colerne
Underground Quarry
Corsham
Easton
Conham
Hanham Green
Brislington
Knowle
Willsbridge
Beach
Sir Bevil Grenville's Monument
Tadwick
St. Catherine
Rudloe
Upton Cheyney
North Stoke
Langridge
Ditteridge
Moor Green
Notton
Bitton
Keynsham
Saltford
Woolley
Swainswick
Fort NT
Batheaston
Box
Hazelbury Manor
Neston
Gastard
Fox Talbot
Whitchurch
Stockwood
Queen Charlton
Kelston
Charlcombe
Ashley
Kingsdown
Wadswick
Weston
Larkhall
Bathford
Whitley
Chewton Keynsham
North Wick
Norton Malreward
Woollard
Burnett
Corston
Newton St. Loe
Twerton
Bath
Bathampton
Claverton
Monkton Farleigh
South Wraxall
Atworth
Norrington Common
Shaw
Broughton Gifford
Publow
Pensford
Compton Dando
Southdown
Combe Down
Prior
Hall
Pump Station
Dundas Aqueduct
Farleigh Wick
Bradford Leigh
Great Chalfield
Stone Circles
Stanton Drew
Stanton Wick
Hunstrete
Stanton Prior
Englishcombe
Wilmington
Odd Down
Monkton Combe
Kennet & Avon Canal
Woolley Green
Holt
The Courts NT
Chelwood
Marksbury
Inglesbatch
Southstoke
Limpley Stoke
Winsley
Turleigh
Tithe Barn
Bradford-on-Avon
Staverton
Semington
Priston
Mill
Farmborough
Tunley
Midford
Freshford
Iford Manor
Barton Farm
Hilperton
Hilperton Marsh
Stowey
Clutton
High Littleton
Timsbury
Meadgate
Dunkerton
Carlingcott
Combe Hay
Twinhoe
Wellow
Hinton Charterhouse
Westwood
Trowle Common
Ashton Common
Cameley
Temple Cloud
Radford
Hallatrow
Camerton
Peasedown St. John
Shoscombe
Stoney Littleton Long Barrow
Norwood Farm
Norton St. Philip
Farleigh Hungerford
Upper Studley
Wingfield
Trowbridge
Hinton Blewett
Farrington Gurney
Paulton
Clandown
Welton
Radstock
Foxcote
Tellisford
Southwick
West Ashton
Sherborne
Litton
Midsomer Norton
Faulkland
Rode
Bird Garden
North Bradley
Yarnbrook
Dunge
Heywood
Ston Easton
Clapton
Westfield
Norton Hill
District
Hemington
Woolverton
Hawkeridge
Chewton Mendip
Chilcompton
Hardington
Laverton
Woodland Park
Bratton
Emborough
Charlton
Kilmersdon
Lullington
Buckland Dinham
Beckington
Rudge
Standerwick
Dilton Marsh
White Horse
Westbury
East End
Downside
Stratton-on-the-Fosse
Lipyeate
Vobster Light Railway
Mells
Great Elm
Oldford
Gurney Slade
Binegar
Holcombe
Highbury
Stonebridge
Berkley
Westbury Leigh
Old Dilton
Nettlebridge
Vobster
Coleford
Fromefield
Ashwick
Leigh-upon-Mendip
Whatley
Frome
Keyford
Chapmanslade
Upton Scudamore
Oakhill
Stoke St. Michael
Chantry
Lane End
Corsley
Weapons Museum
East Harrington
Maesbury Castle
Shepton Mallet
Little Elm
Nunney
Blatchbridge
Corsley Heath
783 Cley Hill
Warminster
Downhead
Cranmore Tower
Holwell
Tytherington
Dewey
Boreham
Old Hall
Downside
Waterlip
Dean
Leighton
Cloford
West Woodlands
East Woodlands
Longhedge
Sambourne
Bowlish
Shepton Mallet
Chelynch
Fast
60
70
80
90
150

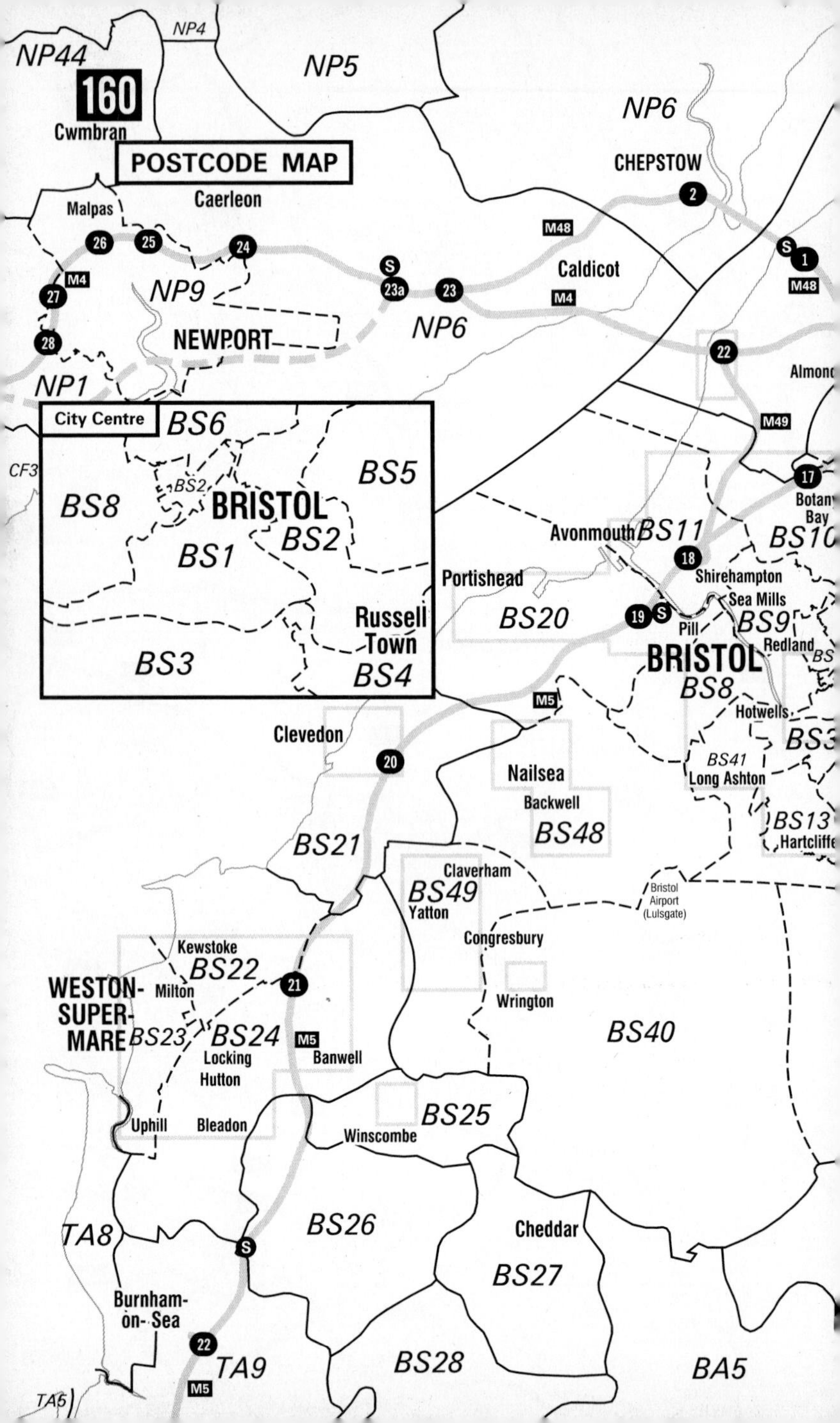
POSTCODE MAP
NP44
NP4
NP5
NP6
Cwmbran
CHEPSTOW
Malpas
Caerleon
M48
Caldicot
M4
NP9
NEWPORT
NP6
NP1
Almond
M49
City Centre
BS6
BS5
BS2
BRISTOL
BS8
BS2
BS1
Russell Town
BS3
BS4
CF3
Botany Bay
Avonmouth
BS11
BS10
Portishead
Shirehampton
Sea Mills
BS20
Pill
BS9
Redland
BRISTOL
BS8
Hotwells
BS3
M5
Clevedon
Nailsea
Backwell
BS41
Long Ashton
BS13
Hartcliffe
BS48
BS21
Claverham
BS49
Yatton
Bristol Airport (Lulsgate)
Congresbury
Kewstoke
BS22
WESTON-SUPER-MARE
Milton
Wrington
BS23
BS24
Locking
Hutton
Banwell
BS40
Uphill
Bleadon
BS25
Winscombe
TA8
BS26
Cheddar
BS27
Burnham-on-Sea
TA9
BS28
BA5
TA6

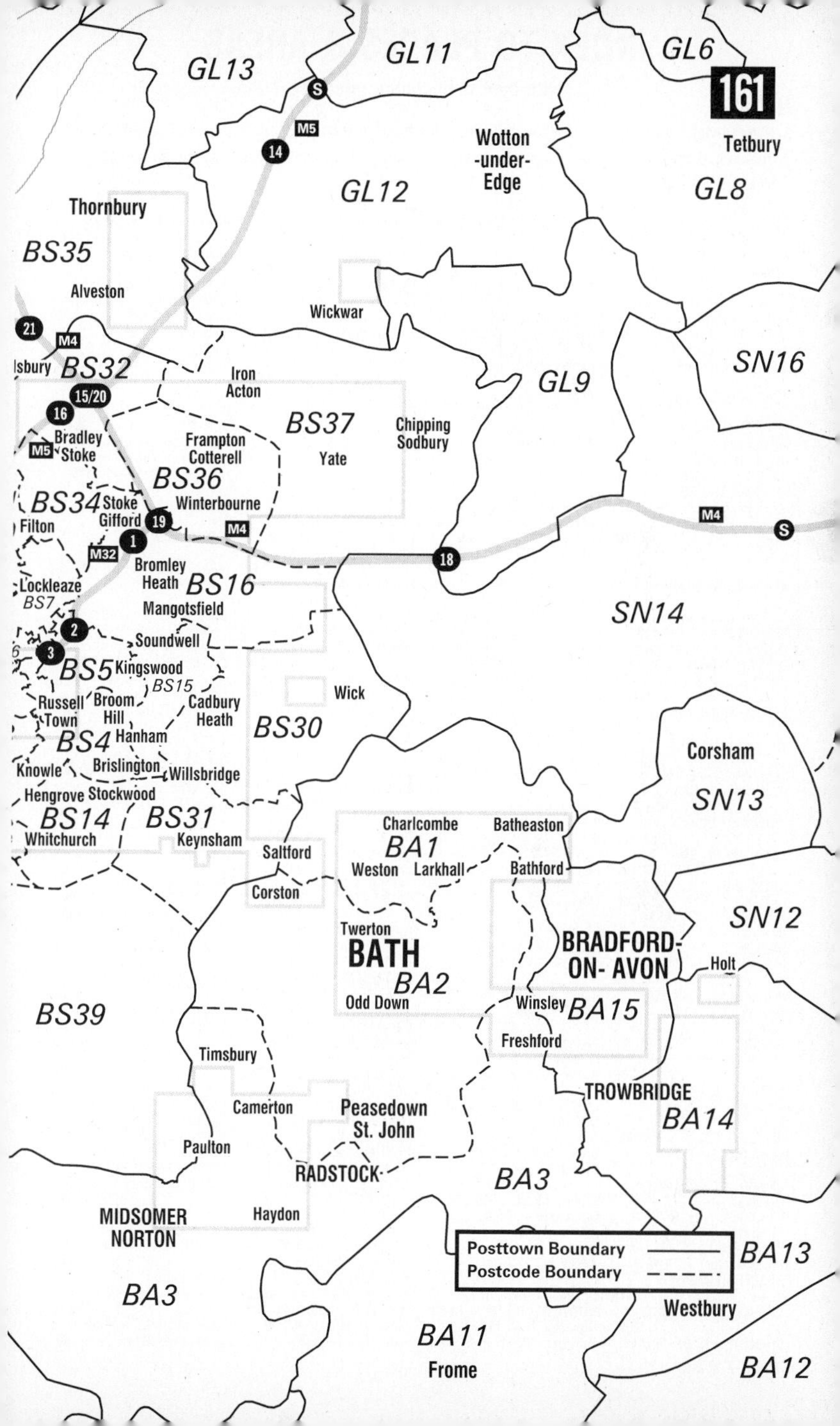

GL13
GL11
GL6
Tetbury
Wotton
-under-
Edge
GL12
GL8
Thornbury
BS35
Alveston
Wickwar
M4
M5
lsbury
BS32
SN16
Iron
Acton
GL9
BS37
Bradley
Stoke
Frampton
Cotterell
Chipping
Sodbury
Yate
BS36
BS34
Stoke
Gifford
Winterbourne
Filton
M32
Bromley
Heath
BS16
Lockleaze
BS7
Mangotsfield
SN14
Soundwell
BS5
Kingswood
BS15
Russell
Town
Broom
Hill
Cadbury
Heath
Wick
BS30
BS4
Hanham
Corsham
Knowle
Brislington
Willsbridge
SN13
Hengrove
Stockwood
BS14
BS31
Charlcombe
Batheaston
Whitchurch
Keynsham
BA1
Saltford
Weston
Larkhall
Bathford
Corston
SN12
Twerton
BATH
BRADFORD-
ON- AVON
Holt
BA2
BS39
Odd Down
Winsley
BA15
Freshford
Timsbury
TROWBRIDGE
Camerton
Peasedown
St. John
BA14
Paulton
RADSTOCK
BA3
MIDSOMER
NORTON
Haydon
Posttown Boundary
Postcode Boundary
BA13
BA3
Westbury
BA11
Frome
BA12

INDEX TO PLACES & AREAS

with their map square reference

NOTES

1. Names in this Index shown in CAPITAL LETTERS followed by their Postcode District(s), are Postal Addresses.

2. The places & areas index reference indicates the approximate centre of the town or place and not where the name occurs on the map.

Index to Places & Areas

INDEX TO STREETS

HOW TO USE THIS INDEX

1. Each street name is followed by its Posttown or Postal Locality and then by its map reference;
   e.g. Abbeydale. *Wint* —3A **30** is in the Winterbourne Postal Locality and is to be found in square 3A on page **30**.
   The page number being shown in bold type.
   A strict alphabetical order is followed in which Av., Rd., St., etc. (though abbreviated) are read in full and as part of the
   street name; e.g. Abbotsbury Rd. appears after Abbots Av. but before Abbots Clo.

2. Streets and a selection of Subsidiary names not shown on the Maps, appear in the index in *Italics* with the
   thoroughfare to which it is connected shown in brackets; e.g. *Abbey Chambers. Bath —3B* **106** *(off York St.)*

3. The page references shown in brackets indicate those streets that appear on the large scale map pages 4-5 and 96-97;
   e.g. Abbey Ct. *Bath* —2C **106** (2E **97**) appears in square 2C on page **106** and also appears in the enlarged
   section in square 2E on page **97**.

GENERAL ABBREVIATIONS

All : Alley
App : Approach
Arc : Arcade
Av : Avenue
Bk : Back
Boulevd : Boulevard
Bri : Bridge
B'way : Broadway
Bldgs : Buildings
Bus : Business
Cvn : Caravan
Cen : Centre
Chu : Church
Chyd : Churchyard
Circ : Circle

Cir : Circus
Clo : Close
Comn : Common
Cotts : Cottages
Ct : Court
Cres : Crescent
Dri : Drive
E : East
Embkmt : Embankment
Est : Estate
Gdns : Gardens
Ga : Gate
Gt : Great
Grn : Green
Gro : Grove

Ho : House
Ind : Industrial
Junct : Junction
La : Lane
Lit : Little
Lwr : Lower
Mnr : Manor
Mans : Mansions
Mkt : Market
M : Mews
Mt : Mount
N : North
Pal : Palace
Pde : Parade
Pk : Park

Pas : Passage
Pl : Place
Quad : Quadrant
Rd : Road
S : South
Sq : Square
Sta : Station
St : Street
Ter : Terrace
Trad : Trading
Up : Upper
Vs : Villas
Wlk : Walk
W : West
Yd : Yard

POSTTOWN AND POSTAL LOCALITY ABBREVIATIONS

Abb L : Abbots Leigh
Alm : Almondsbury
Alv : Alveston
Arn V : Arnos Vale
Ash D : Ashley Down
Asht : Ashton
Ash G : Ashton Gate
Avon : Avoncliff
A'mth : Avonmouth
Azt W : Aztec West
Back : Backwell
Bann : Bannerdown
Ban : Banwell
Bap M : Baptist Mills
Bar C : Barrs Court
Bar H : Barton Hill
Bath : Bath
B'ptn : Bathampton
Bathe : Batheaston
Bathf : Bathford
Bathw : Bathwick
Bedm : Bedminster
Bed D : Bedminster Down
Bishop : Bishopston
B'wth : Bishopsworth
Bit : Bitton
B'don : Bleadon
Brad A : Bradford-on-Avon
Brad S : Bradley Stoke
Bren : Brentry
Brisl : Brislington
Bris : Bristol
B'ley : Brockley
C'ton : Camerton
Charl : Charlcombe
C'vey : Chelvey
Chip S : Chipping Sodbury
Chit : Chittening
C'chu : Christchurch
Clan : Clandown
C'tn : Clapton
Clav : Claverham
Clav D : Claverton Down

Clay H : Clay Hill
C've : Cleeve
Clev : Clevedon
Clif : Clifton
Clif W : Clifton Wood
Clut : Clutton
Coal H : Coalpit Heath
Cod : Codrington
C Down : Combe Down
C Hay : Combe Hay
Cong : Congresbury
C Din : Coombe Dingle
Cor : Corston
Cot : Cotham
Crom : Cromhall
Dod : Dodington
Down : Downend
Dun : Dundry
E Comp : Easter Compton
E'tn : Easton
E'ton G : Easton-in-Gordano
Eastv : Eastville
E Grn : Emersons Green
Eng : Englishcombe
Fail : Failand
Far C : Farrington Gurney
Fil : Filton
Fish : Fishponds
Fram C : Frampton Cotterell
Fren : Frenchay
F'frd : Freshford
G'bnk : Greenbank
Grov : Grovesend
Hall : Hallatrow
H'len : Hallen
Ham : Hambrook
Han : Hanham
Hawk B : Hawkfield Bus. Park
Hay : Haydon
Hen : Henbury
H'gro : Hengrove
Henl : Henleaze
Hew : Hewish

High L : High Littleton
Hil : Hilperton
Hil M : Hilperton Marsh
Holt : Holt
Hor : Horfield
Hot : Hotwells
Hut : Hutton
Iron A : Iron Acton
Kel : Kelston
Ken : Kendleshire
Kew : Kewstoke
Key : Keynsham
Kngdn : Kingsdown (Bath)
K'dwn : Kingsdown (Bristol)
K'wd : Kingswood
Know : Knowle
L'dwn : Lansdown
Lark : Larkhall
Law H : Lawrence Hill
Law W : Lawrence Weston
L Wds : Leigh Woods
Lim S : Limpley Stoke
Lit S : Little Stoke
L Sev : Littleton-upon-Severn
Lock : Locking
L Ash : Long Ashton
L Grn : Longwell Green
Lwr W : Lower Ashton
L W'wd : Lower Westwood
Mang : Mangotsfield
Mid : Midford
Mid N : Midsomer Norton
Mil : Milton
Mon C : Monkton Combe
Mont : Montpelier
Nail : Nailsea
New C : New Cheltenham
N Brad : North Bradley
Nthnd : Northend
N'vle : Northville
Old C : Oldland Common
Old S : Old Sodbury
Pat : Patchway

Paul : Paulton
Pea J : Peasedown St John
Pill : Pill
Piln : Pilning
P'bry : Portbury
P'head : Portishead
Puck : Pucklechurch
Rads : Radstock
Redc : Redcliffe
Redf : Redfield
Redl : Redland
Rudg : Rudgeway
St Ag : St Agnes
St And : St Andrews
St Ap : St Annes Park
St Aug : St Augustines
St G : St George
St Geo : St Georges
St Ja : St James
St Jud : St Judes
St Pa : St Pauls
St Ph : St Philips
St Pm : St Philips Marsh
St W : St Werburghs
Salt : Saltford
Sea M : Sea Mills
Sev B : Severn Beach
Shire : Shirehampton
S Park : Sneyd Park
Soun : Soundwell
S'dwn : Southdown
S'mead : Southmead
S'ske : Southstoke
S'vle : Southville
S'wll : Speedwell
Stap H : Staple Hill
Stap : Stapleton
Stav : Staverton
Stoc : Stockwood
Stok B : Stoke Bishop
Stok G : Stoke Gifford
Swain : Swainswick
Tem M : Temple Meads

Posttown and Postal Locality Abbreviations

INDEX TO STREETS

All Saints St. *Bris* —3F **69** (2C **4**)
Alma Clo. *Bris* —2A **74**
Alma Ct. *Bris* —1D **69**
Alma Rd. *Clif* —2C **68**
Alma Rd. *K'wd* —1A **74**
Alma Rd. Av. *Bris* —2D **69**
Alma St. *Trow* —2E **119**
Alma St. *W Mare* —1C **132**
Alma Vale Rd. *Bris* —2C **68**
Almeda Rd. *Bris* —4C **72**
Almond Clo. *W Mare* —4E **129**
Almond Gro. *Trow* —5B **118**
Almondsbury Bus. Cen. *Alm* —3F **11**
Almond Way. *Bris* —2B **62**
Almorah Rd. *Bris* —2A **80**
Alpha Rd. *Bris* —1F **79**
Alpine Clo. *Paul* —5C **146**
Alpine Gdns. *Bath* —1B **106**
Alpine Rd. *Bris* —1E **71**
Alpine Rd. *Paul* —5C **146**
Alsop Rd. *Bris* —2F **73**
Alton Pl. *Bath* —4B **106**
Alton Rd. *Bris* —2B **58**
Altringham Rd. *Bris* —1F **71**
Alum Clo. *Trow* —3E **119**
Alverstoke. *Bris* —1B **88**
Alveston Hill. *T'bry* —1B **8**
Alveston Wlk. *Bris* —5D **39**
Alwins Ct. *Bar C* —1B **84**
Amberey Rd. *W Mare* —3D **133**
Amberlands Clo. *Back* —1C **124**
Amberley Clo. *Bris* —5F **45**
Amberley Clo. *Key* —4A **92**
Amberley Gdns. *Nail* —4C **122**
Amberley Rd. *Bris* —5F **45**
Amberley Rd. *Pat* —1D **27**
Amberley Way. *Wickw* —3C **154**
Amble Clo. *Bris* —3B **74**
Ambleside Av. *Bris* —3D **41**
Ambleside Rd. *Bath* —2C **108**
Ambra Vale. *Bris* —4C **68**
Ambra Vale E. *Bris* —4C **68**
Ambra Vale S. *Bris* —4C **68**
Ambra Vale W. *Bris* —4C **68**
Ambrose Rd. *Bris* —4C **68**
Ambury. *Bath* —4A **106** (5B **96**)
(in two parts)
Amercombe Wlk. *Bris* —1F **89**
Amery La. *Bath* —3B **106** (4C **96**)
Amesbury Dri. *B'don* —5F **139**
Amouracre. *Trow* —2F **119**
Ancaster Clo. *Trow* —1A **118**
Anchor Clo. *St G* —4B **72**
Anchor La. *Bris* —4E **69** (4A **4**)
Anchor Rd. *Bath* —5C **98**
Anchor Rd. *Bris* —4D **69**
Anchor Rd. *K'wd* —1C **74**
Anchor Way. *Pill* —3F **53**
Ancliff Sq. *Avon* —3F **115**
Andereach Clo. *Bris* —5D **81**
Andover Rd. *Bris* —3B **80**
Angels Ground. *St Ap* —4B **72**
Angers Rd. *Tot* —1B **80**
Anglesea Pl. *Bris* —5C **56**
*Anglo Ter. Bath —1B **106***
(off London Rd.)
Annandale Av. *W Mare* —4C **128**
Anson Clo. *Salt* —5F **93**
Anson Rd. *Kew* —1B **128**
Anson Rd. *Lock* —2E **135**
Anstey's Rd. *Han* —5D **73**
Anstey St. *Bris* —1D **71**
Anthea Rd. *Bris* —5A **60**
Antona Ct. *Bris* —5E **37**
Antona Dri. *Bris* —5F **37**
Antrim Rd. *Bris* —1D **57**
Anvil Rd. *Clav* —2F **143**
Anvil St. *Bris* —4B **70**
Apex Ct. *Alm* —3F **11**
Apperley Clo. *Yate* —1F **33**
Appleby Wlk. *Bris* —1F **87**
Appledore. *W Mare* —3D **129**
Appledore Clo. *Bris* —5D **81**
Applegate. *Bris* —1D **41**
Appletree Ct. *Wor* —3F **129**
Apple Tree Dri. *Wins* —4B **156**
Appsley Clo. *W Mare* —3A **128**
Apseleys Mead. *Brad S* —4E **11**
Apsley Clo. *Bath* —2C **104**
Apsley Rd. *Bath* —2B **104**
Apsley Rd. *Bris* —1C **68**
Apsley St. *Bris* —5E **59**
Apsley Vs. *Bris* —1F **69**
Arbutus Dri. *Bris* —5E **39**
Arbutus Wlk. *Bris* —3F **39**
Arcade, The. *Bris* —3A **70** (1D **5**)
Arch Clo. *L Ash* —4B **76**
Archer Ct. *L Grn* —2B **84**
Archer's Ct. *Clev* —2D **121**
Archer Wlk. *Bris* —1A **90**
Archfield Rd. *Bris* —1E **69**
Archgrove. *L Ash* —4B **76**
Archway St. *Bath* —4C **106** (5E **97**)
Arch Yd. *Trow* —1D **119**
Arden Clo. *Brad S* —3A **28**
Arden Clo. *W Mare* —2D **129**
Ardenton Wlk. *Bris* —1C **40**
Ardern Clo. *Bris* —4D **39**
Argus Rd. *Bris* —2E **79**
Argyle Av. *Bris* —5E **59**
Argyle Av. *W Mare* —4D **133**
Argyle Dri. *Yate* —2A **18**
Argyle Pl. *Bris* —4C **68**
Argyle Rd. *Clev* —1D **121**
Argyle Rd. *Fish* —5D **61**
Argyle Rd. *St Pa* —2A **70**
Argyle St. *Bath* —3B **106** (3C **96**)
Argyle St. *Bedm* —1E **79**
Argyle St. *Eastv* —5E **59**
Argyle Ter. *Bath* —3D **105**
Arley Cotts. *Bris* —1F **69**
Arley Hill. *Bris* —1F **69**
Arley Pk. *Bris* —5F **57**
Arley Ter. *Bris* —1A **72**
Arlingham Way. *Pat* —5A **10**
Arlington Rd. *Bath* —4E **105**
Arlington Rd. *Bris* —4F **71**
Arlington Vs. *Bris* —3D **69**
Armadale Av. *Bris* —1A **70**
Armada Pl. *Bris* —1A **70**
Armada Rd. *Bris* —2C **88**
Armes Ct. *Bath* —4B **106**
Armoury Sq. *Bris* —2C **70**
Armstrong Clo. *T'bry* —5E **7**
Armstrong Dri. *War* —5D **75**
Armstrong Way. *Yate* —3C **16**
Arnall Dri. *Bris* —3B **40**
Arncliffe Flats. *Bris* —4E **41**
Arndale Rd. *W Mare* —5B **128**
Arneside Rd. *Bris* —3E **41**
Arnold Ct. *Chip S* —5D **19**
Arnolds Field Trad. Est. *Wickw* —2B **154**
Arnolds Hill. *Wing* —3A **118**
Arnolds Way. *Yat* —2A **142**
Arnor Clo. *W Mare* —1E **129**
Arno's St. *Bris* —2C **80**
Arras Clo. *Trow* —4C **118**
Arrowfield Clo. *Bris* —5C **88**
Arthur Skemp Clo. *Bris* —3D **71**
Arthur St. *Bris* —5C **70**
Arthur St. *St G* —2E **71**
Arthurswood Rd. *Bris* —4C **86**
Arundel Clo. *Bris* —3D **87**
Arundel Ct. *Bris* —4F **57**
Arundell Rd. *W Mare* —5C **126**
Arundel Rd. *Bath* —5B **100**
Arundel Rd. *Bris* —4F **57**
Arundel Rd. *Clev* —3D **121**
Arundel Wlk. *Key* —3F **91**
Ascension Ho. *Bath* —5E **105**
Ascot Clo. *Bris* —3B **46**
Ascot Ct. *Whit B* —3F **155**
Ascot Rd. *Bris* —2F **41**
Ashbourne Clo. *Bris* —4E **75**
Ashburton Rd. *Bris* —3E **41**
Ashbury Dri. *W Mare* —3F **127**
Ash Clo. *Fish* —4E **61**
Ash Clo. *Lit S* —2F **27**
Ash Clo. *Wins* —3B **156**
Ash Clo. *Yate* —3F **17**
Ashcombe Cres. *Bris* —4E **75**
Ashcombe Gdns. *W Mare* —4E **127**
Ashcombe Pk. Rd. *W Mare* —4E **127**
Ashcombe Pl. *W Mare* —1D **133**
Ashcombe Rd. *W Mare* —1D **133**
Ashcott. *Bris* —1B **88**
Ash Ct. *Bris* —3C **88**
Ashcroft. *W Mare* —1F **139**
Ashcroft Av. *Key* —3F **91**
Ashcroft Rd. *Bris* —5E **39**
Ashdene Av. *Bris* —4F **59**
Ashdene Rd. *W Mare* —4E **127**
Ashdown Rd. *P'head* —2C **48**
Ash Dri. *N Brad* —4D **155**
Asher La. *Bris* —3B **70** (1F **5**)
Ashes La. *F'frd* —5A **112**
Ashfield Pl. *Bris* —1B **70**
Ashfield Rd. *Bris* —2D **79**
Ashford Dri. *W Mare* —2E **139**
Ashford Rd. *Bath* —5E **105**
Ashford Rd. *Pat* —2C **26**
Ashford Way. *Bris* —3B **74**
Ash Gro. *Bath* —5D **105**
Ash Gro. *Bris* —4E **61**
Ash Gro. *Clev* —2E **121**
Ashgrove. *Pea J* —4D **157**
Ashgrove. *T'bry* —3D **7**
Ash Gro. *Uph* —1C **138**
Ashgrove Av. *Abb L* —3D **67**
Ashgrove Av. *Bris* —3B **58**
Ashgrove Rd. *Ash D* —3B **58**
Ashgrove Rd. *Bedm* —2D **79**
Ashgrove Rd. *Redl* —1D **69**
Ash Hayes Dri. *Nail* —4D **123**
Ash Hayes Rd. *Nail* —4D **123**
Ashland Rd. *Bris* —4C **86**
Ash La. *Alm* —4A **10**
Ashleigh Clo. *Paul* —3B **146**
Ashleigh Clo. *W Mare* —5E **127**
Ashleigh Cres. *Yat* —3B **142**
Ashleigh Ho. *Paul* —4B **146**
Ashleigh Rd. *W Mare* —5E **127**
Ashleigh Rd. *Yat* —3B **142**
Ashley. *Bris* —2B **74**
Ashley Av. *Bath* —2D **105**
Ashley Clo. *Brad A* —1C **114**
(in two parts)
Ashley Clo. *Bris* —3B **58**
Ashley Clo. *Wins* —5B **156**
Ashley Ct. *Bris* —1B **70**
Ashley Ct. Rd. *Bris* —5B **58**
Ashley Down Rd. *Bris* —2A **58**
Ashley Gro. Rd. *Bris* —5B **58**
Ashley Hill. *Bris* —4B **58**
Ashley La. *W'ley* —2A **114**
Ashley Pde. *Bris* —5B **58**
Ashley Pk. *Bris* —4B **58**
Ashley Rd. *Bathf* —4D **103**
Ashley Rd. *Brad A* —1C **114**
Ashley Rd. *Bris* —1A **70**
Ashley Rd. *Clev* —5B **120**
Ashley St. *Bris* —1C **70**
Ashley Ter. *Bath* —2D **105**
Ashley Trad. Est. *Bris* —5B **58**
Ashman Clo. *Bris* —2C **70**
Ashmans Ga. *Paul* —4B **146**
Ashmead. *Trow* —4C **118**
Ashmead Bus. Cen. *Key* —3D **93**
Ashmead Ct. *Trow* —3D **119**
Ashmead Rd. *Key* —3D **93**
Ashmead Way. *Bris* —5B **68**
Ashridge Rd. *Alm* —3D **11**
Ash Rd. *Ban* —4C **136**
Ash Rd. *Bris* —2A **58**
*Ashton. Bris —3E **45***
(off Harford Dri.)
Ashton Av. *Bris* —5C **68**
Ashton Clo. *Clev* —5B **120**
Ashton Cres. *Nail* —4C **122**
Ashton Dri. *Bris* —3A **78**
Ashton Ga. Rd. *Bris* —1C **78**
Ashton Ga. Ter. *Bris* —1C **78**
Ashton Ga. Underpass. *Bris* —1B **78**
Ashton Rd. *Bris* —2F **77**
Ashton St. *Trow* —2E **119**
Ashton Vale Rd. *Bris* —2A **78**
Ashton Vale Trad. Est. *Bris* —4B **78**
Ashton Way. *Key* —2A **92**
Ash Tree Clo. *B'don* —5A **140**
Ash Tree Ct. *Rads* —3B **152**
Ashvale Clo. *Nail* —3F **123**

Barnack Clo. *Trow* —1A **118**
Barnack Trad. Est. *Bedm* —4E **79**
Barnard Clo. *Yat* —3C **142**
Barnard Wlk. *Key* —4F **91**
Barnes Clo. *Trow* —3A **118**
Barnes St. *Bris* —2F **71**
Barnfield Way. *Bathe* —2C **102**
Barn Glebe. *Trow* —1F **119**
Barnhill Clo. *Yate* —2C **18**
Barnhill Rd. *Chip S* —5C **18**
Barn Owl Way. *Stok G* —4B **28**
Barn Piece. *Brad A* —5E **115**
Barns Clo. *Nail* —3D **123**
Barnstaple Ct. *Know* —5A **80**
Barnstaple Rd. *Bris* —5A **80**
Barnstaple Wlk. *Bris* —5B **80**
Barnwood Clo. *Bris* —2B **74**
Barnwood Rd. *Yate* —2E **33**
Barossa Pl. *Bris* —5F **69** (5C **4**)
Barracks La. *Bris* —4F **37**
Barratt St. *Bris* —1D **71**
Barrington Clo. *Bris* —5B **62**
Barrington Ct. *Bris* —1B **80**
Barrington Ct. *K'wd* —1A **74**
Barrow Hill. *Wick* —5A **154**
Barrow Hill Cres. *Bris* —5E **37**
Barrow Hill Rd. *Bris* —1E **53**
Barrowmead Dri. *Bris* —4A **38**
Barrow Rd. *Bath* —3D **109**
Barrow Rd. *Bris* —3C **70**
Barrow Rd. *Hut* —1C **140**
Barrows, The. *W Mare* —1A **134**
Barr's Ct. *Bris* —2A **70** (1D **5**)
Barrs Ct. Av. *Bar C* —5C **74**
Barrs Ct. Rd. *Bar C* —5C **74**
Barry Clo. *Bit* —4E **85**
Barry Clo. *W Mare* —2E **139**
Barry Rd. *Old C* —3E **85**
Barstaple Ho. *Bris* —3B **70**
Bartholomew Row. *Tim* —1E **157**
Bartlett Ct. *Bris* —1C **68**
Bartlett Dri. *Bris* —2D **39**
Bartlett's Rd. *Bris* —3E **79**
Bartlett St. *Bath* —2A **106** (2B **96**)
Bartley St. *Bris* —1F **79**
Barton Bldgs. *Bath* —2A **106** (2B **96**)
Barton Clo. *Alv* —2B **8**
Barton Clo. *Bris* —4E **71**
Barton Clo. *St Ap* —4B **72**
Barton Clo. *Wint* —4A **30**
*Barton Ct. Bath —3B **106***
(off Up. Borough Walls)
Barton Grn. *Bris* —3D **71**
Barton Hill Rd. *Bris* —4D **71**
Barton Hill Trad. Est. *Bris* —4D **71**
Barton Ho. *Bar H* —4E **71**
Bartonia Gro. *Bris* —4F **81**
Barton Mnr. *Bris* —3C **70**
Barton Meadow Est. *Bris* —1E **61**
Barton Orchard. *Brad A* —3D **115**
Barton Rd. *Bris* —4B **70**
Barton Rd. *Wins* —5A **156**
Barton St. *Bath* —3A **106** (3B **96**)
Barton St. *Bris* —2F **69**
Barton, The. *B'don* —5A **140**
Barton, The. *Bris* —1D **83**
Barton, The. *Cor* —5C **94**
Barton Vale. *Bris* —4C **70**
(in two parts)
Barwick. *Bris* —5F **37**
Bassetts Pasture. *Brad A* —5E **115**
Batches, The. *Bris* —3D **79**
Batch, The. *Bathe* —3A **102**
Batch, The. *Salt* —1B **94**
Batch, The. *Yat* —4B **142**
Bates Clo. *Bris* —2C **70**
Bathampton La. *B'ptn* —5E **101**
Bath Bldgs. *Bris* —1A **70**
*Bath Bus. Cen. Bath —3B **106***
(off Up. Borough Walls)
Batheaston Swainswick By-Pass. *Swain & Bathe* —1C **100**
Bathford Hill. *Bathf* —4C **102**
Bath Hill E. *Key* —3B **92**
Bath Hill W. *Key* —2A **92**
Bathings, The. *T'bry* —4D **7**
Bathite Cotts. *Bath* —3E **111**
Bath New Rd. *Rads* —5B **148**
Bath Old Rd. *Rads* —1C **152**
Bath Riverside Bus. Pk. *Bath* —4A **106** (4A **96**)
Bath Rd. *Brad A* —1D **115**
Bath Rd. *Brisl* —4A **82**
Bath Rd. *Bris & Tot* —5B **70**
Bath Rd. *B'yate* —5F **75**
Bath Rd. *Key* —3B **92**
Bath Rd. *L Grn* —1A **84**
Bath Rd. *Paul* —3B **146**
Bath Rd. *Pea J* —3D **149**
Bath Rd. *Salt & Cor* —5F **93**
Bath Rd. *T'bry* —4C **6**
Bath Rd. *Will* —4D **85**
Bath St. *Ash G* —1C **78**
Bath St. *Bath* —3A **106** (4B **96**)
Bath St. *Bris* —4A **70** (3D **5**)
Bath St. *Stap H* —3A **62**
Bathurst Pde. *Bris* —5F **69**
Bathurst Rd. *W Mare* —4A **128**
Bathurst Ter. *Bris* —5F **69**
Bathwell Rd. *Bris* —1C **80**
Bathwick Hill. *Bath* —3C **106** (2E **97**)
Bathwick Rise. *Bath* —1D **107**
Bathwick St. *Bath* —1B **106**
Bathwick Ter. *Bath* —3C **106**
Batley Ct. *Bris* —1F **85**
Batstone Clo. *Bath* —4C **100**
Battenburg Rd. *Bris* —2C **72**
Batten Ct. *Chip S* —5E **19**
Batten Rd. *Bris* —3D **73**
Batten's La. *Bris* —4C **72**
Battersby Way. *Bris* —2A **40**
Battersea Rd. *Bris* —2E **71**
Battery La. *P'head* —2F **49**
Battery Rd. *P'head* —2F **49**
Battson Rd. *Bris* —3A **90**
Baugh Gdns. *Bris* —3A **46**
Baugh Rd. *Bris* —3A **46**
Bawns Pl. *Bris* —3C **60**
Baxter Clo. *K'wd* —2B **74**
Baydon Clo. *Trow* —5C **118**
Bay Gdns. *Bris* —5E **59**
Bayham Rd. *Bris* —2B **80**
Bayleys Dri. *Bris* —4E **73**
Baynham Ct. *Han* —5D **73**
Baynton Ho. *Bris* —3C **70**
Baynton Rd. *Bris* —1C **78**
Bay Rd. *Clev* —1D **121**
Bayswater Av. *Bris* —3D **57**
Bayswater Rd. *Bris* —5B **42**
Bay Tree Clo. *Pat* —2B **26**
Bay Tree Rd. *Bath* —4B **100**
Bay Tree Rd. *Clev* —4E **121**
Baytree Rd. *W Mare* —4A **128**
Baytree View. *W Mare* (in two parts) —4B **128**
Beach Av. *Clev* —4C **120**
Beach Av. *Sev B* —3A **20**
Beach End Rd. *Uph* —1A **138**
Beachgrove Gdns. *Bris* —3E **61**
Beachgrove Rd. *Bris* —3D **61**
Beach Hill. *P'head* —2E **49**
Beachley Wlk. *Bris* —5F **37**
Beach Rd. *Kew* —2D **127**
Beach Rd. *Sev B* —3A **20**
Beach Rd. *W Mare* —3B **132**
Beach Rd. E. *P'head* —2F **49**
Beach Rd. W. *P'head* —2E **49**
Beach, The. *Clev* —2C **120**
Beacon La. *Wint* —3E **29**
Beaconlea. *Bris* —4F **73**
Beacon Rd. *Bath* —5B **100**
Beaconsfield Clo. *Bar H* —4D **71**
Beaconsfield Rd. *Clev* —4E **121**
Beaconsfield Rd. *Clif* —1C **68**
Beaconsfield Rd. *Know* —2D **81**
Beaconsfield Rd. *St G* —2A **72**
Beaconsfield Rd. *W Mare* —1C **132**
Beaconsfield St. *Bris* —4D **71**
Beale Clo. *Bris* —2A **90**
Beales Barton. *Holt* —2F **155**
Beam St. *Bris* —3E **71**
Bean Acre, The. *Bris* —4F **37**
Beanhill Cres. *Alv* —2B **8**
Bean St. *Bris* —1C **70**
Bearbridge Rd. *Bris* —4B **86**
Bear Clo. *Brad A* —2C **114**
Bearfield Bldgs. *Brad A* —1D **115**
Beauchamp Rd. *Bris* —3F **57**
Beauford Sq. *Bath* —3A **106** (3B **96**)
*Beaufort. Bris —3E **45***
(off Harford Dri.)
Beaufort All. *Bris* —4B **72**
Beaufort Av. *Mid N* —2D **151**
Beaufort Av. *Yate* —4F **17**
Beaufort Bldgs. *Bris* —3B **68**
Beaufort Clo. *Bris* —3F **71**
Beaufort Cres. *Stok G* —5A **28**
Beaufort E. *Bath* —5D **101**
Beaufort Gdns. *Nail* —4C **122**
Beaufort Heights. *Bris* —3A **72**
Beaufort Ho. *Bris* —3D **71**
Beaufort M. *Bath* —5D **101**
Beaufort Pk. *Brad S* —3F **11**
Beaufort Pl. *Bath* —5D **101**
Beaufort Pl. *Fren* —3D **45**
Beaufort Rd. *Clif* —1C **68**
Beaufort Rd. *Down* —5C **46**
Beaufort Rd. *Fram C* —1C **30**
Beaufort Rd. *Hor* —1B **58**
Beaufort Rd. *K'wd* —1E **73**
Beaufort Rd. *Stap H* —3A **62**
Beaufort Rd. *St G* —3F **71**
Beaufort Rd. *W Mare* —5D **127**
Beaufort Rd. *Yate* —4F **17**
Beaufort St. *Bedm* —3E **79**
Beaufort St. *E'tn* —2C **70**
Beaufort Vs. *Bath* —5C **100**
Beaufort W. *Bath* —5D **101**
Beauley Rd. *Bris* —5D **69**
Beaumont Clo. *L Grn* —2C **84**
Beaumont Clo. *W Mare* —4D **133**
Beaumont St. *Bris* —2C **70**
Beaumont Ter. *Bris* —2C **70**
Beau St. *Bath* —3A **106** (4B **96**)
Beaver Clo. *Wint* —2B **30**
Beazer Clo. *Bris* —4F **61**
Beckerley La. *Holt* —1F **155**
Becket Ct. *Puck* —2D **65**
Becket Dri. *W Mare* —2E **129**
Becket Rd. *W Mare* —2E **129**
Becket's La. *Nail* —5D **123**
*Beckford Ct. Bath —2C **106** (1F **97**)*
(off Darlington Rd.)
Beckford Gdns. *Bath* —1C **106** (1F **97**)
Beckford Gdns. *Bris* —5C **88**
Beckford Rd. *Bath* —2C **106** (1E **97**)
Beckhampton Rd. *Bath* —4E **105**
Beck Ho. *Pat* —1C **26**
Beckington. *W Mare* —1E **139**
Beckington Rd. *Bris* —3B **80**
Beckington Wlk. *Bris* —3B **80**
Beckspool Rd. *Fren & Ham* —5D **45**
Beddoe Clo. *Brad A* —5F **115**
Bedford Ct. *Bath* —1B **106**
Bedford Cres. *Bris* —2B **58**
Bedford Pl. *Bris* —2F **69**
Bedford Rd. *W Mare* —4C **132**
Bedford St. *Bath* —1B **106**
Bedminster Bri. *Bris* —1F **79**
Bedminster Down Rd. *Bris* —4C **78**
Bedminster Pde. *Bris* —1F **79**
Bedminster Pl. *Bris* —1F **79**
Bedminster Rd. *Bris* —4D **79**
Bedwin Clo. *P'head* —4B **48**
Beech Av. *Bath* —4F **107**
Beech Clo. *Alv* —2B **8**
Beech Clo. *Bar C* —5C **74**
Beech Ct. *Bris* —3C **88**
Beechcroft. *Bar G* —5A **86**
Beechcroft Wlk. *Bris* —4C **42**

Bisdee Rd. *Hut* —5B **134**
Bishop Av. *W Mare* —2E **129**
Bishop Manor Rd. *Bris* —5F **41**
Bishop M. *Bris* —2A **70**
Bishop Rd. *Bris* —3E **57**
Bishops Clo. *Bris* —4A **56**
Bishops Ct. *Bris* —4E **55**
Bishops Cove. *Bris* —3B **86**
Bishops Rd. *Clav* —2F **143**
Bishop St. *St Pa* —2A **70**
Bishops Wood. *Alm* —1E **11**
Bishopsworth Rd. *Bris* —1C **86**
Bishop Ter. *St Pa* —2B **70**
Bishopthorpe Rd. *Bris* —5F **41**
Bishport Av. *Bris* —4C **86**
Bishport Clo. *Bris* —4D **87**
Bishport Grn. *Bris* —5E **87**
Bisley. *Yate* —2E **33**
Biss Meadow. *Trow* —2A **118**
Bittern Clo. *W Mare* —4D **129**
Bitterwell Clo. *Coal H* —1F **47**
Bittle Mead. *Bris* —4B **88**
Blackacre. *Bris* —4E **89**
Blackberry Av. *Bris* —2A **60**
Blackberry Dri. *W Mare* —4E **129**
Blackberry Hill. *Stap* —2A **60**
Blackberry La. *P'head* —5B **48**
Blackbird Clo. *Mid N* —4E **151**
Black Boy Hill. *Bris* —5C **56**
Blackdown Ct. *Bris* —3D **89**
Blackdown Rd. *P'head* —3C **48**
Blackfriars. *Bris* —3F **69** (1B **4**)
Blackfriars Rd. *Nail* —4A **122**
Blackhorse Hill. *E Comp* —1D **25**
Blackhorse La. *Bris* —3B **46** (in two parts)
Blackhorse Pl. *Mang* —1C **62**
Blackhorse Rd. *Bris* —2F **73**
Blackhorse Rd. *Mang* —5C **46**
Blackmoor. *Clev* —5C **120**
Blackmoor. *W Mare* —3D **129**
Blackmoor Rd. *Abb L* —1A **66**
Blackmoors La. *Bris* —2A **78**
Blackmore Dri. *Bath* —4D **105**
Blacksmith La. *Up Swa* —1C **100**
Blacksmiths La. *Kel* —1D **95**
Blackswarth Rd. *Bris* —3F **71**
Blackthorn Clo. *Bris* —3F **87**
Blackthorn Dri. *Brad S* —2F **27**
Blackthorne Ter. *W Mare* —4E **129**
Blackthorn Gdns. *W Mare* —4E **129**
Blackthorn Rd. *Bris* —3F **87**
Blackthorn Sq. *Clev* —5D **121**
Blackthorn Wlk. *Bris* —5A **62**
Blackthorn Way. *Nail* —3F **123**
Blackwell Hill Rd. *Back* —1F **125**
Bladen Clo. *P'head* —4A **50**
Bladud Bldgs. *Bath* —2B **106** (2C **96**)
Blagdon Clo. *Bris* —3A **80**
Blagdon Clo. *W Mare* —2D **139**
Blagdon Pk. *Bath* —5B **104**
Blagrove Clo. *Bris* —5E **87**
Blagrove Cres. *Bris* —5E **87**
Blair Rd. *Trow* —4A **118**
Blaisdon. *Yate* —2A **34**
Blaisdon Clo. *Bris* —3C **40**
Blaise Wlk. *Bris* —5E **39**
Blake End. *Kew* —1C **128**
Blakeney Gro. *Nail* —5B **122**
Blakeney Mills. *Yate* —5F **17**
Blakeney Rd. *Bris* —1C **58**
Blakeney Rd. *Pat* —5A **10**
Blake Rd. *Bris* —1D **59**
Blakes Rd. *T'bry* —3C **6**
Blanchards. *Chip S* —1F **35**
Blandford Clo. *Bris* —1D **57**
Blandford Clo. *Nail* —4D **123**
Bleadon Hill. *W Mare* —2D **139**
Bleadon Rd. *B'don* —4E **139**
Blenheim Clo. *Pea J* —5D **157**
Blenheim Clo. *W Mare* —3E **129**
Blenheim Dri. *Bris* —5D **27**
Blenheim Dri. *Yate* —3E **17**
Blenheim Gdns. *Bath* —4B **100**
Blenheim Rd. *Bris* —4D **57**
Blenheim St. *Bris* —1C **70**
Blenheim Way. *P'head* —3A **50**
Blenman Clo. *Bris* —5C **44**
Blethwin Clo. *Bris* —3B **40**
Blind La. *Bath* —5C **106**
Blind La. *Clav* —4F **143** (in two parts)
Blind La. *W'ton* —4D **99**
Bloomfield. *W Mare* —1E **139**
Bloomfield Av. *Bath* —5F **105**
Bloomfield Cres. *Bath* —2E **109**
Bloomfield Dri. *Bath* —2D **109**
Bloomfield Gro. *Bath* —1F **109**
Bloomfield La. *Paul* —4B **146**
Bloomfield Pk. *Bath* —1F **109**
Bloomfield Pk. Rd. *Tim* —1E **157**
Bloomfield Rise N. *Bath* —2E **109**
Bloomfield Rd. *Bath* —2E **109**
Bloomfield Rd. *Bris* —1E **81**
Bloomfield Rd. *Tim* —1E **157**
Bloomfield Ter. *Pea J* —2F **149**
Bloucher Pl. *Bris* —5C **58**
Bloy St. *Bris* —1E **71**
Bluebell Clo. *T'bry* —2E **7**
Bluebells, The. *Brad S* —2A **28**
Blueberry Way. *W Mare* —4D **129**
Blythe Gdns. *W Mare* —2E **129**
Boarding Ho. La. *Alm* —2A **10**
*Boat Stall La. Bath —3B **106** (off Orange Gro.)*
Bobbin La. *W'wd* —5A **114**
Bobbin Pk. *Brad A* —5A **114**
Bockenem Clo. *T'bry* —5E **7**
Bodey Clo. *Bris* —4C **74**
Bodmin Wlk. *Bris* —4B **80**
Bodyce Rd. *Alv* —2B **8**
Boiling Wells La. *Bris* —4C **58**
Bolton Rd. *Bris* —4A **58**
Bond St. *Bris* —2A **70**
Bond St. *Trow* —3C **118**
Bond St. Bldgs. *Trow* —3B **118**
Bonnington Wlk. *Bris* —4D **43**
Bonville Bus. Cen. *Bris* —3B **82**
Bonville Rd. *Bris* —4A **82**
Booth Rd. *Bris* —1E **79**
Boot La. *Bris* —1F **79**
Bordesley Rd. *Bris* —5C **88**
Borgie Pl. *W Mare* —2D **129**
Borleyton Wlk. *Bris* —4B **86**
Borver Gro. *Bris* —4D **87** (in two parts)
Boscombe Cres. *Bris* —5B **46**
Boston Rd. *Bris* —4B **42**
Boswell Rd. *L W'wd* —5A **114**
Boswell St. *Bris* —5E **59**
Botham Clo. *W Mare* —1E **129**
Botham Dri. *Bris* —4F **81**
Boucher Pl. *Bris* —5C **58**
Boulevard. *W Mare* —5C **126**
Boulters Rd. *Bris* —4E **87**
Boulton's La. *Bris* —2F **73**
Boulton's Rd. *Bris* —2F **73**
Boundary Clo. *Mid N* —5E **151**
Boundary Clo. *W Mare* —5C **132**
Boundary Rd. *Coal H* —2F **31**
Boundary Wlk. *Trow* (in three parts) —5B **118**
Bourchier Gdns. *Bris* —5D **87**
Bourne Clo. *Bris* —2D **73**
Bourne Clo. *Wint* —2A **30**
Bourne Rd. *Bris* —2C **72**
Bourneville Rd. *Bris* —2F **71**
Bournville Rd. *W Mare* —3D **133**
Boursland Clo. *Brad S* —4F **11**
Bourton Av. *Pat* —5E **11**
Bourton Clo. *Pat* —1E **27**
Bourton La. *St Geo* —2B **130**
Bourton Mead. *L Ash* —4D **77**
Bourton Wlk. *Bris* —5C **78**
Bouverie St. *Bris* —2D **71**
Boverton Rd. *Bris* —1D **43**
Bowden Clo. *Bris* —4E **39**
Bowden Pl. *Bris* —5B **46**
Bowden Rd. *Bris* —1A **72**
Bowen Rd. *Lock* —3F **135**
Bower Ashton Ter. *Bris* —1B **78**
Bowerleaze. *Bris* —2E **55**
Bower Rd. *Bris* —2C **78**
Bower Wlk. *Bris* —2A **80**
Bowlditch La. *Mid N* —5E **147**
Bowling Hill. *Chip S* —5C **18**
Bowling Rd. *Chip S* —1D **35**
Bow Mead. *Bris* —3A **90**
Bowness Gdns. *Bris* —4E **41**
*Bowood. Bris —3E **45** (off Harford Dri.)*
Bowring Clo. *Bris* —5E **87**
Bowsland. *Brad S* —4A **12**
Bowsland Way. *Brad S* —4E **11**
Bowstreet La. *E Comp* —1C **24**
Boxbury Hill. *Paul* —1B **150**
Box Hedge La. *Coal H* —5A **32**
Box Rd. *Bath* —3C **102**
Box Wlk. *Key* —4E **91**
Boyce Clo. *Bath* —4A **104**
Boyce Dri. *Bris* —5C **58**
Boyce's Av. *Bris* —3C **68**
Boyd Clo. *Wick* —4A **154**
Boyd Rd. *Salt* —5F **93**
Brabazon Rd. *Bris* —2D **43**
Bracewell Gdns. *Bris* —5E **25**
Bracey Dri. *Bris* —1E **61**
Brackenbury Dri. *Stok G* —4B **28**
Brackendene. *Pat* —5E **11**
Bracken Wood Rd. *Clev* —1E **121**
Bracton Dri. *Bris* —3C **88**
Bradeston Gro. *Bris* —5C **44**
Bradford Clo. *Clev* —5C **120**
Bradford Pk. *Bath* —2B **110** (in two parts)
Bradford Rd. *Bathf* —3C **102**
Bradford Rd. *C Down* —3A **110**
Bradford Rd. *Holt* —2D **155**
Bradford Rd. *Trow* —1B **118**
Bradford Rd. *W'ley* —2F **113**
Bradford Wood La. *Brad A* —3F **115**
Bradhurst St. *Bris* —4D **71**
Bradley Av. *Bris* —1A **54**
Bradley Av. *Wint* —4A **30**
Bradley Clo. *Holt* —2F **155**
Bradley Ct. *Bris* —2E **61**
Bradley Cres. *Bris* —1A **54**
Bradley La. *Holt* —2F **155**
Bradley Pavilions. *Brad S* —4E **11**
Bradley Rd. *Pat* —1B **26**
Bradley Rd. *Trow* —3C **118**
Bradley Stoke Way. *Brad S* —3B **28**
Bradstone Rd. *Wint* —4F **29**
Bradville Gdns. *L Ash* —5B **76**
Bradwell Gro. *Bris* —4E **41**
Braemar Av. *Bris* —3B **42**
Braemar Cres. *Bris* —3B **42**
Brae Rise. *Wins* —4B **156**
Brae Rd. *Wins* —4A **156**
Bragg's La. *Bris* —3B **70**
Braikenridge Clo. *Clev* —5C **120**
Braikenridge Rd. *Bris* —1F **81**

Brainsfield. *Bris* —1B **56**
Brake Clo. *Brad S* —3A **28**
Brake Clo. *Bris* —3B **74**
Brake, The. *Coal H* —4E **31**
Brake, The. *Yate* —1A **18**
Brakewell Gdns. *Bris* —4C **88**
Bramble Dri. *Bris* —4E **55**
Bramble La. *Bris* —4E **55**
Brambles, The. *Bris* —4E **87**
Brambles, The. *Key* —5F **91**
Bramble Way. *C Down* —3C **110**
Bramblewood. *Yat* —2B **142**
Bramblewood Rd. *W Mare* —2C **128**
Brambling Wlk. *Bris* —1B **60**
(in two parts)
Bramley Clo. *Lock* —4E **135**
Bramley Clo. *Pea J* —5D **157**
Bramley Clo. *Pill* —3E **53**
Bramley Clo. *Yat* —4B **142**
Bramley Ct. *Bar C* —1B **84**
Bramley Dri. *Back* —3C **124**
Bramley La. *Trow* —3D **119**
Bramley Sq. *Cong* —3D **145**
Bramleys, The. *Nail* —5A **122**
Brampton Dri. *Bris* —4F **45**
Brampton Way. *P'head* —3F **49**
Bramshill Dri. *W Mare* —2D **129**
Branche Gro. *Bris* —5F **87**
Brandash Rd. *Chip S* —5E **19**
Brandon Ho. *Bris* —4D **69**
Brandon Steep. *Bris* —4E **69**
Brandon Steps. *Bris* —4E **69**
Brandon St. *Bris* —4E **69**
Brangwyn Gro. *Bris* —2D **59**
Brangwyn Sq. *W Mare* —3D **129**
Branksome Cres. *Bris* —1D **43**
Branksome Dri. *Bris* —1D **43**
Branksome Dri. *Wint* —3A **30**
Branksome Rd. *Bris* —4D **57**
Branscombe Rd. *Bris* —3E **55**
Branscombe Wlk. *P'head* —5B **48**
Branwhite Clo. *Bris* —5D **43**
Brassknocker Hill. *Mon C* —1B **112**
Brassmill La. *Bath* —1B **104**
Brassmill La. Trad. Est. *Bath* —2B **104**
Bratton Rd. *Bris* —1F **87**
Braunton Rd. *Bris* —2E **79**
Braydon Av. *Lit S* —1E **27**
Brayne Ct. *L Grn* —2B **84**
Braysdown Clo. *Pea J* —3E **149**
Braysdown La. *Pea J*
(in two parts) —2F **149**
Breaches Ga. *Brad S* —3B **28**
Breaches La. *Key* —4C **92**
Breaches, The. *E'ton G* —2D **53**
Breach Rd. *Bris* —2C **78**
Breakneck. *Back* —4D **125**
Brean Down Av. *Bris* —2D **57**
Brean Down Av. *W Mare* —4B **132**
Brecknock Rd. *Bris* —2C **80**
Brecon Rd. *Bris* —1C **56**
Brecon View. *W Mare* —2E **139**
Bredon. *Yate* —2F **33**
Bredon Clo. *Bris* —3B **74**
Bredon Nook Rd. *Bris* —5E **41**
Bree Clo. *W Mare* —1E **129**
Brendon Av. *W Mare* —4D **127**
Brendon Clo. *Old C* —1E **85**
Brendon Gdns. *Nail* —4D **123**
Brendon Rd. *Bris* —2F **79**
Brendon Rd. *P'head* —3C **48**
Brenner St. *Bris* —5D **59**
Brent Clo. *W Mare* —1F **139**
Brent Rd. *Bris* —2B **58**
Brentry Av. *Bris* —3D **71**
Brentry Hill. *Bris* —3C **40**
Brentry Ho. *Bris* —1D **41**
Brentry La. *Bris* —2C **40**
Brentry Rd. *Bris* —3A **60**
Brereton Way. *Bris* —1D **85**
Brewerton Clo. *Bris* —1E **41**
Briar Clo. *Nail* —3F **123**
Briar Clo. *Rads* —4A **152**
Briarfield Av. *Bris* —5D **73**
Briarleaze. *Rudg* —5A **8**
Briar Mead. *Yat* —2A **142**
Briar Rd. *Hut* —5C **134**
Briarside Rd. *Bris* —1E **41**
Briar Wlk. *Bris* —4E **61**
Briar Way. *Bris* —3D **61**
Briarwood. *Bris* —1B **56**
Briary Rd. *P'head* —3E **49**
Briavels Gro. *Bris* —5B **58**
*Briburn M. Bath —3F **105***
(off Stanhope Pl.)
Brick St. *Bris* —3B **70**
Bridewell La. *Bath* —3A **106** (3B **96**)
Bridewell La. *Hut* —3F **141**
Bridewell St. *Bris* —3F **69** (1C **4**)
Bridge Av. *Trow* —2A **118**
Bridge Clo. *Bris* —4E **89**
Bridge Farm Clo. *Bris* —5C **88**
Bridge Farm Sq. *Cong* —2D **145**
Bridgeleap Rd. *Bris* —4B **46**
Bridge Pl. Rd. *C'ton* —1B **148**
Bridge Rd. *Bath* —4D **105**
Bridge Rd. *B'don* —5F **139**
Bridge Rd. *Eastv* —4D **59**
Bridge Rd. *K'wd* —4B **62**
Bridge Rd. *L Wds* —4F **67**
Bridge Rd. *Mang* —3E **63**
Bridge Rd. *W Mare* —2D **133**
Bridge Rd. *Yate* —4C **16**
Bridges Ct. *Fish* —3D **61**
Bridges Dri. *Bris* —1E **61**
Bridge St. *Bath* —3B **106** (3C **96**)
Bridge St. *Brad A* —3E **115**
Bridge St. *Bris* —4A **70** (3C **4**)
Bridge St. *Eastv* —5F **59**
Bridge St. *Trow* —3D **119**
Bridge Valley Rd. *Bris* —2A **68**
Bridge Wlk. *Bris* —4C **42**
Bridge Way. *Fram C* —1D **31**
Bridgewell La. *W Mare* —2F **141**
Bridgman Gro. *Bris* —1E **43**
Bridgwater Rd. *Bris* —2A **86**
Bridgwater Rd. *Uph & B'don* —5C **132**
Bridgwater Rd. *Wins* —5C **156**
Bridle Way. *Alv* —3A **8**
Briercliffe Rd. *Bris* —5F **39**
Brierly Furlong. *Stok G* —1F **43**
Briery Leaze Rd. *Bris* —3C **88**
Brighton Cres. *Bris* —3D **79**
Brighton M. *Bris* —2D **69**
Brighton Pk. *Bris* —2D **71**
Brighton Pl. *Bris* —1F **73**
Brighton Rd. *Bris* —1E **69**
Brighton Rd. *Pat* —1B **26**
Brighton Rd. *W Mare* —2C **132**
Brighton St. *Bris* —1A **70**
Brighton Ter. *Bedm* —3D **79**
Bright St. *Bar H* —3D **71**
Bright St. *K'wd* —2F **73**
Brigstocke Rd. *Bris* —1A **70**
Brimbles. *Bris* —2D **43**
Brimbleworth La. *St Geo* —1A **130**
Brimridge Rd. *Wins* —4B **156**
Brinkworthy Rd. *Bris* —1A **60**
Brinmead Wlk. *Bris* —5B **86**
Brins Clo. *Stok G* —5B **28**
Brinscombe La. *Bath* —5F **157**
Brinsea Batch. *Cong* —5E **145**
Brinsea La. *Cong* —5F **145**
Brinsea Rd. *Cong* —3D **145**
Brinsham La. *Yate* —1C **18**
Briscoes Av. *Bris* —4E **87**
Brislington Hill. *Bris* —3A **82**
Brislington Retail Pk. *Brisl* —4A **82**
Brislington Trad. Est. *Bris* —3B **82**
Bristol Bus. Pk. *Bris* —3A **44**
Bristol Ga. *Bris* —5B **68**
Bristol Hill. *Bris* —3F **81**
Bristol Rd. *Bath* —4D **95**
Bristol Rd. *Cong* —2D **145**
Bristol Rd. *Fram C* —5C **14**
Bristol Rd. *Fren* —4C **44**
Bristol Rd. *Ham* —1F **45**
Bristol Rd. *Key* —2F **91**
Bristol Rd. *Paul* —3B **146**
Bristol Rd. *P'head* —4F **49**
Bristol Rd. *Rads* —5B **148**
Bristol Rd. *T'bry* —5C **6**
Bristol Rd. *W'chu* —3E **89**
Bristol Rd. *Wins* —5C **156**
Bristol Rd. *Wint* —2A **30**
Bristol Rd. *W Mare* —3A **130**
Bristol Rd. Lwr. *W Mare* —5B **126**
Bristol Vale Cen. for Industry. *Bris* —4D **79**
Bristol Vale Trad. Est. *Bris* —5E **79**
Bristol View. *Bath* —4D **109**
Britannia Cres. *Stok G* —4F **27**
Britannia Ho. *Brad S* —2B **42**
Britannia Rd. *E'tn* —1D **71**
Britannia Rd. *K'wd* —2E **73**
Britannia Rd. *Pat* —1F **25**
Britannia Way. *Clev* —5C **120**
British Rd. *Bris* —2D **79**
British Row. *Trow* —1C **118**
British, The. *Yate* —2D **17**
Brittan Pl. *P'bry* —4A **52**
Britten Ct. *L Grn* —1B **84**
Britten's Clo. *Paul* —3C **146**
Britten's Hill. *Paul* —3C **146**
Brixham Rd. *Bris* —3E **79**
Brixton Rd. *Bris* —2D **71**
Brixton Rd. M. *E'tn* —2D **71**
Broadbury Rd. *Bris* —5F **79**
Broadcloth La. *Trow* —3E **119**
Broadcloth La. E. *Trow* —4E **119**
Broad Croft. *Brad S* —4E **11**
Broadcroft Av. *Clav* —2F **143**
Broadcroft Clo. *Clav* —2F **143**
Broadfield Av. *Bris* —2E **73**
Broadfield Rd. *Bris* —5C **80**
Broadlands. *Clev* —3F **121**
Broadlands Av. *Key* —2F **91**
Broadlands Dri. *Bris* —3C **38**
Broad La. *W'lgh* —4F **31**
Broad La. *Yate* —2D **17**
Broadleas. *Bris* —1E **87**
Broadleaze. *Shire* —5F **37**
Broadley Pk. *N Brad* —4E **155**
Broadleys Av. *Bris* —5E **41**
Broadmead. *Bris* —3A **70** (1D **5**)
Broadmead. *Trow* —1A **118**
Broadmead La. *Key* —3D **93**
Broadmead Shopping Cen. *Bris* —3A **70** (1D **5**)
Broadmoor La. *Bath* —2A **98**
Broadmoor Pk. *Bath* —4C **98**
Broadmoor Vale. *Bath* —3B **98**
Broadoak Hill. *Dun* —5B **86**
Broadoak Rd. *Bris* —4B **86**
Broadoak Rd. *W Mare* —5B **132**
Broad Oaks. *Bris* —4A **68**
Broadoak Wlk. *Bris* —3D **61**
Broad Plain. *Bris* —3B **70** (3F **5**)
Broad Quay. *Bath* —4A **106** (5C **96**)
Broad Quay. *Bris* —4F **69** (3B **4**)
Broad Rd. *Bris* —1E **73**
Broadstone Wlk. *Bris* —3F **87**
Broad St. *Bath* —2B **106** (2C **96**)
Broad St. *Bris* —3F **69** (2C **4**)
Broad St. *Chip S* —5D **19**
Broad St. *Cong* —2D **145**
Broad St. *Stap H* —3F **61**
Broad St. *Trow* —1C **118**
Broad St. *Wrin* —1B **156**
Broad St. Pl. *Bath* —2B **106** (2C **96**)
Broad Wlk. *Bris* —3B **80**
Broad Wlk. *P'head* —1A **50**
Broad Wlk. Shopping Precinct. *Bris* —3D **81**
Broadway. *Bath* —3C **106** (4E **97**)

Catemead—Charter Wlk.

Catemead. Clev —5C **120**
Cater Rd. Bris —2C **86**
Catharine Pl. Bath
 —2A **106** (1A **96**)
Cathcart Ho. Bath —1B **106**
Cathedral Sq. Bris
 —4E **69** (4A **4**)
Catherine Mead St. Bris
 —1E **79**
Catherine St. A'mth —4E **37**
Catherine Way. Bathe
 —2B **102**
Catley Gro. L Ash —4D **77**
Cato St. Bris —5D **59**
Catsley Pl. Bath —3D **101**
Cattistock Dri. Bris —4C **72**
Cattle Mkt. Rd. Bris
 —5B **70** (5F **5**)
Cattybrook Rd. Mang &
 E Grn —2F **63**
(in two parts)
Cattybrook St. Bris —2D **71**
Caulfield Rd. W Mare
 —1F **129**
Causeway. Tic & Nail
 —2A **122**
Causeway, The. Coal N
 —2F **31**
Causeway, The. Cong
 —2D **145**
Causeway, The. Yat
 —4C **142**
Causeway View. Nail
 —3B **122**
Causley Dri. Bar C —5B **74**
Cautletts Clo. Mid N
 —4C **150**
Cavan Wlk. Bris —4F **79**
Cave Ct. Bris —2A **70**
Cave Dri. Bris —1F **61**
Cavell Ct. Clev —5C **120**
Cavendish Clo. Salt —5F **93**
Cavendish Cres. Bath
 —1F **105**
Cavendish Gdns. Bris
 —3E **55**
Cavendish Lodge Bath
 —1F **105**
Cavendish Pl. Bath —1F **105**
Cavendish Rd. Bath
 —1F **105**
Cavendish Rd. Bris —2C **56**
Cavendish Rd. Pat —1B **26**
Caverners Ct. W Mare
 —4F **127**
Caversham Dri. Nail
 —3F **123**
Cave St. Bris —2A **70**
Caxton Ct. Bath
 —2B **106** (2C **96**)
Caxton Ga. Bris —5A **70**
Cecil Av. Bris —1B **72**
Cecil Rd. Clif —2B **68**
Cecil Rd. K'wd —2F **73**
Cecil Rd. W Mare —4C **126**
Cedar Av. W Mare —4A **128**
Cedar Clo. L Ash —4B **76**
Cedar Clo. Old C —1D **85**
Cedar Clo. Pat —2B **26**
Cedar Ct. Brad A —1E **115**
Cedar Ct. Bris —3E **55**
Cedar Dri. Key —4F **91**
Cedar Gro. Bath —1E **109**
Cedar Gro. Bris —2F **55**
Cedar Gro. Trow —4B **118**
Cedar Hall. Bris —4E **45**
Cedarhurst Rd. P'head
 —5A **48**

Cedarn Ct. W Mare —1F **127**
Cedar Pk. Bris —2F **55**
Cedar Row. Bris —1B **54**
Cedars, The. Bris —4F **55**
Cedars Way. Wint —4F **29**
Cedar Ter. Rads —3A **152**
Cedar Vs. Bath —4F **105**
Cedar Wlk. Bath —4F **105**
(in two parts)
Cedar Way. Bath —4F **105**
Cedar Way. Nail —3F **123**
Cedar Way. P'head —4D **49**
Cedar Way. Puck —2D **65**
Cedric Clo. Bath —2D **105**
Celandine Clo. T'bry —2E **7**
Celestine Rd. Ware —3E **17**
Celia Ter. St Ap —4B **72**
Celtic Way. B'don —3F **139**
Cemetery La. Brad A
 —2F **115**
Cemetery Rd. Bris —2C **80**
Cennick Av. Bris —1A **74**
Centaurus Rd. Pat —2E **25**
Central Av. Bris —5E **73**
Central Trad. Est. Bris
 —1D **81**
Central Way. Clev —5D **121**
Centre Dri. Ban —4C **136**
Centre, The. Key —3A **92**
Centre, The. W Mare
 —1C **132**
Ceres Clo. L Grn —3B **84**
Cerenton Ga. Stok G —4A **28**
Cerney Gdns. Nail —3F **123**
Cerney La. Bris —2A **54**
Cesson Clo. Chip S —1E **35**
Chadleigh Gro. Bris —1F **87**
Chaffinch Dri. Mid N
 —4E **151**
Chaffinch Dri. Trow
 —2A **118**
Chaffins, The. Clev —4E **121**
Chaingate La. Iron A
 —1B **16**
Chakeshill Clo. Bris —1E **41**
Chakeshill Dri. Bris —1E **41**
Chalcombe Clo. Lit S
 —1E **27**
Chalcroft Ho. Bris —1C **78**
Chalcroft Wlk. Bris —4A **86**
Chalet, The. Bris —1B **40**
Chalfont Clo. Trow —2A **118**
Chalfont Rd. W Mare
 —5A **128**
Chalford Clo. Yate —1F **33**
Chalks Rd. Bris —2F **71**
Challender Av. Bris —2B **40**
Challoner Ct. Bris
 —5F **69** (5B **4**)
Challow Dri. W Mare
 —3F **127**
Champion Rd. Bris —5B **62**
Champneys Av. Bris —1B **40**
Chancel Clo. Bris —4F **55**
Chancel Clo. Nail —4C **122**
Chancery St. Bris —3D **71**
Chandag Rd. Key —4D **91**
Chandler Clo. Bath —5C **98**
Chandos Bldgs. Bath
 —3A **106**
(off Westgate Bldgs.)
Chandos Rd. Bris —1D **69**
Chandos Rd. Key —1A **92**
Chandos Trad. Est. Bris
 —5C **70**
Channel Heights. W Mare
 —2D **139**

Channells Hill. W Trym
 —4C **40**
Channel Rd. Clev —1D **121**
Channel View Cres. P'head
 —3D **49**
Channel View Rd. P'head
 —3D **49**
Channon's Hill. Bris —3B **60**
Chantree Rd. Bris —4F **41**
Chantry Clo. Nail —4B **122**
Chantry Dri. W Mare
 —1D **129**
Chantry Gro. Bris —2E **39**
Chantry La. Down —3B **46**
Chantry Mead Rd. Bath
 —1F **109**
Chantry Rd. Bris —1D **69**
Chantry Rd. T'bry —2C **6**
Chapel Av. Nail —3D **123**
Chapel Barton. Bedm
 —3D **79**
Chapel Barton. Nail —3D **123**
Chapel Clo. Bris —2D **75**
Chapel Clo. Nail —3D **123**
Chapel Ct. Bath —3A **106**
(off Westgate Bldgs.)
Chapel Ct. Rads —5B **148**
Chapel Gdns. Bris —3C **40**
Chapel Grn. La. Bris —5D **57**
Chapel Hill. Back —1F **125**
Chapel Hill. Clev —3D **121**
Chapel Hill. Wrin —1B **156**
Chapel La. Clav —2F **143**
Chapel La. Clay H —5A **60**
Chapel La. Fish —3C **60**
Chapel La. Fren —5E **45**
Chapel La. Law W —2D **39**
Chapel La. War —2D **75**
Chapel Lawns. Clan
 —5B **148**
Chapel Rd. B'wth —2E **85**
Chapel Rd. Clan —5B **148**
Chapel Rd. E'tn —1D **71**
Chapel Rd. Han —5E **73**
Chapel Row. Bath
 —3A **106** (3A **96**)
Chapel Row. B'ptn —5A **102**
Chapel Row. Bathf —4D **103**
Chapel Row. Pill —3E **53**
Chapel St. Bris —5C **70**
Chapel St. T'bry —4C **6**
Chapel Way. St Ap & Avon V
 —4A **72**
Chaplin Rd. Bris —1D **71**
Chapter St. Bris —2A **70**
Charbon Ga. Stok G —4B **28**
Charborough Ct. Brad S
 —2C **42**
Charborough Rd. Bris
 —2B **42**
Charbury Wlk. Bris —2A **54**
Chard Clo. Nail —5E **123**
Chard Ct. Bris —2D **89**
Chard Rd. Clev —5D **121**
Chardstock Av. Bris —4E **39**
Charfield. Bris —2C **74**
Charfield Rd. Bris —3E **41**
Chargrove. Bris —4F **75**
Chargrove. Yate —2F **33**
Charis Av. Bris —5E **41**
Charlcombe La. Lark
 —4A **100**
Charlcombe Rise. Bath
 —4A **100**
Charlcombe View Rd. Bath
 —4B **100**
Charlcombe Way. Bath
 —4A **100**

Charlecombe Ct. W Trym
 —1B **56**
Charlecombe Rd. Bris
 —1B **56**
Charles Av. Stok G —5A **28**
Charles Clo. T'bry —1D **7**
Charles Pl. Bris —4C **68**
Charles Rd. Bris —1D **43**
Charles St. Bath
 —3A **106** (3A **96**)
Charles St. Bris —2F **69**
Charles St. Trow —1C **118**
Charlock Clo. W Mare
 —1B **134**
Charlock Rd. W Mare
 —1B **134**
Charlotte Ct. Trow —1D **119**
Charlotte Sq. Trow —1D **119**
Charlotte St. Bath
 —2A **106** (3A **96**)
Charlotte St. Bris —2B **70**
(Meadow St.)
Charlotte St. Bris —3E **69**
(Park St.)
Charlotte St. Trow —1D **119**
Charlotte St. S. Bris —4E **69**
Charlton Av. Bris —2C **42**
Charlton Av. W Mare
 —4B **132**
Charlton Comn. Bris —5F **25**
Charlton Ct. Pat —5B **10**
Charlton Gdns. Bris —5F **25**
Charlton La. Bris —1C **40**
Charlton La. Mid N —5F **151**
Charlton Mead Ct. Bris
 —5F **25**
Charlton Mead Dri. Bris
 —1F **41**
Charlton Pk. Key —3F **91**
Charlton Pk. Mid N
 —5E **151**
Charlton Pl. Bris —5F **25**
Charlton Rd. Key —5E **91**
Charlton Rd. K'wd —1D **73**
Charlton Rd. Mid N
 —4E **151**
Charlton Rd. W Mare
 —4B **132**
Charlton Rd. W Trym
 —3C **40**
Charlton St. Bris —3D **71**
Charlton View. P'head
 —3E **49**
Charminster Rd. Bris
 —4D **61**
Charmouth Rd. Bath
 —2C **104**
Charnell Rd. Stap H —3A **62**
Charnhill Brow. Mang
 —3C **62**
Charnhill Cres. Mang
 —3B **62**
Charnhill Dri. Mang —3B **62**
Charnhill Ridge. Mang
 —3C **62**
Charnhill Vale. Mang
 —3B **62**
Charnwood. Mang —3C **62**
Charnwood Rd. Bris —4D **89**
Charnwood Rd. Trow
 —1A **118**
Charterhouse Clo. Nail
 —4E **123**
Charterhouse Rd. Bris
 —2F **71**
Charter Rd. W Mare
 —5F **127**
Charter Wlk. Bris —2C **88**

Day Cres. *Bath* —3A **104**
Day's Rd. *St Ph* —4C **70**
Deacon Clo. *Wint* —4A **30**
Deacons Clo. *W Mare*
　　—3C **128**
Deadmill La. *Swain*
　　—3D **101**
Dean Av. *T'bry* —2D **7**
Dean Clo. *Bris* —5D **73**
Dean Clo. *W Mare* —2F **129**
Dean Ct. *Yate* —3E **17**
Dean Cres. *Bris* —1E **79**
(in two parts)
Deanery Clo. *K'wd* —2D **75**
Deanery Rd. *Bris* —4E **69**
Deanery Rd. *War* —2C **74**
Deanhill La. *Bath* —4A **98**
Dean La. *Bris* —1E **79**
Deanna Ct. *Bris* —1A **62**
Dean Rd. *Bris* —4E **21**
Dean Rd. *Yate* —3E **17**
Deans Dri. *S'wll* —5C **60**
Deans Mead. *Bris* —4C **38**
Deans, The. *P'head* —4D **49**
Dean St. *Bris* —1E **79**
Dean St. *St Pa* —2A **70**
De Beccas La. *E'ton G*
　　—3D **53**
De Clifford Rd. *Bris* —2E **39**
Deep Coombe Rd. *Bris*
　　—3C **78**
Deep Pit Rd. *Bris* —1A **72**
Deerhurst. *Bris* —5A **62**
Deerhurst. *Yate* —1E **33**
Deering Clo. *Bris* —3D **39**
Deer Mead. *Clev* —5B **120**
Deerswood. *Bris* —5C **62**
Delabere Av. *Bris* —2D **61**
Delamere Rd. *Trow*
　　—5D **117**
Delapre Rd. *W Mare*
　　—5B **132**
De La Warre Ct. *St Ap*
　　—4B **72**
Delius Gro. *Bris* —1F **87**
Dell, The. *Brad S* —2A **28**
Dell, The. *Bris* —5E **75**
Dell, The. *Nail* —3C **122**
Dell, The. *W Mare* —1C **128**
Dell, The. *W Trym* —2B **56**
Delvin Rd. *Bris* —4E **41**
De Montalt Pl. *C Down*
　　—3C **110**
Denbigh St. *Bris* —1B **70**
Dene Clo. *Key* —5B **92**
Dene Rd. *Bris* —4E **89**
Denleigh Clo. *Bris* —4C **88**
Denmark Av. *Bris*
　　—4E **69** (3A **4**)
Denmark Pl. *Bris* —4A **58**
Denmark Rd. *Bath* —3E **105**
Denmark St. *Bris*
　　—4E **69** (3A **4**)
Denning Ct. *W Mare*
　　—1F **129**
Dennisworth. *Puck* —2D **65**
Dennor Pk. *Bris* —1D **89**
Denny Clo. *P'head* —3C **48**
Denny Isle Dri. *Sev B*
　　—4B **20**
Denny View. *P'head* —3C **48**
Denny View Rd. *Abb L*
　　—2B **66**
Denston Dri. *P'head* —4A **50**
Denston Wlk. *Bris* —1C **86**
Dentwood Gro. *Bris* —5D **39**
Derby Rd. *Bris* —4A **58**
Derby St. *Bris* —2F **71**

Derham Clo. *Yat* —3B **142**
Derham Pk. *Yat* —3B **142**
Derham Rd. *Bris* —3C **86**
Derhill Ter. *Bath* —3F **107**
Dermot St. *Bris* —1B **70**
Derricke Rd. *Bris* —2B **90**
Derrick Rd. *Bris* —2F **73**
Derry Rd. *Bris* —3D **79**
Derwent Clo. *Pat* —1C **26**
Derwent Ct. *T'bry* —4E **7**
Derwent Gro. *Key* —3C **92**
Derwent Rd. *Bris* —1B **72**
Derwent Rd. *W Mare*
　　—3E **133**
Devaney Clo. *St Ap* —5B **72**
Deverell Clo. *Brad A*
　　—5F **115**
Deveron Gro. *Key* —4C **92**
Deverose Ct. *Bris* —1A **84**
Devon Gro. *Bris* —2E **71**
Devon Rd. *Bris* —1E **71**
Devonshire Bldgs. *Bath*
　　—5A **106**
Devonshire Dri. *P'head*
　　—3B **48**
Devonshire Pl. *Bath*
　　—5A **106**
Devonshire Rd. *B'ptn*
　　—5F **101**
Devonshire Rd. *Bris* —3D **57**
Devonshire Rd. *W Mare*
　　—5C **132**
Devonshire Vs. *Bath*
　　—1A **110**
Dial Hill Rd. *Clev* —2D **121**
Dial La. *Bris* —1F **61**
Diamond Rd. *Bris* —3B **72**
Diamond St. *Bris* —2E **79**
Dibden Clo. *Bris* —4C **46**
Dibden La. *E Grn* —5C **46**
Dibden Rd. *Bris* —4C **46**
Dickens Clo. *Bris* —4C **42**
Dickenson Rd. *W Mare*
　　—2C **132**
Dickensons Gro. *Cong*
　　—3E **145**
Didsbury Clo. *Bris* —3B **40**
Dighton Ga. *Stok G* —4A **28**
Dighton St. *Bris* —2F **69**
Dillon Ct. *Bris* —3F **71**
Dinder Clo. *Nail* —4D **123**
Dingle Clo. *Bris* —1E **55**
Dingle Rd. *Bris* —5F **39**
Dingle, The. *Bris* —5F **39**
Dingle, The. *Wint* —1B **46**
Dingle, The. *Yate* —2B **18**
Dingle View. *Bris* —5E **39**
Dinglewood Clo. *Bris*
　　—5F **39**
Dings Wlk. *Bris* —4C **70**
Dixon Gdns. *Bath* —5A **100**
Dixon Rd. *Bris* —3B **82**
Dock Ga. La. *Bris* —5C **68**
Docks Ind. Est. *Chit* —1F **21**
Doctor White's Clo. *Bris*
　　—5A **70**
Dodington La. *Dod* —3D **35**
Dodington Rd. *Chip S*
　　—2D **35**
Dodisham Wlk. *Bris* —1D **61**
Dodmore Crossing. *W'lgh*
　　—5D **33**
Dodsmoor La. *Alv* —3D **9**
Dolemoor La. *Cong*
(in two parts) —2A **144**
Dolman Clo. *Bris* —1A **40**
Dolphin Sq. *W Mare*
　　—1B **132**

Dominion Rd. *Bath*
　　—3B **104**
Dominion Rd. *Bris* —4B **60**
Donald Rd. *Bris* —1B **86**
Doncaster Rd. *Bris* —3D **41**
Donegal Rd. *Bris* —4F **79**
Dongola Av. *Bris* —3A **58**
Dongola Rd. *Bris* —3A **58**
Donnington Wlk. *Key*
　　—4F **91**
Doone Rd. *Bris* —4B **42**
Dorcas Av. *Stok G* —4B **28**
Dorchester Clo. *Nail*
　　—5C **122**
Dorchester Rd. *Bris* —5C **42**
Dorchester St. *Bath*
　　—4B **106** (5C **96**)
Dorester Clo. *Bris* —5E **25**
Dorian Clo. *Bris* —5A **42**
Dorian Rd. *Bris* —4A **42**
Dormer Clo. *Coal H* —3F **31**
Dormer Rd. *Bris* —4D **59**
Dorset Clo. *Bath* —3E **105**
Dorset Cotts. *Bath* —3D **111**
Dorset Gro. *Bris* —5C **58**
Dorset Ho. *Bath* —1E **109**
Dorset Rd. *K'wd* —1F **73**
Dorset Rd. *W Trym* —1D **57**
Dorset St. *Bath* —3E **105**
Dorset St. *Bris* —2D **79**
Dorset Way. *Yate* —3C **18**
Douglas Rd. *Hor* —5B **42**
Douglas Rd. *K'wd* —3F **73**
Douglas Rd. *W Mare*
　　—3D **133**
Doulton Way. *Bris* —3D **89**
Dovecote. *Yate* —1A **34**
Dovecote Clo. *Trow*
　　—2B **118**
Dovedale. *T'bry* —5E **7**
Dove La. *Redf* —3E **71**
Dove La. *St Pa* —2B **70**
Dovercourt Rd. *Bris* —2C **58**
Dover Ho. *Bath* —1B **106**
Dover Pl. *Bath* —5B **100**
(off Seymour Rd.)
Dover Pl. *Bris* —3D **69**
Dover Pl. Cotts. *Bris*
　　—3D **69**
Dovers La. *Bathf* —4D **103**
Dovers Pk. *Bathf* —4D **103**
Dove St. *Bris* —2F **69**
Dove St. S. *Bris* —2F **69**
Doveswell Gro. *Bris* —4C **86**
Doveton St. *Bris* —1F **79**
Dovey Ct. *Bris* —5E **75**
Dowdeswell Clo. *Bris*
　　—1B **40**
Dowding Rd. *Bath* —5C **100**
Dowland. *W Mare* —3E **129**
Dowland Clo. *Bris* —1F **87**
Dowling Rd. *Bris* —5F **87**
Down Av. *Bath* —3B **110**
Downavon. *Brad A* —4E **115**
Down Clo. *P'head* —3B **48**
Downend Pk. *Bris* —2B **58**
Downend Pk. Rd. *Bris*
　　—2F **61**
Downend Rd. *Down* —2D **61**
Downend Rd. *Hor* —2B **58**
Downend Rd. *K'wd* —1F **73**
Downfield. *Key* —3F **91**
Downfield Clo. *Alv* —2A **8**
Downfield Dri. *Fram C*
　　—1D **31**
Downfield Lodge. *Bris*
　　—1C **68**
Downfield Rd. *Bris* —1C **68**

Downhayes Rd. *Trow*
　　—5D **117**
Downland Clo. *Nail*
　　—4C **122**
Down La. *B'ptn* —5A **102**
Down Leaze. *Alv* —2B **8**
Downleaze. *Down* —4F **45**
Downleaze. *P'head* —3C **48**
Downleaze. *Stok B* —4B **56**
Downleaze Dri. *Chip S*
　　—1C **34**
Downman Rd. *Bris* —2C **58**
Down Rd. *Alv* —2A **8**
Down Rd. *P'head* —5A **48**
Down Rd. *Wint D* —5A **30**
Downs Clo. *Alv* —2B **8**
Downs Clo. *Brad A*
　　—2C **114**
Downs Clo. *W Mare*
　　—4D **129**
Downs Cote Av. *Bris*
　　—1B **56**
Downs Cote Dri. *Bris*
　　—1B **56**
Downs Cote Gdns. *Bris*
　　—1C **56**
Downs Cote Pk. *Bris*
　　—1C **56**
Downs Cote View. *Bris*
　　—1C **56**
Downside. *P'head* —3E **49**
Downside Clo. *Bar C*
　　—4B **74**
Downside Clo. *B'ptn*
　　—5A **102**
Downside Pk. *Trow*
　　—5E **117**
Downside Rd. *Bris* —1C **68**
Downside Rd. *W Mare*
　　—4D **133**
Downside View. *Trow*
　　—5E **117**
Downs Pk. E. *Bris* —2C **56**
Downs Pk. W. *Bris* —2C **56**
Downs Rd. *Bris* —1C **56**
Downs, The. *P'head* —4D **49**
Downs, The. *Wickw*
　　—1A **154**
Downs View. *Brad A*
　　—2C **114**
Downsway. *Paul* —3A **146**
Down, The. *Alv* —2A **8**
Down, The. *Trow* —5D **117**
Downton Rd. *Bris* —4F **79**
Down View. *Bris* —4B **58**
Down View. *Rads* —4C **152**
Dowry Pl. *Bris* —4B **68**
Dowry Rd. *Bris* —4C **68**
Dowry Sq. *Bris* —4C **68**
Dragon Ct. *Bris* —1A **72**
Dragon Rd. *Wint* —4F **29**
Dragons Hill Clo. *Key*
　　—3B **92**
Dragons Hill Ct. *Key* —3B **92**
Dragons Hill Gdns. *Key*
　　—3B **92**
Dragonswell Rd. *Bris*
　　—2C **40**
Dragon Wlk. *Bris* —1B **72**
Drake Av. *Bath* —2A **110**
Drake Clo. *Salt* —5F **93**
Drake Clo. *W Mare*
　　—1D **129**
Drake Rd. *Bris* —2C **78**
Drakes Way. *P'head* —3C **48**
Draycot Pl. *Bris* —5F **69**
Draycott Ct. *Bath*
　　—2B **106** (1D **97**)

Draycott Rd. *Bris* —2B **58**
Draydon Rd. *Bris* —5E **79**
Drayton. *W Mare* —1E **139**
Drayton Clo. *Bris* —5D **81**
Drayton Rd. *Bris* —4E **39**
Dring, The. *Rads* —2B **152**
Drive, The. *H'gro* —2E **89**
Drive, The. *Henl* —2D **57**
Drive, The. *W Mare* —5D **127**
Drove Ct. *Nail* —2D **123**
Drove Rd. *Cong* —3D **145**
Drove Rd. *W Mare* —3C **132**
Drove, The. *P'bry* —1E **51**
Druce's Hill. *Brad A* —2D **115**
Druett's Clo. *Bris* —5A **42**
Druid Clo. *Stok B* —2A **56**
Druid Hill. *Bris* —2A **56**
Druid Rd. *Bris* —3F **55**
Druid Stoke Av. *Bris* —2E **55**
Druid Woods. *Bris* —2E **55**
Druid Wood St. *Bris* —2F **55**
Drummond Ct. *L Grn* —1B **84**
Drummond Rd. *Fish* —4B **60**
Drummond Rd. *St Pa* —1A **70**
Drungway. *Bath* —3F **111**
Dryham Clo. *Bris* —2B **74**
Dryleaze. *Key* —1A **92**
Dryleaze. *Yate* —1A **18**
Dryleaze Rd. *Bris* —1B **60**
Drynham Drove. *Trow* —3E **155**
Drynham La. *Trow* —4D **119**
Drynham Pk. *Trow* —4D **119**
Drynham Rd. *Trow* —4D **119**
Drysdale Clo. *W Mare* —4B **128**
Dubber's La. *Bris* —5A **60**
Dublin Cres. *Bris* —1D **57**
Duchess Rd. *Bris* —1C **68**
Duchess Way. *Bris* —2F **59**
Duchy Clo. *Rads* —4B **148**
Duchy Rd. *Rads* —4B **148**
Ducie Rd. *Law H* —3D **71**
Ducie Rd. *Stap H* —2A **62**
Duckmoor Rd. *Bris* —1C **78**
Duckmoor Yd. *Bris* —1C **78**
Dudley Clo. *Key* —4A **92**
Dudley Ct. *Bar C* —1B **84**
Dudley Gro. *Bris* —4C **42**
Dugar Wlk. *Bris* —4E **57**
Duke St. *Bath* —3B **106** (4D **97**)
Duke St. *Trow* —1D **119**
Dulverton Rd. *Bris* —3F **57**
Dumaine Av. *Stok G* —4A **28**
Dumfries Pl. *W Mare* —3C **132**
Duncan Gdns. *Bath* —3B **98**
Duncombe La. *Bris* —5C **60**
Duncombe Rd. *Bris* —1D **73**
Dundas Clo. *Bris* —2A **40**
Dundonald Rd. *Bris* —4D **57**
Dundridge Gdns. *Bris* —4C **72**
Dundridge La. *Bris* —4C **72**
Dundry Clo. *Bris* —4A **74**
Dundry View. *Bris* —4C **80**
Dunedin Way. *St Geo* —1A **130**
Dunford Clo. *Trow* —4D **119**
Dunford Rd. *Bris* —2F **79**
Dunkeld Av. *Bris* —2B **42**
Dunkerry Rd. *Bris* —2F **79**
Dunkerton Hill. *Bath* —3D **157**
Dunkery Clo. *Nail* —4D **123**
Dunkery Rd. *W Mare* —4D **127**
Dunkirk Rd. *Bris* —4B **60**
Dunkite La. *W Mare* —1D **129**
Dunmail Rd. *Bris* —2E **41**
Dunmore St. *Bris* —1B **80**
Dunsford Pl. *Bath* —3C **106** (3F **97**)
Dunster Cres. *W Mare* —1D **139**
Dunster Gdns. *Nail* —4D **123**
Dunster Gdns. *Will* —3D **85**
Dunster Ho. *Bath* —2B **110**
Dunster Rd. *Bris* —5B **80**
Dunster Rd. *Key* —4F **91**
Dunsters Rd. *Clav* —2F **143**
Durban Rd. *Pat* —1B **26**
Durban Way. *Yat* —2B **142**
Durbin Pk. Rd. *Clev* —1D **121**
Durbin Wlk. *Bris* —2C **70**
Durcott La. *Mid N* —1F **147**
Durdham Ct. *Bris* —4C **56**
Durdham Pk. *Bris* —4C **56**
Durham Gro. *Key* —4F **91**
Durham Rd. *Bris* —5C **58**
Durleigh Clo. *Bris* —1C **86**
Durley Hill. *Key* —5D **83**
Durley La. *Key* —1E **91**
Durley Pk. *Bath* —5F **105**
Durley Pk. *Key* —1E **91**
Durnford Av. *Bris* —1C **78**
Durnford St. *Bris* —1C **78**
Dursley Clo. *Yate* —5A **18**
Dursley Rd. *Bris* —2F **53**
Dursley Rd. *Trow* —3C **118**
Durston. *W Mare* —1E **139**
Durville Rd. *Bris* —2D **87**
Durweston Wlk. *Bris* —5E **81**
Dutton Clo. *Bris* —2F **89**
Dutton Rd. *Bris* —2F **89**
Dutton Wlk. *Bris* —2F **89**
Dyers Clo. *Bris* —4F **87**
Dyer's La. *Iron A* —3C **16**
Dylan Thomas Ct. *Bar C* —5C **74**
Dymboro Av. *Mid N* —3C **150**
Dymboro Clo. *Mid N* —3C **150**
Dymboro Gdns. *Mid N* —3C **150**
Dymboro, The. *Mid N* —3C **150**
Dymott Sq. *Hil* —4F **117**
*Dyrham. Bris —3E **45***
(off Harford Dri.)
Dyrham Clo. *Henl* —1F **57**
Dyrham Clo. *K'wd* —2B **74**
Dyrham Clo. *T'bry* —1D **7**
Dyrham Pde. *Pat* —1E **27**
Dyrham Rd. *Bris* —2B **74**
Dyrham View. *Puck* —3E **65**
Dysons Clo. *Yat* —3B **142**

Eagle Clo. *W Mare* —5B **128**
Eagle Cotts. *Bath* —1A **102**
Eagle Cres. *Puck* —3E **65**
Eagle Dri. *Pat* —1A **26**
Eagle Pk. *Bathe* —1A **102**
Eagle Rd. *Bathe* —1A **102**
Eagle Rd. *Bris* —3F **81**
Eagles, The. *Yat* —3B **142**
Eagles Wood Bus. Pk. *Alm* —3E **11**
Earlesfield. *Nail* —4B **122**
Earlham Gro. *W Mare* —1D **133**
Earl Russell Way. *Bris* —3D **71**
Earls Mead. *Bris* —3A **60**
Earlstone Clo. *Bris* —1C **84**
Earlstone Cres. *Bris* —1C **84**
Earl St. *Bris* —2F **69**
Earthcott Rd. *Brad S* —5F **9**
Easedale Clo. *Bris* —2F **41**
Eastbourne Av. *Bath* —5C **100**
Eastbourne Gdns. *Trow* —1E **119**
Eastbourne Rd. *Bris* —1D **71**
Eastbourne Rd. *Trow* —1E **119**
Eastbourne Vs. *Bath* —5C **100**
Eastbury Clo. *T'bry* —3D **7**
Eastbury Rd. *Bris* —3C **60**
Eastbury Rd. *T'bry* —3D **7**
E. Clevedon Triangle. *Clev* —2E **121**
East Clo. *Bath* —4B **104**
Eastcombe Gdns. *W Mare* —4D **127**
Eastcombe Rd. *W Mare* —4D **127**
Eastcote Pk. *Bris* —3D **89**
E. Croft. *Bris* —5E **41**
Eastdown Rd. *Clan* —4B **148**
E. Dundry Rd. *Bris* —5B **88**
Eastfield. *Bris* —5D **41**
Eastfield Av. *Bath* —3C **98**
Eastfield Gdns. *W Mare* —4D **127**
Eastfield Pk. *W Mare* —4C **126**
Eastfield Rd. *Cot* —5F **57**
Eastfield Rd. *Hut* —1C **140**
Eastfield Rd. *W Trym* —5C **40**
Eastfield Ter. *Bris* —5D **41**
Eastgate Cen. *Bris* —4D **59**
Eastgate Rd. *Bris* —4D **59**
East Gro. *Bris* —1B **70**
Eastlake Clo. *Bris* —5D **43**
Eastland Av. *T'bry* —2D **7**
Eastland Rd. *T'bry* —2D **7**
Eastlea. *Clev* —5B **120**
E. Lea Rd. *Bath* —1B **104**
Eastleigh Clo. *Bris* —3A **62**
Eastleigh Rd. *Stap H* —4A **62**
Eastleigh Rd. *W Trym* —3F **41**
Eastlyn Rd. *Bris* —5D **79**
East Mead. *Mid N* —2E **151**
E. Mead Drove. *B'don* —5D **139**
Eastmead La. *Ban* —5F **137**
Eastmead La. *Bris* —3A **56**
Eastnor Rd. *Bris* —5C **88**
Easton Bus. Cen. *Bris* —2D **71**
Easton Hill Rd. *T'bry* —2E **7**
Easton Rd. *Bris* —3C **70**
Easton Rd. *Pill* —3E **53**
Easton Way. *Bris* —1C **70**
Eastover Clo. *Bris* —4C **40**
Eastover Gro. *Bath* —3D **109**
East Pde. *Bris* —1E **55**
East Pk. *Bris* —5E **59**
East Pk. Dri. *Bris* —5E **59**
East Pk. Trad. Est. *Bris* —1F **71**
E. Priory Clo. *Bris* —5C **40**
Eastridge Dri. *Bris* —3B **86**
E. Shrubbery. *Bris* —5D **57**
East St. *A'mth* —3C **36**
East St. *Ban* —5F **137**
East St. *Bedm* —2E **79**
East St. *St Pa* —2B **70**
East View. *Mang* —1B **62**
Eastview Rd. *Trow* —3A **118**
Eastville. *Bath* —5C **100**
East Wlk. *Yate* —5A **18**
East Way. *Bath* —4B **104**
Eastway. *Nail* —2C **122**
Eastway Clo. *Nail* —2C **122**
Eastway Sq. *Nail* —2D **123**
Eastwood Cres. *Bris* —1B **82**
E. Wood Pl. *P'head* —1F **49**
Eastwood Rd. *Bris* —1B **82**
Eastwoods. *Bathf* —3C **102**
Eaton Clo. *Bris* —3A **90**
Eaton Clo. *Fish* —3D **61**
Eaton Cres. *Bris* —2C **68**
Eaton St. *Bris* —2E **79**
Ebdon Ct. *W Mare* —3E **129**
Ebdon Rd. *W Mare* —1D **129**
Ebenezer La. *Bris* —1F **55**
(in two parts)
Ebenezer St. *Bris* —3F **71**
*Ebenezer Ter. Bath —4B **106** (5E **97**)*
(off Rossiter Rd.)
Eccleston Ho. *Bris* —4D **71**
Eckweek Gdns. *Pea J* —4D **157**
Eckweek La. *Pea J* —4E **157**
(in two parts)
Eckweek Rd. *Pea J* —4D **157**
Eden Gro. *Bris* —3B **42**
Eden Pk. Cl. *Bathe* —2B **102**
Eden Pk. Dri. *Bathe* —2B **102**
Eden Ter. *Bath* —4D **101**
*Eden Vs. Bath —4D **101***
(off Dafford's Bldgs.)
*Edgar Bldgs. Bath —2A **106***
(off George St.)
Edgecombe Av. *W Mare* —3B **128**
Edgecombe Clo. *Bris* —1B **74**
Edgecumbe Rd. *Bris* —5F **57**
Edgefield Clo. *Bris* —5B **88**
Edgefield Rd. *Bris* —5B **88**
Edgehill Rd. *Clev* —1D **121**
Edgeware Rd. *Stap H* —3F **61**
Edgeware Rd. *S'vle* —1E **79**
Edgewood Clo. *Bris* —5D **81**
Edgewood Clo. *L Grn* —2C **84**
Edgeworth. *Yate* —3E **33**
Edgeworth Rd. *Bath* —2D **109**
Edinburgh Pl. *W Mare* —5C **126**
Edinburgh Rd. *Key* —4A **92**

Edington Gro. *Bris* —2C **40**
Edmund Clo. *Bris* —1F **61**
Edmund Ct. *Puck* —1D **65**
Edna Av. *Bris* —2A **82**
Edward Bird Ho. *Bris*
　　　　—5E **43**
Edward Rd. *Arn V* —1D **81**
Edward Rd. *Clev* —1E **121**
Edward Rd. *K'wd* —2A **74**
Edward Rd. S. *Clev*
　　　　—1E **121**
Edward Rd. W. *Clev*
　　　　—1E **121**
Edward St. *Bathw*
　　—2C **106** (2E **97**)
Edward St. *Eastv* —5F **59**
Edward St. *Lwr W* —2D **105**
Edward St. *Redf* —2A **71**
Effingham Rd. *Bris* —5A **58**
Egerton Brow. *Bris* —3F **57**
Egerton La. *Bris* —3F **57**
Egerton Rd. *Bath* —5F **105**
Egerton Rd. *Bris* —3F **57**
Eggshill La. *Yate* —5F **17**
Eighth Av. *Bris* —4D **43**
Eirene Ter. *Pill* —3F **53**
Elberton. *Bris* —2C **74**
Elberton Rd. *Bris* —5D **39**
Elborough Av. *Yat* —3B **142**
Elbury Av. *Bris* —5E **61**
Elcombe Clo. *Trow*
　　　　—5C **118**
Elderberry Wlk. *Bris* —2E **41**
Elderberry Wlk. *W Mare*
　　　　—4D **129**
Elderwood Dri. *L Grn*
　　　　—2C **84**
Elderwood Rd. *Bris* —1D **89**
Eldon Pl. *Bath* —4C **100**
Eldon Ter. *Bris* —2F **79**
Eldonwall Trad. Est. *Bris*
　　　　—5E **71**
Eldon Way. *Bris* —5E **71**
Eldred Clo. *Bris* —2F **55**
Eleanor Clo. *Bath* —4A **104**
Eleventh Av. *Bris* —3D **43**
Elfin Rd. *Bris* —2C **60**
Elgar Clo. *Bris* —2F **87**
Elgar Clo. *Clev* —5E **121**
Elgin Av. *Bris* —3B **42**
Elgin Croft. *Bris* —4D **87**
Elgin Pk. *Bris* —5D **57**
Elgin Rd. *Bris* —5D **61**
Eliot Clo. *W Mare* —5E **133**
Eliot Dri. *Bris* —3C **42**
Elizabeth Clo. *Hut* —5B **134**
Elizabeth Clo. *T'bry* —4E **7**
Elizabeth Cres. *Stok G*
　　　　—5A **28**
Elizabeth's M. *St Ap* —4B **72**
Elkstone Wlk. *Bit* —3E **85**
Ellacombe Rd. *L Grn*
　　　　—3A **84**
Ellan Hay Rd. *Brad S*
　　　　—3C **28**
Ellbridge Clo. *Bris* —2F **55**
Ellenborough Cres. *W Mare*
　　　　—2C **132**
Ellenborough La. *Bris*
　　　　—1A **54**
Ellenborough Pk. N. *W Mare*
　　　　—2B **132**
Ellenborough Pk. Rd.
　　　W Mare —2C **132**
Ellenborough Pk. S. *W Mare*
　　　　—2B **132**
Ellen Ho. *Bath* —4B **104**
Ellesmere. *T'bry* —4D **7**

Ellesmere Rd. *Bris* —5F **81**
Ellesmere Rd. *K'wd* —2F **73**
Ellesmere Rd. *Uph* —1B **138**
Ellfield Clo. *Bris* —2B **86**
Ellicks Clo. *Brad S* —4A **12**
Ellicott Rd. *Bris* —1B **58**
Ellinghurst Clo. *Bris* —2C **40**
Elliot Pl. *Trow* —1A **118**
Elliott Av. *Bris* —3E **45**
Ellis Av. *Bris* —5C **78**
Ellis Pk. *St Geo* —1A **130**
Elliston Dri. *Bath* —5C **104**
Elliston La. *Bris* —5E **57**
Elliston Rd. *Bris* —5E **57**
Ellsbridge Clo. *Key* —3D **93**
Ellsworth Rd. *Bris* —1B **40**
Elm Clo. *Ban* —4C **136**
Elm Clo. *Chip S* —5C **18**
Elm Clo. *Lit S* —3A **28**
Elm Clo. *Nail* —4B **122**
Elm Clo. *N Brad* —4D **155**
Elm Clo. *Stav* —1D **117**
Elm Clo. *Yat* —4B **142**
Elm Ct. *Bris* —3C **88**
Elm Ct. *Key* —4E **91**
Elmcroft Cres. *Bris* —3C **58**
Elmdale Ct. *Trow* —3A **118**
Elmdale Cres. *T'bry* —3D **7**
Elmdale Gdns. *Bris* —3C **60**
Elmdale Rd. *Bedm* —3D **79**
Elmdale Rd. *Trow* —3A **118**
Elmdale Rd. *Tyn P* —2D **69**
Elmfield. *Brad A* —2D **115**
Elmfield. *Bris* —4A **74**
Elmfield Clo. *Bris* —4A **74**
Elmfield Rd. *Bris* —4C **40**
Elm Gro. *Bath* —5D **105**
Elm Gro. *Lock* —4D **135**
Elm Gro. *Swain* —4D **101**
Elmgrove Av. *Bris* —2D **71**
Elmgrove Rd. *Yate* —4B **18**
Elmgrove Pk. *Cot* —1F **69**
Elmgrove Rd. *Fish* —4A **60**
Elmgrove Rd. *Redl* —1F **69**
Elm Hayes. *Bris* —2B **86**
Elmhirst Gdns. *Yate* —4C **18**
Elmhurst Av. *Bris* —4F **59**
Elmhurst Est. *Bathe*
　　　　—2B **102**
Elmhurst Gdns. *L Ash*
　　　　—4B **76**
Elmhurst Rd. *Hut* —1C **140**
Elmhyrst Rd. *W Mare*
　　　　—5D **127**
Elming Down Clo. *Lit S*
　　　　—3F **27**
Elm La. *Bris* —5D **57**
Elmlea Av. *Bris* —2B **56**
Elmleigh Av. *Mang* —2D **63**
Elmleigh Clo. *Mang* —2D **63**
Elmleigh Rd. *Mang* —2C **62**
Elmore. *Bris* —5B **62**
Elmore. *Yate* —1F **33**
Elmore Rd. *Bris* —1C **58**
Elmore Rd. *Pat* —5B **10**
Elm Pk. *Fil* —2C **42**
Elm Rd. *Hor* —2A **58**
Elm Rd. *K'wd* —4A **74**
Elm Rd. *Paul* —4B **146**
Elms Cross. *Brad A*
　　　　—5D **115**
Elmscross Bus. Pk. *Brad A*
　　　　—5D **115**
Elms Cross Dri. *Brad A*
　　　　—4D **115**
Elmscross Shopping Cen.
　　　　Brad A —5D **115**
Elms Gro. *Pat* —5D **11**

Elmsleigh Rd. *W Mare*
　　　　—4B **132**
Elmsley La. *W Mare*
　　　　—1A **128**
Elms, The. *Brad A* —1D **115**
Elms, The. *Bris* —3E **45**
Elms, The. *Holt* —1E **155**
Elm Ter. *Rads* —3F **151**
Elm Tree Av. *Mang* —5C **46**
Elm Tree Av. *Rads* —3A **152**
Elmtree Clo. *Bris* —1F **73**
Elmtree Dri. *Bris* —4B **86**
Elm Tree Pk. *P'bry* —4F **51**
Elm Tree Rd. *Clev* —4D **121**
Elm Tree Rd. *Lock* —3D **135**
Elmtree Way. *Bris* —1F **73**
Elmvale Dri. *Hut* —5D **135**
Elm View. *Mid N* —2E **151**
Elm Wlk. *P'head* —4E **49**
Elm Wlk. *Yat* —4B **142**
Elmwood. *Yate* —1A **34**
Elsbert Dri. *Bris* —2A **86**
Elstree Rd. *Bris* —1A **72**
Elton La. *Bris* —5F **57**
Elton Mans. *Bris* —5F **57**
Elton Rd. *Bishop* —4F **57**
Elton Rd. *Clev* —4E **121**
Elton Rd. *K'wd* —1D **73**
Elton Rd. *Tyn P* —3D **69**
Elton Rd. *W Mare* —1F **129**
Elton St. *Bris* —2B **70**
Elvard Clo. *Bris* —4C **86**
Elvard Rd. *Bris* —3C **86**
Elvaston Rd. *Bris* —2A **80**
Ely Gro. *Bris* —5D **39**
Embassy Rd. *Bris* —1A **72**
Embassy Wlk. *Bris* —1A **72**
Embercourt Dri. *Back*
　　　　—2C **124**
Embleton Rd. *Bris* —2D **41**
Emersons Grn. La. *E Grn*
　　　　—1D **63**
Emerson Sq. *Bris* —4C **42**
Emerson Way. *E Grn*
　　　　—4D **47**
Emery Ga. *Ban* —5F **137**
Emery Rd. *Bris* —3B **82**
Emlyn Clo. *W Mare*
　　　　—1F **129**
Emlyn Rd. *Bris* —5E **59**
Emmanuel Ct. *Bris* —2C **68**
Emmett Wood. *Bris* —5D **89**
Empire Cres. *Han* —1A **84**
Empress Menen Gdns. *Bath*
　　　　—1B **104**
Emra Clo. *Bris* —1B **72**
Enfield Rd. *Bris* —4C **60**
Engine Comn. *Yate* —2E **17**
Engine Comn. La. *Yate*
　　　　—1E **17**
Enginehouse La. *Key*
　　　　—4C **90**
Engine La. *Nail* —4A **122**
England's Cres. *Wint*
　　　　—2A **30**
Englishcombe La. *Bath*
　　　　—1C **108**
Englishcombe Rd. *Bath*
　　　　—2A **108**
Englishcombe Rd. *Bris*
　　　　—5E **87**
Englishcombe Way. *Bath*
　　　　—1F **109**
Enmore. *W Mare* —1E **139**
Ennerdale Clo. *W Mare*
　　　　—3E **133**
Ennerdale Rd. *Bris* —2F **41**
Entry Hill. *Bath* —1A **110**

Entry Hill Dri. *Bath* —1A **110**
Entry Hill Gdns. *Bath*
　　　　—1A **110**
Entry Hill Pk. *Bath* —2A **110**
Entry Rise. *Bath* —3A **110**
Epney Clo. *Pat* —5B **10**
Epsom Clo. *Bris* —3B **46**
Epsom Rd. *Whit B* —3F **155**
Epsom Sq. *Whit B* —3F **155**
Epworth Rd. *Bris* —1C **40**
Equinox. *Brad S* —3E **11**
Erin Wlk. *Bris* —5F **79**
Ermine Way. *Bris* —5E **37**
Ermleet Rd. *Bris* —5E **57**
Ernest Barker Clo. *Bris*
　　　　—3D **71**
Ernestville Rd. *Bris* —4B **60**
Ervine Ter. *Bris* —2B **70**
Esgar Rise. *W Mare*
　　　　—2C **128**
Eskdale. *T'bry* —5E **7**
Eskdale Clo. *W Mare*
　　　　—5B **128**
Esmond Gro. *Clev* —2D **121**
Esplanade Rd. *P'head*
　　　　—2E **49**
Essery Rd. *Bris* —5E **59**
Esson Rd. *Bris* —1D **73**
Estcourt Gdns. *Stap* —2F **59**
Estcourt La. *Bris* —2F **59**
Estelle Pk. *Bris* —5E **59**
Estoril. *Yate* —5B **18**
Estune Wlk. *L Ash* —3C **76**
Etloe Rd. *Bris* —3C **56**
Eton La. *Lock* —1B **136**
Eton Rd. *Bris* —2F **81**
Ettlingen Way. *Clev* —4E **121**
Ettricke Dri. *Bris* —1D **61**
Eugene St. *St Ja* —2F **69**
Eugene St. *St Jud* —2B **70**
Evans Clo. *St Ap* —5B **72**
Evans Rd. *Bris* —5D **57**
Eveleigh Ho. *Bath* —2B **106**
　　(off Grove St.)
Evelyn Rd. *Bath* —1C **104**
Evelyn Rd. *Bris* —4E **41**
Evelyn Ter. *Bath* —5B **100**
Evenlode Gdns. *Bris* —2B **54**
Evenloode Way. *Key* —5C **92**
Everall Dri. *W Mare*
　　　　—2E **133**
Evercreech Rd. *Bris* —4C **88**
Everest Av. *Bris* —3A **60**
Everest Rd. *Bris* —3A **60**
Evergreen Clo. *Wins*
　　　　—3A **156**
Everleigh Clo. *Trow*
　　　　—5D **119**
Eve Rd. *Bris* —1D **71**
Everson Clo. *W Mare*
　　　　—4E **133**
Ewart Rd. *W Mare* —5A **128**
Exbourne. *W Mare* —3E **129**
Excelsior St. *Bath*
　　—4C **106** (5D **97**)
Excelsior Ter. *Mid N*
　　　　—3E **151**
Exchange Av. *Bris*
　　　　—4F **69** (3C **4**)
Exeter Bldgs. *Bris* —5D **57**
Exeter Rd. *Bris* —1D **79**
Exeter Rd. *P'head* —4A **50**
Exeter Rd. *W Mare*
　　　　—3C **132**
Exford Clo. *W Mare*
　　　　—1D **139**
Exley Clo. *Bris* —5E **75**
Exmoor Rd. *Bath* —2A **110**

Footshill Clo. *Bris* —4E **73**
Footshill Dri. *Bris* —3E **73**
Footshill Gdns. *Bris* —4E **73**
Footshill Rd. *Bris* —4E **73**
Forde Clo. *Bar C* —5B **74**
Fordell Pl. *Bris* —2C **80**
Ford Rd. *Pea J* —1F **149**
Ford St. *Bris* —4E **71**
Forefield Pl. *Bath* —4B **106**
Forefield Rise. *Bath*
—5B **106**
Forefield Ter. *Bath* —4C **106**
Forest Av. *Bris* —4D **61**
Forest Dri. *Bren* —1E **41**
Forest Dri. *W Mare*
—4E **127**
Forest Edge. *Bris* —1E **83**
Forester Av. *Bath* —1B **106**
Forester Ct. *Bath* —1B **106**
Forester La. *Bath* —1C **106**
Forester Rd. *Bath*
—2C **106** (1E **97**)
Forester Rd. *P'head* —4F **49**
Forest Hills. *Alm* —1D **11**
Fore St. *Trow* —1D **119**
Forest Rd. *Fish* —4D **61**
Forest Rd. *K'wd* —3F **73**
Forest Wlk. *Fish* —4D **61**
Forest Wlk. *K'wd* —3E **73**
Forge End. *P'bry* —4A **52**
Fortescue Rd. *Rads*
—2C **152**
Fortfield Rd. *Bris* —4C **88**
Forty Acre La. *Alv* —4B **8**
Forum Bldgs. Bath —4B 106
(off St James's Pde.)
Fosse Barton. *Nail* —3C **122**
Fosse Clo. *Nail* —3B **122**
Fossedale Av. *Bris* —2E **89**
Fossefield Rd. *Mid N*
—5E **151**
Fosse Gdns. *Bath* —4E **109**
Fosse Grn. *Rads* —5B **148**
Fosse La. *Bathe* —2D **102**
Fosse La. *Mid N* —1F **151**
Fosse La. *Nail* —3B **122**
(in two parts)
Fosseway. *Clev* —5C **120**
Fosseway. *Mid N* —5E **151**
Fosse Way. *Nail* —3B **122**
Fosseway Ct. *Bris* —3C **68**
Fosseway Gdns. *Rads*
—3A **152**
Fosseway S. *Mid N* —5E **151**
Fosseway, The. *Bris* —3C **68**
Fossway. *Clan* —5B **148**
Foss Way. *Mid N* —3A **152**
Foster's Almshouses. *Bris*
—3F **69** (2B **4**)
Foster St. *Bris* —5D **59**
Foundry La. *Bris* —5B **60**
Fountain Bldgs. *Bath*
—2B **106** (2C **96**)
Fountain Ct. *Brad S* —3E **11**
Fountain Ct. Yate —2F 33
(off Abbotswood)
Fountaine Ct. *Bris* —5E **59**
Fountain Hill. *Bris* —1B **68**
Fountain La. *Wint* —5C **120**
Fountains Dri. *Bar C*
—4B **74**
Four Acre Av. *Bris* —4A **46**
Fouracre Cres. *Bris* —3A **46**
Four Acre Rd. *Bris* —3A **46**
Four Acres. *Bris* —4A **86**
Four Acres Clo. *Bris* —4B **86**
Four Acres Clo. *Nail*
—5D **123**

Fourth Av. *Bris* —3C **42**
Fourth Av. *W'fld I* —4A **152**
Fourth Way. *Bris* —3F **37**
Fowey Clo. *Nail* —4F **123**
Fowey Rd. *W Mare*
—1E **129**
Fox Av. *Yate* —4F **17**
Foxborough Gdns. *Brad S*
—4F **11**
Fox Clo. *St Ap* —5B **72**
Foxcombe Rd. *Bath*
—2C **104**
Foxcombe Rd. *Bris* —4D **89**
Foxcote. *Bris* —3B **74**
Foxcote Rd. *Bris* —2C **78**
Fox Ct. *L Grn* —2B **84**
Foxcroft Clo. *Brad S*
—2B **28**
Foxcroft Rd. *Bris* —2F **71**
Fox Den Rd. *Stok G* —1F **43**
Foxe Rd. *Fram C* —1C **30**
Foxfield Av. *Brad S* —4F **11**
Foxglove Clo. *Stap* —3A **60**
Foxglove Clo. *T'bry* —2E **7**
Fox Hill. *Bath* —3B **110**
Fox Hills Rd. *Rads* —3D **153**
Fox & Hounds La. *Key*
—3B **92**
Fox Ho. *Bris* —2A **82**
Fox Rd. *Bris* —1D **71**
Fraley Rd. *Bris* —5C **40**
Frampton Ct. *L Grn* —1B **84**
Frampton Ct. *Trow* —4A **118**
Frampton Cres. *Bris* —3E **61**
Frampton End Rd. *Fram C*
—1E **31**
Frampton End Rd. *Yate*
—4F **15**
Frances Greeves Ct. *Bris*
—3B **40**
Francis Fox Rd. *W Mare*
—1C **132**
Francis Pl. *L Grn* —1B **84**
Francis Rd. *Bedm* —3E **79**
Francis Rd. *W Trym* —4E **41**
Francis St. *Trow* —1C **118**
Francombe Gro. *Bris*
—1A **58**
Frankland Clo. *Bath* —5B **98**
Frankley Bldgs. *Bath*
—5C **100**
Frankley Ter. Bath —5C 100
(off Snow Hill)
Franklin Ct. *Bris*
—5A **70** (5E **5**)
Franklins Way. *Clav*
—2F **143**
Franklyn La. *Bris* —1B **70**
Franklyn St. *Bris* —1B **70**
Fraser Clo. *W Mare*
—1D **129**
Fraser St. *Bris* —2F **79**
Frayne Rd. *Bris* —1C **78**
Frederick Av. *Pea J* —2F **149**
Frederick Pl. *Bris* —3D **69**
Frederick St. *Bris* —1C **80**
Freeland Bldgs. *Bris* —5E **59**
Freeland Pl. *Bris* —4B **68**
Freelands. *Clev* —5C **120**
Freeling Ho. *Bris* —5A **70**
Freemantle Gdns. *Eastv*
—4E **59**
Freemantle Ho. *Bris* —4E **59**
Freestone Rd. *Bris* —4C **70**
Free Tank. *Bris* —4B **70**
Freeview Rd. *Bath* —3B **104**
Fremantle La. *Bris* —1F **69**
Fremantle Rd. *Bris* —1F **69**

Fremantle Sq. *Bris* —1F **69**
Frenchay Clo. *Bris* —5D **45**
Frenchay Comn. *Bris*
—5D **45**
Frenchay Hill. *Bris* —5E **45**
Frenchay Pk. Rd. *Bris*
—1A **60**
Frenchay Rd. *Bris* —5E **45**
Frenchay Rd. *W Mare*
—4C **132**
French Clo. *Nail* —2E **123**
French Clo. *Pea J* —5D **157**
Frenchfield Rd. *Pea J*
—5D **157**
Freshfield Way. *Bris*
—2D **73**
Freshford Ho. *Bris*
—5A **70** (5D **5**)
Freshford La. *F'frd* —5B **112**
Freshland Way. *Bris*
—2D **73**
Freshmoor. *Clev* —3F **121**
Friar Av. *W Mare* —2C **128**
Friars. *Bris* —3A **70**
Friars Ho. *Yate* —2F **33**
Friary. *Bris* —3A **70**
Friary Clo. *Clev* —1C **120**
Friary Clo. *Up W* —5F **113**
Friary Grange Pk. *Wint*
—3A **30**
Friary Rd. *Bris* —3F **57**
Friary Rd. *P'head* —3D **49**
Friendly Row. *Pill* —2E **53**
Friendship Gro. *Nail*
—3E **123**
Friendship Rd. *Bris* —3B **80**
Friendship Rd. *Nail*
—2E **123**
Friezewood Rd. *Bris* —1C **78**
Fripp Clo. *Bris* —4D **71**
Frobisher Av. *P'head*
—3C **48**
Frobisher Clo. *P'head*
—3C **48**
Frobisher Clo. *W Mare*
—1C **128**
Frobisher Rd. *Bris* —2C **78**
Frog La. *Bris*
—4E **69** (3A **4**)
Frog La. *Coal H* —1A **32**
Frogmore St. *Bris*
—4E **69** (3A **4**)
Frome Bank Gdns. *Wint D*
—1A **46**
Frome Ct. *T'bry* —4D **7**
Frome Glen. *Wint D* —5A **30**
Frome Old Rd. *Rads*
—2D **153**
Frome Pl. *Bris* —1A **60**
Frome Rd. *Bath* —2D **109**
Frome Rd. *Brad A* —5D **115**
Frome Rd. *Chip S* —5E **19**
Frome Rd. *Trow* —5A **118**
Frome Rd. *Writ* —2C **152**
Fromeside Pk. *Bris* —5D **45**
Frome St. *Bris* —2B **70**
Frome Valley Rd. *Bris*
—1B **60**
Frome View. *Fram C*
—2D **31**
Frome Vs. *Bris* —5E **45**
Frome Way. *Wint* —4A **30**
Froomshaw Rd. *Bris*
—5C **44**
Frost Hill. *Yat* —4D **143**
Fry Ct. *Bris* —1E **79**
Fry's Clo. *Bris* —3F **59**
Fry's Hill. *Brisl* —3F **81**
Fry's Hill. *Bris* —1A **74**

Frys Leaze. *Bath* —4C **100**
Fryth Way. *Nail* —3B **122**
Fulford Rd. *Bris* —3D **87**
Fulford Rd. *Trow* —5E **117**
Fulford Wlk. *Bris* —3D **87**
Fullens Clo. *W Mare*
—1B **134**
Fuller Rd. *Bath* —4D **101**
Fullers La. *Wins* —5B **156**
Fullers Way. *Bath* —4E **109**
Fulmar Clo. *T'bry* —2E **7**
Fulmar Rd. *W Mare*
—4D **129**
Fulney Clo. *Trow* —5F **117**
Funchal Vs. *Bris* —3C **68**
Furber Ct. *Bris* —4D **73**
Furber Ridge. *Bris* —4D **73**
Furber Rd. *Bris* —3D **73**
Furber Vale. *Bris* —4D **73**
Furland Rd. *W Mare*
—3A **128**
Furlong Clo. *Mid N*
—5C **150**
Furlong Gdns. *Trow*
—1E **119**
Furlong, The. *Bris* —2F **57**
Furnwood. *Bris* —4C **72**
Furze Clo. *W Mare* —3F **127**
Furze Rd. *Bris* —4E **61**
Furze Rd. *W Mare* —3E **127**
Furzewood Rd. *Bris* —2B **74**
Fussell Ct. *Bris* —2B **74**
Fylton Croft. *Bris* —5D **89**

G

Gable Rd. *Bris* —1C **70**
Gables Clo. *Ban* —5F **137**
Gadshill Dri. *Stok G* —4A **28**
Gadshill Rd. *Bris* —4E **59**
Gages Clo. *Bris* —3B **74**
Gages Rd. *Bris* —3A **74**
Gainsborough Dri. *W Mare*
—2D **129**
Gainsborough Gdns. *Bath*
—1D **105**
Gainsborough Rise. *Trow*
—4A **118**
Gainsborough Rd. *Key*
—3B **92**
Gainsborough Sq. *Bris*
—5D **43**
Galleries Shopping Cen. *Bris*
—3A **70** (1D **5**)
Gallivan Clo. *Lit S* —1D **27**
Galway Rd. *Bris* —4A **80**
Gander Clo. *Bris* —3D **87**
Gannet Rd. *W Mare*
—4D **129**
Garamond Ct. *Redc* —5A **70**
Garden Clo. *Bris* —2E **55**
Garden Clo. *W Mare*
—3C **128**
Garden Ct. *Bris* —2C **68**
Gardeners Wlk. *L Ash*
—4D **77**
Gardens Rd. *Clev* —2C **120**
Garden Walls. *Wickw*
—2C **154**
Gardner Av. *Bris* —1B **86**
Gardner Rd. *P'head* —2F **49**
Garfield Rd. *Bris* —2C **72**
Garfield Ter. *Bath* —4D **101**
Garner Ct. *W Mare*
—1F **129**
Garnet St. *Bris* —2D **79**
Garnett Pl. *Bris* —5B **46**
Garoner Way. *P'bry* —2B **52**
Garre Ho. *Bath* —4A **104**

Gordano Gdns. *E'ton G* —3D **53**
Gordano Rd. *P'bry* —1F **51**
Gordano View. *P'head* —3E **49**
Gordon Av. *Bris* —1F **71**
Gordon Clo. *Bris* —1A **72**
Gordon Rd. *Bath* —4C **106**
Gordon Rd. *Clif* —3D **69**
Gordon Rd. *Pea J* —4D **157**
Gordon Rd. *St Pa* —1B **70**
Gordon Rd. *W'hall* —1F **71**
Gordon Rd. *W Mare* —1D **133**
Gore Rd. *Bris* —2C **78**
Gore's Marsh Rd. *Bris* —3C **78**
Gorham Clo. *Bris* —2E **39**
Gorlands Rd. *Chip S* —5E **19**
Gorlangton Clo. *Bris* —1C **88**
Gorse Cover Rd. *Sev B* —3B **20**
Gorse Hill. *Bris* —4D **61**
Gorse La. *Bris* —4D **69**
Gosforth Rd. *Bris* —2D **41**
Goslet Rd. *Bris* —3A **90**
Goss Barton. *Nail* —4C **122**
Goss Clo. *Nail* —4B **122**
Goss La. *Nail* —4B **122**
Goss View. *Nail* —4B **122**
Gotley Rd. *Bris* —3F **81**
Gott Dri. *Bris* —4F **71**
Goulston Rd. *Bris* —3C **86**
Goulston Wlk. *Bris* —2C **86**
Goulter St. *Bris* —4D **71**
Gourney Clo. *Bris* —2D **39**
Gover Rd. *Han* —2E **83**
Goy Rd. *Pat* —2C **26**
Grace Clo. *Chip S* —5E **19**
Grace Clo. *Yat* —3B **142**
Grace Ct. *Bris* —1F **61**
Grace Dri. *Bris* —1C **74**
Grace Dri. *Mid N* —2D **151**
Grace Pk. Rd. *Bris* —4F **81**
Grace Rd. *Bris* —2E **61**
Grace Rd. *W Mare* —1F **129**
Gradwell Clo. *W Mare* —2F **129**
Graeme Clo. *Bris* —3C **60**
Graham Rd. *Bedm* —2E **79**
Graham Rd. *Down* —1B **62**
Graham Rd. *E'tn* —1D **71**
Graham Rd. *W Mare* —1C **132**
Grainger Ct. *Bris* —5A **38**
Grampian Clo. *Old C* —1E **85**
Granby Ct. *Bris* —4B **68**
Granby Hill. *Bris* —4B **68**
Grand Pde. *Bath* —3B **106** (3C **96**)
Grange Av. *Bris* —5E **73**
Grange Av. *Lit S* —3E **27**
Grange Clo. *Brad S* —4E **11**
Grange Clo. *Uph* —2C **138**
Grange Clo. N. *Bris* —1D **57**
Grange Ct. *Bris* —1D **57**
Grange Ct. *Han* —5F **73**
Grange Ct. Rd. *Bris* —1C **56**
Grange Dri. *Bris* —1E **61**
Grange End. *Mid N* —5E **151**
Grange Pk. *Fren* —4E **45**
Grange Pk. *W Trym* —1D **57**
Grange Rd. *B'wth* —3C **86**
Grange Rd. *Clif* —3C **68**
Grange Rd. *Salt* —5E **93**
Grange Rd. *Uph* —2C **138**
Grange View. *Brad A* —2F **115**
Grangeville Clo. *L Grn* —2D **85**
Grangewood Clo. *Bris* —1E **61**
Granny's La. *Bris* —4A **74**
Grantham La. *Bris* —2E **73**
Grantham Rd. *Bris* —2E **73**
Grantson Clo. *Bris* —3A **82**
Granville Clo. *Bris* —2D **83**
Granville Rd. *Bath* —3F **99**
Granville St. *Bris* —4E **71**
Grasmere. *Trow* —5E **117**
Grasmere Clo. *Bris* —4C **40**
Grasmere Dri. *W Mare* —4D **133**
Grasmere Gdns. *Bris* —4F **75**
Grassington Dri. *Chip S* —1C **34**
Grass Meers Dri. *Bris* —4C **88**
Grassmere Rd. *Yat* —3B **142**
Gratitude Rd. *Bris* —1E **71**
Gravel Hill Rd. *Yate* —3A **18** (in two parts)
Gravel, The. *Holt* —1E **155**
Gravel Wlk. *Bath* —2F **105**
Graveney Clo. *Bris* —4F **81**
Gray Clo. *Bris* —2A **40**
Grayle Rd. *Bris* —2C **40**
Gt. Ann St. *Bris* —3B **70**
Gt. Bedford St. *Bath* —1A **106**
Gt. Brockeridge. *Bris* —1B **56**
Gt. Dowles. *Bris* —1C **84**
Gt. George St. *Bris* —4E **69**
Gt. George St. *St Jud* —3B **70** (1F **5**)
Gt. Hayles Rd. *Bris* —1B **88**
Gt. Leaze. *Bris* —1C **84**
Gt. Meadow Rd. *Brad S* —3B **28**
Gt. Orchard. *Brad A* —5A **114**
Gt. Park Rd. *Alm* —3E **11**
Great Parks. *Holt* —1F **155**
Gt. Pulteney St. *Bath* —2B **106** (2D **97**)
Gt. Stanhope St. *Bath* —3F **105**
Gt. Stoke Way. *Brad S* —2F **43**
Gt. Western Bus. Pk. *Yate* —3E **17**
Gt. Western La. *Bris* —4E **71**
Gt. Western Rd. *Clev* —3D **121**
Gt. Western Way. *Bris* —4B **70** (4F **5**)
Greenacre. *W Mare* —2F **127**
Greenacre Rd. *Bris* —5C **88**
Greenacres. *Bath* —3C **98**
Greenacres. *Bris* —5A **40**
Greenacres. *E Grn* —5D **47**
Greenacres. *Mid N* —3B **150**
Greenacres Cvn. Site. *Coal H* —5F **31**
Greenbank Av. E. *Bris* —1E **71**
Greenbank Av. W. *Bris* —1D **71**
Greenbank Gdns. *Bath* —5C **98**
Greenbank Rd. *G'bnk* —5E **59**
Greenbank Rd. *Han* —1F **83**
Greenbank Rd. *S'vle* —5C **68**
Greenbank View. *Bris* —5E **59**
Green Clo. *Bris* —4C **42**
Green Clo. *Holt* —2F **155**
Green Cotts. *Bath* —3D **111**
Green Croft. *Bris* —1C **72**
Greendale Rd. *Bedm* —2A **80**
Greendale Rd. *Redl* —3D **57**
Green Dell Clo. *Bris* —1F **39**
Greenditch Av. *Bris* —3E **87**
Greendown. *Bris* —3C **72**
Green Down Pl. *Bath* —3B **110**
Green Dragon Rd. *Wint* —4F **29**
Greenfield Av. *Bris* —4F **41**
Greenfield Cres. *Nail* —2D **123**
Greenfield Pk. *P'head* —5E **49**
Greenfield Pl. *W Mare* —5A **126**
Greenfield Rd. *Bris* —3F **41**
Greenfields Av. *Ban* —5E **137**
Greenfinch Lodge. *Bris* —1A **60**
Greengage Clo. *W Mare* —5C **128**
Green Hayes. *Chip S* —1E **35**
Greenhill Clo. *Nail* —3C **122**
Greenhill Clo. *W Mare* —2E **129**
Greenhill Down. *Alv* —3B **8**
Greenhill Gdns. *Alv* —3B **8**
Greenhill Gdns. *Hil* —3F **117**
Greenhill Gro. *Bris* —3C **78**
Greenhill La. *Alv* —4A **8**
Greenhill La. *Bris* —3E **39**
Greenhill Pde. *Alv* —2B **8**
Greenhill Pl. *Mid N* —1D **151**
Greenhill Rd. *Alv* —2B **8**
Greenhill Rd. *Mid N* —1D **151**
Greenland Mills. *Brad A* —3F **115**
Greenland Rd. *W Mare* —4B **128**
Greenlands Rd. *Bris* —5A **24**
Greenlands Rd. *Pea J* —1F **149**
Greenlands Way. *Bris* —5A **24**
Greenland View. *Brad A* —3E **115**
Green La. *Bris* —4D **37**
Green La. *Sev B* —3B **20**
Green La. *Trow* —2E **119**
Green La. *Wint* —3E **29**
Greenleaze. *Bris* —4D **81**
Greenleaze Av. *Bris* —3F **45**
Greenleaze Clo. *Bris* —3F **45**
Greenmore Rd. *Bris* —3D **81**
Greenore. *Bris* —3E **73**
Green Pk. Ho. *Bath* —3A **106**
*Green Pk. M. Bath —3F **105** (off Green Pk.)*
Green Pk. Rd. *Bath* —3A **106** (4A **96**)
Greenpark Rd. *Bris* —3A **42**
Green Pk. Station. *Bath* —3F **105**
Green Parlour Rd. *Rads* —3F **153**
Greenplott Rd. *Brad S* —2A **22**
Greenridge Clo. *Bris* —4A **86**
Greens Hill. *Bris* —4A **60**
Green Side. *Mang* —1C **62**
Greenside Clo. *Bris* —1F **39**
Greenslade Gdns. *Nail* —2C **122**
Greensplott Rd. *Chit* —2A **22**
Green St. *Bath* —2A **106** (3B **96**)
Green St. *Bris* —1B **80**
Green Ter. *Trow* —5C **116**
Green, The. *Back* —3B **124**
Green, The. *Lock* —4E **135**
Green, The. *New C* —5A **62**
Green, The. *Pill* —3A **54**
Green, The. *Shire* —1A **54**
Green, The. *Stok G* —5A **28**
Green, The. *Wick* —5A **154**
Green, The. *Wins* —4A **156**
Green Tree Rd. *Mid N* —1E **151**
Greenvale Clo. *Tim* —2E **157**
Greenvale Dri. *Tim* —2E **157**
Greenvale Rd. *Paul* —4A **146**
Greenview. *L Grn* —3C **84**
Green Wlk. *Bris* —4C **80**
Greenway Bush La. *Bris* —1C **78**
Greenway Ct. *Bath* —5A **106**
Greenway Dri. *Bris* —3F **41**
Greenway Gdns. *Trow* —4E **117**
Greenway La. *Bath* —1A **110**
Greenway Pk. *Bris* —4F **41**
Greenway Pk. *Clev* —3F **121**
Greenway Rd. *Bris* —5D **57**
Greenways. *Bris* —1C **74**
Greenways Rd. *Yate* —3F **17**
Greenway, The. *Bris* —4E **61**
Greenwood Clo. *Bris* —5A **42**
Greenwood Dri. *Alv* —3A **8**
Greenwood Rd. *Bris* —3C **80**
Greenwood Rd. *W Mare* —3C **128**
Gregory Ct. *Bris* —4C **74**
Gregory Mead. *Yat* —2A **142**
Gregorys Gro. *Bath* —4E **109**
Gregory's Tyning. *Paul* —3B **146**
Greinton. *W Mare* —1E **139**
Grenville Av. *Lock* —4E **135**
Grenville Clo. *Bris* —2B **72**
Grenville Rd. *Bris* —4A **58**
Greve Ct. *Bar C* —1B **84**
Greville Rd. *Bris* —1D **79**
Greville St. *Bris* —1E **79**
Greyfriars. *Bris* —3F **69** (1B **4**)
Greylands Rd. *Bris* —1B **86**
Greystoke. *Bris* —3C **40**
Greystoke Av. *Bris* —4C **40**
Greystoke Gdns. *Bris* —4C **40**
Greystones. *Bris* —3A **46**
Griffin Clo. *W Mare* —3F **129**
Griffin Rd. *Clev* —3D **121**

Griggfield Wlk. *Bris* —1B **88**
Grimsbury Rd. *Bris* —2C **74**
Grindell Rd. *Bris* —3F **71**
Grinfield Av. *Bris* —4E **87**
Grinfield Ct. *Bris* —4E **87**
Grittleton Rd. *Bris* —4A **42**
Grosvenor Bri. Rd. *Bath*
—5D **101**
Grosvenor Pk. *Bath*
—5D **101**
Grosvenor Pl. *Bath*
—5D **101**
Grosvenor Rd. *Bris* —1B **70**
Grosvenor Ter. *Bath*
—4D **101**
Grosvenor Vs. *Bath*
—5C **100**
Ground Corner. *Holt*
—2D **155**
Grove Av. *Bris*
—5F **69** (5C **4**)
Grove Av. *Fish* —3B **60**
Grove Av. *W Trym* —5E **39**
Grove Bank. *Bris* —3E **45**
Grove Ct. *Trow* —4C **118**
Grove Dri. *Mil* —4A **128**
Grove La. *W Mare* —5B **126**
Grove Leaze. *Brad A*
—3C **114**
Grove Leaze. *Shire* —1E **53**
Grove Pk. *Brisl* —3F **81**
Grove Pk. *Redl* —5E **57**
Grove Pk. *W Mare* —5B **126**
Grove Pk. Av. *Bris* —3F **81**
Grove Pk. Rd. *Bris* —3F **81**
Grove Pk. Rd. *W Mare*
—4B **126**
Grove Pk. Ter. *Bris* —3B **60**
Grove Rd. *Ban* —4C **136**
Grove Rd. *C Din* —4E **39**
Grove Rd. *Fish* —3B **60**
Grove Rd. *Mil* —4A **128**
Grove Rd. *Redl* —5C **56**
Grove Rd. *W Mare* —5B **126**
Grovesend Rd. *T'bry* —3C **6**
(in two parts)
Groves, The. *Bris* —4F **87**
Grove St. *Bath*
—2B **106** (2C **96**)
Grove, The. *Bath* —5D **99**
Grove, The. *Bris*
—5F **69** (5B **4**)
Grove, The. *Clev* —5B **120**
Grove, The. *Pat* —1D **27**
Grove, The. *War* —1C **84**
Grove, The. *Wins* —3A **156**
Grove View. *Bris* —1A **60**
Grove Wood Rd. *Hay*
—4B **152**
Guernsey Av. *Bris* —1B **82**
Guest Av. *E Grn* —4D **47**
Guild Ct. *Bris*
—4A **70** (5D **5**)
Guildford Rd. *Bris* —5A **72**
Guinea La. *Bath*
—2A **106** (1B **96**)
Guinea La. *Bris* —2C **60**
(in two parts)
Guinea St. *Bris* —5F **69**
Gulliford's Bank. *Clev*
—4E **121**
Gullimore Gdns. *Bris*
—4D **87**
Gullivers Pl. *Chip S* —1C **34**
Gullock Tyning. *Mid N*
—3E **151**
Gullons Clo. *Bris* —2C **86**
Gullon Wlk. *Bris* —3B **86**

Gullybrook La. *Bris* —4D **71**
Gully, The. *Wint* —2B **30**
Gunnings Clo. *K'wd* —4F **73**
Gunter's Hill. *Bris* —4C **72**
Guthrie Rd. *Bris* —2B **68**
Gwilliam St. *Bris* —2F **79**
Gwyn St. *Bris* —1A **70**
Gypsy La. *Coal H* —2F **47**

Haberfield Hill. *Pill* —5F **53**
Haberfield Ho. *Bris* —4B **68**
Hacket La. *T'bry* —3E **7**
(in two parts)
Haden Rd. *Trow* —3D **119**
Hadley Ct. *Bris* —4D **75**
Hadley Rd. *Bath* —2C **110**
Hadrian Clo. *Bris* —3E **55**
Ha Ha, The. *Tim* —1D **157**
Haig Clo. *Bris* —5D **39**
Halbrow Cres. *Bris* —2E **61**
Haldon Clo. *Bris* —4F **79**
Hale Clo. *Han* —1F **83**
Hales Horn Clo. *Lit S*
—3F **27**
Halfacre Clo. *Bris* -—5C **88**
Halfacre La. *Bris* —4D **89**
Halfway Clo. *Trow* —5F **117**
Halfway La. *Trow* —1E **119**
Halifax Rd. *Yate* —2F **17**
Hallam Rd. *Clev* —2C **120**
Hallards Clo. *Bris* —4B **38**
Hallatrow Rd. *Paul* —3A **146**
Hallen Clo. *Bris* —1F **39**
Hallen Dri. *Bris* —5E **39**
Hallen Rd. *H'len* —5E **23**
Hallets Way. *P'head* —4F **49**
Halliwell Rd. *P'head* —4A **48**
Halls Rd. *Bris* —2F **73**
Hall St. *Bris* —3D **79**
Halsbury Rd. *Bris* —2F **69**
Halsbury Rd. *W'bry P*
—3D **57**
Halstock Av. *Bris* —4B **60**
Halston Dri. *Bris* —2B **70**
Halswell Gdns. *Bris* —4D **87**
Halswell Rd. *Clev* —5D **121**
Halt End. *Bris* —5E **89**
Halve, The. *Trow* —1D **119**
Halwyn Clo. *Bris* —2F **55**
Hamble Clo. *T'bry* —4D **7**
Hambledon Rd. *W Mare*
—1A **130**
Hambrook La. *Stok G & Ham*
—1B **44**
Ham Clo. *Holt* —2D **155**
Ham Grn. *Pill* —3F **53**
Ham Gro. *Paul* —4B **146**
Hamilton Ho. *Bath* —3F **99**
Hamilton Rd. *Bath* —4F **99**
Hamilton Rd. *E'tn* —2D **71**
Hamilton Rd. *S'vle* —1D **79**
Hamilton Rd. *W Mare*
—4A **126**
Ham La. *Bris* —1A **60**
Ham La. *Dun* —5A **86**
Ham La. *Nail* —1F **123**
Ham La. *Paul* —4B **146**
Hamlet, The. *Nail* —2F **123**
Hammersmith Rd. *Bris*
—2F **71**
Hammond Clo. *Bris* —4F **81**
Hammond Gdns. *Bris*
—5A **40**
Hammond Way. *Trow*
—3D **117**
Hampden Clo. *Yate* —2F **17**
Hampden Rd. *Bris* —2D **81**

Hampden Rd. *W Mare*
—3C **128**
Hampshire Way. *Yate*
—2B **18**
Hampstead Rd. *Bris* —2E **81**
Hampton Clo. *Bris* —5C **74**
Hampton Corner. *Shire*
—1A **54**
Hampton Ho. *Bath* —5D **101**
Hampton La. *Bris* —1D **69**
Hampton Pk. *Bris* —1D **69**
Hampton Rd. *Bris* —5D **57**
Hampton Row. *Bath*
—1C **106**
Hampton St. *Bris* —1F **73**
Hampton View. *Bath*
—5C **100**
Ham Ter. *Trow* —2D **155**
Hamwood Clo. *W Mare*
—1F **139**
Hanbury Clo. *Bris* —5F **73**
Hanbury Rd. *Bris* —2C **68**
Handel Av. *Bris* —2F **71**
Handel Rd. *Key* —3F **91**
Handford Way. *L Grn*
—2D **85**
Hanford Ct. *Bris* —1E **89**
Hang Hill. *Bath* —5E **157**
Hangstone Wlk. *Clev*
—3C **120**
Hanham Bus. Pk. *Han*
—5D **73**
Hanham La. *Paul* —2C **146**
Hanham Mt. *Bris* —4F **73**
Hanham Rd. *K'wd* —4F **73**
Hanham Way. *Nail* —3A **122**
Hanna Clo. *Bath* —3B **104**
Hannah More Clo. *Wrin*
—1C **156**
Hannah More Clo. *Nail*
—4B **122**
Hanover Clo. *Trow* —3E **117**
Hanover Clo. *W Mare*
—1E **129**
Hanover Ct. *Bath* —4C **100**
Hanover Ct. *Bris*
—3A **70** (1E **5**)
Hanover Ct. *Fil* —1C **42**
Hanover Ct. *Rads* —2F **153**
Hanover Ho. *Bris* —3C **70**
Hanover Pl. Bath —5C 100
(off London Rd.)
Hanover Pl. *Bris* —5D **69**
Hanover St. *Bar H* —3E **71**
Hanover St. *Bath* —5C **100**
Hanover St. *Bris*
—4F **69** (3B **4**)
Hanover Ter. Bath —5C 100
(off Gillingham Ter.)
Hansford Clo. *Bath* —3F **109**
Hansford Sq. *Bath* —3F **109**
Hansons Way. *Clev* —4C **120**
Hans Price Clo. *W Mare*
—5C **126**
Hantone Hill. *B'ptn* —5A **102**
Happerton La. *E'ton G*
—5D **53**
Hapsburg Clo. *W Mare*
—1E **129**
Harbour Rd. *P'head* —2F **49**
Harbour Rd. Trad. Est.
P'head —2A **50**
Harbour Wall. *Bris* —5F **55**
Harbour Way. *Bris* —5E **69**
Harbury Rd. *Bris* —5E **41**
Harbutts. *B'ptn* —5A **102**
Harcombe Hill. *Wint D*
—5A **30**

Harcombe Rd. *Wint* —4F **29**
Harcourt Av. *Bris* —4C **72**
Harcourt Clo. *Salt* —2A **94**
Harcourt Gdns. *Bath*
—4C **98**
Harcourt Hill. *Bris* —4E **57**
Harcourt Rd. *Bris* —3D **57**
Hardenhuish Rd. *Bris*
—5F **71**
Harden Rd. *Bris* —3A **90**
Harding Pl. *Key* —3D **93**
Hardings Ter. *Bris* —2B **72**
Hardington Dri. *Key* —5A **92**
Hardwick. *Yate* —2E **33**
Hardwick Clo. *Brisl* —2A **82**
Hardwick Clo. *War* —5F **75**
Hardwick Rd. *Pill* —2E **53**
Hardy Av. *Bris* —1C **78**
Hardy Ct. *Bar C* —5B **74**
Hardy Rd. *Bris* —3D **79**
Hareclive Rd. *Bris* —3D **87**
Harefield Clo. *Bris* —3E **83**
Hare Knapp. *Brad A*
—3C **114**
Harescombe. *Yate* —2A **34**
Harewood Rd. *Bris* —1C **72**
Harford Clo. *Bris* —5E **39**
Harford Dri. *Bris* —3E **45**
Harford St. *Trow* —1E **119**
Hargreaves Rd. *Trow*
—3E **119**
Harington Pl. *Bath*
—3A **106** (3B **96**)
Harlech Way. *Will* —3D **85**
Harleston St. *Bris* —2C **70**
Harley Pl. *Bris* —3B **68**
Harley St. *Bath* —1A **106**
Harmer Clo. *Bris* —1B **40**
Harmony Dri. *P'head*
—4B **48**
Harmony Pl. *Trow* —3D **119**
Harnhill Clo. *Bris* —4D **87**
Harolds Way. *Bris* —4E **73**
Harptree. *W Mare* —1E **139**
Harptree Clo. *Nail* —5C **122**
Harptree Ct. *Bar C* —1C **84**
Harptree Gro. *Bris* —3D **79**
Harrier Path. *W Mare*
—5C **128**
Harrington Av. *Bris* —2A **90**
Harrington Gro. *Bris* —2A **90**
Harrington Rd. *Bris* —2A **90**
Harrington Wlk. *Bris* —2A **90**
Harris Barton. *Fram C*
—2D **31**
Harris Ct. *L Grn* —1B **84**
Harris La. *Abb L* —2B **66**
Harrowdene Rd. *Bris*
—2D **81**
Harrow Rd. *Bris* —2F **81**
Harry Stoke Rd. *Stok G*
—2A **44**
Hartcliffe Rd. *Bris* —5A **80**
Hartcliffe Wlk. *Bris* —5B **80**
Hartcliffe Way. *Bris* —4E **79**
Hartfield Av. *Bris* —1E **69**
Hartgill Clo. *Bris* —5D **87**
Hartington Pk. *Bris* —5E **57**
Hartland. *W Mare* —3E **129**
Hartland Ho. *Bris* —4E **71**
Hartley Clo. *Chip S* —5E **19**
Harts Croft. *Yate* —2B **18**
Harts Paddock. *Mid N*
—1C **150**
Harvest Way. *W Mare*
—1D **129**
Harvey Clo. *W Mare*
—1E **129**

Harvey's La. *Bris* —2B **72**
Harwood Grn. *Kew* —1C **128**
Harwood La. *Wickw* —3C **154**
Haselbury Gro. *Salt* —2A **94**
Haskins Ct. *Bar C* —1C **84**
Haslands. *Nail* —5C **122**
Haslemere Ind. Est. *Bris* —2E **37**
Hassell Dri. *Bris* —3C **70**
Hastings Clo. *Bris* —4E **79**
Hastings Rd. *Bris* —4E **79**
Hatches La. *W Mare* —3E **131**
Hatchet La. *Stok G* —5A **28**
Hatchet Rd. *Stok G* —4F **27**
Hatchmere. *T'bry* —4E **7**
Hatfield Bldgs. *Bath* —4C **106**
Hatfield Rd. *Bath* —1F **109**
Hatfield Rd. *W Mare* —5E **127**
Hatherley. *Yate* —2A **34**
Hatherley Rd. *Bris* —3A **58**
Hathway Wlk. *Bris* —2C **70**
Hatters La. *Chip S* —5D **19**
Havelock Ct. *Trow* —3C **118**
Havelock St. *Trow* —3D **119**
Haven, The. *Bris* —1A **74**
Haversham Clo. *W Mare* —4B **128**
Haverstock Rd. *Bris* —2C **80**
Haviland Gro. *Bath* —3B **98**
Haviland Pk. *Bath* —4C **98**
Havory. *Bath* —5D **101**
Hawarden Ter. *Bath* —5C **100**
Hawburn Clo. *Bris* —3F **81**
Hawcroft. *Holt* —1E **155**
Haweswater. *Bris* —2D **41**
Haweswater Clo. *Bris* —4F **75**
Hawke Rd. *Kew* —1C **128**
Hawkesbury Rd. *Bris* —4A **60**
Hawkeseley Dri. *Lit S* —3F **27**
Hawkesley Dri. *Lit S* —3F **27**
Hawkesworth Rd. *Yate* —3E **17**
Hawkfield Bus. Pk. *Hawk B* —3F **87**
Hawkfield Clo. *Hawk B* —3F **87**
Hawkfield Rd. *Bris* —3F **87**
Hawkfield Way. *Hawk B* —3F **87**
Hawkins Clo. *Bris* —1E **85**
Hawkins Cres. *Brad S* —1F **27**
Hawkins St. *Bris* —3B **70** (2F **5**)
Hawkley Dri. *Brad S* —3F **11**
Hawkridge Dri. *Puck* —2E **65**
Hawksmoor Clo. *Bris* —2C **88**
Hawksworth Dri. *Bris* —5D **73**
Hawksworth Dri. *W Mare* —1A **130**
Hawland Gro. *Bath* —3B **98**
Hawthorn Av. *Bris* —5D **73**
Hawthorn Clo. *Pat* —1A **26**
Hawthorn Clo. *P'head* —3B **48**
Hawthorn Clo. *Puck* —2E **65**
Hawthorn Coombe. *W Mare* —2C **128**
Hawthorn Cres. *T'bry* —2D **7**
Hawthorn Cres. *Yat* —2A **142**
Hawthorne Gdns. *Stap H* —3B **62**
Hawthornes, The. *Stap H* —3B **62**
Hawthorne St. *Bris* —2C **80**
Hawthorn Gdns. *W Mare* —3B **128**
Hawthorn Gro. *Bath* —3A **110**
Hawthorn Gro. *Trow* —5C **118**
Hawthorn Heights. *W Mare* —2B **128**
Hawthorn Hill. *W Mare* —3C **128**
Hawthorn Pk. *W Mare* —2C **128**
Hawthorn Rd. *Rads* —2E **153**
Hawthorns. *Key* —3A **92**
Hawthorns La. *Key* —3A **92**
Hawthorns, The. *Clev* —3C **120**
Hawthorn Way. *Nail* —3E **123**
Hawthorn Way. *Stok G* —4A **28**
Haycombe. *Bris* —2B **88**
Haycombe Dri. *Bath* —5B **104**
Haycombe La. *Bath* —1A **108**
Hayden Clo. *Bath* —4F **105**
Haydock Clo. *Bris* —3B **46**
Haydon Gdns. *Bris* —2D **59**
Haydon Ga. *Rads* —4C **152**
Haydon Hill. *Rads* —4C **152**
Haydon Ind. Est. *Rads* —4C **152**
Hayeley Dri. *Brad S* —3A **28**
Hayes Clo. *Bris* —3C **70**
Hayes Clo. *Trow* —4E **117**
Hayes Ct. *Pat* —2D **27**
Hayesfield Pk. *Bath* —4A **106**
Hayes Pk. Rd. *Mid N* —2C **150**
Hayes Pl. *Bath* —4A **106**
Hayes Rd. *Mid N* —2C **150**
Hayeswood Rd. *Tim* —1D **157**
Hay Hill. *Bath* —2A **106** (1B **96**)
Hay Leaze. *Yate* —2F **17**
Hayleigh Ho. *Bris* —4E **87**
Haymarket, The. *Bris* —3F **69** (1C **4**)
*Haymarket Wlk. Bris —2F **69***
(off Cannon St.)
Haynes La. *Bris* —2F **61**
Haythorne Ct. *Stap H* —2B **62**
Haytor Pk. *Bris* —5F **39**
Hayward Clo. *Clev* —5C **120**
Hayward Rd. *Bar H* —3E **71**
Hayward Rd. *Stap H* —3F **61**
Haywood Clo. *W Mare* —2E **139**
Haywood Gdns. *W Mare* —2E **139**
Hazel Av. *Bris* —5D **57**
Hazelbury Clo. *Nail* —3D **123**
Hazelbury Dri. *Bris* —5E **75**
Hazelbury Rd. *Bris* —5E **81**
Hazelbury Rd. *Nail* —4C **122**
Hazel Cote Rd. *Bris* —4D **89**
Hazel Cres. *T'bry* —3E **7**
Hazeldene Rd. *Pat* —2C **26**
Hazeldene Rd. *W Mare* —5E **127**
Hazel Gdns. *Alv* —3A **8**
Hazel Gro. *Bath* —5E **105**
Hazel Gro. *Bris* —4C **42**
Hazel Gro. *Mid N* —4E **151**
Hazel Gro. *Trow* —5B **118**
Hazelgrove. *Wint* —4F **29**
Hazel La. *Rudg* —4A **8**
Hazell Clo. *Clev* —5E **121**
Hazel Ter. *Mid N* —4E **151**
Hazelton Rd. *Bris* —4F **57**
Hazel Way. *Bath* —4E **109**
Hazelwood Ct. *Bris* —4F **55**
Hazelwood Rd. *Bris* —4F **55**
Hazleton Gdns. *Clav D* —1F **111**
Headford Av. *Bris* —3D **73**
Headford Rd. *Bris* —4F **79**
Headington Clo. *Han* —1F **83**
Headley Ct. *Bris* —2D **87**
Headley La. *Bris* —2C **86**
Headley Pk. Av. *Bris* —2D **87**
Headley Pk. Rd. *Bris* —1C **86**
Headley Rd. *Bris* —2C **86**
Headley Wlk. *Bris* —1D **87**
Hearn Dri. *Fram C* —3D **31**
Heart Meers. *Bris* —3D **89**
Heath Clo. *Wint* —3A **30**
Heathcote Dri. *Coal H* —2F **31**
Heathcote La. Coal H
*(off Boundary Rd.) —2F **31***
Heathcote Rd. *Fish* —5D **61**
Heathcote Rd. *Stap H* —2A **62**
Heathcote Wlk. *Bris* —5E **61**
Heath Ct. *Bris* —5F **45**
Heather Av. *Fram C* —3D **31**
Heather Clo. *Bris* —2D **73**
Heatherdene. *Bris* —1B **88**
Heather Dri. *Bath* —4E **109**
Heather Shaw. *Trow* —2E **119**
Heathfield Clo. *Bath* —3B **98**
Heathfield Clo. *Key* —3E **91**
Heathfield Cres. *Bris* —4C **88**
Heathfield Rd. *Nail* —3D **123**
Heathfield Way. *Nail* —2D **123**
Heath Gdns. *Bris* —4F **45**
Heath Gdns. *Coal H* —3E **31**
Heathgate. *Yat* —3B **142**
Heathgates. *Nail* —3E **123**
Heathgates. *W Mare* —4B **132**
Heath Ho. La. *Stap* —3D **59**
Heath Ridge. *L Ash* —3C **76**
Heath Rise. *Bris* —5D **75**
Heath Rd. *Down* —5F **45**
Heath Rd. *Eastv* —4D **59**
Heath Rd. *Han* —1D **83**
Heath Rd. *Nail* —2E **123**
(in two parts)
Heath St. *Bris* —4E **59**
Heath Wlk. *Bris* —5F **45**
Heber St. *Bris* —3E **71**
Hebron Rd. *Bris* —2E **79**
Heddington Clo. *Trow* —5C **118**
Hedgemead Clo. *Bris* —2F **59**
*Hedgemead Ct. Bath —1B **106***
(off Margaret's Hill)
Hedgemead View. *Bris* —2A **60**
Hedges Clo. *Clev* —5B **120**
Hedges, The. *St Geo* —3A **130**
Hedwick Av. *Bris* —3A **72**
Hedwick St. *Bris* —3A **72**
Heggard Clo. *Bris* —3C **86**
Helens Ct. *Trow* —1C **118**
Hellier Wlk. *Bris* —5E **87**
Helmdon Rd. *Trow* —1A **118**
Helston Rd. *Nail* —4F **123**
Hemmings Pde. *Bris* —3D **71**
Hemming Way. *Hut* —5C **134**
Hemplow Clo. *Bris* —1F **89**
Hempton La. *Alm* —4D **11**
Henacre Rd. *Bris* —4B **38**
Henbury Ct. *Hen* —1A **40**
Henbury Gdns. *Hen* —2A **40**
Henbury Hill. *W Trym* —3B **40**
Henbury Rd. *Han* —5D **73**
Henbury Rd. *Hen & W Trym* —2A **40**
Hencliffe Rd. *Bris* —1F **89**
Hencliffe Way. *Han* —2D **83**
Henderson Clo. *Trow* —3B **118**
Henderson Rd. *Bris* —5D **73**
Hendre Rd. *Bris* —3C **78**
Hendy Ct. *Yate* —1F **33**
Henfield Cres. *Old C* —1D **85**
Henfield Rd. *Coal H* —5E **32**
Hengaston St. *Bris* —3D **79**
Hengrove Av. *Bris* —5D **81**
Hengrove La. *Bris* —5C **80**
Hengrove Rd. *Bris* —3C **80**
Hengrove Way. *Bris* —2D **87**
Henleaze Av. *Bris* —2C **56**
Henleaze Gdns. *Bris* —2C **56**
Henleaze Pk. *Bris* —2E **57**
Henleaze Pk. Dri. *Bris* —1D **57**
Henleaze Rd. *Bris* —2C **56**
Henleaze Ter. *Bris* —5D **41**
Henley Gro. *Bris* —2D **57**
Henley La. *Yat* —4D **143**
Henley Lodge. *Yat* —4D **143**
Henley Pk. *Yat* —4C **142**
Hennesy Clo. *Bris* —5B **88**
Henrietta Ct. *Bath* —1B **106**
Henrietta Gdns. *Bath* —2B **106** (1D **97**)
Henrietta M. *Bath* —2B **106** (2D **97**)
Henrietta Pl. *Bath* —2B **106** (2C **96**)
Henrietta Rd. *Bath* —2B **106** (1D **97**)
Henrietta St. *Bath* —2B **106** (2D **97**)
Henrietta St. *E'tn* —1D **71**
Henrietta St. *K'dwn* —2F **69**
Henrietta Vs. *Bath* —2B **106** (1D **97**)
Henry St. *Bath* —3B **106** (4C **96**)

Henry St. Tot —1B 80
Henry Williamson Ct. Bar C —5C 74
Henshaw Clo. Bris —5E 61
Henshaw Rd. Bris —5E 61
Henshaw Wlk. Bris —5E 61
Hensley Gdns. Bath —5F 105
Hensley Rd. Bath —5F 105
Hensman's Hill. Bris —4C 68
Hepburn Rd. Bris —2A 70
Herald Clo. Bris —2F 55
Herapath St. Bris —4E 71
Herbert Cres. Bris —4F 59
Herbert Rd. Bath —4E 105
Herbert Rd. Clev —2D 121
Herbert St. Bris —1E 79 (in two parts)
Herbert St. W'hall —2E 71
Hercules Clo. Lit S —3F 27
Hereford Rd. Bris —5C 58
Hereford St. Bedm —2F 79
Heritage Clo. Pea J —4D 157
Herkomer Clo. Bris —5D 43
Herluin Way. W Mare —2E 133
Hermes Clo. Salt —5F 93
Hermitage Clo. Bris —5A 38
Hermitage Rd. Bath —5F 99
Hermitage Rd. Bris —2F 61
Heron Clo. W Mare —5C 128
Heron Gdns. P'head —4A 50
Heron Rd. Bris —1D 71
Heron Way. Chip S —2B 34
Herridge Clo. Bris —4D 87
Herridge Rd. Bris —4D 87
Hersey Gdns. Bris —5A 86
Hesding Clo. Bris —2E 83
Hestercombe Rd. Bris —2D 87
Hetling Ct. Bath —3A 106 (4B 96)
Heyford Av. Bris —3D 59
Heyron Wlk. Bris —4D 87
Heywood Rd. Pill —3E 53
Heywood Ter. Pill —3E 53
Hicking Ct. K'wd —4A 74
Hicks Av. E Grn —4D 47
Hick's Barton. Bris —2B 72
Hicks Comn. Rd. Wint —4A 30
Hicks Ct. L Grn —1B 84
Hicks Ga. Ho. Key —5D 83
High Acre. Paul —5C 146
Higham St. Bris —1B 80
High Bannerdown. Bathe —2C 102
Highbury Pde. W Mare —4A 126
Highbury Pl. Bath —5B 100
Highbury Rd. Bedm —4E 79
Highbury Rd. Hor —5B 42
Highbury Rd. W Mare —4A 126
Highbury Ter. Bath —5B 100
Highbury Vs. Bath —5B 100 (off Highbury Pl.)
Highbury Vs. Bris —2E 69 (in three parts)
Highcroft. Bris —4E 75
Highdale Av. Clev —3D 121
Highdale Clo. Bris —4D 89
Highdale Rd. Clev —3D 121
High Elm. Bris —4A 74
Highett Dri. Bris —1C 70
Highfield Av. Bris —5F 73
Highfield Clo. Bath —4C 104
Highfield Clo. Stok G —1B 44
Highfield Dri. P'head —5A 48
Highfield Gdns. Bit —3E 85
Highfield Gro. Bris —2F 57
Highfield Rd. Brad A —2E 115
Highfield Rd. Chip S —5C 18
Highfield Rd. Key —5B 92
Highfield Rd. Pea J —1F 149
Highfield Rd. W Mare —2E 139
Highfields. Rads —3A 152
High Gro. Bris —1D 55
Highgrove St. Bris —1C 80
High Kingsdown. Bris —2E 69
Highland Clo. W Mare —3F 127
Highland Cres. Bris —5C 56
Highland Pl. Bris —5C 56
Highland Rd. Bath —4C 104
Highland Sq. Bris —5C 56
Highlands Rd. L Ash —3C 76
Highlands Rd. P'head —3D 49
Highland Ter. Bath —3E 105
High La. Yate —1F 29
Highleaze Rd. Old C —1E 85
Highmead Gdns. Bris —4A 86
High Meadows. Mid N —3C 150
Highmore Gdns. Bris —5E 43
Highnam Clo. Pat —5D 11
High Pk. Bris —4D 81
High Pk. Paul —3A 146
Highridge Cres. Bris —3B 86
Highridge Grn. Bris —1A 86
Highridge Pk. Bris —2B 86
Highridge Rd. Bedm —3D 79
Highridge Rd. B'wth —4A 86
Highridge Wlk. Bris —1A 86
High St. Banwell, Ban —5C 136
High St. Bath, Bath —3B 106 (3C 96)
High St. Bathampton, B'ptn —5A 102
High St. Batheaston, Bathe —3A 102
High St. Bathford, Bathf —4D 103
High St. Bitton, Bit —5F 85
High St. Bristol, Bris —3F 69 (2C 4)
High St. Chipping Sodbury, Chip S —5D 19
High St. Claverham, Clav —2F 143
High St. Clifton, Clif —5C 56
High St. Congresbury, Cong —2D 145
High St. Easton, E'tn —1D 71
High St. Freshford, F'frd —4C 112
High St. Hanham, Han —5E 73
High St. High Littleton, High L —1A 146
High St. Iron Acton, Iron A —2F 15
High St. Keynsham, Key —2A 92
High St. Kingswood, K'wd —2A 74
High St. Midsomer Norton, Mid N —3D 151
High St. Nailsea, Nail —3D 123
High St. Oldland, Old C —2E 85
High St. Paulton, Paul —4B 146
High St. Portbury, P'bry —4A 52
High St. Portishead, P'head —4F 49
High St. Saltford, Salt —1A 94
High St. Shirehampton, Shire —5F 37
High St. Staple Hill, Stap H —3E 61
High St. Thornbury, T'bry —4C 6
High St. Timsbury, Tim —1E 157
High St. Twerton on Avon, Twer A —3B 104
High St. Warmley, War —2D 75
High St. Westbury on Trym, W Trym —5C 40
High St. Weston, W'ton —4B 98
High St. Weston-super-Mare, W Mare —5B 126 (in three parts)
High St. Wick, Wick —5B 154
High St. Wickwar, Wickw —1B 154
High St. Winterbourne, Wint —3F 29
High St. Woolley, W'ly —1A 100
High St. Worle, Wor —4C 128
High St. Wrington, Wrin —1B 156
High St. Yatton, Yat —2B 142
High View. Bath —4F 105
High View. P'head —4C 48
Highview Rd. Bris —5A 62
Highwall La. Q Char —5C 90
Highway. Yate —4B 18
Highwood La. Bren & Pat —3A 26
Highwood Rd. Pat —3A 26
Highworth Cres. Yate —1F 33
Highworth Rd. Bris —4F 71
Hilbury Ct. Trow —1E 119
Hilcot Gro. W Mare —4F 127
Hildesheim Clo. W Mare —1D 133
Hill Av. Bath —3A 110
Hill Av. Bris —2A 80
Hillbrook Rd. T'bry —4E 7
Hill Burn. Bris —1E 57
Hillburn Rd. Bris —3C 72
Hillcote Est. W Mare —3F 139
Hill Ct. Paul —3B 146
Hill Crest. Bris —4D 81
Hill Crest. Cong —1E 145
Hillcrest. Pea J —2F 149
Hillcrest. T'bry —3C 6
Hillcrest Clo. Nail —4D 123
Hillcrest Dri. Bath —5C 104
Hillcrest Flats. Brad A —2E 115
Hillcrest Rd. Nail —4D 123
Hillcrest Rd. P'head —4A 48
Hillcroft Clo. W Mare —3E 127
Hilldale Rd. Back —3D 125
Hill End. W Mare —2C 128
Hill End Dri. Bris —1F 39
Hillfields Av. Bris —5E 61
Hill Gay Clo. P'head —4B 48
Hill Gro. Bris —1E 57
Hillgrove St. Bris —2F 69
Hillgrove St. N. Bris —2F 69
Hillgrove Ter. Uph —1B 138
Hillhouse. Bris —2A 62
Hill Ho. Rd. Bris —1B 62
Hill Lawn. Bris —2F 81
Hillmer Rise. Ban —5D 137
Hillmoor. Clev —4E 121
Hill Pk. Cong —1E 145
Hill Path. Ban —5F 137
Hill Rd. Clev —2C 120
Hill Rd. Dun —5A 86
Hill Rd. W Mare —5D 127
Hill Rd. Wor —3C 128
Hill Rd. E. W Mare —3C 128
Hills Barton. Bris —4C 78
Hillsborough Flats. Bris —4C 68
Hillsborough Ho. W Mare —4E 133
Hillsborough Rd. Bris —1E 81
Hills Clo. Key —3C 92
Hillsdon Rd. Bris —4B 40
Hillside. Clif —4D 69
Hillside. Cot —2E 69
Hillside. Mang —2B 62
Hillside. P'bry —5F 51
Hillside Av. Bris —2E 73
Hillside Av. Mid N —4B 150
Hillside Clo. Fram C —2E 31
Hillside Clo. Paul —3C 146
Hillside Cres. Mid N —4B 150
Hillside Gdns. W Mare —4F 127
Hillside La. Fram C —2E 31
Hillside Rd. Back —3C 124
Hillside Rd. Bath —5E 105
Hillside Rd. B'don —3F 139
Hillside Rd. Bris —3C 72
Hillside Rd. Clev —3D 121
Hillside Rd. L Ash —3D 77
Hillside Rd. Mid N —4C 150
Hillside Rd. P'head —5A 48
Hillside St. Bris —1C 80
Hillside View. Mid N —2D 151
Hillside View. Pea J —1F 149
Hillside W. Hut —5D 135
Hill St. Bris —3E 69
Hill St. Hil —3F 117
Hill St. K'wd —2B 74
Hill St. St G —2B 72
Hill St. Tot —1B 80
Hill St. Trow —1C 118
Hill, The. Alm —2D 11
Hill, The. F'frd —4D 113

Hottom Gdns. *Bris* —5C **42**
Hot Water La. *Bris* —4B **62**
Hotwell Rd. *Bris* —3A **68**
Houlton St. *Bris* —2B **70**
Hounds Clo. *Chip S* —5D **19**
Hounds Rd. *Chip S* —5D **19**
Howard Av. *Bris* —2A **72**
Howard Clo. *Salt* —5F **93**
Howard Rd. *Stap H* —3F **61**
Howard Rd. *S'vle* —1D **79**
Howard Rd. *T'bry* —2D **7**
Howard Rd. *W'bry P* —3D **57**
Howard St. *Bris* —1A **72**
Howecroft Gdns. *Bris* —3A **56**
Howes Clo. *Bar C* —4C **74**
Howett Rd. *Bris* —3E **71**
How Hill. *Bath* —3B **104**
Howsmoor La. *E Grn* —4D **47**
Hoylake. *Yate* —1A **34**
Hoylake Dri. *War* —4D **75**
Huckford La. *Ken* —5C **30**
Huckford Rd. *Wint* —4A **30**
Huckley Way. *Brad S* —3B **28**
Huddox Hill. *Pea J* —4D **157**
Hudd's Hill Gdns. *Bris* —1B **72**
Hudd's Hill Rd. *Bris* —2B **72**
Hudd's Vale Rd. *Bris* —2A **72**
Hudson Clo. *Yate* —1B **34**
Hughenden Rd. *Clif* —5C **56**
Hughenden Rd. *Hor* —2A **58**
Hughenden Rd. *W Mare* —5E **127**
Huish Ct. *Rads* —3E **153**
Hulbert Clo. *Bris* —3C **82**
Hulse Rd. *Bris* —4F **81**
Humberstan Wlk. *Bris* —4A **38**
Humber Way. *Bris* —4F **21**
Humphrey Davy Way. *Bris* —5B **68**
Humphrys Barton. *St Ap* —5B **72**
Hungerford Av. *Trow* —3A **118**
Hungerford Clo. *Bris* —5A **82**
Hungerford Cres. *Bris* —4A **82**
Hungerford Gdns. *Bris* —5A **82**
Hungerford Rd. *Bath* —2D **105**
Hungerford Rd. *Bris* —4A **82**
Hungerford Wlk. *Bris* —4A **82**
Hung Rd. *Bris* —1A **54**
Hunters Clo. *Bris* —5E **73**
Hunters Dri. *Bris* —1B **74**
Hunter's Rd. *Bris* —5E **73**
Hunter's Way. *Bris* —1E **43**
Huntingdon Pl. *Brad A* —2D **115**
Huntingdon Rise. *Brad A* —1D **115**
Huntingdon St. *Brad A* —2D **115**
Huntingham Rd. *Bris* —4A **86**
Huntley Gro. *Nail* —4F **123**
Hunts Ground Rd. *Stok G* —5C **28**
Hunts La. *Bris* —1A **58**
Hunt's La. *Clav* —3E **143**
Hurle Cres. *Bris* —1C **68**
Hurle Rd. *Bris* —1D **69**
Hurlingham Rd. *Bris* —5B **58**
Hurn La. *Key* —4B **92**
Hurn Rd. *Clev* —4E **121**
Hurst Ct. *Rads* —3E **153**
Hurston Rd. *Bris* —5F **79**
Hurst Rd. *Bris* —5B **80**
Hurst Rd. *W Mare* —2E **133**
Hurst Wlk. *Bris* —5A **80**
Hurstwood Rd. *Bris* —2F **61**
Hutton Clo. *Bris* —5F **39**
Hutton Clo. *Key* —5A **92**
Hutton Hill. *Hut* —1C **140**
Hutton Moor Cvn. Pk. *W Mare* —2A **134**
Hutton Moor La. *W Mare* —2A **134**
Hutton Moor Rd. *W Mare* —1A **134**
Huyton Rd. *Bris* —4A **60**
H-Way Cvn. Site. *Bris* —5D **23**
Hyde Av. *T'bry* —1C **6**
Hyde Rd. *Trow* —5C **116**
Hyde, The. *Clev* —5C **120**
Hyland Gro. *Bris* —4B **40**
Hylton Row. *Rads* —2F **153**

Ida Rd. *Bris* —2E **71**
Iddesleigh Rd. *Bris* —4D **57**
Idstone Rd. *Bris* —3D **61**
Idwal Clo. *Mid N* —1F **149**
Iford Clo. *Salt* —1A **94**
Iford La. *F'frd* —5D **113**
Ilchester Cres. *Bris* —4D **79**
Ilchester Rd. *Bris* —4C **78**
Iles Clo. *Han* —1F **83**
Ilex Av. *Clev* —4E **121**
Ilex Clo. *Bris* —2B **86**
Ilminster. *W Mare* —1E **139**
Ilminster Av. *Bris* —4A **80**
Ilminster Clo. *Clev* —4E **121**
Ilminster Clo. *Nail* —5C **122**
Ilsyn Gro. *Bris* —1F **89**
Imber Ct. Clo. *Bris* —5D **81**
Imperial Rd. *Know* —5E **81**
Imperial Rd. *Redl* —1D **69**
Imperial Wlk. *Bris* —4D **81**
Inglesham Clo. *Trow* —5D **119**
Ingleside Rd. *Bris* —1D **73**
Inglestone Rd. *Wickw* —2C **154**
Ingleton Dri. *W Mare* —1E **129**
Ingmire Rd. *Bris* —4D **59**
Inkerman Clo. *Bris* —5A **42**
Inman Ho. *Bath* —5B **100**
Inner Elm Ter. *Rads* —3F **151**
Innox Footpath. *Trow* —1C **118**
Innox Gdns. *Bris* —3C **86**
Innox Gro. *Eng* —2A **108**
Innox La. *Up Swa* —1C **100**
Innox Mill Clo. *Trow* —1B **118**
Innox Rd. *Bath* —4C **104**
Innox Rd. *Trow* —1B **118**
Inn's Ct. Av. *Bris* —1F **87**
Inn's Ct. Dri. *Bris* —1F **87**
Inn's Ct. Grn. *Bris* —1F **87**
Instow. *W Mare* —3E **129**
Instow Rd. *Bris* —5A **80**
Instow Wlk. *Bris* —5A **80**
International Trad. Est. *Bris* —2D **37**
Interplex. *Brad S* —3E **11**
Inverness Rd. *Bath* —3D **105**
Ipswich Dri. *Bris* —4A **72**
Irby Rd. *Bris* —2C **78**
Irena Rd. *Bris* —4B **60**
Ireton Rd. *Bris* —2D **79**
Ironchurch Rd. *A'mth* —4D **21**
Ironmould La. *Bris* —3C **82**
Irving Clo. *Bris* —3A **62**
Irving Clo. *Clev* —3F **121**
Isabella Cotts. Bath —3C 110 (off Rock La.)
Isabella M. *Bath* —3C **110**
Island Gdns. *Bris* —3E **59**
Island, The. *Mid N* —3D **151**
Isleys Ct. *L Grn* —2B **84**
Islington. *Trow* —5D **117**
Islington Gdns. *Trow* —1D **119**
Islington Rd. *Bris* —1D **79**
Ison Hill. *Bris* —1F **39**
Ison Hill Rd. *Bris* —1F **39**
Itchington Rd. *Tyth* —1F **9**
Ivo Peters Rd. *Bath* —3F **105**
Ivor Rd. *Bris* —2E **71**
Ivy Av. *Bath* —5D **105**
Ivy Bank Pk. *Bath* —2A **110**
Ivybridge. *W Mare* —3E **129**
Ivy Clo. *Nail* —4C **122**
Ivy Cotts. *S'ske* —5A **110**
Ivy Ct. *P'head* —3B **48**
Ivy Gro. *Bath* —5D **105**
Ivy La. *Bris* —4C **60**
Ivy Pl. *Bath* —5D **105**
Ivy Ter. *Brad A* —2E **115**
Ivy Ter. *Yate* —5D **33**
Ivy Vs. *Bath* —5D **105**
Ivy Vs. *Trow* —1A **118**
Ivy Wlk. *Ban* —4C **136**
Ivy Wlk. *Mid N* —4E **151**
Ivywell Rd. *Bris* —4A **56**
Iwood La. *Cong* —5F **145**

Jack Knight Ho. *Bris* —2C **58**
Jacobs Ct. Bris —4E 69 (off Queen's Pde.)
Jacobs Ct. Bris —4E 69 (off St George's Rd.)
Jacob St. *Bris* —3A **70** (2E **5**) (in two parts)
Jacob's Wells Rd. *Bris* —4D **69**
Jamaica St. *Bris* —2A **70**
James Clo. *Bris* —3A **62**
James Rd. *Bris* —4A **62**
James St. *Bris* —2B **70**
James St. *St W* —5C **58**
James St. *Trow* —5D **117**
James St. W. *Bath* —3F **105**
Jane St. *Bris* —3D **71**
Jarvis St. *Bris* —4D **71**
Jasmine Clo. *W Mare* —4E **129**
Jasmine Gro. *Bris* —2E **39**
Jasmine La. *Clav* —1F **143**
Jasmine Way. *Trow* —2E **119**
Jasper St. *Bris* —2D **79**
Jean Rd. *Bris* —3A **82**
Jeffery Ct. *Bris* —4D **75**
Jeffries Hill Bottom. *Bris* —5D **73**
Jellicoe Ct. *W Mare* —1C **128**
Jena Ct. *Salt* —5F **93**
Jenkins St. *Trow* —5C **116**
Jenner Clo. *Chip S* —1F **35**
Jersey Av. *Bris* —1B **82**
Jesmond Rd. *Clev* —3C **120**
Jesmond Rd. *St Geo* —1A **130**
Jesse Hughes Ct. *Bath* —4D **101**
Jessop Underpass. *Bris* —1B **78**
Jew's La. *Bath* —3D **105**
Jim O'Neil Ho. *Bris* —5F **37**
Jocelin Dri. *W Mare* —1D **129**
Jocelyn Rd. *Bris* —5B **42**
Jockey La. *Bris* —3C **72**
John Cabot Ct. *Bris* —5C **68**
John Carr's Ter. *Bris* —4D **69**
Johnny Ball La. *Bris* —3F **69** (1B **4**)
John Rennie Clo. *Brad A* —5F **115**
John Slessor Ct. *Bath* —1A **106**
Johnson Dri. *Bar C* —5B **74**
Johnsons La. *Bris* —1F **71**
Johnsons Rd. *Bris* —1E **71**
Johnstone St. *Bath* —3B **106** (3D **97**)
John St. *Bath* —2A **106** (2B **96**)
John St. *Bris* —3F **69** (2C **4**)
John St. *K'wd* —2E **73**
John St. *St W* —5C **58**
John Wesley Rd. *Bris* —4D **73**
Jones Clo. *Yat* —2A **142**
Jones Hill. *Brad A* —5C **114**
Jordan Wlk. *Brad S* —1F **27**
Joy Hill. *Bris* —4B **68**
Jubilee Cotts. *Bris* —5B **78**
Jubilee Cres. *Mang* —5C **46**
Jubilee Dri. *T'bry* —3E **7**
Jubilee Gdns. *Yate* —4C **18**
Jubilee Ho. *Pat* —1E **27**
Jubilee Path. *W Mare* —4A **128**
Jubilee Pl. *Clev* —5D **121**
Jubilee Pl. *Redc* —5F **69** (5C **4**)
Jubilee Rd. *Bap M* —1C **70**
Jubilee Rd. *K'wd* —4A **62**
Jubilee Rd. *Know* —3E **81**
Jubilee Rd. *Rads* —3A **152**
Jubilee Rd. *St G* —3B **72**
Jubilee Rd. *W Mare* —1C **132**
Jubilee St. *Bris* —4B **70**
Jubilee Ter. *Paul* —3B **146**
Jubilee Way. *Bris* —2D **37**
Julian Clo. *Bris* —4A **56**
Julian Cotts. *Bath* —3F **111**
Julian Rd. *Bath* —1A **106**
Julian Rd. *S Park* —4A **56**
Julius Rd. *Bris* —4F **57**
Junction Av. *Bath* —4F **105**
Junction Rd. *Bath* —4F **105**
Junction Rd. *Brad A* —3E **115**
Juniper Ct. *Bris* —5E **59**
Jupiter Rd. *Pat* —2F **25**
Justice Av. *Salt* —1A **94**

Kingston Rd. *Bath* —3B **106** (4C **96**)
Kingston Rd. *Brad A* —3E **115**
Kingston Rd. *Bris* —1E **79**
Kingston Rd. *Nail* —5B **122**
Kingston Way. *Nail* —5B **122**
Kingstree St. *Tot* —1C **80**
King St. *A'mth* —3C **36**
King St. *Bris* —4F **69** (4B **4**) (Bristol)
King St. *Bris* —1E **71** (Lower Easton)
King St. *K'wd* —2D **73**
King's Wlk. *Bris* —1A **86**
Kingsway. *Bath* —1D **109**
Kingsway. *Lit S* —3E **27**
Kingsway. *P'head* —4B **48**
Kingsway. *St G & K'wd* —3D **73**
Kingsway Av. *K'wd & St G* —2D **73**
Kingsway Cvn. Pk. *P'head* —2F **49**
Kingsway Cres. *Bris* —2E **73**
Kingsway Shopping Precinct. *Bris* —4D **73**
Kingsway Trailer Cvn. Pk. *Wint* —1B **46**
Kingsway Trailer Pk. *War* —4D **75**
Kingswear. *W Mare* —3E **129**
Kingswear Rd. *Bris* —4F **79**
Kings Weston Av. *Bris* —5F **37**
Kings Weston La. *Bris* —5E **21**
Kings Weston Rd. *Law W & Hen* —5C **38**
Kington La. *T'bry* —3A **6**
King William Av. *Bris* —4F **69** (4C **4**)
King William St. *Bris* —1D **79**
Kinsale Rd. *Bris* —1E **89**
Kinsale Wlk. *Bris* —4A **80**
Kinvara Rd. *Bris* —5A **80**
Kipling Av. *Bath* —5A **106**
Kipling Rd. *Bris* —3D **43**
Kipling Rd. *Rads* —3F **151**
Kipling Rd. *W Mare* —5E **133**
Kirkby Rd. *Bris* —3C **38**
Kirkstone Gdns. *Bris* —2E **41**
Kirtlington Rd. *Bris* —4D **59**
Kitcheners Ct. *Trow* —1C **118**
Kite Hay Clo. *Bris* —2A **60**
Kites Clo. *Brad S* —4E **11**
Kite Wlk. *W Mare* —5C **128**
Kitley Hill. *Rads* —5F **147**
Knapp Rd. *T'bry* —3D **7**
Knapps Clo. *Wins* —4A **156**
Knapps Dri. *Wins* —4A **156**
Knapps La. *Bris* —5A **60**
Knapp, The. *Yate* —1B **18**
Knap, The. *Hil* —4F **117**
Knight Clo. *W Mare* —1E **129**
Knightcott Gdns. *Ban* —5D **137**
Knightcott Pk. *Ban* —5E **137**
Knightcott Rd. *Abb L* —2B **66**
Knightcott Rd. *Ban* —5C **136**
Knighton Rd. *Bris* —3F **41**
Knights Clo. *Henl* —1D **57**
Knightstone Causeway. *W Mare* —5A **126**
Knightstone Clo. *Pea J* —1E **149**
Knightstone Ct. *Clev* —5D **121**
Knightstone Pl. *Bris* —2D **83**
Knightstone Pl. *W Mare* —3D **129**
Knightstone Pl. *W'ton* —5C **98**
Knightstone Rd. *W Mare* —4A **126**
Knightstone Sq. *Bris* —2E **89**
Knightswood. *Nail* —2C **122**
Knightwood Rd. *Stok G* —4B **28**
Knobsbury Hill. *Mid N* —5F **153**
Knobsbury La. *Writ* —3F **153**
Knole Clo. *Alm* —2B **10**
Knole La. *Bris* —1C **40**
Knole Pk. *Alm* —3B **10**
Knoll Ct. *Bris* —4F **55**
Knoll Hill. *Bris* —4F **55**
Knoll, The. *P'head* —1F **49**
Knovill Clo. *Bris* —2D **39**
Knowle Rd. *Bris* —2B **80**
Knowles Rd. *Clev* —4C **120**
Knowsley Rd. *Bris* —4A **60**
Kyght Clo. *War* —2C **74**
Kylross Av. *Bris* —3D **89**
Kynges Mill Clo. *Bris* —5C **44**
Kyrle Gdns. *Bathe* —3A **102**

Labbott, The. *Key* —3A **92**
Laburnam Ter. *Bathe* —3A **102**
Laburnum Clo. *Mid N* —4C **150**
Laburnum Ct. *W Mare* —1F **133**
Laburnum Gro. *Bris* —3D **61**
Laburnum Gro. *Mid N* —4C **150**
Laburnum Gro. *Trow* —4B **118**
Laburnum Rd. *Bris* —5E **73**
Laburnum Rd. *W Mare* —1E **133**
Laburnum Wlk. *Key* —5E **91**
Lacey Rd. *Bris* —2A **90**
Lacock Dri. *Bar C* —5B **74**
Ladd Clo. *Bris* —3B **74**
Ladden Ct. *T'bry* —4D **7**
Ladies Mile. *Bris* —1B **68**
Ladman Gro. *Bris* —2A **90**
Ladman Rd. *Bris* —2A **90**
Ladycroft. *Clev* —5B **120**
Ladydown. *Trow* —4D **117**
Ladye Wake. *W Mare* —1D **129**
Ladymeade. *Back* —1C **124**
Ladysmith Rd. *Bris* —3D **57**
Ladywell. *Wrin* —1B **156**
Laggan Gdns. *Bath* —5F **99**
Lake Mead Gdns. *Bris* —4B **86**
Lakemead Gro. *Bris* —2B **86**
Lake Rd. *Bris* —5E **41**
Lake Rd. *P'head* —2E **49**
Lakeside. *Bris* —4A **60**
Lake View. *Bris* —4B **60**
Lake View Rd. *Bris* —2F **71**
Lakewood Cres. *Bris* —4D **41**
Lakewood Rd. *Bris* —4D **41**
Lamb Ale Grn. *Trow* —4E **119**
Lambert Pl. *Bris* —2F **87**
Lamb Hill. *Bris* —3B **72**
Lambley Rd. *Bris* —2A **72**
Lambourn Clo. *Bris* —2F **79**
Lambourn Rd. *Key* —4C **92**
Lambridge Bldgs. *Bath* —4D **101**
Lambridge Grange. *Bath* —4D **101**
Lambridge M. *Bath* —5D **101**
Lambridge Pl. *Bath* —5D **101**
Lambridge St. *Bath* —5D **101**
Lambrok Clo. *Trow* —4A **118**
Lambrok Rd. *Trow* —4A **118**
Lambrook Rd. *Bris* —3C **60**
Lamb St. *Bris* —3B **70**
Lamord Ga. *Stok G* —4A **28**
Lampard's Bldgs. *Bath* —1A **106**
Lampeter Rd. *Bris* —5B **40**
Lampton Av. *Bris* —5A **88**
Lampton Gro. *Bris* —5A **88**
Lampton Rd. *L Ash* —4B **76**
Lanaway Rd. *Bris* —1D **61**
Lancashire Rd. *Bris* —4A **58**
Lancaster Clo. *Stok G* —5F **27**
Lancaster Rd. *Bris* —5C **58**
Lancaster Rd. *Yate* —3A **18**
Lancaster St. *Bris* —3E **71**
Landemann Cir. *W Mare* —5C **126**
Landemann Path. *W Mare* —5C **126**
Land La. *Yat* —4C **142**
Landrail Wlk. *Bris* —1B **60**
Landseer Av. *Bris* —1D **59**
Landseer Clo. *W Mare* —2D **129**
Landseer Rd. *Bath* —3C **104**
Land, The. *Coal H* —2E **31**
Lanercost Rd. *Bris* —2E **41**
Lanesborough Rise. *Bris* —1F **89**
Lanes Rd. *L Ash* —5A **86**
Laneys Drove. *Lock* —3C **134**
Langdale Ct. *Pat* —1C **26**
Langdale Rd. *Bris* —3B **60**
Langdon Rd. *Bath* —5C **104**
Langfield Clo. *Bris* —1A **40**
Langford Rd. *Bris* —5B **78**
Langford Rd. *Trow* —5C **116**
Langford Rd. *W Mare* —2E **133**
Langford's La. *Paul* —1A **146**
Langford Way. *Bris* —3A **74**
Langham Rd. *Bris* —3E **81**
Langhill Av. *Bris* —1E **87**
Langley Cres. *Bris* —4A **78**
Langley Rd. *Trow* —5C **118**
Langley's La. *C'tn* —3A **150**
Langport Gdns. *Nail* —5D **123**
Langport Rd. *W Mare* —2C **132**
Langthorn Clo. *Fram C* —2E **31**
Langton Ct. Rd. *Bris* —5F **71**
Langton Pk. *Bris* —1E **79**
Langton Rd. *Bris* —5F **71**
Langton Way *St Ap* —3A **72**
Lansdown. *Yate* —1A **34**
Lansdown Clo. *Bath* —5F **99**
Lansdown Clo. *Bris* —5F **61**
Lansdown Clo. *Trow* —3B **118**
Lansdown Cres. *Bath* —5A **100**
Lansdown Cres. *Tim* —1F **157**
*Lansdowne. Bris —3E **45** (off Harford Dri.)*
Lansdowne Ind. Est. *Wickw* —1B **154**
Lansdown Gdns. *W Mare* —1F **129**
Lansdown Gro. *Bath* —1A **106**
Lansdown La. *Bath* —4C **98**
Lansdown M. *Bath* —2A **106** (2B **96**)
Lansdown Pk. *Bath* —3F **99**
Lansdown Pl. *Bris* —3C **68**
Lansdown Pl. *E Grn* —1D **63**
Lansdown Pl. E. *Bath* —1A **106**
Lansdown Pl. W. *Bath* —5A **100**
Lansdown Rd. *Bath* —1C **98**
Lansdown Rd. *Clif* —3C **68**
Lansdown Rd. *E'tn* —1D **71**
Lansdown Rd. *K'wd* —5F **61**
Lansdown Rd. *Puck* —1E **65**
Lansdown Rd. *Redl* —5E **57**
Lansdown Rd. *Salt* —1A **94**
Lansdown Ter. *Bris* —2F **57**
*Lansdown Ter. L'dwn —1A **106** (off Lansdown Rd.)*
Lansdown Ter. *W'ton* —5D **99**
Lansdown View. *Bris* —2A **74**
Lansdown View. *Tim* —1F **157**
Lansdown View. *Twer A* —4D **105**
Laphams Ct. *L Grn* —1B **84**
Lapwing Clo. *Brad S* —4F **11**
Lapwing Gdns. *Bris* —1B **60**
Lapwing Gdns. *W Mare* —4D **129**
Larch Clo. *Nail* —3F **123**
Larch Ct. *Rads* —4A **152**
Larches, The. *W Mare* —2E **129**
Larch Gro. *Trow* —4B **118**
Larchgrove Cres. *W Mare* —4D **129**
Larchgrove Wlk. *W Mare* —4E **129**
Larch Rd. *Bris* —4A **62**
Larch Way. *Pat* —2A **26**
Lark Clo. *Mid N* —4E **151**
Larkdown. *Trow* —2F **119**
Larkfield. *Coal H* —2F **31**
Larkhall Pl. *Bath* —4D **101**
Larkhall Ter. *Bath* —4D **101**
Larkhill Rd. *Lock* —3F **135**
*Lark Pl. Bath —2E **105** (off Up. Bristol Rd.)*

Lark Rd. *W Mare* —4D **129**
Larks Field. *Bris* —2A **60**
Larksleaze Rd. *L Grn* —3A **84**
Larkspur. *Trow* —1E **119**
Larkspur Clo. *T'bry* —3E **7**
Lasbury Gro. *Bris* —3E **87**
Latchmoor Ho. *Bris* —5C **78**
Late Broads. *W'ley* —2E **113**
Latimer Clo. *Bris* —1A **82**
Latteridge Rd. *Iron A* —1C **14**
Latton Rd. *Bris* —4B **42**
Launceston Av. *Bris* —5D **73**
Launceston Rd. *Bris* —1D **73**
Laura Pl. *Bath* —2B **106** (2D **97**)
Laurel Dri. *Nail* —3E **123**
Laurel Dri. *Paul* —4A **146**
Laurel Dri. *Uph* —1C **138**
Laurel Gdns. *Yat* —2B **142**
Laurel Gro. *Trow* —4C **118**
Laurels, The. *Mang* —1C **62**
Laurel St. *Bris* —2F **73**
Laurel Ter. *Yat* —2B **142**
Laurie Cres. *Bris* —1F **57**
Laurie Lee Ct. *Bar C* —5B **74**
Lavender Clo. *T'bry* —3E **7**
Lavender Clo. *Trow* —3E **119**
Lavender Ct. *Bris* —1B **72**
Lavenham Rd. *Yate* —4D **17**
Lavers Clo. *Bris* —4A **74**
Lavington Clo. *Clev* —5A **120**
Lavington Rd. *Bris* —4D **73**
Lawford Av. *Lit S* —3E **27**
Lawfords Ga. *Bris* —3B **70**
Lawford St. *Bris* —3B **70**
Lawn Av. *Bris* —2D **61**
Lawn Rd. *Bris* —2D **61**
Lawnside. *Back* —3D **125**
Lawns Rd. *Yate* —4A **18**
Lawns, The. *Bris* —5A **38**
Lawns, The. *W Mare* —2F **129**
Lawns, The. *Yat* —2A **142**
Lawnwood Rd. *Bris* —2D **71**
Lawrence Av. *Bris* —1D **71**
Lawrence Clo. *W Mare* —3C **128**
Lawrence Dri. *Yate* —4D **17**
Lawrence Gro. *Bris* —2D **57**
Lawrence Hill. *Bris* —3D **71**
Lawrence Hill Ind. Pk. *Bris* —2D **71**
Lawrence M. *W Mare* —3C **128**
Lawrence Rd. *W Mare* —3C **128**
Lawrence Rd. *Wrin* —1C **156**
Lawrence Weston Rd. *Bris* (in two parts) —5B **22**
Lawson Clo. *Salt* —5E **93**
Laxey Rd. *Bris* —5B **42**
Laxton Way. *Pea J* —5D **157**
Lays Dri. *Key* —4E **91**
Leach Clo. *Clev* —5C **120**
Lea Croft. *Bris* —3C **86**
Leafield Pl. *Trow* —1A **118**
Leafy Way. *Lock* —4F **135**
Lea Gro. Rd. *Clev* —2C **120**
Leaholme Gdns. *Bris* —5C **88**
Leaman Clo. *Chip S* —5C **18**
Leap Vale. *Bris* —4C **46**
Leap Valley Cres. *Bris* —4B **46**
Lear Ct. *Bris* —5D **75**
Leaze, The. *Rads* —4A **152**
Leaze, The. *Yate* —4F **17**
Leda Av. *Bris* —1C **88**
Ledbury Rd. *Bris* —3E **61**
Leechpool Way. *Yate* —1A **18**
Lee Clo. *Pat* —1B **26**
Leedham Rd. *Lock* —3F **135**
Leeming Way. *Bris* —4E **37**
Lees Hill. *Bris* —5A **62**
Leeside. *P'head* —3E **49**
Lees La. *Bris* —5F **75**
Leewood Rd. *W Mare* —4D **127**
Leicester Sq. *Bris* —4F **61**
Leicester St. *Bris* —1F **79**
Leicester Wlk. *Bris* —5B **72**
Leigh Clo. *Bath* —4B **100**
Leigh Pk. Rd. *Brad A* —1E **115**
Leigh Rd. *Brad A* —1E **115**
Leigh Rd. *Bris* —2D **69**
Leigh Rd. *Holt* —1D **155**
Leigh St. *Bris* —1C **78**
Leighton Cres. *W Mare* —3E **139**
Leighton Rd. *Bath* —3B **98**
Leighton Rd. *Know* —3D **81**
Leighton Rd. *S'vle* —1D **79**
Leigh View Rd. *P'head* —1F **49**
Leighwood Dri. *Nail* —4A **122**
Leinster Av. *Know* —1F **87**
Lemon La. *Bris* —2B **70**
Lena Av. *Bris* —1E **71**
Lena St. *Bris* —1D **71**
Lenover Gdns. *Bris* —4D **87**
Leonard La. *Bris* —3F **69** (2B **4**)
Leonard Rd. *Bris* —3E **71**
Leonard's Av. *Bris* —1E **71**
Leopold Rd. *Bris* —5A **58**
Lescren Way. *Bris* —3F **37**
Leslie Rise. *L W'wd* —5A **114**
Lester Dri. *W Mare* —2E **129**
Lewington Rd. *Bris* —3E **61**
Lewins Mead. *Bris* —3F **69** (1B **4**)
Lewin St. *Bris* —3F **71**
Lewis Clo. *Bris* —5F **75**
Lewisham Gro. *W Mare* —5E **127**
Lewis Rd. *Bris* —5C **78**
Lewis St. *Bris* —5D **71**
Lewton La. *Wint* —2A **30**
Leyland Wlk. *Bris* —4B **86**
Leys, The. *Clev* —5B **120**
Leyton Vs. *Bris* —5D **57**
Liberty Ind. Pk. *Bris* —4C **78**
Lichfield Rd. *Bris* —4A **72**
Liddington Way. *Trow* —5D **119**
Like Kiln Clo. *Brad S* —2F **43**
Lilac Clo. *Bris* —3E **41**
Lilac Ct. *Key* —5E **91**
Lilac Gro. *Trow* —5B **118**
Lilac Ter. *Mid N* —2F **151**
Lilian Ter. *Paul* —4B **146**
Lillian St. *Bris* —2E **71**
Lillington Clo. *Rads* —2E **153**
Lillington Rd. *Rads* —2E **153**
Lilliput Av. *Chip S* —1C **34**
Lilliput Ct. *Chip S* —1C **34**
Lilstock Av. *Bris* —3B **58**
Lilton Wlk. *Bris* —4C **78**
Lilymead Av. *Bris* —2B **80**
Limebreach Wood. *Nail* —2C **122**
Lime Clo. *Bren* —1D **41**
Lime Clo. *Lock* —4F **135**
Lime Clo. *W Mare* —4E **129**
Lime Ct. *Key* —4E **91**
Lime Croft. *Yate* —2B **18**
Lime Gro. *Alv* —2A **8**
Lime Gro. *Bath* —3C **106** (4E **97**)
Lime Gro. Gdns. *Bath* —3C **106** (4E **97**)
Lime Kiln Gdns. *Brad S* —3F **11**
Lime Kiln La. *Clev* —3D **121**
Limerick Rd. *Bris* —5E **57**
Lime Rd. *Bedm* —1D **79**
Lime Rd. *Han* —5C **72**
*Limes, The. Bris —3D **45***
(off Wellington Pl.)
Lime Ter. *Rads* —3A **152**
Lime Tree Gro. *Pill* —4F **53**
Lime Trees Rd. *Bris* —2F **57**
Limpley Stoke Rd. *W'ley* —2D **113**
Lincoln Clo. *Key* —4E **91**
Lincoln St. *Bris* —3D **71**
Lincombe Av. *Bris* —1F **61**
Lincombe Rd. *Bris* —1E **61**
Lincombe Rd. *Rads* —4A **152**
Lincott View. *Pea J* —1F **149**
Linden Av. *W Mare* —5F **127**
Linden Clo. *Fish* —5C **60**
Linden Clo. *Rads* —4B **152**
Linden Clo. *Stoc* —2A **90**
Linden Clo. *Wint* —3A **30**
Linden Dri. *Brad S* —2A **28**
Linden Gdns. *Bath* —1E **105**
Linden Ho. *Bris* —2E **59**
Linden Pl. *Trow* —1B **118**
Linden Rd. *Clev* —2D **121**
Linden Rd. *W'bry P* —3D **57**
Lindens, The. *W Mare* —1C **128**
Lindisfarne Clo. *W'ley* —2F **113**
Lindon Ho. *Bris* —2A **82**
Lindrea St. *Bris* —2D **79**
Lindsay Rd. *Bris* —3C **58**
Linemere Clo. *Back* —2F **125**
Lines Way. *Bris* —5E **89**
Lingfield Pk. *Down* —2B **46**
Link Rd. *Brad S* —1B **42**
Link Rd. *Nail* —3E **123**
Link Rd. *P'head* —3E **49**
Link Rd. *Yate* —5B **18**
Link Rd. W. *Pat* —3D **25**
Links Rd. *Uph* —1A **138**
Linley Clo. *Bath* —4B **104**
*Linley Ho. Bath —4B **106***
(off Henry St.)
Linleys, The. *Bath* —2D **105**
Linne Ho. *Bath* —4B **104**
Linnell Clo. *Bris* —1D **59**
Linnet Clo. *Pat* —1A **26**
Linnet Clo. *W Mare* —4C **128**
Linnet Way. *Bris* —1F **89**
Linnet Way. *Mid N* —4E **151**
Linsey Clo. *P'head* —4B **48**
Lintern Cres. *Bris* —4D **75**
Lintham Dri. *Bris* —4B **74**
Lion Clo. *Nail* —3C **122**
Lipgate Pl. *P'head* —5F **49**
Lippiatt La. *Tim* —1E **157**
Lisburn Rd. *Bris* —4A **80**
Lisle Rd. *W Mare* —1E **129**
Lister Gro. *L W'wd* —5A **114**
Litfield Pl. *Bris* —3B **68**
Litfield Rd. *Bris* —2B **68**
Lit. Ann St. *Bris* —2B **70**
Lit. Birch Croft. *Bris* —5C **88**
Lit. Bishop St. *Bris* —2A **70**
Littlebrook. *Paul* —3B **146**
Lit. Caroline Pl. *Bris* —5B **68**
Lit. Common. *N Brad* —4E **155**
Littlecross Ho. *Bris* —1D **79**
Littledean. *Yate* —2A **34**
Lit. Dowles. *Bris* —1C **84**
Littlefields Av. *Ban* —5E **137**
Littlefields Rise. *Ban* —5F **137**
Littlefields Rd. *Ban* —5F **137**
Lit. George St. *Bris* —2B **70**
Lit. George St. *W Mare* —1C **132**
Lit. Green La. *Sev B* —3B **20**
Lit. Halt. *P'head* —4A **48**
Lit. Ham. *Clev* —5C **120**
Lit. Hayes. *Bris* —2D **61**
Lit. Headley Clo. *Bris* —1D **87**
Lit. Hill. *Bath* —3B **104**
Lit. King St. *Bris* —4F **69** (4C **4**)
Lit. Mead. *Bris* —3D **39**
Lit. Mead Clo. *Hut* —5C **134**
Lit. Meadow. *Brad S* —3C **28**
Lit. Meadow End. *Nail* —4D **123**
Lit. Orchard. *Uph* —2B **138**
Lit. Paradise. *Bris* —1F **79**
Little Parks. *Holt* —1F **155**
Lit. Parr Clo. *Stap* —2E **59**
Lit. Paul St. *Bris* —2E **69**
Lit. Solsbury La. *Bathe* —2F **101**
Lit. Stanhope St. *Bath* —3F **105**
Lit. Stoke La. *Lit S* —3F **27**
Lit. Stoke Rd. *Bris* —3A **56**
Lit. Thomas St. *Bris* —4A **70** (3D **5**)
Littleton Ct. *Pat* —5B **10**
Littleton Rd. *Bris* —3F **79**
Littleton St. *Bris* —1E **71**
Lit. Wall Drove. *Cong* —2A **144**
Lit. Withey Mead. *Bris* —1A **56**
Littlewood Clo. *Bris* —5D **89**
Litton. *W Mare* —1E **139**
Livingstone Rd. *Bath* —4E **105**
Llewellyn Ct. *Bris* —4C **40**
Llewellyn Way. *W Mare* —2F **129**
Lmbardy Clo. *W Mare* —5C **128**
Lockemor Rd. *Bris* —4B **88**
Lockeridge Clo. *Trow* —5D **119**

Lock Gdns. *Bris* —1A **86**
Locking Head Drove. *W Mare*
(in two parts) —5E **129**
Locking Moor Rd. *W Mare*
(in two parts) —5A **128**
Locking Rd. *W Mare*
—1C **132**
Lockingwell Rd. *Key* —3E **91**
Lockleaze Rd. *Bris* —1C **58**
Locksacre. *Alv* —1C **8**
Locksbrook Ct. *Bath*
—2D **105**
Locksbrook Rd. *Bath*
—3C **104**
Locksbrook Rd. *W Mare*
—1F **129**
Lock's La. *Iron A* —2A **14**
Locks Yd. Cvn. Site. *Bris*
—4D **79**
Loddon Way. *Brad A*
—4F **115**
Lodge Causeway. *Bris*
—4B **60**
Lodge Clo. *Yat* —3B **142**
Lodge Ct. *Bris* —3A **56**
Lodge Dri. *L Ash* —3D **77**
Lodge Dri. *Old C* —3E **85**
Lodge Dri. *W Mare*
—4E **127**
Lodge Gdns. *Bath* —3E **109**
Lodge Hill. *Bris* —5E **61**
Lodge La. *Nail* —2F **123**
Lodge Pl. *Bris*
—3F **69** (2A **4**)
Lodge Rd. *Bris* —5E **61**
Lodge Rd. *Puck* —5D **65**
Lodge Rd. *Yate* —3C **16**
(in two parts)
Lodgeside Av. *Bris* —1E **73**
Lodgeside Gdns. *Bris*
—1E **73**
Lodge St. *Bris*
—3E **69** (2A **4**)
Lodge Wlk. *Bris* —1F **61**
Lodore Rd. *Bris* —3B **60**
Lodway. *E'ton G* —3D **53**
Lodway Clo. *Pill* —2E **53**
Lodway Gdns. *Pill* —3E **53**
Lodway Rd. *Bris* —3E **81**
Logan Rd. *Bris* —4F **57**
Logus Ct. *L Grn* —1B **84**
Lombard Av. *Bris* —1F **79**
Lomond Rd. *Bris* —3B **42**
London Rd. *Bath* —1B **106**
London Rd. *St Pa* —1B **70**
London Rd. *War* —3E **75**
London Rd. E. *Bathe*
—3A **102**
London Rd. W. *Bath*
—4D **101**
London St. *Bath* —1B **106**
London St. *Bris* —2F **73**
Longacre. *Bath* —1B **106**
Long Acre. *Clev* —5B **120**
Longacre Ho. *Bath* —1B **106**
Longacre Rd. *Bris* —5C **88**
Long Acres Clo. *Bris*
—5F **39**
Long Ashton By-Pass. *L Ash*
—5C **76**
Long Ashton Rd. *L Ash*
—4C **76**
Long Av. *Clev* —4B **120**
Long Barnaby. *Mid N*
—2D **151**
Long Beach Rd. *L Grn*
—2C **84**
Long Clo. *Brad S* —3A **28**

Long Clo. *Bris* —1E **61**
Long Croft. *Bris* —1F **17**
Long Croft. *Yate* —2F **17**
Long Cross. *Bris* —4A **38**
Longden Rd. *Bris* —1B **62**
Longdown Ct. *Bris* —3A **90**
Longdown Dri. *W Mare*
—1F **129**
Long Eaton Dri. *Bris*
—5D **81**
Longfellow Av. *Bath*
—5A **106**
Longfellow Rd. *Rads*
—4F **151**
Longfield Rd. *Bris* —4A **58**
Longfield Rd. *Trow*
—3D **119**
Longford. *Yate* —1E **33**
Longford Av. *Bris* —4F **41**
Long Handstones. *Bris*
—1C **84**
Long Hay Clo. *Bath*
—4C **104**
Longhills Hostel. *Bris*
—5C **60**
Long La. *Back* —5D **125**
Long La. *Wrin* —1C **156**
Longleat Clo. *Bris* —2E **57**
Longleaze Gdns. *Hut*
—5D **135**
Longman Clo. *Bris* —2A **74**
Long Mead. *Yate* —1A **18**
Longmead Av. *Bris* —2F **57**
Longmead Croft. *Bris*
—4B **86**
Long Meadow. *Bris* —2F **59**
Longmeadow Rd. *Key*
—4E **91**
Longmoor Rd. *Bris* —3C **78**
Longney Pl. *Pat* —5B **10**
Long Path. *Bris* —1F **73**
Longreach Gro. *Bris* —1F **89**
Long Rd. *Mang* —2C **62**
Long Row. *Bris*
—4A **70** (3D **5**)
Longs Dri. *Yate* —4E **17**
Longthorne Pl. *Bath*
—2A **110**
Longton Gro. Rd. *W Mare*
—5C **126**
Long Valley Rd. *Bath*
—4A **104**
Longvernal. *Mid N* —3C **150**
Longway Av. *Bris* —4B **88**
Longwell Ho. *Bris* —2B **84**
Longwood. *Bris* —3C **82**
Longwood La. *Fail* —1B **76**
Lonsdale Av. *W Mare*
—3D **133**
Loop Rd. *Bath*
—2B **106** (2C **96**)
Lorain Wlk. *Bris* —2B **40**
Lorne Rd. *Bath* —3E **105**
Lorton Rd. *Bris* —3D **41**
Lotts Av. *Back* —3D **125**
Loughman Clo. *Bris* —2A **74**
Louisa St. *Bris* —4B **70**
Louise Av. *Mang* —2C **62**
Love La. *Chip S* —1C **34**
Love La. *Yate* —2C **18**
Lovelinch Gdns. *L Ash*
—4B **76**
Lovell Av. *Old C* —1F **85**
Lovells Hill. *Bris* —5D **73**
Lovells, The. *E'ton G*
—3D **53**
Loveringe Clo. *Bris* —5B **24**
Lovers La. *Paul* —5D **147**

Lover's Wlk. *Bris* —5E **57**
Lovers Wlk. *Clev* —1C **120**
Lovers Wlk. *W Mare*
—5B **126**
Love's Hill. *Tim* —2D **157**
Lowbourne. *Bris* —2B **88**
Lwr. Alma St. *Trow*
—2E **119**
Lwr. Ashley Rd. *E'tn*
—1C **70**
Lwr. Ashley Rd. *St Ag*
—1B **70**
Lwr. Borough Walls. *Bath*
—3A **106** (4B **96**)
Lwr. Bristol Rd. *Bath*
—1A **104**
Lwr. Camden Pl. *Bath*
—1B **106**
Lwr. Castle St. *Bris*
—3A **70** (1E **5**)
Lwr. Chapel La. *Fram C*
—3E **31**
Lwr. Chapel Rd. *Bris*
—5E **73**
Lwr. Cheltenham Pl. *Bris*
—1B **70**
Lwr. Church La. *Bris*
—3E **69** (2A **4**)
Lwr. Church Rd. *W Mare*
—5B **126**
Lwr. Claverham. *Clav*
—1E **143**
Lwr. Clifton Hill. *Bris*
—4C **68**
Lwr. Cock Rd. *Bris* —3B **74**
Lwr. College St. *Bris*
—4E **69**
Lower Ct. *Trow* —5D **117**
Lwr. Court Rd. *Alm* —1C **10**
Lwr. Down Rd. *P'head*
—3E **49**
Lwr. E. Hayes. *Bath*
—1C **106**
Lwr. Fallow Clo. *Bris*
—5B **88**
Lwr. Gay St. *Bris* —2F **69**
Lwr. Grove Rd. *Bris* —3A **60**
Lwr. Guinea St. *Bris* —5F **69**
Lwr. Hanham Rd. *Bris*
—5E **73**
Lwr. Hedgemead Rd. *Bath*
—1B **106**
Lwr. High St. *Bris* —4F **37**
Lwr. House Cres. *Bris*
—5D **27**
Lwr. Kingsdown Rd. *Kngdn*
—4F **103**
Lwr. Knole La. *Bris* —1C **40**
Lwr. Knowles Rd. *Clev*
—4C **120**
Lwr. Lamb St. *Bris* —4E **69**
Lwr. Linden Rd. *Clev*
—3D **121**
Lwr. Maudlin St. *Bris*
—3F **69** (1C **4**)
Lwr. Moor Rd. *Yate* —2A **18**
Lwr. Mount Pleasant. *F'frd*
—5B **112**
Lwr. Northend. *Bathe*
—1A **102**
Lwr. Norton La. *Kew*
—1F **127**
Lwr. Oldfield Pk. *Bath*
—4E **105**
Lwr. Parade Ground Rd.
Lock —3F **135**
Lwr. Park Row. *Bris*
—3F **69** (2B **4**)

Lwr. Queen's Rd. *Clev*
—3D **121**
Lwr. Redland Rd. *Bris*
—5D **57**
Lwr. Sidney St. *Bris* —1C **78**
Lwr. Station App. Rd. *Tem M*
—5B **70** (5F **5**)
Lwr. Station Rd. *Fish*
—3C **60**
Lwr. Station Rd. *Stap H*
—3E **61**
Lwr. Stoke. *Lim S* —1B **112**
Lwr. Stone Clo. *Fram C*
—1E **31**
Lwr. Thirlmere Rd. *Pat*
—1C **26**
Lwr. Whitelands. *Rads*
—1E **153**
Lowlis Clo. *Bris* —1B **40**
Lowmead. *Trow* —1E **119**
Lowther Rd. *Bris* —2E **41**
Loxley Gdns. *Bath* —5D **105**
Loxton Dri. *Bath* —3C **104**
Loxton Rd. *W Mare*
—5D **133**
Loxton Sq. *Bris* —2C **88**
Lucas Clo. *Bris* —4F **81**
Luccombe Hill. *Bris* —5D **57**
Luckington Rd. *Bris* —3A **42**
Lucklands Rd. *Bath* —5D **99**
Luckley Av. *Bris* —3E **87**
Luckwell Rd. *Bris* —2D **79**
Lucky La. *Bris* —1F **79**
Ludlow Clo. *Bris* —1B **70**
Ludlow Clo. *Key* —3F **91**
Ludlow Clo. *Will* —3D **85**
Ludlow Ct. *Will* —4D **85**
Ludlow Rd. *Bris* —5C **42**
Ludwell Clo. *Wint* —4F **29**
Ludwells Orchard. *Paul*
—4B **146**
Lullington Rd. *Bris* —2D **81**
Lulsgate Rd. *Bris* —5C **78**
Lulworth Cres. *Bris* —4B **46**
Lulworth Rd. *Key* —4A **92**
Lurgan Wlk. *Bris* —4F **79**
Lux Furlong. *Bris* —5D **39**
Luxton St. *Bris* —2D **71**
Lychgate Pk. *Lock* —4E **136**
Lydbrook Clo. *Yate* —1F **33**
Lyddieth Ct. *Brad A*
—2F **113**
Lyddington Rd. *Bris* —4B **42**
Lyddon Rd. *W Mare*
—2F **129**
Lydford Wlk. *Bris* —3F **79**
Lydiard Croft. *Bris* —1E **83**
Lydiard Way. *Trow*
—5D **119**
Lydney Rd. *S'mead* —4F **41**
Lydney Rd. *Stap H* —3A **62**
Lydstep Ter. *Bris* —1E **79**
Lyefield Rd. *Wor* —1C **128**
Lyes, The. *Cong* —3D **145**
Lyme Gdns. *Bath* —2C **104**
Lyme Rd. *Bath* —2C **104**
Lymore Av. *Bath* —4D **105**
Lymore Gdns. *Bath*
—4D **105**
Lymore Ter. *Bath* —5D **105**
Lympsham Grn. *Bath*
—3E **109**
Lynbrook. *L Ash* —4B **76**
Lynbrook La. *Bath* —1A **110**
Lynch Clo. *W Mare*
—2D **129**
Lynch Ct. *L Grn* —1B **84**
Lynch Cres. *Wins* —5A **156**

Marine Hill. *Clev* —1C **120**
Marine Pde. *Clev* —2C **120**
Marine Pde. *Pill* —2E **53**
(in two parts)
Marine Pde. *W Mare*
(Beach Rd.) —3B **132**
Marine Pde. *W Mare*
(Claremont Cres.) —4A **126**
Mariners Clo. *Back*
—2C **124**
Mariner's Clo. *W Mare*
—4B **128**
Mariners Dri. *Back* —2C **124**
Mariners Dri. *Bris* —3F **55**
Mariner's Path. *Bris* —3F **55**
Mariners Path. *P'head*
—3A **48**
Mariners Way. *Pill* —2E **53**
Marion Rd. *Bris* —2D **83**
Marion Wlk. *Bris* —3C **72**
Marissal Clo. *Bris* —1A **40**
Marissal Rd. *Bris* —1F **39**
Mariston Way. *Bris* —4E **75**
Marjorie Whimster Ho. *Bath*
—3C **104**
Market Ind. Est. *Yat*
—2B **142**
Market La. *W Mare*
—5B **126**
Market Sq. *Bris* —4E **61**
Market St. *Brad A* —2E **115**
Market St. *Trow* —2D **119**
Markham Clo. *Bris* —5E **37**
Mark La. *Bris*
—4E **69** (3A **4**)
Marksbury Rd. *Bris* —3E **79**
Marlborough Av. *Bris*
—4A **60**
Marlborough Bldgs. *Bath*
—2F **105**
Marlborough Dri. *Bris*
—3D **45**
Marlborough Dri. *W Mare*
—3E **129**
Marlborough Hill. *Bris*
—2F **69**
Marlborough Hill Pl. *Bris*
—2F **69**
Marlborough La. *Bath*
—2F **105**
Marlborough St. *Bath*
—1F **105**
Marlborough St. *Bris*
—2F **69**
Marlborough St. *Eastv*
—4A **60**
Marlepit Gro. *Bris* —2A **86**
Marley Pl. *Bris* —2B **68**
Marlfield Wlk. *Bris* —1A **86**
Marling Rd. *Bris* —2B **72**
Marlwood Dri. *Bris* —1C **40**
Marmaduke St. *Bris* —2B **80**
Marmion Cres. *Bris* —1A **40**
Marne Clo. *Bris* —3F **89**
Marsden Rd. *Bath* —1C **108**
Marshall Ho. *Bris* —3B **60**
Marsham Way. *Bris* —1B **84**
Marsh Clo. *Wint* —4A **30**
Marshfield Pk. *Bris* —4E **45**
Marshfield Rd. *Bris* —3D **61**
Marshfield Way. *Bath*
—5B **100**
Marsh La. *Asht* —3C **58**
Marsh La. *E'ton G* —5A **36**
Marsh La. *Redf* —3E **71**
Marshmead. *Hil* —3F **117**
Marsh Rd. *Bris* —2B **78**

Marsh Rd. *Hil M* —2E **117**
Marsh Rd. *Yat* —3B **142**
Marsh St. *A'mth* —4E **37**
Marsh St. *Bris*
—4F **69** (3B **4**)
Marshwall La. *Alm* —1A **10**
Marson Rd. *Clev* —3D **121**
Marston Rd. *Bris* —3D **81**
Marston Rd. *Trow* —3D **155**
Martcombe Rd. *E'ton G*
(in three parts) —4C **52**
Martin Clo. *Pat* —1A **26**
Martindale Rd. *W Mare*
—5B **128**
Martingale Rd. *Bris* —1F **81**
Martin's Clo. *Bris* —5E **73**
Martins Gro. *W Mare*
—3C **128**
Martin's Rd. *Han* —5E **73**
Martin St. *Bris* —2D **79**
Martock. *W Mare* —1D **139**
Martock Cres. *Bris* —4E **79**
Martock Rd. *Bris* —4E **79**
Martock Rd. *Key* —5C **92**
Marwood Rd. *Bris* —5A **80**
Marybush La. *Bris*
—3A **70** (2E **5**)
Mary Carpenter Pl. *Bris*
—1B **70**
Mary Ct. Bris —2F **71**
(off Alfred St.)
Marygold Leaze. *Bris*
—1C **84**
Mary St. *Redf* —2F **71**
Mascot Rd. *Bris* —2F **79**
Masefield Way. *Bris* —1C **58**
Maskelyne Av. *Bris* —5F **41**
Masonpit Pool La. *Yate*
—1E **29**
Masons La. *Brad A*
—2E **115**
Masons View. *Wint* —3B **30**
Matchells Clo. *St Ap*
—4A **72**
Materman Rd. *Stoc* —3A **90**
Matford Clo. *Bris* —5F **25**
Matford Clo. *Wint* —4A **30**
Matthews Clo. *Bris* —2B **90**
Matthews Rd. *Bris* —3E **71**
Maules La. *Ham* —2B **44**
Maulton Clo. *Holt* —2D **155**
Maunsell Rd. *Bris* —2D **39**
Maurice Rd. *Bris* —5A **58**
Mautravers Clo. *Brad S*
—2F **27**
Maxcroft La. *Hil M* —2E **117**
Maxse Rd. *Bris* —2D **81**
Maybank Rd. *Yate* —5F **17**
Maybec Gdns. *Bris* —4C **72**
Maybourne. *Bris* —3C **82**
Maybrick Rd. *Bath* —4E **105**
Maycliffe Pk. *Bris* —5B **58**
Mayfair Av. *Nail* —4D **123**
Mayfield Av. *Bris* —5C **60**
Mayfield Av. *W Mare*
—4C **128**
Mayfield Clo. *P'head*
—5F **49**
Mayfield Pk. *Bris* —5C **60**
Mayfield Pk. N. *Bris* —5C **60**
Mayfield Pk. S. *Bris* —5C **60**
Mayfield Rd. *Bath* —4E **105**
Mayfields. *Key* —3A **92**
Mayflower Gdns. *Nail*
—3F **123**
Maynard Clo. *Bris* —3E **87**
Maynard Clo. *Clev* —3F **121**
Maynard Rd. *Bris* —3E **87**

Mayors Bldgs. *Bris* —2D **61**
Mays Hill. *Fram C* —5A **16**
May's La. *W Mare* —2F **131**
May St. *Bris* —1E **73**
Maytree Av. *Bris* —1D **87**
Maytree Clo. *Bris* —1D **87**
May Tree Clo. *Nail* —4B **122**
May Tree Rd. *Rads*
—3B **152**
May Tree Wlk. *Key* —5E **91**
Mayville Av. *Bris* —1D **43**
Maywood Av. *Bris* —3D **61**
Maywood Cres. *Bris*
—3D **61**
Maywood Rd. *Bris* —3E **61**
Maze St. *Bris* —4D **71**
Mead Clo. *Bath* —1F **109**
Mead Clo. *Bris* —1A **54**
Mead Ct. *N Brad* —4E **155**
Mead Ct. *Wint* —3A **30**
Mead Ct. Bus. Pk. *T'bry*
—5D **7**
Meade Ho. *Bath* —4B **104**
Meadgate. *E Grn* —5D **47**
Meadlands. *Cor* —5D **95**
Mead La. *Brad S* —3A **28**
Mead La. *Salt* —1B **94**
Meadowbank. *W Mare*
—1D **129**
Meadow Clo. *Back* —2D **125**
Meadow Clo. *Bris* —5B **46**
Meadow Clo. *Nail* —2D **123**
Meadow Ct. *Bath* —2B **104**
Meadow Ct. Dri. *Old C*
—2E **85**
Meadow Croft. *W Mare*
—1F **139**
Meadow Dri. *Bath* —4E **109**
Meadow Dri. *Lock* —4F **135**
Meadowfield. *Brad A*
—3C **114**
Meadow Gdns. *Bath*
—5B **98**
Meadow Gro. *Bris* —5F **37**
Meadowland. *Yat* —2A **142**
Meadowland Rd. *Bris*
—5A **24**
Meadowlands. *St Geo*
—2A **130**
Meadow La. *B'ptn* —5E **101**
Meadow Mead. *Fram C*
—1D **31**
Meadow Mead. *Yate*
—1A **18**
Meadow Pk. *Bathf* —3C **102**
Meadow Rd. *Clev* —3E **121**
Meadow Rd. *Paul* —5C **146**
Meadows Clo. *P'head*
—3B **48**
Meadow Side. *Iron A*
—2F **15**
Meadowside. *T'bry* —4E **7**
Meadowside Dri. *Bris*
—5C **88**
Meadows, The. *Bris* —1F **83**
Meadow St. *A'mth* —3C **36**
Meadow St. *St Pa*
—3A **70** (1E **5**)
Meadow St. *W Mare*
—1C **132**
Meadowsweet Av. *Bris*
—1D **43**
Meadowsweet Ct. *Stap*
—2A **60**
Meadow Vale. *Bris* —1C **72**
Meadow View. *Fram C*
—2E **31**

Meadow View. *Rads*
—3D **153**
Meadow View Clo. *Bath*
—1B **104**
Meadow Way. *Brad S*
—3A **28**
Mead Rise. *Bris* —5B **70**
Mead Rd. *Chip S* —1E **35**
Mead Rd. *P'head* —5E **49**
Mead Rd. *Stok G* —3A **28**
Meads, The. *Bris* —5B **46**
(in two parts)
Mead St. *Bris* —1B **80**
Mead, The. *Alv* —2B **8**
Mead, The. *Fil* —5D **27**
Mead, The. *Mid N* —1F **157**
Mead, The. *W'ley* —2F **113**
Mead Vale. *W Mare*
—4C **128**
Meadway. *Bris* —1E **55**
Mead Way. *T'bry* —5C **6**
Meadway. *Trow* —2A **118**
Meadway Av. *Nail* —3C **122**
Mearcombe La. *B'don*
—5D **141**
Meardon Rd. *Bris* —2A **90**
Meare. *W Mare* —1D **139**
Meare Rd. *Bath* —2B **110**
Mede Clo. *Bris* —5A **70**
Medical Av. *Bris*
—3E **69** (2A **4**)
Medina Clo. *T'bry* —5D **7**
Medway Clo. *Key* —5C **92**
Medway Ct. *T'bry* —4E **7**
Medway Dri. *Fram C*
—3D **31**
Medway Dri. *Key* —5C **92**
Meere Bank. *Bris* —3D **39**
Meer Wall. *W Mare*
—5A **144**
Meg Thatchers Gdns. *Bris*
—3D **73**
Meg Thatcher's Grn. *Bris*
—3D **73**
Melbourne Dri. *Chip S*
—5D **19**
Melbourne Rd. *Bris* —3F **57**
Melbourne Ter. *Clev*
—3D **121**
Melbury Rd. *Bris* —3B **80**
Melcombe Ct. *Bath*
—5E **105**
Melcombe Rd. *Bath*
—4E **105**
Melita Rd. *Bris* —4A **58**
Melksham Rd. *Holt*
—1F **155**
Mellent Av. *Bris* —5E **87**
Mells Clo. *Key* —5A **92**
Mells La. *Rads* —2E **153**
Melrose Av. *Bris* —2D **69**
Melrose Av. *Yate* —4B **18**
Melrose Clo. *Yate* —4C **18**
Melrose Gro. *Bath* —1C **108**
Melrose Pl. *Bris* —2D **69**
Melrose Ter. *Bath* —4B **100**
Melton Cres. *Bris* —4C **42**
Melton Rd. *Trow* —5C **116**
Melville Rd. *Bris* —1D **69**
Melville Ter. *Bris* —2E **79**
Melvin Sq. *Bris* —4A **80**
Memorial Clo. *Bris* —1D **83**
Memorial Cotts. *Bath*
—5D **99**
Memorial Rd. *Bris* —5D **73**
Memorial Rd. *Wrin* —1C **156**
Mendip Av. *W Mare*
—3C **128**

Mendip Clo.—Moor Drove

Mendip Clo. *Key* —3F **91**
Mendip Clo. *Nail* —4D **123**
Mendip Clo. *Paul* —5B **146**
Mendip Cres. *Bris* —4C **46**
Mendip Edge. *W Mare*
    —3D **139**
Mendip Gdns. *Bath* —4E **109**
Mendip Gdns. *Yat* —4B **142**
Mendip Rise. *Lock* —4F **135**
Mendip Rd. —2F **79**
Mendip Rd. *Lock* —4A **136**
Mendip Rd. *P'head* —3C **48**
Mendip Rd. *W Mare*
    —1E **133**
Mendip Rd. *Yat* —3A **142**
  (in two parts)
Mendip Ter. *Bath* —3F **107**
Mendip View. *Wick*
    —4B **154**
Mendip View Av. *Bris*
    —4C **60**
Mendip Way. *Rads*
    —1C **152**
Mercer Ct. *Bris* —5D **81**
Merchants Ct. *Bris* —5C **68**
Merchants Quay. *Bris*
    —5F **69** (5B **4**)
Merchants Rd. *Clif* —3C **68**
Merchant's Rd. *Hot* —5C **68**
Merchant St. *Bris*
    —3A **70** (1D **5**)
Mercia Dri. *Bris* —5C **58**
Mercier Clo. *Yate* —4B **18**
Meredith Ct. *Bris* —5C **68**
Merfield Rd. *Bris* —3D **81**
Meridian Pl. *Bris* —3D **69**
Meridian Rd. *Bris* —1E **69**
Meridian Ter. *Bris* —4A **58**
Meridian Vale. *Bris* —3D **69**
Meridian Wlk. *Trow*
    —2A **118**
Meriet Av. *Bris* —4D **87**
Merioneth St. *Bris* —2B **80**
Meriton St. *Bris* —5D **71**
Merlin Clo. *Bris* —4B **40**
Merlin Clo. *W Mare*
    —5C **128**
Merlin Ct. *Bris* —5D **41**
Merlin Pk. *P'head* —4B **48**
Merlin Ridge. *Puck* —3E **65**
Merlin Rd. *Pat* —3E **25**
Merlin Way. *Chip S* —1B **34**
Merrett Ct. *Bris* —1D **59**
Merrick Ct. *Bris*
    —5F **69** (5B **4**)
Merrimans Rd. *Bris* —4F **37**
Merryfield Rd. *Lock*
    —2F **135**
Merryweather Clo. *Brad S*
    —1F **27**
Merryweathers. *Bris* —3A **82**
Merrywood Clo. *Bris*
    —1E **79**
Merrywood Rd. *Bris* —1E **79**
Merstham Rd. *Bris* —5C **58**
Merton Rd. *Bris* —2A **58**
Mervyn Rd. *Bris* —3A **58**
Metford Gro. *Bris* —4D **57**
Metford Pl. *Bris* —4E **57**
Metford Rd. *Bris* —4D **57**
Methuen Clo. *Brad A*
    —5F **115**
Methwyn Clo. *W Mare*
    —1A **134**
Mews, The. *Bath* —1B **104**
Mezellion Pl. *Bath* —5C **100**
  (off Camden Rd.)

Michaels Mead. *Bath*
    —4C **98**
Middle Av. *Bris*
    —4F **69** (4B **4**)
Middleford Ho. *Bris* —4E **87**
Middle La. *Bath* —5C **100**
Middle La. *Trow* —5F **117**
Middle Rank. *Brad A*
    —2D **115**
Middle Rd. *Bris* —4A **62**
Middle Stoke. *Lim S*
    —3B **112**
Middleton Rd. *Bris* —4B **38**
Middle Yeo Grn. *Nail*
    —2C **122**
Midford. *W Mare* —1D **139**
Midford La. *Mid & Lim S*
    —5D **111**
Midford Rd. *Bath* —3F **109**
Midhaven Rise. *W Mare*
    —1C **128**
Midland Bri. Rd. *Bath*
    —3F **105**
Midland Rd. *Bath* —3E **105**
Midland Rd. *Stap H* —3F **61**
Midland Rd. *St Ph* —3B **70**
Midlands, The. *Holt*
    —2E **155**
Midland St. *Bris* —4B **70**
Midland Ter. *Bris* —4B **60**
Midland Way. *T'bry* —4C **6**
Midsomer Enterprise Pk.
    Mid N —2A **152**
Midsummer Bldgs. *Bath*
    —4B **100**
Milburn Rd. *W Mare*
    —1D **133**
Milbury Gdns. *Worl* —3F **127**
Mildred St. *Bris* —3E **71**
Miles Ct. *Bar C* —1B **84**
Miles Rd. *Bris* —1C **68**
Miles's Bldgs. *Bath*
    —2A **106** (2B **96**)
Miles St. *Bath*
    —4B **106** (5D **97**)
Mile Wlk. *Bris* —1B **88**
Milford Av. *Wick* —4A **154**
Milford St. *Bris* —1E **79**
Milk St. *Bath*
    —3A **106** (4B **96**)
Millard Clo. *Bris* —2E **41**
Millards Ct. *Mid N* —1E **151**
Millard's Hill. *Mid N*
    —1E **151**
Mill Av. *Bris* —4F **69** (4C **4**)
Millbank Clo. *Bris* —2A **82**
Millbourn Clo. *W'ley*
    —2E **113**
Millbrook Av. *Bris* —2B **82**
Millbrook Clo. *Bris* —4E **75**
Millbrook Pl. *Bath* —4B **106**
Millbrook Rd. *Yate* —4D **17**
Mill Clo. *Fram C* —2E **31**
Mill Clo. *P'bry* —5A **52**
Mill Cres. *W'lgh* —5D **33**
Millcross. *Clev* —5C **120**
Millers Clo. *Pill* —3E **53**
Millers Dri. *Bris* —5E **75**
Miller's Rise. *W Mare*
    —1E **129**
Miller Wlk. *B'ptn* —5F **101**
Millfield. *T'bry* —2D **7**
Millfield Dri. *Bris* —4E **75**
Millground Rd. *Bris* —4A **86**
Millhand Vs. *Trow* —3E **119**
Mill Ho., The. *Brad A*
    —3F **115**

Milliman Clo. *Bris* —3F **87**
Millington Dri. *Trow*
    —3A **118**
Mill La. *B'ptn* —4A **102**
Mill La. *Bedm* —1F **79**
Mill La. *Bit* —5F **85**
Mill La. *Brad A* —3E **115**
Mill La. *Chip S* —5C **18**
Mill La. *Cong* —2D **145**
Mill La. *Fram C* —5D **15**
Mill La. *Mon C* —4F **111**
Mill La. *Old S* —3F **35**
Mill La. *P'bry* —4A **52**
Mill La. *Rads* —1E **153**
Mill La. *Tim* —2E **157**
Mill La. *Trow* —1C **118**
Mill La. *Twer A* —3C **104**
Mill La. *War* —5D **75**
Mill Leg. *Cong* —2D **145**
Millmead Ho. *Bris* —4E **87**
Millmead Rd. *Bath*
    —4D **105**
Millpond St. *Bris* —1C **70**
Mill Pool. *Bris* —3D **41**
Mill Rd. *Rads* —2D **153**
Mill Rd. *Wint D* —5F **29**
Mill Rd. Ind. Est. *Rads*
    —1D **153**
Mill Steps. *Wint D* —1A **46**
Mill St. *Trow* —2D **119**
Millward Gro. *Bris* —3E **61**
Millward Ter. *Paul* —3B **146**
Milner Grn. *Bris* —5C **74**
Milner Rd. *Bris* —2B **58**
Milsom St. *Bath*
    —2A **106** (2B **96**)
Milsom St. *Bris* —2C **70**
Milton Av. *Bath* —5A **106**
Milton Av. *W Mare* —5E **127**
Milton Brow. *W Mare*
    —4F **127**
Milton Clo. *Nail* —2D **123**
Milton Clo. *Yate* —4F **17**
Milton Grn. *W Mare*
    —4A **128**
Milton Hill. *W Mare*
    —3F **127**
Milton Pk. *Bris* —3E **71**
Milton Pk. Rd. *W Mare*
    —4A **128**
Milton Rise. *W Mare*
    —4A **128**
Milton Rd. *Bris* —1A **58**
Milton Rd. *Rads* —3F **151**
Milton Rd. *W Mare*
    —5D **127**
Milton Rd. *Yate* —4F **17**
Miltons Clo. *Bris* —4F **87**
Milverton. *W Mare* —1D **139**
Milverton Gdns. *Bris*
    —5B **58**
Milward Rd. *Key* —2A **92**
Mina Rd. *Bris* —4B **58**
Minehead Rd. *Bris* —4B **80**
Minerva Gdns. *Bath*
    —4D **105**
Minor's La. *H'ley* —1C **22**
Minsmere Rd. *Key* —5C **92**
Minster Way. *Bath* —1D **107**
Minton Clo. *Bris* —3D **89**
Minto Rd. *Bris* —5B **58**
Minto Rd. Ind. Cen. *Bris*
    —5B **58**
Mission Rd. *Iron A* —2C **16**
Mitchell Ct. *Bris*
    —4A **70** (4D **5**)
Mitchell La. *Bris*
    —4A **70** (4D **5**)

Mivart St. *Bris* —5D **59**
Mizzymead Clo. *Nail*
    —4C **122**
Mizzymead Rise. *Nail*
    —4C **122**
Mizzymead Rd. *Nail*
    —4D **123**
Modecombe Gro. *Bris*
    —1B **40**
Mogg St. *Bris* —5C **58**
Molesworth Clo. *Bris*
    —4C **86**
Molesworth Dri. *Bris*
    —4C **86**
Monger Cotts. *Paul*
    —1D **151**
Monger La. *Paul & Mid N*
    —1C **150**
Monk Rd. *Bris* —3F **57**
Monks Av. *Bris* —2D **73**
Monksdale Rd. *Bath*
    —5E **105**
Monks Hill. *W Mare*
    —2F **127**
Monks Ho. *Yate* —2F **33**
Monk's Pk. Av. *Bris* —3A **42**
Monkton Av. *W Mare*
    —1E **139**
Monkton Rd. *Bris* —1D **83**
Monmouth Clo. *P'head*
    —4B **48**
Monmouth Ct. *Bath* —3F **105**
  (off Monmouth Pl.)
Monmouth Ct. *Pill* —2E **53**
Monmouth Hill. *Alm*
    —2A **10**
Monmouth Pl. *Bath*
    —3A **106** (3A **96**)
Monmouth Rd. *Bris* —3F **57**
Monmouth Rd. *Key* —3F **91**
Monmouth Rd. *Pill* —2E **53**
Monmouth St. *Bath*
    —3A **106** (3A **96**)
Monmouth St. *Bris* —2B **80**
Monsdale Clo. *Bris* —1C **40**
Monsdale Dri. *Bris* —1C **40**
Montague Clo. *Stok G*
    —4A **28**
Montague Hill. *Bris* —2F **69**
Montague Hill S. *Bris*
    —2F **69**
Montague Pl. *Bris* —2F **69**
Montague Rd. *Salt* —5E **93**
Montague St. *Bris* —2F **69**
Montgomery St. *Bris*
    —1B **80**
Montpelier. *Bath*
    —2A **106** (1B **96**)
Montpelier. *W Mare*
    —4D **127**
Montpelier E. *W Mare*
    —4D **127**
Montpelier Path. *W Mare*
    —5C **126**
Montreal Av. *Bris* —4B **42**
Montrose Av. *Bris* —1E **69**
Montrose Cotts. *Bath*
    —5D **99**
Montrose Dri. *War* —4D **75**
Montrose Pk. *Bris* —3F **81**
Montroy Clo. *Bris* —1E **57**
Moon St. *Bris* —2A **70**
Moor Croft Dri. *L Grn*
    —2B **84**
Moor Croft Rd. *Hut*
    —5C **134**
Moordell Clo. *Yate* —5F **17**
Moor Drove. *Cong* —5C **144**

Moorend Gdns.—Newmarket Row

Moorend Gdns. *Bris* —5B **38**
Moorend Rd. *Ham* —1F **45**
Moor End Spout. *Nail*
    —2C **122**
Moorfield Rd. *Back*
    —2C **124**
Moorfields Clo. *Bath*
    —1E **109**
Moorfields Ct. *Nail* —3C **122**
Moorfields Ho. —3E **71**
Moorfields Ho. *Nail*
    —3B **122**
Moorfields Rd. *Bath*
    —5E **105**
Moorfields Rd. *Nail*
    —3C **122**
Moor Gro. *Bris* —4B **38**
Moorgrove Ho. *Bris* —4E **39**
Moorham Rd. *Wins*
    —3B **156**
Moorhill St. *Bris* —1D **71**
Moorhouse Cvn. Pk. *Bris*
    —5D **23**
Moorhouse La. *H'len*
    —4B **22**
Moorings, The. *Pill* —3E **53**
Moorland Rd. *Bath* —4E **105**
Moorland Rd. *W Mare*
    —4B **132**
Moorland Rd. *Yate* —5F **17**
Moorlands Clo. *Nail*
    —3C **122**
Moorlands Rd. *Bris* —4B **60**
(in two parts)
Moor La. *Back* —2B **124**
Moor La. *Clev* —4D **121**
(in two parts)
Moor La. *Lock & W Mare*
    —1C **134**
Moor La. *W Mare* —4B **134**
Moor Pk. *Clev* —4E **121**
Moorpark Av. *Yate* —5E **17**
Moor Rd. *Ban* —1E **137**
Moor Rd. *Yat* —2B **142**
Moorside. *Yat* —2B **142**
Moravian Rd. *Bris* —2F **73**
Morden Wlk. *Bris* —1F **89**
Moreton Clo. *Bris* —4C **88**
Moreton St. *Bris* —2B **70**
Morford St. *Bath*
    —1A **106** (1B **96**)
Morgan Clo. *Salt* —5F **93**
Morgans Hill Clo. *Nail*
    —5C **122**
Morgan St. *Bris* —1B **70**
Morley Av. *Mang* —3C **62**
Morley Clo. *Bris* —3F **61**
Morley Clo. *Lit S* —2D **27**
Morley Rd. *Stap H* —3F **61**
Morley Rd. *S'vle* —1E **79**
Morley St. *Bar H* —3D **71**
Morley Sq. *Bris* —3A **58**
Morley St. *Bris* —1B **70**
Morley Ter. *Bath* —3E **105**
Morley Ter. *K'wd* —1F **73**
Morley Ter. *Rads* —1D **153**
Mornington Rd. *Bris*
    —5C **56**
Morpeth Rd. *Bris* —5F **79**
Morris La. *Bathf* —3C **102**
Morris Rd. *Bris* —2C **58**
Morse Rd. *Bris* —3E **71**
Mortimer Clo. *Bath* —4C **98**
Mortimer Rd. *Clif* —3C **68**
Mortimer Rd. *Fil* —3D **43**
Mortimer St. *Trow* —3C **118**
Morton St. *Bris* —3D **71**
Morton St. *T'bry* —1D **7**

Morton Way. *T'bry* —1E **7**
Moseley Gro. *Uph* —1C **138**
Moulton Dri. *Brad A*
    —5E **115**
Mountain Ash. *Bath* —5E **99**
Mountain Wood. *Bathf*
    —4D **103**
Mountbatten Clo. *Kew*
    —1C **128**
Mountbatten Clo. *Yate*
    —3F **17**
Mt. Beacon. *Bath* —5B **100**
Mount Beacon Pl. *Bath*
    —5A **100**
Mt. Beacon Row. *Bath*
    —5B **100**
Mount Clo. *Fram C* —1B **30**
Mount Cres. *Wint* —4A **30**
Mount Gdns. *Bris* —4F **73**
Mount Gro. *Bath* —1C **108**
Mount Hill Rd. *Bris* —4E **73**
Mt. Pleasant. *Brad A*
    —2E **115**
Mt. Pleasant. *H'len* —5E **23**
Mt. Pleasant. *Pill* —3F **53**
Mt. Pleasant. *Rads* —2E **153**
Mt. Pleasant Ter. *Bris*
    —1E **79**
Mount Rd. *L'dwn* —1A **106**
Mount Rd. *S'dwn* —5B **104**
Mount, The. *Trow* —5E **117**
Mount View. *L'dwn*
    (off Beacon Rd.) —5B **100**
Mount View. *S'dwn*
    —1C **108**
Mow Barton. *Bris* —2B **86**
Mow Barton. *Yate* —4F **17**
Mowbray Rd. *Bris* —1E **89**
Mowcroft Rd. *Bris* —4E **87**
Moxham Dri. *Bris* —4D **87**
Mud La. *Clav* —1D **143**
Muirfield. *War* —4C **74**
Muirfields. *Yate* —1A **34**
Mulberry Clo. *Back*
    —2C **124**
Mulberry Clo. *Bris* —2A **74**
Mulberry Clo. *W Mare*
    —4D **129**
Mulberry Dri. *Bris* —1B **74**
Mulberry La. *B'don*
    —5A **140**
Mulberry Rd. *Cong*
    —3E **145**
Mulberry Wlk. *Bris* —4E **39**
Muller Av. *Bris* —3B **58**
Muller Rd. *Hor & Eastv*
    —1B **58**
Mulready Clo. *Bris* —1E **59**
Murford Av. *Bris* —3D **87**
Murford Wlk. *Bris* —4D **87**
Murray Rd. *Trow* —5D **117**
Murray St. *Bris* —1E **79**
Musgrove Clo. *Bris* —2E **39**
Myrtle Dri. *Bris* —2A **54**
Myrtle Gdns. *Yat* —3B **142**
Myrtle Rd. *Bris* —2E **69**
Myrtle St. *Bris* —1D **79**
Mythern Meadow. *Brad A*
    —4F **115**

Nags Head Hill. *Bris*
    —3C **72**
Nailsea Clo. *Bris* —1C **86**
Nailsea Pk. *Nail* —3E **123**
Nailsea Pk. Clo. *Nail*
    —3E **123**
Nailsworth Av. *Yate* —5A **18**

Naishcombe Hill. *Wick*
    —5B **154**
Naishes Av. *Pea J* —4D **157**
Naish Ho. *Bath* —3B **104**
Napier Ct. *Bris* —5D **69**
Napier Miles Rd. *Bris*
    —4C **38**
Napier Rd. *A'mth* —3D **37**
Napier Rd. *Bath* —3B **98**
Napier Rd. *Eastv* —5D **59**
Napier Rd. *Redl* —5D **57**
Napier Sq. *Bris* —3C **36**
Napier St. *Bris* —4D **71**
Narroways Rd. *Bris* —4C **58**
Narrow La. *Bris* —4A **62**
Narrow Lewins Mead. *Bris*
    —3F **69** (2B **4**)
Narrow Plain. *Bris*
    —4A **70** (3E **5**)
Narrow Quay. *Bris*
    —5F **69** (5B **4**)
Narrow Wine St. *Trow*
    (off Fore St.) —2D **119**
Naseby Wlk. *Bris* —1C **72**
Nash Clo. *Key* —3C **92**
Nash Dri. *Bris* —5E **43**
Nasmilco. *Stav* —1D **117**
Naunton Way. *W Mare*
    —3F **127**
Navigator Clo. *Trow*
    —3E **117**
Neads Dri. *War* —5E **75**
Neate Ct. *Pat* —1E **27**
Neath Rd. *Bris* —2F **71**
Nelson Bldgs. *Bath*
    —1B **106**
Nelson Ct. *W Mare*
    —1C **128**
Nelson Ho. *Bath* —2F **105**
Nelson Ho. *Bris* —2F **61**
Nelson Pde. *Bris* —1F **79**
Nelson Pl. *Bath* —1B **106**
Nelson Pl. E. *Bath* —1B **106**
    (off Nelson Ter.)
Nelson Pl. W. *Bath*
    —3F **105**
Nelson Rd. *Bris* —2F **61**
(in two parts)
Nelson St. *Bedm* —3C **78**
Nelson St. *Bris*
    —3F **69** (2C **4**)
Nelson Ter. *Bath* —1B **106**
Nelson Vs. *Bath* —2F **105**
Neston Wlk. *Bris* —5B **80**
Netham Pk. Ind. Est. *Bris*
    —4F **71**
Netham Rd. *Bris* —3F **71**
Netherways. *Clev* —5B **120**
Nettlestone Clo. *Bris*
    —5A **24**
Nevalan Dri. *Bris* —4C **72**
Neva Rd. *W Mare* —2C **132**
Neville Rd. *Bris* —5A **62**
Nevil Rd. *Bris* —3A **58**
Newark St. *Bath*
    —4B **106** (5C **96**)
Newbolt Clo. *W Mare*
    —4E **133**
New Bond St. *Bath*
    —3A **106** (3B **96**)
New Bond St. Pl. *Bath*
    —3A **106** (3C **96**)
    (off New Bond St.)
Newbourne Rd. *W Mare*
    —1A **134**
Newbrick Rd. *Stok G*
    —4C **28**
Newbridge Clo. *Bris* —4F **71**

Newbridge Ct. *Bath* —2C **104**
Newbridge Gdns. *Bath*
    —1B **104**
Newbridge Hill. *Bath*
    —1B **104**
Newbridge Rd. *Bath*
    —1A **104**
Newbridge Rd. *Bris* —4F **71**
Newbridge Trad. Est. *Bris*
    —5F **71**
New Bristol Rd. *W Mare*
    —4C **128**
New Brunswick Av. *Bris*
    —3D **73**
New Buildings. *Bris* —3B **60**
Newbury Rd. *Bris* —5C **42**
New Charlotte St. *Bris*
    —1F **79**
New Cheltenham Rd. *Bris*
    —1F **73**
New Church Rd. *Uph*
    —1B **138**
Newcombe Dri. *Bris* —3E **55**
Newcombe Rd. *Bris* —5B **40**
New Ear La. *W Mare*
    —1C **130**
New Engine Rank. *Coal H*
    —1F **47**
Newent Av. *Bris* —3D **73**
New Fosseway Rd. *Bris*
    —2D **89**
Newfoundland Rd. *Bris*
    —2B **70**
Newfoundland St. *Bris*
    —2A **70**
Newfoundland Way. *Bris*
    —2B **70**
Newgate. *Bris*
    —3A **70** (2D **5**)
Newhaven Pl. *P'head*
    —4A **48**
Newhaven Rd. *P'head*
    —5A **48**
New John St. *Bris* —2E **79**
New Kingsley Rd. *Bris*
    —4B **70** (3F **5**)
New King St. *Bath* —3A **106**
Newland Dri. *Bris* —4C **86**
Newland Rd. *Bris* —4C **86**
Newland Rd. *W Mare*
    —2D **133**
Newlands Av. *Coal H*
    —2E **31**
Newlands Clo. *P'head*
    —3E **49**
Newlands Grn. *Clev*
    —5E **121**
Newlands Hill. *P'head*
    —4E **49**
Newlands Rd. *Key* —4F **91**
Newlands, The. *Bris* —5D **45**
Newland Wlk. *Bris* —5C **86**
New La. *Alv* —2D **9**
New Leaze. *Alm* —3E **11**
Newleaze. *Hil* —3F **117**
Newleaze Ho. *Brad S*
    —2D **43**
Newlyn Av. *Bris* —2F **55**
Newlyn Wlk. *Bris* —4D **81**
Newlyn Way. *Yate* —4B **18**
Newman Clo. *W'lgh* —5D **33**
Newmans La. *Tim* —1E **157**
Newmarket Av. *Bris*
    —3F **69** (2C **4**)
Newmarket Av. *Whit B*
    —3F **155**
Newmarket Row. *Bath*
    (off Grand Pde.) —3B **106**

Newnham Clo. *Bris* —1F **89**
Newnham Pl. *Pat* —5B **10**
New Orchard St. *Bath*
    —3B **106** (4C **96**)
Newport Clo. *Clev* —4B **120**
Newport Clo. *P'head* —4B **48**
Newport Rd. *Pill* —2E **53**
Newport St. *Bris* —2A **80**
Newquay Rd. *Bris* —4B **80**
New Queen St. *Bris* —1D **73**
New Queen St. *K'wd*
    —1A **80**
New Rd. *Ban* —4C **136**
New Rd. *Bathf* —4E **103**
New Rd. *Brad A* —2E **115**
New Rd. *Brad S* —1B **42**
New Rd. *Bris* —2E **43**
New Rd. *F'frd* —4C **112**
New Rd. *Mid N* —3D **151**
New Rd. *Pill* —3E **53**
New Rd. *Trow* —3C **118**
Newry Wlk. *Bris* —4A **80**
Newsome Av. *Pill* —3E **53**
New Stadium Rd. *Bris*
    —5D **59**
New Station Rd. *Bris*
    —3C **60**
New Station Way. *Fish*
    —3C **60**
New St. *Bath*
    —3A **106** (4B **96**)
New St. *Bris* —3B **70** (1F **5**)
New St. Flats. *Bris*
    —3B **70** (1F **5**)
New Ter. *Stav* —1D **117**
New Thomas St. *Bris*
    —3B **70** (2F **5**)
Newton Clo. *Bris* —1C **74**
Newton Dri. *Bris* —5C **74**
Newton Grn. *Nail* —5B **122**
Newton Rd. *Bath* —4A **104**
Newton Rd. *Bris* —5C **74**
Newton Rd. *W Mare*
    —2C **132**
Newtons Rd. *Kew* —1C **128**
    (in two parts)
Newtown. *Brad A* —3D **115**
Newtown. *Trow* —2C **118**
New Tyning Ter. Bath
    (off Fairfield Rd.) —5C **100**
New Vs. *Bath* —5C **106**
New Wlk. *Bris* —5D **73**
New Walls. *Tot* —1B **80**
Niblett Clo. *Bris* —4B **74**
Nibletts Hill. *Bris* —4B **72**
Nibley La. *Iron A* —3A **16**
Nibley La. *Yate* —3C **16**
Nibley Rd. *Bris* —2F **53**
Nicholas La. *Bris* —4C **92**
Nicholas Rd. *Bris* —1D **71**
Nicholas St. *Bris* —1A **80**
Nicholettes. *Bris* —5F **75**
Nicholls La. *Wint* —3A **30**
Nicholl's Pl. Bath —1A **106**
    (off Lansdown Rd.)
Nichol's Rd. *P'head* —2B **48**
Nigel Pk. *Bris* —5A **38**
Nightingale Clo. *Fram C*
    —3C **30**
Nightingale Clo. *T'bry*
    —2E **7**
Nightingale Clo. *W Mare*
    —4C **128**
Nightingale Ct. *W Mare*
    —4C **128**
Nightingale Gdns. *Nail*
    —3B **122**

Nightingale La. *Wint*
    —2C **30**
Nightingale Rise. *P'head*
    —5B **48**
Nightingale Rd. *Trow*
    —2A **118**
Nightingale Valley. *Bris*
    —5A **72**
Nightingale Way. *Mid N*
    —4E **151**
Nile St. *Bath* —3F **105**
Nine Tree Hill. *Bris* —1A **70**
Ninth Av. *Bris* —3D **43**
Nippors Way. *Wins*
    —4A **156**
Nithsdale Rd. *W Mare*
    —4C **132**
Noble Av. *Bris* —1E **85**
Nomis Pk. *Cong* —4E **145**
Nore Gdns. *P'head* —2E **49**
Nore Pk. Dri. *P'head*
    —2B **48**
Nore Rd. *P'head* —4A **48**
Norfolk Av. *Bris* —2A **70**
Norfolk Av. *St And* —5A **58**
Norfolk Bldgs. *Bath*
    —3F **105**
Norfolk Cres. *Bath* —3F **105**
Norfolk Gro. *Key* —4E **91**
Norfolk Pl. *Bris* —2E **79**
Norfolk Rd. *P'head* —4A **50**
Norland Rd. *Bris* —2B **68**
Norley Rd. *Bris* —5B **42**
Normanby Rd. *Bris* —1D **71**
Norman Gro. *Bris* —5F **61**
Norman Rd. *Salt* —5F **93**
Norman Rd. *St W* —5C **58**
Norman Rd. *War* —2D **75**
Normans, The. *B'ptn*
    —4A **102**
Normanton Rd. *Bris* —5C **56**
Norrisville Rd. *Bris* —1A **70**
Northampton Bldgs. *Bath*
    —1A **106**
Northampton St. *Bath*
    —1A **106**
Northanger Ct. Bath
    (off Grove St.) —2B **106**
Northavon Bus. Cen. *Yate*
    —3E **17**
Northcote Rd. *Clif* —1B **68**
Northcote Rd. *Down & Mang*
    —1B **62**
Northcote Rd. *St G* —2A **72**
Northcote St. *Bris* —1E **71**
North Croft *Old C* —1F **85**
N. Devon Rd. *Bris* —2C **60**
Northdown Rd. *Rads*
    —4B **148**
N. Drove. *Nail* —3A **122**
N. East Rd. *T'bry* —2D **7**
North End. *Yat* —1A **142**
Northend Av. *Bris* —5F **61**
Northend Cotts. *Bath*
    —1A **102**
Northend Gdns. *Bris*
    —5F **61**
Northend Rd. *Bris* —1A **74**
N. End Rd. *Yat* —1A **142**
Northern Path. *Clev*
    —3F **121**
Northern Way. *Clev*
    —4E **121**
Northfield. *Rads* —1D **153**
Northfield. *W'ley* —2F **113**
Northfield. *Yate* —1F **33**
Northfield Av. *Bris* —5F **73**
Northfield Ho. *Bris* —1E **79**

Northfield Rd. *Bris* —3D **73**
Northfield Rd. *P'head*
    —5A **48**
Northfields. *Bath* —5A **100**
Northfields Clo. *Bath*
    —5A **100**
Northgate St. *Bath*
    —3B **106** (3C **96**)
North Grn. St. *Bris* —4B **68**
North Gro. *Pill* —3E **53**
N. Hills Clo. *W Mare*
    —1F **139**
North La. *Bath* —4E **107**
North La. *Nail* —1A **122**
Northleach Wlk. *Bris*
    —2B **54**
N. Leaze. *L Ash* —3D **77**
Northleigh. *Brad A* —1F **115**
Northleigh Av. *W Mare*
    —4A **128**
Northmead Av. *Mid N*
    —2C **150**
Northmead Clo. *Mid N*
    —2C **150**
Northmead La. *Iron A*
    —1F **15**
N. Meadows. *Pea J*
    —4E **157**
Northmead Rd. *Mid N*
    —2C **150**
Northover Clo. *Bris* —3B **40**
Northover Rd. *Bris* —3B **40**
North Pde. *Bath*
    —3B **106** (4D **97**)
North Pde. *Yate* —4A **18**
North Pde. Bldgs. *Bath*
    (off Orchard St.) —3B **106**
North Pde. Pas. *Bath*
    —3B **106** (4C **96**)
North Pde. Rd. *Bath*
    —3B **106** (4D **97**)
North Pk. *Bris* —1A **74**
North Quay. *Bris*
    —4A **70** (3E **5**)
North Rd. *Ash G* —1C **78**
North Rd. *Ban* —5E **137**
North Rd. *Bath*
    —2D **107** (1F **97**)
North Rd. *C Down* —3C **110**
North Rd. *Iron A* —1D **17**
North Rd. *L Wds* —3F **67**
North Rd. *St And* —5F **57**
North Rd. *Stok G* —5A **28**
North Rd. *T'bry* —2D **7**
North Rd. *Tim* —1E **157**
North Rd. *Wint* —2B **30**
North St. *Bedm* —1C **78**
North St. *Bris* —2A **70**
North St. *Down* —2F **61**
North St. *Nail* —5A **122**
North St. *Old C* —1F **85**
North St. *Wickw* —1B **154**
North St. *W Mare* —5C **126**
Northumberland Bldgs. Bath
    (off Barton St.) —3A **106**
Northumberland Pl. *Bath*
    —3B **106** (3C **96**)
Northumberland Rd. *Bris*
    —5E **57**
Northumbria Dri. *Bris*
    —2D **57**
North View. *Rads* —2E **153**
North View. *Soun* —3F **61**
North View. *Stap H* —2A **62**
North View. *W'bry P*
    —3C **56**
N. View Clo. *Bath* —4C **104**

N. View Dri. *Ban* —5D **137**
Northville Rd. *Bris* —3B **42**
North Wlk. *Yate* —4A **18**
North Way. *Bath* —4B **104**
Northway. *Bris* —5D **27**
North Way. *Mid N* —3D **151**
North Way. *Trow* —3A **118**
Northwick Rd. *Bris* —4B **42**
Northwoods Wlk. *Bris*
    —1F **41**
N. Worle Shopping Cen.
    W Mare —3F **129**
Norton Clo. *Bris* —3B **74**
Norton La. *Kew* —1A **128**
Norton La. *W'chu* —5F **89**
Norton Rd. *Bris* —3C **80**
Nortons Wood La. *Clev*
    —1F **121**
Norwich Dri. *Bris* —4A **72**
Norwood Av. *Bath* —5F **107**
Norwood Gro. *P'head*
    —3B **48**
Norwood Rd. *Nail* —4E **123**
Notgrove Clo. *W Mare*
    —3F **127**
Nottingham Rd. *Bris*
    —4A **58**
Nottingham St. *Bris* —2A **80**
Nova Scotia Pl. *Bris* —5C **68**
Nover's Cres. *Bris* —5E **79**
Nover's Hill. *Bedm & Know*
    —4E **79**
Novers Hill Trad. Est. *Bedm*
    —4E **79**
Nover's La. *Bris* —5E **79**
Nover's Pk. Clo. *Bris*
    —2D **87**
Nover's Pk. Dri. *Bris*
    —5E **79**
Nover's Pk. Rd. *Bris* —5F **79**
Nover's Rd. *Bris* —5E **79**
Nowhere La. *Nail* —4F **123**
    (in two parts)
Nugent Hill. *Bris* —1F **69**
Nunney Clo. *Key* —5A **92**
Nursery Clo. *Hil* —4F **117**
Nursery Gdns. *Bris* —1C **40**
Nursery, The. *Bris* —2D **79**
Nutfield Gro. *Bris* —2D **43**
Nutgrove Av. *Bris* —2A **80**
Nuthatch Dri. *Bris* —1C **60**
Nuthatch Gdns. *Bris*
    —1C **60**
Nutwell Rd. *W Mare*
    —3C **128**
Nutwell Sq. *W Mare*
    —3C **128**
Nye Drove. *W Mare*
    —2F **137**
Nympsfield. *Bris* —5A **62**

O
ak Av. *Bath* —1D **109**
Oak Clo. *Lit S* —2F **27**
Oak Clo. *Yate* —2F **17**
Oak Ct. *Bris* —3C **88**
Oakdale Av. *Bris* —4F **45**
Oakdale Clo. *Bris* —4A **46**
Oakdale Ct. *Bris* —4F **45**
Oakdale Gdns. *W Mare*
    —3D **129**
Oakdale Rd. *Bris* —5C **80**
Oakdale Rd. *Down* —4A **46**
Oakdene Av. *Bris* —4F **59**
Oak Dri. *N Brad* —4D **155**
Oak Dri. *P'head* —4D **49**
Oakenhill Rd. *Bris* —3A **82**
Oakenhill Wlk. *Bris* —3A **82**

Oakfield Clo. *Bath* —1E **105**
Oakfield Gro. *Bris* —2D **69**
Oakfield Pl. *Bris* —2D **69**
Oakfield Rd. *Clif* —2C **68**
Oakfield Rd. *Key* —5B **92**
Oakfield Rd. *K'wd* —3F **73**
Oakford Av. *W Mare* —5D **127**
Oakford La. *Bath* —1B **102**
Oak Gro. *E'ton G* —3E **53**
Oakhanger Dri. *Bris* —3C **38**
Oakhill. *W Mare* —1E **139**
Oakhill Av. *Bit* —3E **85**
Oakhill Clo. *Nail* —4F **123**
Oakhill La. *H'len* —5E **23**
Oakhill Rd. *Bath* —2A **110**
Oak Ho. *Bris* —4F **87**
Oakhurst Rd. *Bris* —2B **56**
Oakland Dri. *Hut* —5C **134**
Oakland Rd. *Redl* —1D **69**
Oakland Rd. *St G* —2A **72**
Oaklands. *Clev* —2C **120**
Oaklands. *Paul* —5B **146**
Oaklands Clo. *Mang* —2D **63**
Oaklands Dri. *Alm* —2C **10**
Oaklands Dri. *Bris* —4C **44**
Oaklands Dri. *Old C* —3E **85**
Oaklands Rd. *Mang* —2C **62**
Oak La. *Bris* —5B **60**
Oakleaze. *Coal H* —2F **31**
Oakleaze Rd. *T'bry* —3D **7**
Oakleigh Av. *Bris* —1F **71**
Oakleigh Clo. *Back* —3D **125**
Oakleigh Gdns. *Old C* —3E **85**
Oakley. *Bath* —4F **107**
Oakley. *Clev* —5B **120**
Oakley Rd. *Bris* —5B **42**
Oakmeade Pk. *Bris* —3D **81**
Oakridge Clo. *Bris* —3C **74**
Oakridge Clo. *Wins* —5C **156**
Oakridge La. *Wins* —5C **156**
Oak Rd. *Bris* —2A **58**
Oak Rd. *Wins* —3B **156**
Oaksey Gro. *Nail* —3F **123**
Oak St. *Bath* —4A **106** (5A **96**)
Oak Ter. *Rads* —3A **152**
Oak Tree Av. *Puck* —2D **65**
Oaktree Clo. *Bris* —2E **83**
Oak Tree Clo. *Trow* —1B **118**
Oaktree Ct. *Shire* —5A **38**
Oaktree Cres. *Brad S* —4D **11**
Oaktree Gdns. *Bris* —3A **86**
Oaktree Pk. *Lock* —3C **134**
Oak Tree Wlk. *Key* —5F **91**
Oakwood Av. *Bris* —1D **57**
Oakwood Rd. *Bris* —1D **57**
Oatlands Av. *Bris* —2C **88**
Oatvale Rd. *Bris* —3C **88**
Oberon Av. *Bris* —5A **60**
Odeon Bldgs. W Mare (off Station Rd.) —1C ***132***
Odins Rd. *Bath* —3E **109**
Okebourne Clo. *Bris* —5D **25**
Okebourne Rd. *Bris* —1D **41**
Oldacre Rd. *Bris* —5C **88**
Old Ashley Hill. *Bris* —5B **58**
Old Aust Rd. *Alm* —1E **11**
Old Banwell Rd. *Lock* —4F **135**
Old Barrow Hill. *Bris* —5F **37**
Old Batch, The. *Brad A* —1C **114**
Old Bond St. *Bath* —3A **106** (3B **96**)
Old Bread St. *Bris* —4B **70** (3F **5**)
Oldbridge Rd. *Bris* —5E **89**
Old Bristol Rd. *Key* —1E **91**
Old Bristol Rd. *W Mare* —3E **129**
Oldbury Chase. *Bris* —3C **84**
Oldbury Ct. Dri. *Bris* —1D **61**
Oldbury Ct. Rd. *Bris* —2C **60**
Oldbury La. *T'bry* —1D **7**
Oldbury La. *Wick* —5C **154**
Old Church Rd. *Clev* —4A **120**
Old Church Rd. *Nail* —5C **122**
Old Church Rd. *Rudg* —5A **8**
Old Church Rd. *Uph* —1B **138**
Old Cider Mills Est. *Wickw* —1C **154**
Old England Way. *Pea J* —4E **157**
Old Farm La. *Bris* —4D **73**
Old Ferry Rd. *Bath* —3D **105**
Oldfield. *Clev* —5E **121**
Oldfield La. *Bath* —5E **105**
Oldfield Pl. *Bath* —4F **105**
Oldfield Pl. *Bris* —5B **68**
Oldfield Rd. *Bath* —4F **105**
Oldfield Rd. *Bris* —5C **68**
Oldfields La. *Alm* —1D **13**
Old Fire Sta. Ct. *Nail* —3B **122**
Old Forge Way. *Bath* —4E **157**
Old Fosse Rd. *Bath* —2D **109**
Old Fosse Rd. *Mid N* —5B **148**
Old Frome Rd. *Bath* —4F **109**
Old Gloucester Rd. *Alv* —2C **8**
Old Gloucester Rd. *Fren &* (in two parts) *Ham* —4D **29**
Old Gloucester Rd. *Wint* —5D **13**
Old Junction Rd. *W Mare* —3F **133**
Old King St. *Bath* —2A **106** (2B **96**)
Oldlands Av. *Coal H* —3E **31**
Old La. *Tic* —1B **122**
Old Mkt. St. *Bris* —3A **70** (2E **5**)
Oldmead Wlk. *Bris* —1A **86**
Old Midford Rd. *S'ske* —5B **110**
Old Millard's Hill. *Mid N* —1E **151**
Old Mill Clo. *W'lgh* —5D **33**
Old Mill Rd. *P'head* —2F **49**
Old Mills Ind. Est. *Mid N* —2B **150**
Old Mills La. *Paul* —1A **150**
Oldmixon Cres. *W Mare* —5E **133**
Oldmixon Rd. *W Mare* —2E **139**
Old Newbridge Hill. *Bath* —1B **104**
Old Orchard. *Bath* —2B **106** (1C **96**)
Old Orchard St. *Bath* —3B **106** (4C **96**)
Old Park. *Bris* —3E **69** (1A **4**)
Old Pk. Hill. *Bris* —3E **69** (2A **4**)
Old Park Rd. *Bris* —5F **37**
Old Park Rd. *Clev* —1D **121**
Old Pit Rd. *Mid N* —4E **151**
Old Pit Ter. *Clan* —5B **148**
Old Post Office La. *W Mare* —5B **126**
Old Priory Rd. *E'ton G* —3D **53**
Old Quarry. *Bath* —2E **109**
Old Quarry Rise. *Bris* —5A **38**
Old Quarry Rd. *Bris* —5F **37**
Old Rd. *Writ* —3F **153**
Old School La. *B'don* —5A **140**
Old Sneed Av. *Bris* —3F **55**
Old Sneed Cotts. *Bris* —3F **55**
Old Sneed Pk. *Bris* —3F **55**
Old Sneed Rd. *Bris* —3F **55**
Old Sta. Clo. *Wrin* —2B **156**
Old St. *Clev* —3D **121**
Old Track. *Lim S* —2A **112**
Old Vicarage Ct. *Bris* —4E **89**
Old Vicarage Grn. *Key* —2A **92**
Old Vicarage Pl. *Bris* —5C **56**
Old Vicarage, The. *Bris* —1A **70**
Oldville Av. *Clev* —4D **121**
Old Wells Rd. *Bath* —1A **110**
Old Weston Rd. *Cong* —1A **144**
Olive Gdns. *Alv* —3A **8**
Olveston Rd. *Bris* —2A **58**
Olympus Clo. *Lit S* —3F **27**
Olympus Rd. *Pat* —1F **25**
Onega Ter. *Bath* —2F **105**
Oolite Gro. *Bath* —3E **109**
Oolite Rd. *Bath* —3E **109**
Oram Ct. *Bar C* —1B **84**
Orange Gro. *Bath* —3B **106** (3C **96**)
Orange St. *Bris* —2B **70**
Orchard Av. *Bris* —4E **69** (3A **4**)
Orchard Av. *Mid N* —3C **150**
Orchard Av. *T'bry* —3D **7**
Orchard Boulevd. *Old C* —1D **85**
Orchard Cvn. Site, The. *Bris* —4F **89**
Orchard Clo. *Ban* —5F **137**
Orchard Clo. *Cong* —2D **145**
Orchard Clo. *Key* —2E **91**
Orchard Clo. *K'wd* —2A **74**
Orchard Clo. *P'head* —3F **49**
Orchard Clo. *Wor* —3D **129**
Orchard Clo. *Wrin* —1C **156**
Orchard Clo. *W Trym* —2B **56**
Orchard Clo. *Yate* —4B **18**
Orchard Clo., The. *Lock* —4D **135**
Orchard Ct. *Bris* —4F **69** (3B **4**)
Orchard Ct. Fil —2C ***42*** *(off Gloucester Rd. N.)*
Orchard Ct. *Redf* —3F **71**
Orchard Ct. *S Park* —4E **55**
Orchard Ct. Trow —3D ***119*** *(off Orchard Rd.)*
Orchard Cres. *Bris* —5F **37**
Orchard Dri. *Bris* —3C **86**
Orchard Gdns. *Bris* —2B **74**
Orchard Gdns. *Paul* —3B **146**
Orchard Grange. *T'bry* —2C **6**
Orchard La. *Bris* —4E **69** (3A **4**)
Orchard La. *S Park* —3F **55**
Orchard Lea. *Alv* —2C **8**
Orchard Lea. *Pill* —3F **53**
Orchard Pl. *W Mare* —1C **132**
Orchard Rd. *Back* —2C **124**
Orchard Rd. *Bishop* —3A **58**
Orchard Rd. *Clev* —4D **121**
Orchard Rd. *Coal H* —2F **31**
Orchard Rd. *Hut* —1B **140**
Orchard Rd. *K'wd* —2A **74**
Orchard Rd. *L Ash* —4B **76**
Orchard Rd. *Nail* —4B **122**
Orchard Rd. *Paul* —3B **146**
Orchard Rd. *St G* —2B **72**
Orchard Rd. *Trow* —3D **119**
Orchard Rd. *Yate* —2D **65**
Orchard Sq. *Bris* —3F **71**
Orchards, The. *Bris* —3B **74**
Orchards, The. *Pill* —3E **53**
Orchard St. *Bris* —4E **69** (3A **4**)
Orchard St. *W Mare* —1C **132**
Orchard Ter. *Bath* —3C **104**
Orchard, The. *Ban* —5E **137**
Orchard, The. *Fram C* —1E **31**
Orchard, The. *F'frd* —4D **113**
Orchard, The. *Lock* —3E **135**
Orchard, The. *Stok G* —4B **28**
Orchard, The. *W Trym* —5C **40**
Orchard Vale. *Bris* —2B **74**
Orchard Vale. *Mid N* —3B **150**
Orchard Way. *Bath* —5D **157**
Orchard Way. *N Brad* —4D **155**
Oriel Clo. *Hil* —4F **117**
Oriel Gdns. *Bath* —4D **101**
Oriel Gro. *Bath* —5C **104**
Orion Dri. *Lit S* —3F **27**
Orland Way. *L Grn* —2C **84**
Orlebar Gdns. *Bris* —2D **39**
Orme Dri. *Clev* —1D **121**
Ormerod Rd. *Bris* —3A **56**
Ormonds Clo. *Brad S* —4A **12**
Ormsley Clo. *Lit S* —1E **27**
Ormstone Ho. *Bris* —4C **86**
Orpen Gdns. *Bris* —2D **59**
Orpen Pk. *Alm* —3D **11**
Orpheus Av. *Lit S* —3F **27**
Orwell Dri. *Key* —4B **92**
Orwell St. *Bris* —2A **80**
Osborne Av. *Bris* —4B **58**
Osborne Av. *W Mare* —1D **133**
Osborne Clo. *Stok G* —4F **27**
Osborne Rd. *Bath* —3C **104**
Osborne Rd. *Clif* —1C **68**
Osborne Rd. *Sev B* —3A **20**
Osborne Rd. *S'vle* —1E **79**
Osborne Rd. *Trow* —4E **117**

Poplar Rd.—Quarry Clo.

Poplar Rd. *Bed D* —1B **86**
Poplar Rd. *Han* —5C **72**
Poplar Rd. *S'will* —1B **72**
Poplar Rd. *War* —5E **75**
Poplars, The. *E'ton G*
　　　　　—3D **53**
Poplars, The. *W Mare*
　　　　　—4E **129**
Poplar Ter. *Bris* —2B **74**
Poplar Wlk. *Lock* —3C **134**
Porlock Clo. *Clev* —5E **121**
Porlock Clo. *W Mare*
　　　　　—1D **139**
Porlock Gdns. *Nail* —4D **123**
Porlock Rd. *Bath* —3B **110**
Porlock Rd. *Bris* —2F **79**
Portbury Comn. *P'head*
　　　　　—4A **50**
Portbury Gro. *Bris* —1F **53**
Portbury Hundred, The. *P'bry*
　　　　　—3A **52**
Portbury Hundred, The.
　　　　　P'head —4B **50**
Portbury La. *P'bry* —5A **52**
Portbury Sawmills Est. *P'bry*
　　　　　—1B **52**
Portbury Wlk. *Bris* —1F **53**
Portbury Way. *P'bry* —3F **51**
Portishead Rd. *W Mare*
　　　　　—1F **129**
Portishead Way. *Bris*
　　　　　—2A **78**
Portland Clo. *Nail* —4C **122**
Portland Ct. *Bris* —5D **69**
Portland Dri. *P'head*
　　　　　—4A **50**
Portland Pl. *Bath* —1A **106**
Portland Pl. *Stap H* —3F **61**
Portland Sq. *Bris* —2A **70**
Portland St. *Clif* —3B **68**
Portland St. *K'dwn* —2E **69**
Portland St. *Stap H* —4F **61**
Portland Ter. *Bath* —1A **106**
　(off Harley St.)
Portmeirion Clo. *Bris*
　　　　　—3D **89**
Port Side Clo. *St G* —4B **72**
Port View. *Pill* —2E **53**
Portview Rd. *Bris* —3D **37**
Portwall La. *Bris*
　　　　　—5A **70** (5D **5**)
Portwall La. E. *Bris*
　　　　　—5A **70** (5E **5**)
Portway. *A'mth* —4E **37**
Portway. *Bris* —5F **55**
Portway La. *Chip S* —4E **19**
Post Office La. *Bris* —2A **72**
Post Office Rd. *Lock*
　　　　　—3F **135**
Post Office Rd. *W Mare*
　　　　　—5B **126**
Poston Way. *W'ley* —2F **113**
Pottery Clo. *W Mare*
　　　　　—2E **133**
Potts Clo. *Bathe* —2A **102**
Poulton. *Brad A* —4E **115**
Poulton La. *Brad A* —5F **115**
Pound Dri. *Bris* —2B **60**
Pound Farm Clo. *Hil M*
　　　　　—3E **117**
Pound La. *Brad A* —3D **115**
Pound La. *Bris* —3B **60**
Pound La. *Nail* —3B **122**
Pound Rd. *Bris* —5B **62**
Pound, The. *Alm* —1C **10**
Pountney Dri. *Bris* —2D **71**
Powis Clo. *W Mare*
　　　　　—3A **128**

Powlett Ct. *Bath*
　　　　　—2C **106** (1E **97**)
Powlett Rd. *Bath* —1C **106**
Pow's Hill. *Rads* —5A **148**
Pow's Orchard. *Mid N*
　　　　　—3D **151**
Pow's Rd. *Bris* —3F **73**
Poxon Clo. *Trow* —1B **118**
Poyntz Ct. *L Grn* —2B **84**
Poyntz Rd. *Bris* —5B **80**
Prattens La. *Bris* —3F **61**
Preacher Clo. *Bris* —4D **73**
Preanes Grn. *W Mare*
　　　　　—3E **129**
Precinct, The. *P'head*
　　　　　—3F **49**
Preddy's La. *Bris* —4C **72**
Prescot Clo. *W Mare*
　　　　　—3F **127**
Prescott. *Yate* —1F **33**
Press Moor Dri. *Bar C*
　　　　　—1B **84**
Prestbury. *Yate* —1F **33**
Preston Wlk. *Bris* —4C **80**
Prestwick Clo. *Bris* —4F **81**
Pretoria Rd. *Pat* —1B **26**
Prewett St. *Bris* —5A **70**
Priddy Clo. *Bath* —4C **104**
　(in two parts)
Priddy Ct. *Bris* —3D **89**
Priddy Dri. *Bris* —3D **89**
Priests Way. *W Mare*
　　　　　—3B **128**
Priestwood Clo. *Bris*
　　　　　—1C **40**
Primrose Clo. *Brad S*
　　　　　—4F **11**
Primrose Clo. *Bris* —1E **73**
Primrose Dri. *T'bry* —2E **7**
Primrose Hill. *Bath* —5E **99**
Primrose La. *Bris* —1E **73**
Primrose La. *Mid N* —3E **151**
Primrose Ter. *Bris* —1E **73**
Primrose Ter. *Mid N*
　　　　　—3E **151**
Princes Bldgs. *Bath*
　　　　　—4C **106** (5E **97**)
　(Pulteney Rd.)
Princes Bldgs. *Bath*
　　　　　—2A **106** (2B **96**)
　(off George St.)
Princes' Bldgs. *Bris* —4B **68**
Princes Ct. *L Grn* —1B **84**
Princes' La. *Bris* —4B **68**
Prince's Pl. *Bris* —4A **58**
Prince's Rd. *Clev* —3D **121**
Princess Clo. *Key* —4A **92**
Princess Gdns. *Bris* —1F **59**
Princess Gdns. *Trow*
　　　　　—3E **117**
Princess Row. *Bris* —2F **69**
Princess Royal Gdns. *Bris*
　　　　　—2E **71**
Princess St. *Bedm* —1A **80**
Princess St. *Bris* —3C **70**
Princes St. *Bath*
　　　　　—3A **106** (3B **96**)
Prince's St. *Bris* —2B **70**
Prince's St. *Rads* —4B **148**
Princess Victoria St. *Bris*
　　　　　—4B **68**
Prince St. *Bris*
　　　　　—5F **69** (5B **4**)
Prior Pk. Bldgs *Bath*
　　　　　—4C **106**
　(off Prior Pk. Rd.)
Prior Pk. Cotts. *Bath*
　　　　　—4C **106**

Prior Pk. Gdns. *Bath*
　　　　　—4C **106**
Prior Pk. Rd. *Bath* —4C **106**
Priors Hill. *Tim* —1D **157**
Prior's Hill Flats. *Bris*
　　　　　—1F **69**
Priors Lea. *Yate* —5F **17**
Priory Acre. *W Mare*
　　　　　—3B **128**
Priory Av. *Bris* —5C **40**
Priory Clo. *Bath* —2C **110**
Priory Clo. *Brad A* —2D **115**
Priory Clo. *Mid N* —3D **151**
Priory Ct. *Bris* —2E **83**
Priory Ct. Rd. *Bris* —5C **40**
Priory Dene. *Bris* —5C **40**
Priory Farm Est. *P'bry*
　　　　　—5F **51**
Priory Gdns. *Bris* —5F **37**
Priory Gdns. *E'ton G* —3D **53**
Priory Gdns. *Hor* —4B **42**
Priory M. *W Mare* —1F **133**
Priory Rd. *Clif* —2D **69**
Priory Rd. *E'ton G* —3D **53**
Priory Rd. *Key* —1A **92**
Priory Rd. *Know* —3D **81**
Priory Rd. *P'bry* —5F **51**
Priory Rd. *Shire* —1F **53**
Priory Rd. *W Mare* —1E **133**
Priory Wlk. *P'bry* —5F **51**
Priston Clo. *W Mare*
　　　　　—1F **129**
Pritchard St. *Bris* —2A **70**
Probyn Clo. *Bris* —5C **44**
Pro-Cathedral La. *Bris*
　　　　　—3D **69**
Proctor Clo. *Bris* —4F **81**
Proctor Ho. *Bris* —5A **70**
Promenade, The. *Bishop*
　　　　　—5F **57**
Promenade, The. *Bris*
　　　　　—2B **68**
Prospect Av. *K'dwn* —2F **69**
Prospect Av. *K'wd* —1D **73**
Prospect Bldgs. *Bath*
　　　　　—1A **102**
Prospect Clo. *Fram C*
　　　　　—1B **30**
Prospect Clo. *Wint* —5A **30**
Prospect Cres. *Bris* —5B **62**
Prospect Gdns. *Bathe*
　　　　　—1A **102**
Prospect La. *Fram C*
　　　　　—1B **30**
Prospect Pl. *Bath* —4A **106**
　(Beechen Cliff Rd.)
Prospect Pl. *Bath* —5B **100**
　(Camden Rd.)
Prospect Pl. *Bathf* —4E **103**
Prospect Pl. *Bedm* —2E **79**
Prospect Pl. *Bris* —5B **42**
Prospect Pl. *C Down*
　　　　　—3C **110**
Prospect Pl. *Cot* —5F **57**
Prospect Pl. *Trow* —1D **119**
Prospect Pl. *W'hall* —2E **71**
Prospect Pl. *W Mare*
　　　　　—5C **126**
Prospect Pl. *W'ton* —4D **99**
Prospect Rd. *Bath* —5D **107**
Prospect Rd. *Sev B* —5B **20**
Providence La. *L Ash*
　　　　　—2B **76**
Providence Pl. *Bedm* —2F **79**
Providence Pl. *Bris*
　　　　　—4B **70** (3F **5**)
Providence Pl. *Redf* —3E **71**

Providence View. *L Ash*
　　　　　—4C **76**
Prudham St. *Bris* —1E **71**
Pucklechurch Trad. Est. *Puck*
　　　　　—3D **65**
Puffin Clo. *W Mare* —5D **129**
Pullen's Grn. *T'bry* —3C **6**
Pullin Ct. *Bris* —1F **85**
Pulteney Av. *Bath*
　　　　　—3C **106** (4E **97**)
Pulteney Bri. *Bath*
　　　　　—3B **106** (3C **96**)
Pulteney Gdns. *Bath*
　　　　　—3C **106** (4E **97**)
Pulteney Gro. *Bath*
　　　　　—4C **106** (5E **97**)
Pulteney M. *Bath*
　　　　　—2B **106** (2D **97**)
Pulteney Rd. *Bath*
　　　　　—4C **106** (5E **97**)
Pulteney Ter. *Bath* —3C **106**
　(off Pulteney Av.)
Pump La. *Bathf* —5C **102**
Pump La. *Bris*
　　　　　—5A **70** (5D **5**)
Pump Sq. *Pill* —2F **53**
Purcell Wlk. *Bris* —1F **87**
Purdey Rd. *Bris* —3B **60**
Purdown Rd. *Bris* —2B **58**
Purdue Clo. *W Mare*
　　　　　—2F **129**
Purlewent Dri. *Bath* —4D **99**
Purn International Holiday
　　　Pk. *B'don* —5E **139**
Purn La. *W Mare* —3E **139**
Purn Rd. *W Mare* —3D **139**
Purn Way. *B'don* —4E **139**
Pursey Dri. *Brad S* —3B **28**
Purton Clo. *Bris* —4A **74**
Purton Clo. *Bris* —5F **57**
Puttingthorpe Dri. *W Mare*
　　　　　—1A **134**
Puxley Clo. *Bris* —2A **90**
Puxton Rd. *Hew* —5F **131**
Pye Croft. *Brad S* —3A **12**
Pyecroft Av. *Bris* —5D **41**
Pylle Hill Cres. *Bris* —1B **80**
Pyne Point. *Clev* —3C **120**
Pynne Clo. *Bris* —2B **90**
Pynne Rd. *Bris* —3B **90**
Pyracantha Wlk. *Bris*
　　　　　—2C **88**

Q

Quadrangle, The. *W'lgh*
　　　　　—5E **33**
Quadrant. *Alm* —3D **11**
Quadrant E. *Bris* —4E **61**
Quadrant, The. *Bris* —4D **57**
Quadrant W. *Bris* —4E **61**
Quaker La. *T'bry* —3C **6**
Quakers Clo. *Bris* —4F **45**
Quakers' Friars. *Bris*
　　　　　—3A **70** (1D **5**)
Quaker's Rd. *Bris* —3F **45**
Quantock Clo. *Bris* —5E **75**
Quantock Rd. *Bris* —2F **79**
Quantock Rd. *P'head*
　　　　　—3D **49**
Quantock Rd. *W Mare*
　　　　　—4B **132**
Quantocks. *Bath* —3B **110**
Quantock Ter. *Bris* —3F **107**
Quarries, The. *Alm* —1D **11**
Quarrington Rd. *Bris*
　　　　　—2A **58**
Quarry Barton. *Ham* —5E **29**
Quarry Clo. *Bath* —3A **110**

St Anthony's Dri. *Wick*
—4A **154**
St Aubin's Av. *Bris* —2B **82**
St Aubyn's Av. *Uph*
—1B **138**
St Augustine's Clo. *P'head*
—4A **48**
St Augustine's Pde. *Bris*
—4F **69** (3B **4**)
St Augustines Pl. *Bris*
(off Colston St.) —4F **69**
St Augustines Rd. *Key*
(off Station Rd.) —2B **92**
St Augustines Rd. *Trow*
—2B **118**
St Augustines Yd. *Bris*
(off Gaunts La.) —4E **69**
St Augustines Yd. *Bris*
(off Orchard La.) —4E **69**
St Austell Clo. *Nail* —5F **123**
St Austell Rd. *W Mare*
—5F **127**
St Barnabas Clo. *Bris*
—4B **80**
St Barnabas Clo. *Mid N*
—1E **151**
St Barnabas Clo. *War*
—3E **75**
St Bartholomew's Rd. *Bris*
—4B **58**
St Bede's Rd. *Bris* —5E **61**
St Bernards Rd. *Bris*
—1A **54**
St Brelades Gro. *Bris*
—5B **72**
St Brendans Way. *Bris*
—3D **37**
St Briavels Dri. *Yate* —1F **33**
St Cadoc Ho. *Key* —3B **92**
St Catherine Pl. *Bris* —1F **79**
(off East St.)
St Catherine's Clo. *Bath*
—3D **107**
St Catherines Ct. *Bedm*
—3D **81**
St Catherine's Mead. *Pill*
—4F **53**
St Chad's Av. *Mid N*
—3D **151**
St Chad's Grn. *Mid N*
—3D **151**
St Charles Clo. *Mid N*
—2D **151**
St Christopher's Clo. *Bath*
—2D **107**
St Clements Ct. *Clev*
—2C **120**
St Clement's Ct. *Key*
—4A **92**
St Clements Ct. *W Mare*
—3E **129**
St Clement's Rd. *Key*
(in two parts) —4A **92**
St David's Av. *Bris* —5C **74**
St David's Clo. *W Mare*
—3F **127**
St David's Cres. *Bris*
—4B **72**
St David's Rd. *T'bry* —3D **7**
St Dunstan's Rd. *Bris*
—3E **79**
St Edward's Rd. *Bris*
—4D **69**
St Edyths Rd. *Bris* —1D **55**
St Fagans Ct. *Will* —3D **85**
St Francis Dri. *Wick*
—4A **154**
St Francis Dri. *Wint* —3B **30**

St Francis Rd. *Bris* —1C **78**
St Francis Rd. *Key* —2E **91**
St Gabriel's Rd. *Bris* —2D **71**
St Georges Av. *St G* —4B **72**
St Georges Bldgs. *Bath*
—2F **105**
(off Up. Bristol Rd.)
St George's Hill. *B'ptn*
—1E **107**
St Georges Hill. *E'ton G*
—4C **52**
St George's Ho. *Bris*
—4D **69**
(off St George's Rd.)
St Georges Pl. *Bath*
—2F **105**
(off Up. Bristol Rd.)
St George's Rd. *Bris*
—4D **69**
St Georges Rd. *Key* —2F **91**
St George's Rd. *P'bry*
—5A **36**
St Georges Ter. *Trow*
—2C **118**
St Gregory's Rd. *Bris*
—4B **42**
St Gregory's Wlk. *Bris*
—4B **42**
St Helena Rd. *Bris* —3D **57**
St Helens Dri. *Old C* —3E **85**
St Helens Dri. *Wick*
—4B **154**
St Helen's Wlk. *Bris* —1C **72**
St Helier Av. *Bris* —1B **82**
St Hilary Clo. *Bris* —2F **55**
St Ivel Way. *Bris* —4E **75**
St Ives Clo. *Nail* —1F **123**
St Ives Rd. *W Mare*
—4E **133**
St James Barton. *Bris*
—2A **70**
St James Clo. *T'bry* —1D **7**
St James Pde. *Bris*
—3A **106** (4B **96**)
St James's Pde. *Bath*
—1A **106**
St James's Pk. *Bath*
—1A **106**
St James's Pl. *Bath*
—1A **106**
St James's Sq. *Bath*
—1F **105**
St James's St. *Bath*
—1A **106**
St James St. *Mang* —2C **62**
St James St. *W Mare*
—1B **132**
St John's Av. *Clev* —3D **121**
St John's Bldgs. *Bedm*
—1F **79**
St John's Clo. *Pea J*
—2E **149**
St John's Clo. *W Mare*
—4B **126**
St John's Ct. *Key* —2A **92**
St John's Cres. *Bris* —3A **80**
St John's Cres. *Mid N*
—2D **151**
St John's Cres. *Trow*
—4A **118**
St John's La. *Bris* —2E **79**
St John's Pl. *Bath*
—3A **106** (3B **96**)
St John's Rd. *Back*
—3D **125**
St John's Rd. *Bathw*
—2B **106** (2C **96**)

St John's Rd. *Bedm* —2E **79**
St John's Rd. *Clev* —3D **121**
St John's Rd. *Clif* —1C **68**
St John's Rd. *Lwr W*
—2D **105**
St John's Rd. *S'vle* —1F **79**
St Johns Rd. *Tim* —2E **157**
St John's St. *Bris* —2E **79**
St John St. *T'bry* —3C **6**
St John's Way. *Chip S*
—4D **19**
St Joseph's Rd. *Bris*
—1D **41**
St Joseph's Rd. *W Mare*
—4C **126**
St Judes Ter. *W Mare*
—4A **128**
St Katherine's Quay. *Brad A*
—4E **115**
St Kenya Ct. *Key* —3B **92**
St Keyna Rd. *Key* —3A **92**
St Kilda's Rd. *Bath* —4E **105**
St Ladoc Rd. *Key* —2F **91**
St Laud Clo. *Bris* —2F **55**
St Laurence Rd. *Brad A*
—4F **115**
St Leonard's Rd. *G'bnk*
—5E **59**
St Leonard's Rd. *Hor*
—1A **58**
St Loe Clo. *Bris* —5B **88**
St Lucia Clo. *Bris* —4A **42**
St Lucia Cres. *Bris* —5A **42**
St Lukes Ct. *Bris* —1A **80**
St Luke's Cres. *Bris* —1B **80**
St Luke's Gdns. *Bris*
—3A **82**
St Luke's Rd. *Bath* —1A **110**
St Luke's Rd. *Bris* —1A **80**
St Lukes Rd. *Mid N*
—2C **150**
St Luke's Steps. *Bris*
—1B **80**
St Luke St. *Bris* —3D **71**
St Margaret's Clo. *Back*
—3C **124**
St Margaret's Clo. *Key*
—2F **91**
St Margarets Clo. *Trow*
—4A **118**
St Margaret's Ct. *Brad A*
—3E **115**
St Margaret's Dri. *Bris*
—2E **57**
St Margaret's Hill. *Brad A*
—3E **115**
St Margarets La. *Back*
—3C **124**
St Margaret's Pl. *Brad A*
—3E **115**
St Margaret's St. *Brad A*
—3E **115**
St Margaret's Ter. *W Mare*
—5B **126**
St Margaret's Vs. *Brad A*
—3E **115**
St Mark's Av. *Bris* —5E **59**
St Marks Clo. *Key* —2A **92**
St Marks Gdns. *Bath*
—4B **106**
St Mark's Grn. *Tim*
—1E **157**
St Mark's Gro. *Bris* —1D **71**
St Mark's Rd. *Bath*
—4B **106**
St Mark's Rd. *Bris* —1D **71**
St Mark's Rd. *Mid N*
—2D **151**

St Mark's Rd. *W Mare*
—1D **129**
St Mark's Ter. *Bris* —1D **71**
St Martins. *L Ash* —4C **76**
St Martins Clo. *Bris*
—3D **81**
St Martin's Ct. *Bath*
—3F **109**
St Martins Ct. *W Mare*
—2C **128**
St Martin's Gdns. *Bris*
—4D **81**
St Martin's Rd. *Bris* —3D **81**
St Martin's Wlk. *Bris*
—4D **81**
St Mary's Bldgs. *Bath*
—4A **106** (5A **96**)
St Mary's Clo. *Bath*
—3C **106** (3F **97**)
St Mary's Clo. *Hil M*
—3F **117**
St Mary's Clo. *Hut* —1B **140**
St Mary's Clo. *Tim* —1E **157**
St Mary's Ct. *W Mare*
—2E **139**
St Mary's Gdns. *Hil M*
—3E **117**
St Mary's Gro. *Nail*
—5B **122**
St Mary's Pk. *Nail* —5B **122**
St Mary's Pk. Rd. *P'head*
—4E **49**
St Marys Rise. *Writ*
—2F **153**
St Mary's Rd. *Hut* —1B **140**
St Mary's Rd. *L Wds*
—4F **67**
St Mary's Rd. *P'head*
—4E **49**
St Mary's Rd. *Shire* —5E **37**
St Mary St. *T'bry* —4C **6**
St Mary's Wlk. *Bris* —1F **53**
St Marys Way. *T'bry* —3C **6**
St Mary's Way. *Yate*
—4B **18**
St Matthew's Av. *Bris*
—1F **69**
St Matthew's Clo. *W Mare*
—4B **126**
St Matthew's Pl. *Bath*
—4C **106**
St Matthew's Rd. *Bris*
—2F **69**
St Matthias Pk. *Bris*
—3B **70** (1F **5**)
St Michael's Av. *Clev*
—5D **121**
St Michael's Av. *W Mare*
—2E **129**
St Michaels Clo. *Bris*
—3A **58**
St Michael's Clo. *Hil*
—4F **117**
St Michael's Clo. *Wint*
—2A **30**
St Michael's Ct. *Bris*
—2D **73**
St Michaels Ct. *Mon C*
—4F **111**
St Michael's Hill. *Bris*
—2E **69**
St Michael's Pk. *Bris* —2E **69**
St Michael's Pl. *Bath*
—3A **106** (4B **96**)
St Michael's Rd. *Lwr W*
—2E **105**
St Michael's Rd. *W'way*
—4B **104**

Seddon Rd.—Sion Hill

Seddon Rd. *Bris* —5C **58**
Sedgefield Gdns. *Bris*
   —3B **46**
Sedgemoor Clo. *Nail*
   —5D **123**
Sedgemoor Rd. *Bath*
   —3A **110**
Sedgemoor Rd. *W Mare*
   —4D **127**
Sedgewick. *Bris* —5A **38**
Sefton Pk. Rd. *Bris* —4A **58**
Selborne Rd. *Bris* —2B **58**
Selbourne Clo. *Bath*
   —1B **104**
Selbourne Rd. *W Mare*
   —4C **132**
Selbrooke Cres. *Bris* —1D **61**
Selby Rd. *Bris* —1B **72**
Selden Rd. *Bris* —3A **90**
Selkirk Rd. *Bris* —5E **61**
Selley Wlk. *Bris* —3C **86**
Selwood Clo. *W Mare*
   —1A **134**
Selworthy. *Bris* —3A **74**
Selworthy Clo. *Key* —3F **91**
Selworthy Gdns. *Nail*
   —4D **123**
(off Mizzymead Rd.)
Selworthy Ho. *Bath*
   —2A **110**
Selworthy Rd. *Bris* —3D **81**
Selworthy Rd. *W Mare*
   —4D **133**
Seneca Pl. *Bris* —3F **71**
Seneca St. *Bris* —2F **71**
Sercombe Pk. *Clev* —5E **121**
Serlo Ct. *W Mare* —1E **129**
Serridge La. *Coal H* —5E **31**
Servier St. *Bris* —5B **58**
Seven Acres La. *Bathe*
   —1A **102**
Seven Dials. *Bath*
   —3A **106** (3B **96**)
Seventh Av. *Bris* —3D **43**
Severn Av. *W Mare*
   —3C **132**
Severn Dri. *T'bry* —2C **6**
Severn Grange. *Bris* —1F **39**
Severn Ho. *Bris* —1F **39**
Severnmead. *P'head*
   —3B **48**
Severn Rd. *Chit & H'len*
   —1A **22**
Severn Rd. *Pill* —2E **53**
Severn Rd. *P'head* —3E **49**
Severn Rd. *Shire* —1F **53**
Severn Rd. *W Mare*
   —3B **132**
Severnside Trad. Est. *Bris*
   —4E **21**
Severn View Rd. *T'bry*
   —2D **7**
Severn Way. *Key* —4B **156**
Severn Way. *Pat* —5B **10**
Severnwood Gdns. *Sev B*
   —5B **20**
Sevier St. *Bris* —5B **58**
Seville Rd. *P'head* —1A **50**
Seward Ter. *Rads* —2F **153**
Sewell Ho. *Wins* —4B **156**
Seymour Av. *Bris* —3A **58**
Seymour Clo. *Clev* —3E **121**
Seymour Clo. *W Mare*
   —1D **129**
Seymour Ct. *Trow* —1C **118**
Seymour Rd. *Bath* —1B **106**
Seymour Rd. *Bishop*
   —3A **58**

Seymour Rd. *E'tn* —1C **70**
Seymour Rd. *K'wd* —1F **73**
Seymour Rd. *Stap H* —3F **61**
Seymour Rd. *Trow*
   —1C **118**
Seyton Wlk. *Stok G* —4A **28**
Shackleton Av. *Yate* —1B **34**
Shadwell Rd. *Bris* —4F **57**
Shaftesbury Av. *Bath*
   —2D **105**
Shaftesbury Av. *Bris* —1A **70**
Shaftesbury Clo. *Nail*
   —5C **122**
Shaftesbury Ct. *Trow*
   —4A **118**
Shaftesbury Rd. *Bath*
   —4E **105**
Shaftesbury Rd. *W Mare*
   —5F **127**
Shaftesbury Ter. *Bris*
   —3F **71**
Shaftesbury Ter. *Rads*
   —1D **153**
Shaft Rd. *C Down & Mon C*
   —2E **111**
Shaft Rd. *Sev B* —2B **20**
Shails La. *Trow* —1C **118**
Shails La. Ind. Est. *Trow*
   —1C **118**
Shakespeare Av. *Bath*
   —5A **106**
Shakespeare Av. *Bris*
   —4C **42**
Shakespeare Rd. *Rads*
   —3F **151**
Shaldon Rd. *Bris* —3C **58**
Shallows, The. *Salt* —1B **94**
Shambles, The. *Brad A*
   —2E **115**
Sham Castle La. *Bath*
   —2C **106** (2F **97**)
Shamrock Rd. *Bris* —4F **59**
Shanklin Dri. *Bris* —1D **43**
Shannon Ct. *T'bry* —4E **7**
Shapcott Clo. *Bris* —4D **81**
Shaplands. *Stok B* —3B **56**
Sharland Clo. *Bris* —4A **56**
Shaw Clo. *Bris* —2D **71**
Shaws Way. *Bath* —3A **104**
Shearman St. *Trow*
   —3D **119**
Shearwater Ct. *Bris* —1B **60**
Sheene Rd. *Bedm* —2E **79**
Sheepcote Barton. *Trow*
   —3E **119**
Sheephouse Cvn. Pk. *E'ton G*
   —5A **36**
Sheepscroft. *Bris* —4C **86**
Sheepway. *P'bry* —3D **51**
Sheepway La. *P'bry* —2E **51**
Sheepwood Clo. *Bris*
   —2C **40**
Sheepwood Rd. *Bris*
   —2C **40**
Sheldare Barton. *Bris*
   —3D **73**
Sheldon Clo. *Clev* —4F **121**
Sheldrake Dri. *Bris* —1A **60**
Shellard Rd. *Bris* —1D **43**
Shellards La. *Alv* —3D **9**
Shellards Rd. *L Grn* —2B **84**
Shelley Av. *Clev* —4D **121**
Shelley Clo. *Bris* —2B **72**
Shelley Rd. *Bath* —4A **106**
Shelley Rd. *Rads* —3F **151**
Shelley Rd. *W Mare*
   —4E **133**
Shelley Way. *Bris* —4C **42**

Shellmor Av. *Pat* —5D **11**
Shellmor Clo. *Pat* —5E **11**
Shepherds Clo. *Bris* —2A **62**
Shepherds Wlk. *Bath*
   —3A **110**
Shepherd's Way. *W Mare*
   —3A **130**
Sheppard Rd. *Bris* —1E **61**
Sheppards Gdns. *Bath*
   —5C **98**
Sheppy's Mill. *Cong*
   —1D **145**
Shepton. *W Mare* —1E **139**
Shepton Wlk. *Bris* —3E **79**
Sherborne Rd. *Trow*
   —1A **118**
Sherbourne Av. *Brad S*
   —3A **28**
Sherbourne Clo. *Bris*
   —5B **62**
Sherbourne St. *Bris* —2A **72**
Sheridan Rd. *Bath* —4A **104**
Sheridan Rd. *Bris* —3C **42**
Sheridan Way. *L Grn*
   —3C **84**
Sherrings, The. *Pat* —1D **27**
Sherrin Way. *Bris* —4A **86**
Sherston Clo. *Bris* —2D **61**
Sherston Clo. *Nail* —4F **123**
Sherston Rd. *Bris* —4A **42**
Sherwell Rd. *Bris* —2A **82**
Sherwood Clo. *Key* —3A **92**
Sherwood Cres. *W Mare*
   —2D **129**
Sherwood Rd. *Bris* —1D **73**
Sherwood Rd. *Key* —3A **92**
Shetland Rd. *Bris* —3F **41**
Shetland Way. *Nail* —4F **123**
Shickle Gro. *Bath* —3D **109**
Shields Av. *Bris* —2C **42**
Shiels Dri. *Lit S* —2F **27**
Shilton Clo. *Bris* —3B **74**
Shimsey Clo. *Bris* —1E **61**
Shiners Elms. *Yat* —3B **142**
Shipham Clo. *Bris* —3D **89**
Shipham Clo. *Nail* —5E **123**
Shipham La. *Wins* —3B **156**
Ship Hill. *Bris* —5D **73**
Ship La. *Bris* —5A **70**
Shiplate Rd. *B'don* —5A **140**
Shipley Rd. *Bris* —4C **40**
Shire Gdns. *Bris* —4F **37**
Shirehampton Rd. *Bris*
   —1B **54**
Shires Yd. *Bath*
   —2A **106** (2B **96**)
Shire Way. *Yate* —2E **33**
Shockerwick La. *Bann*
   —2C **102**
Shophouse Rd. *Bath*
   —3C **104**
Shore Pl. *Trow* —1A **118**
Shorthill Rd. *W'lgh* —5E **33**
Shortlands Rd. *Bris* —3C **38**
Short La. *L Ash* —3C **76**
Short St. *Bris* —5C **70**
Short Way. *T'bry* —5C **6**
Shortwood Hill. *Mang*
   —2F **63**
Shortwood Northern Link.
   Yate —1F **63**
Shortwood Rd. *Bris* —5A **88**
Shortwood Rd. *Puck*
   —3B **64**
Shortwood View. *Bris*
   —2B **74**
Shortwood Wlk. *Bris*
   —5A **88**

Showering Clo. *Bris* —3F **89**
Showering Rd. *Bris* —3F **89**
Shrewton Clo. *Trow*
   —4D **119**
Shrophouse Rd. *Bath*
   —3C **104**
Shrubbery Av. *W Mare*
   —4A **126**
Shrubbery Cotts. *Bris*
   —5D **57**
Shrubbery Ct. *Stap H*
   —2F **61**
Shrubbery Rd. *Bris* —2F **61**
Shrubbery Rd. *W Mare*
   —4B **126**
Shrubbery Ter. *W Mare*
   —4A **126**
Shrubbery, The. *Bath*
   —1A **106**
Shrubbery Wlk. *W Mare*
   —4B **126**
Shrubbery Wlk. W. *W Mare*
   —4B **126**
Shuter Rd. *Bris* —3B **86**
Sibland. *T'bry* —4E **7**
Sibland Clo. *T'bry* —4E **7**
Sibland Rd. *T'bry* —3E **7**
Sibland Way. *T'bry* —4D **7**
Sidcot. *Bris* —3C **82**
Sidcot La. *Wins* —5B **156**
Sideland Clo. *Bris* —2A **90**
Sidelands Rd. *Bris* —1E **61**
Sidmouth Gdns. *Bris*
   —3F **79**
Sidmouth Rd. *Bris* —3F **79**
Signal Rd. *Bris* —3A **62**
Silbury Rise. *Key* —5A **92**
Silbury Rd. *Bris* —3A **78**
Silcox Rd. *Bris* —4E **87**
Silklands Gro. *Bris* —1E **55**
Silverberry Rd. *W Mare*
   —4D **129**
Silverbirch Clo. *Lit S*
   —2F **27**
Silver Birch Gro. *Trow*
   —5B **118**
Silver Ct. *Nail* —3C **122**
Silverhill Rd. *Bris* —1A **40**
Silverlow Rd. *Nail* —3C **122**
Silver Mead. *Cong* —4D **145**
Silver Meadows. *Trow*
   —5A **118**
Silver Moor La. *Ban*
   —2C **136**
Silverstone Way. *Cong*
   —3D **145**
Silver St. *Brad A* —3E **115**
Silver St. *Bris*
   —3F **69** (1C **4**)
Silver St. *Cong* —4D **145**
Silver St. *Mid N* —5D **151**
Silver St. *Nail* —3B **122**
Silver St. *T'bry* —3C **6**
Silver St. *Trow* —2D **119**
Silver St. *Wrin* —1C **156**
Silver St. La. *Trow* —5A **118**
Silverthorne La. *Bris*
   —4C **70**
Silverton Ct. *Bris* —4B **80**
Simons Clo. *Paul* —4C **146**
Simons Clo. *W Mare*
   —3E **129**
Simplex Ind. Est. *Bris*
   —1F **85**
Sinclair Ho. *Bris* —3D **69**
Singapore Rd. *W Mare*
   —5C **132**
Sion Hill. *Bath* —5F **99**

Sutton Av. *Bris* —1F **81** (in two parts)
Sutton St. *Bath* —2C **106** (1E **97**)
Swainswick. *Bris* —2B **88**
Swainswick Gdns. *Bath* —4D **101**
Swainswick La. *Bath* —1D **101**
Swaish Dri. *Bar C* —1B **84**
Swallow Clo. *Mid N* —4E **151**
Swallow Dri. *Pat* —1A **26**
Swallow Dri. *Trow* —2B **118**
Swallow Gdns. *W Mare* —5B **128**
Swallow Pk. *T'bry* —1E **7**
Swallows Ct. *Stok G* —5A **28**
Swallows, The. *W Mare* —1B **134**
Swallow St. *Bath* —3B **106** (4C **96**)
Swan Clo. *W Mare* —5C **128**
Swan Dri. *Stav* —2D **117**
Swane Rd. *Bris* —2B **90**
Swan La. *Wint* —5D **13**
Swanmoor Cres. *Bris* —5C **24**
Sweets Clo. *Bris* —5A **62**
Sweets Rd. *Bris* —5A **62**
Swift Clo. *W Mare* —4D **129**
Swiss Dri. *Bris* —3B **78**
Swiss Rd. *Bris* —3B **78**
Swiss Rd. *W Mare* —1D **133**
Sycamore Clo. *Han* —2D **83**
Sycamore Clo. *Nail* —3D **123**
Sycamore Clo. *W'hall* —1A **72**
Sycamore Clo. *W Mare* —5E **127**
Sycamore Ct. *Bris* —4A **58**
Sycamore Dri. *Pat* —2A **26**
Sycamore Dri. *T'bry* —3D **7**
Sycamore Gro. *Trow* —4B **118**
Sycamore Rd. *Rads* —2E **153**
Sydenham Bldgs. *Bath* —4F **105**
Sydenham Hill. *Bris* —1F **69**
Sydenham La. *Bris* —1F **69**
Sydenham Rd. *Bath* —3F **105**
Sydenham Rd. *Cot* —1F **69**
Sydenham Rd. *Know* —2C **80**
Sydenham Ter. *C Down* —3D **111**
Sydenham Way. *Bris* —2E **83**
Sydney Bldgs. *Bath* —3C **106** (3F **97**)
Sydney M. *Bath* —2C **106** (2E **97**)
Sydney Pl. *Bath* —2C **106** (1E **97**)
Sydney Rd. *Bath* —2C **106** (2F **97**)
Sydney Row. *Bris* —2F **79**
Sydney Wharf. *Bathw* —3C **106** (3F **97**)
Sylvan Way. *Bris* —1D **55**
Sylvia Av. *Bris* —2B **80**
Symes Av. *Bris* —4E **87**
Symes Pk. *W'ton* —4B **98**
Symington Rd. *Bris* —2D **61**
Syston Way. *Bris* —1F **73**

Tabernacle Rd. *Bris* —4E **73**
Tackley Rd. *Bris* —4D **59**
Tadwick La. *Bath* —1B **100**
Tailor's Ct. *Bris* —3F **69** (2C **4**)
Talbot Av. *Bris* —1D **73**
Talbot Rd. *Bris* —3D **81**
Talbot Rd. *Trow* —3A **118**
Talgarth Rd. *Bris* —3B **58**
Tallis Gro. *Bris* —2F **87**
Tamar Clo. *T'bry* —5E **7**
Tamar Dri. *Key* —4C **92**
Tamar Rd. *Bris* —4E **71**
Tamar Rd. *W Mare* —3D **129**
Tamblyn Clo. *Rads* —1D **153**
Tamsin Ct. *Key* —3A **92**
Tamworth Rd. *Key* —4A **92**
Tankards Clo. *Bris* —3E **69** (1A **4**)
Tanner Clo. *Bar C* —5B **74**
Tanners Ct. *Bris* —3D **45**
Tanners Ct. *T'bry* —4C **6**
Tanners Wlk. *Bath* —4A **104**
Tanorth Clo. *Bris* —5C **88**
Tanorth Rd. *Bris* —5B **88**
Tanyard, The. *Will* —3D **85**
Tapsters. *Bris* —1C **84**
Tarn Ho. *Pat* —1C **26**
Tarnock Av. *Bris* —1B **88**
Tarragon Pl. *Brad S* —2B **28**
Taunton Rd. *W Mare* —1F **129**
Taunton Wlk. *Bris* —5C **42**
Taverner Clo. *Bris* —1F **87**
Tavistock Rd. *Bris* —4B **80**
Tavistock Rd. *W Mare* —3E **129**
Tavistock Wlk. *Bris* —4B **80**
Tawny Way. *W Mare* —5D **129**
Taylor Clo. *K'wd* —2B **74**
Taylor Ct. *W Mare* —1F **129**
Taylor Gdns. *Bris* —4B **86**
Tayman Clo. *Bris* —1A **58**
Tayman Ridge. *Bit* —5F **85**
Taynton Clo. *Bit* —3E **85**
Teal Clo. *Brad S* —4F **11**
Teal Clo. *W Mare* —4D **129**
Teasel Wlk. *W Mare* —1B **134**
Teddington Clo. *Bath* —5D **105**
Teesdale Clo. *W Mare* —5B **128**
Teewell Av. *Bris* —3A **62**
Teewell Clo. *Bris* —3A **62**
Teewell Ct. *Bris* —3A **62**
Teewell Hill. *Bris* —3A **62**
Teignmouth Rd. *Bris* —4B **80**
Teignmouth Rd. *Clev* —3E **121**
Telephone Av. *Bris* —4F **69** (3B **4**)
Telford Ho. *Bath* —1E **109**
Telford Wlk. *Bris* —1C **72**
Templar Rd. *Yate* —3A **18**
Temple Back. *Bris* —4A **70** (3E **5**)
Temple Boulevd. *Bris* —4B **70** (4F **5**)
Temple Ct. *Key* —3A **92**
Temple Ga. *Bris* —5B **70** (5F **5**)
Temple Ga. Ho. *Bris* —5A **70** (5F **5**)
Templeland Rd. *Bris* —3B **86**
Temple St. *Bedm* —3D **79**
Temple St. *Bris* —4A **70** (3D **5**) (in two parts)
Temple St. *Key* —3A **92**
Temple Trad. Est. *Bris* —5D **71**
Temple Way. *Bris* —4A **70** (4E **5**)
Templeway Ho. *Bris* —4B **70** (3F **5**)
Ten Acre Cotts. *Eng* —5A **108**
Tenby Rd. *Key* —4F **91**
Tenby St. *Bris* —3D **71**
Tennessee Gro. *Bris* —2E **57**
Tennis Ct. Av. *Paul* —4A **146**
Tenniscourt Cotts. *Paul* —4A **146**
Tenniscourt Rd. *Bris* —1C **74**
Tennis Ct. Rd. *Paul* —4A **146**
Tennis Rd. *Bris* —3C **80**
Tennyson Av. *Clev* —4B **120**
Tennyson Clo. *Key* —2B **92**
Tennyson Rd. *Bath* —2E **105**
Tennyson Rd. *Bris* —2A **58**
Tennyson Rd. *W Mare* —5E **133**
Tenterk Clo. *B'don* —5F **139**
Tenth Av. *Bris* —3D **43**
Tereslake Grn. *Bris* —5F **25**
Terrace Wlk. *Bath* —3B **106** (4C **96**)
Terrell Gdns. *Bris* —3F **71**
Terrell St. *Bris* —2F **69**
Tetbury Clo. *Lit S* —1E **27**
Tetbury Gdns. *Nail* —4F **123**
Tetbury Rd. *Bris* —2D **73**
Teviot Rd. *Key* —4C **92**
Tewkesbury Rd. *Bris* —5C **58**
Tewther Rd. *Bris* —5E **87**
Teyfant Rd. *Bris* —4A **88**
Teyfant Wlk. *Bris* —4A **88**
Thackeray Av. *Clev* —2D **121**
Thackeray Rd. *Clev* —2E **121**
Thackeray Wlk. *Bris* —4C **42**
Thanet Rd. *Bris* —3D **79**
Thatcher Clo. *P'head* —4F **49**
Thatchers Clo. *Bris* —3D **73**
There & Back Again La. *Bris* —3E **69**
Theresa Av. *Bris* —3A **58**
Thestfield Dri. *Trow* —3D **117**
Theynes Croft. *L Ash* —4D **77**
Thicket Av. *Bris* —5D **61**
Thicket Rd. *Bris* —3E **61**
Thicket Wlk. *T'bry* —3D **7**
Thiery Rd. *Bris* —3E **81**
Thingwall Pk. *Bris* —4A **60**
Third Av. *Bath* —4E **105**
Third Av. *Bris* —3C **42**
Third Av. *W'fld I* —5A **152**
Third Way. *A'mth* —2D **37**
Thirlmere Ct. *Bris* —4F **75**
Thirlmere Rd. *Pat* —1C **26**
Thirlmere Rd. *W Mare* —4E **133**
Thistle St. *Bris* —2D **79**
Thomas Av. *E Grn* —4D **47**
Thomas Clo. *Ban* —5E **137**
Thomas La. *Bris* —4A **70** (4D **5**)
Thomas Pring Wlk. *Bris* —1C **72**
Thomas St. *Bath* —1B **106**
Thomas St. *Bris* —2A **70**
Thomas St. *Law H* —3D **71**
Thomas St. *St Pa* —1B **70**
Thomas St. N. *Bris* —1F **69**
Thompson Rd. *Bris* —2A **90**
Thomson Rd. *Bris* —2D **71**
Thornbank Pl. *Bath* —4F **105**
Thornbury Dri. *Uph* —1A **138**
Thornbury Hill. *Alv* —1A **8**
Thornbury Ind. Pk. *T'bry* —4D **7**
Thornbury Rd. *Alv* —2B **8** (in two parts)
Thornbury Rd. *Uph* —1A **138**
Thorn Clo. *W Mare* —3F **129**
Thorn Clo. *Yate* —5F **17**
Thorndale. *Bris* —2C **68**
Thorndale Clo. *W Mare* —5B **128**
Thorndale Ct. *Bris* —1C **68**
Thorndale M. *Bris* —2C **68**
Thornhayes Clo. *Fram C* —1C **30**
Thornhills, The. *Fish* —1D **61**
Thornleigh Rd. *Bris* —2A **58**
Thornmead Gro. *Bris* —1C **40**
Thorns Farm. *Yate* —5A **18**
Thornycroft Clo. *Bris* —5D **43**
Three Queen's La. *Bris* —4A **70** (4D **5**)
Three Wells Rd. *Bris* —4B **86**
Thrissell St. *Bris* —2C **70**
Throgmorton Rd. *Bris* —5B **80**
Thrush Clo. *W Mare* —5C **128**
Thunderbolt Steps. *Bris* —1C **80**
Thurlestone. *Bris* —2B **88**
Thurlow Rd. *Bris* —5E **59**
Thurstons Barton. *Bris* —1A **72**
Tibberton. *Bris* —2C **74**
Tibbott Rd. *Bris* —3F **89**
Tibbott Wlk. *Bris* —3F **89**
Tichborne Rd. *Bris* —3E **71**
Tichborne Rd. *W Mare* —4C **126**
Tickenham Hill. *Tic* —1C **122**
Tickenham Rd. *Clev* —3F **121**
Tide Gro. *Bris* —4C **38**
Tidenham Way. *Pat* —5B **10**
Tiffany Ct. *Bris* —5A **70** (5E **5**)
Tilley Clo. *Key* —5A **92**

Vigar Gdns. *Bris* —4A **86**
Vigor Rd. *Bris* —3D **87**
Village Clo. *Yate* —5F **17**
Villa Rosa. W Mare —4A 126 (off Shrubbery Rd.)
Villiers Rd. *Bris* —1D **71**
Vilner La. *T'bry* —5C **6**
Vimpany Clo. *Bris* —1B **40**
Vimpennys La. *E Comp* —1A **24**
Vincent Clo. *Bris* —2E **39**
Vine Acres. *Bris* —2C **58**
Vine Cottage. *Salt* —1B **94**
Vine Cotts. *Brad A* —3D **115**
Vine Cotts. *Bris* —3C **60**
Vine Gdns. *W Mare* —3E **129**
Vinery, The. *Wins* —5B **156**
Vineyards. *Bath* —2B **106** (1C **96**)
Vining Wlk. *Bris* —2D **71**
Vinny Av. *Bris* —5C **46**
Vintery Leys. *Bris* —5D **41**
Virginia Clo. *Chip S* —5C **18**
Vivian St. *Bris* —2F **79**
Vivien Av. *Mid N* —2D **151**
Vowell Clo. *Bris* —4D **87**
Vynes Clo. *Nail* —4F **123**
Vynes Way. *Nail* —4F **123**
Vyvyan Rd. *Bris* —3C **68**
Vyvyan Ter. *Bris* —3C **68**

Wadehurst Ind. Pk. *Bris* —3C **70**
Wade Rd. *Yate* —3C **16**
Wades Rd. *Bris* —1D **43**
Wade St. *Bris* —2B **70**
Wadham Dri. *Bris* —3D **45**
Wadham St. *W Mare* —5B **126**
Wagtail Gdns. *W Mare* —5C **128**
Wainbrook Dri. *Bris* —5F **59**
Wains Clo. *Clev* —4C **120**
Wainwright Clo. *W Mare* —1F **129**
Waits Clo. *Ban* —5D **137**
Wakedean Gdns. *Yat* —2A **142**
Wakeford Rd. *Bris* —5C **46**
Walcot Bldgs. *Bath* —1B **106**
Walcot Ct. *Bath* —1B **106**
Walcot Ga. *Bath* —1B **106** (1C **96**)
Walcot Ho. *Bath* —1B **106**
Walcot Pde. Bath —1B 106 (off London Rd.)
Walcot St. *Bath* —2B **106** (2C **96**)
Walcot Ter. *Bath* —1B **106**
Waldegrave Rd. *Bath* —5F **99**
Waldegrave Ter. *Rads* —1D **153**
Walden Rd. *Key* —4C **92**
Walford Av. *W Mare* —1F **129**
Walker Clo. *Down* —5C **46**
Walker Clo. *E'tn* —2D **71**
Walker St. *K'dwn* —2E **69**
Walker Way. *T'bry* —5C **6**
Walk, The. *Holt* —2D **155**
Wallace Rd. *Bath* —5C **100**
Wallcroft Ho. *Bris* —4C **56**
Wallenge Clo. *Paul* —3C **146**
Wallenge Dri. *Paul* —3B **146**
Waller Ct. *Bris* —2D **73**
Wallingford Rd. *Bris* —1F **87**
Walliscote Av. *Bris* —1E **57**
Walliscote Gro. Rd. *W Mare* —1C **132**
Walliscote Rd. *Bris* —1E **57**
Walliscote Rd. *W Mare* —3B **132**
Walliscote Rd. S. *W Mare* —4B **132**
Wallscourt Rd. *Bris* —2D **43**
Wallscourt Rd. S. *Bris* —3D **43**
Walmsley Ter. Bath (off Snow Hill) —5C 100
Walnut Av. *Yate* —4C **18**
Walnut Bldgs. *Rads* —1D **153**
Walnut Clo. *Bris* —1B **74**
Walnut Clo. *E'ton G* —4C **52**
Walnut Clo. *Key* —4E **91**
Walnut Clo. *Nail* —5D **123**
Walnut Clo. *T'bry* —3E **7**
Walnut Clo. *W Mare* —1F **139**
Walnut Cres. *Bris* —2B **74**
Walnut Dri. *Bath* —5F **105**
Walnut Gro. *Trow* —4B **118**
Walnut La. *Bris* —2C **74**
Walnut Tree Clo. *Alm* —1C **10**
Walnut Tree Ct. *Cong* —2D **145**
Walnut Wlk. *Bris* —2C **86**
Walnut Wlk. *Key* —4E **91**
Walsh Av. *Bris* —1C **88**
Walsh Clo. *W Mare* —1F **139**
Walshe Av. *Chip S* —5E **19**
Walsingham Rd. *Bris* —5A **58**
Walter St. *Bris* —1C **78**
Waltining La. *Bath* —5F **95** (in two parts)
Walton. *W Mare* —1E **139**
Walton Av. *Bris* —5F **71**
Walton Clo. *Bit* —4E **85**
Walton Clo. *Key* —4F **91**
Walton Heath. *Yate* —5B **18**
Walton Rise. *Bris* —4C **40**
Walton Rd. *Bris* —1F **53**
Walton Rd. *Clev* —2F **121**
Walton St. *E'tn* —1D **71**
Walwyn Clo. *Bath* —3B **104**
Walwyn Gdns. *Bris* —5F **87**
Wansbeck Rd. *Key* —4C **92**
Wansbrough Rd. *W Mare* —2F **129**
Wanscow Wlk. *Bris* —1D **57**
Wansdyke Bus. Cen. *Bath* —5E **105**
Wansdyke Ct. *Bris* —3D **89**
Wansdyke Rd. *Bath* —3D **109**
Wansdyke Workshops. *Key* —3C **92**
Wapley Hill. *W'lgh* —4A **34**
Wapley Rank. *W'lgh* —4F **33**
Wapley Rd. *Cod* —5A **34**
Wapping Rd. *Bris* —5F **69** (5B **4**)
Warbler Clo. *Trow* —2B **118**
Warburton Clo. *Trow* —4A **118**
Warden Rd. *Bris* —1E **79**
Wardour Rd. *Bris* —5F **79**
Ware Ct. *Wint* —4F **29**
Wareham Clo. *Nail* —4C **122**
Warleigh Dri. *Bathe* —3B **102**
Warleigh La. *Bath* —5C **102**
Warman Clo. *Bris* —2B **90**
Warman Rd. *Bris* —2B **90**
Warmington Rd. *Bris* —5E **81**
Warminster Rd. *Bath* —1D **107** (1F **97**)
Warminster Rd. *Bris* —5C **58**
Warminster Rd. *Lim S & Mon C* —5A **112**
Warner Clo. *Bris* —4B **74**
Warne Rd. *W Mare* —2E **133**
Warns, The. *Bris* —1C **84**
Warren Clo. *Brad S* —3F **11**
Warren Clo. *Hut* —1B **140**
Warren Gdns. *Bris* —3B **90**
Warren La. *L Ash* —4A **76**
Warren Rd. *Bris* —1D **43**
Warren Way. *Yate* —3A **18**
Warrington Rd. *Bris* —3F **81**
Warwick Av. *Bris* —1D **71**
Warwick Clo. *Will* —3D **85**
Warwick Clo. *W Mare* —5A **128**
Warwick Pl. *T'bry* —3B **6**
Warwick Rd. *Bath* —2C **104**
Warwick Rd. *E'tn* —1D **71**
Warwick Rd. *Key* —4F **91**
Warwick Rd. *Redl* —1D **69**
Warwick Vs. *Bath* —4D **105**
Wasborough. *Bris* —5A **38**
Washingpool La. *Chit* —2A **22**
Washing Pound La. *Bris* —4D **89**
Washing Pound La. *Tic* —2A **122**
Washington Av. *Bris* —1E **71**
Washpool La. *Bath* —2A **108**
Watch Elm Clo. *Brad S* —3A **28**
Watch Ho. Rd. *Pill* —3F **53**
Watchill Av. *Bris* —2B **86**
Watchill Clo. *Bris* —2B **86**
Waterbridge Rd. *Bris* —3B **86**
Watercress Rd. *Bris* —4B **58**
Waterdale Clo. *Bris* —5E **41**
Waterdale Gdns. *Bris* —5E **41**
Waterford Clo. *T'bry* —4E **7**
Waterford Pk. *Rads* —4A **152**
Waterford Rd. *Bris* —1D **57**
Waterhouse La. *Mon C* —5F **111**
Water La. *Bedm* —2B **80**
Water La. *Brisl* —4F **81** (in two parts)
Water La. *Bris* —4A **70** (3E **5**)
Water La. *Mid N* —5D **147**
Water La. *Pill* —3E **53**
Waterloo Bldgs. *Twer A* (in two parts) —3C **104**
Waterloo Houses. Pill (off Underbanks) —2F 53
Waterloo Pl. *Bris* —3C **70**
Waterloo Rd. *Bris* —3B **70**
Waterloo Rd. *Rads* —2C **152**
Waterloo St. *Clif* —3B **68**
Waterloo St. *St Ph* —3B **70**
Waterloo St. *W Mare* —5B **126**
Watermead Clo. Bath —3A 106 (off Kingsmead West.)
Watermore Clo. *Fram C* —2E **31**
Waterside Cres. *Rads* —3A **152**
Waterside Dri. *Azt W* —5C **10**
Waterside La. *Mid N* —5C **152**
Waterside Pk. *P'head* —4A **48**
Waterside Rd. *Rads* —3A **152**
Waterside Way. *Rads* —3A **152**
Water's La. *Bris* —5C **40**
Waters Rd. *Bris* —2E **73**
Waterworks Rd. *Trow* —3B **118**
Watery La. *Bath* —3B **104**
Watery La. *Nail* —3A **122**
Watery La. *Yate* —1E **17**
Wathen Rd. *Bris* —4B **58**
Wathen St. *Bris* —2F **61**
Watkins Yd. *Bris* —4C **40**
Watleys End Rd. *Wint* —2A **30**
Watling Way. *Bris* —5E **37**
Watson Av. *Bris* —1F **81** (in two parts)
Watson's Rd. *L Grn* —2B **84**
Watters Clo. *Coal H* —3F **31**
Wavell Clo. *Yate* —2F **17**
Waveney Rd. *Key* —5C **92**
Waverley Rd. *Back* —1C **124**
Waverley Rd. *Bris* —1E **69**
Waverley Rd. *Shire* —1A **54**
Waverley Rd. *W Mare* —4D **133**
Waverley St. *Bris* —1C **70**
Wayacre Drove. *W Mare* —5B **138**
Wayfarer Rd. *Bris* —3D **25**
Wayfield Gdns. *Bath* —2A **102**
Wayford Clo. *Key* —5C **92**
Wayland Rd. *W Mare* —2C **128**
Wayleaze. *Coal H* —2F **31**
Wayside. *W Mare* —3B **128**
Wayside Clo. *Fram C* —2D **31**
Wayside Dri. *Clev* —1E **121**
Weal, The. *Bath* —4D **99**
Weare Ct. *Bris* —5C **68**
Weatherly Av. *Bath* —2E **109**
Weatherly Dri. *P'head* —4B **48**
Weavers Dri. *Trow* —3D **119**
Webb Clo. *Bris* —4B **74**
Webbers Ct. *Trow* —4A **118**
Webbs Heath. *Bris* —1F **75**
Webb St. *Bris* —2C **70**
Webbs Wood Rd. *Brad S* —3B **28**
Wedgwood Clo. *Bris* —3D **89**
Wedgwood Rd. *Bath* —4A **104**
Wedgwood Rd. *Bris* —3F **45**
Wedmore Clo. *Bris* —3B **74**
Wedmore Clo. *W Mare* —1D **139**

Wedmore Pk.—Weston Wood Rd.

Wedmore Pk. *Bath* —1B **108**
Wedmore Rd. *Clev* —5B **120**
Wedmore Rd. *Nail* —5D **123**
Wedmore Rd. *Salt* —4F **93**
Wedmore Vale. *Bris* —3A **80**
Weedon Clo. *Bris* —5C **58**
Weekesley La. *Tim* —1F **147**
Weetwood Rd. *Cong*
—1E **145**
Weight Rd. *Bris* —3E **71**
Weind, The. *W Mare*
—3B **128**
Weir La. *Bris* —4A **66**
Weir Rd. *Cong* —3E **145**
Weirside Mill. *Brad A*
—3F **115**
Welland Rd. *Key* —4B **92**
Wellard Clo. *W Mare*
—1F **129**
Well Clo. *L Ash* —4D **77**
Well Clo. *Wins* —4B **156**
Well Clo. *W Mare* —1F **139**
Wellgarth Ct. *Bris* —3C **80**
Wellgarth Rd. *Bris* —3C **80**
Wellgarth Wlk. *Bris* —3C **80**
Well Ho. Clo. *Bris* —5E **61**
Wellington Av. *Bris* —1A **70**
Wellington Bldgs. *Bath*
—4C **98**
Wellington Cres. *Bris*
—1A **58**
Wellington Dri. *Bris* —1F **57**
Wellington Dri. *Yate* —4D **17**
Wellington Hill. *Bris* —1A **58**
Wellington Hill W. *Bris*
—5E **41**
Wellington La. *Bris* —1A **70**
Wellington M. *Bris* —2F **53**
Wellington Pk. *Bris* —1C **68**
Wellington Pl. *Bris* —3D **45**
Wellington Pl. *W Mare*
—1B **132**
Wellington Rd. *K'wd*
—5F **61**
Wellington Rd. *St Pa*
—3B **70** (1E **5**)
Wellington Rd. *Yate* —2A **18**
Wellington Ter. *Bris* —4B **68**
Wellington Ter. *Clev*
—1C **120**
Wellington Wlk. *Bris*
—5E **41**
Well La. *Yat* —3C **142**
Wellow Brook Meadow.
Mid N —2E **151**
Wellow La. *Pea J* —2E **149**
Wellow Mead. *Pea J*
—2E **149**
Wellow Rd. *Bath* —5F **157**
Wellow Tyning. *Pea J*
—5D **157**
Well Pk. *Cong* —1D **145**
Well Path. *Brad A* —3D **115**
Wells Clo. *Bris* —3E **89**
Wells Clo. *Nail* —4F **123**
Wellsea Gro. *W Mare*
—1F **133**
Wells Hill *Rads* —2C **152**
Wells Rd. *Bath*
—4F **105** (5B **96**)
Wells Rd. *Bris* & *H'gro*
—1B **80**
Wells Rd. *Clev* —5D **121**
Wells Rd. *Cor* —5A **94**
Wells Rd. *Rads* —4F **151**
Wells Sq. *Rads* —2A **152**
Wells St. *Bris* —1C **78**
Wellstead Av. *Yate* —5F **17**

Wellsway. *Bath* —4E **109**
Wellsway. *Key* —3B **92**
Wellsway Pk. *Bath* —4E **109**
Welsford Av. *Bris* —3F **59**
Welsford Rd. *Bris* —3E **59**
Welsh Back. *Bris*
—4F **69** (4C **4**)
Welton Gro. *Mid N* —1D **151**
Welton Rd. *Rads* —2B **152**
Welton Vale. *Mid N* —2E **151**
Welton Wlk. *Bris* —5E **61**
Wemberham Cres. *Yat*
—2A **142**
Wemberham La. *Yat*
—3A **142**
Wenmore Clo. *Bris* —3F **45**
Wentforth Dri. *Bris* —5E **61**
Wentwood Dri. *W Mare*
—2E **139**
Wentworth. *War* —4C **74**
Wentworth. *Yate* —5A **18**
Wentworth Clo. *W Mare*
—2E **129**
Wentworth Rd. *Bris* —4F **57**
Wesley Av. *Bris* —5F **73**
Wesley Av. *Rads* —3F **151**
Wesley Clo. *Bris* —4F **61**
Wesley Clo. *W'hall* —1F **71**
Wesley Dri. *W Mare*
—2E **129**
Wesley Hill. *Bris* —1F **73**
Wesley La. *Bris* —5D **75**
Wesley Pl. *Bris* —5C **56**
Wesley Rd. *Trow* —3C **118**
Wesley St. *Bris* —2E **79**
Wessex Av. *Bris* —5B **42**
Wessex Ho. *Bris*
—4A **70** (3E **5**)
Wessex Rd. *W Mare*
—1F **139**
Westacre Clo. *Bris* —2C **40**
W. Ashton Rd. *Yarn*
—3F **119**
West Av. *Bath* —4D **105**
Westaway Clo. *Yat* —4C **142**
Westaway Pk. *Yat* —4D **143**
Westbourne Av. *Clev*
—4B **120**
Westbourne Av. *Key*
—3A **92**
Westbourne Cotts. *Bris*
—5D **45**
Westbourne Cres. *Clev*
—4B **120**
Westbourne Gdns. *Trow*
—2B **118**
Westbourne Gro. *Bris*
—2E **79**
Westbourne Pl. *Bris*
—3D **69**
Westbourne Rd. *Down*
—4B **46**
Westbourne Rd. *E'tn*
—2D **71**
Westbourne Rd. *Trow*
—2B **118**
Westbourne Ter. *Bris*
—5D **45**
West B'way. *Bris* —1F **57**
Westbrooke Ct. *Bris* —5C **68**
Westbrook Pk. *W'ton*
—4B **98**
Westbrook Rd. *Bris* —5F **81**
Westbrook Rd. *W Mare*
—4A **128**
Westbury Ct. Rd. *Bris*
—5B **40**

Westbury Cres. *W Mare*
—1D **139**
Westbury Hill. *Bris* —5C **40**
Westbury La. *Bris* —5D **39**
Westbury Pk. *Bris* —3C **56**
Westbury Rd. *N Brad*
—4E **155**
Westbury Rd. *W Trym &
Redl* —1C **56**
West Clo. *Bath* —4B **104**
W. Coombe. *Bris* —1F **55**
West Cotts. *Bath* —3D **111**
Westcourt Dri. *Old C*
—1D **85**
W. Croft. *Bris* —5E **41**
West Croft. *Clev* —4B **120**
Westcroft St. *Trow* —1C **118**
West Dene. *Bris* —1A **56**
W. Dock Rd. *P'bry* —1A **52**
West End. *Bedm* —5E **69**
West End. *Bris* —2F **69**
W. End Farm Cvn. Pk. *Lock*
—3D **135**
Westend Rd. *Wickw*
—3A **154**
W. End Trad. Est. *Nail*
—4A **122**
Westering Clo. *Mang*
—2C **62**
Westerleigh Clo. *Bris*
—5B **46**
Westerleigh Rd. *Bath*
—3C **110**
Westerleigh Rd. *Clev*
—4B **120**
Westerleigh Rd. *Down &
E Grn* —1A **62**
Westerleigh Rd. *Puck*
—1D **65**
Westerleigh Rd. *Yate &
W'lgh* —3D **33**
Western Av. *Fram C* —5C **14**
Western Ct. *Clev* —3D **121**
Western Dri. *Bris* —1A **88**
Western Rd. *Bris* —1A **58**
Westfield. *Brad A* —2C **114**
Westfield. *Clev* —5D **121**
Westfield Clo. *Back*
—2C **124**
Westfield Clo. *Bath* —1F **109**
Westfield Clo. *Bris* —5F **73**
Westfield Clo. *Key* —3E **91**
Westfield Clo. *Trow*
—4A **118**
Westfield Clo. *Uph* —1B **138**
Westfield Dri. *Back*
—2C **124**
Westfield Ind. & Trad. Est.
Rads —5F **151**
Westfield La. *Stok G*
—1A **44**
Westfield Pk. *Bath* —2B **104**
Westfield Pk. *Bris* —1D **69**
Westfield Pk. S. *Bath*
—2B **104**
Westfield Pl. *Bris* —3B **68**
Westfield Rd. *Back*
—2C **124**
Westfield Rd. *Ban* —5E **137**
Westfield Rd. *Bris* —4C **40**
Westfield Rd. *Trow*
—3A **118**
Westfield Rd. *W Mare*
—1B **138**
Westfield Ter. *Rads*
—3A **152**
Westfield Way. *Brad S*
—4F **11**

W. Garston. *Ban* —5E **137**
Westgate Bldgs. *Bath*
—3A **106** (3B **96**)
Westgate St. *Bath*
—3A **106** (3B **96**)
West Gro. *Bris* —1B **70**
Westhall Rd. *Bath* —2E **105**
W. Haven Clo. *Back*
—2C **124**
W. Hay Rd. *Udl* —1B **156**
West Hill. *P'head* —3D **49**
West Mall. *Wrax* —1E **123**
W. Hill Gdns. *P'head*
—3E **49**
West Hill Gdns. *Rads*
—3A **152**
W. Hill Rd. *Rads* —3A **152**
Westland Av. *Old C* —1E **85**
W. Lea Rd. *Bath* —1B **104**
W. Leaze Pl. *Brad S* —3A **28**
Westleigh Clo. *S'mead*
—3F **41**
Westleigh Clo. *Yate* —5E **17**
Westleigh Pk. *Bris* —5C **80**
Westleigh Rd. *Bris* —3E **41**
W. Links Clo. *W Mare*
—2F **127**
West Mall. *Bris* —3B **68**
Westmarch Way. *W Mare*
—1E **129**
Westmead Cres. *Trow*
—5B **118**
Westmead Gdns. *W'ton*
—4B **98**
Westmead Rd. *Bris* —3D **73**
Westminstere Ct. *W Trym*
—5C **40**
Westminster Rd. *Bris*
—2F **71**
Westmoreland Dri. *Bath*
—3F **105**
Westmoreland Pl. E. *Bath*
—3F **105**
Westmoreland Rd. *Bath*
—4F **105**
Westmoreland Rd. *Bris*
—4D **57**
Westmoreland Sta. Rd. *Bath*
—4F **105**
Westmoreland St. *Bath*
—4F **105**
Westmorland Ho. *Bris*
—4C **56**
Weston Av. *Bris* —3F **71**
Weston Clo. *Bris* —5E **39**
Weston Cres. *Bris* —1A **58**
Weston Farm La. *Bath*
—4D **99**
Weston Gateway Cvn. Pk.
W Mare —4A **130**
Westonian Ct. *Bris* —3E **55**
Weston La. *Bath* —5D **99**
Weston Links. *W Mare*
—3F **133**
Weston Pk. *Bath* —5D **99**
Weston Pk. Ct. *Bath* —5E **99**
Weston Pk. E. *Bath*
—1D **105**
Weston Pk. W. *Bath*
—5D **99**
Weston Rd. *Bath* —1E **105**
Weston Rd. *Cong* —1A **144**
Weston Rd. *Fail* —5A **76**
Weston Rd. *L Ash* —5A **76**
Westons Way. *Bris* —4B **74**
Weston Way. *Hut* —1D **141**
Weston Wood Rd. *P'head*
—5E **49**

Willows, The. *Yate* —4F **17**
Willow View. *N Brad*
    —4D **155**
Willow Wlk. *Bris* —1D **41**
Willow Wlk. *Key* —4F **91**
Willow Way. *Coal H* —3E **31**
Willsbridge Hill. *Will* —3C **84**
Wills Dri. *Bris* —2C **70**
Willway St. *Bedm* —1F **79**
Willway St. *Bris* —3B **70**
Wilmot Ct. *Bris* —4C **74**
Wilmots Way. *Pill* —3F **53**
Wilshire Av. *Bris* —5F **73**
Wilson Av. *Bris* —2B **70**
Wilson Pl. *Bris* —2B **70**
Wilson St. *Bris* —2B **70**
Wilton Clo. *Bris* —4E **41**
Wilton Dri. *Trow* —4D **119**
Wilton Gdns. *W Mare*
    —1C **132**
Wiltons. *Wrin* —1B **156**
Wiltshire Av. *Yate* —3C **18**
Wiltshire Dri. *Trow* —5C **118**
Wiltshire Pl. *Bris* —4A **62**
Wiltshire Way. *Bath*
    —4B **100**
Wilverley Ind. Est. *Bris*
    —4A **82**
Wimbledon Rd. *Bris* —2E **57**
Wimborne Rd. *Bris* —4E **79**
Winash Clo. *Bris* —1F **89**
Wincanton Clo. *Down*
    —3B **46**
Wincanton Clo. *Nail*
    —4F **123**
Winchcombe Clo. *Nail*
    —5F **123**
Winchcombe Gro. *Bris*
    —2B **54**
Winchcombe Rd. *Fram C*
    —1D **31**
Winchcombe Trad. Est. *Bris*
    —1C **80**
Winchester Av. *Bris* —2F **81**
Winchester Rd. *Bath*
    —4E **105**
Winchester Rd. *Bris* —2F **81**
Wincroft. *Old C* —1E **85**
(in two parts)
Windcliff Cres. *Bris* —4A **38**
Windermere. *W Trym*
    —2F **41**
Windermere Av. *W Mare*
    —4D **133**
Windermere Rd. *Pat*
    —1C **26**
Windermere Rd. *Trow*
    —5E **117**
Windermere Way. *Bris*
    —4F **75**
Windmill Clo. *Bris* —1A **80**
Windmill Farm Bus. Cen. *Bris*
    —1F **79**
Windmill Hill. *Bris* —2F **79**
Windmill Hill. *Hut* —1D **141**
Windmill La. *Bris* —1F **39**
Windrush Clo. *Bath*
    —5A **104**
Windrush Ct. *T'bry* —4D **7**
Windrush Grn. *Key* —4C **92**
Windrush Rd. *Key* —4C **92**
Windsor Av. *Bris* —4D **73**
Windsor Av. *Key* —4A **92**
Windsor Bri. Rd. *Bath*
    —3E **105**
Windsor Clo. *Clev* —4C **120**
Windsor Clo. *Stok G*
    —4A **28**

Windsor Ct. *Bath* —2D **105**
Windsor Ct. *Bris* —4B **68**
Windsor Ct. *Down* —5A **46**
Windsor Ct. *Wick* —4B **154**
Windsor Cres. *H'len* —5E **23**
Windsor Dri. *Nail* —3D **123**
Windsor Dri. *Trow* —5B **118**
Windsor Dri. *Yate* —4F **17**
Windsor Gro. *Bris* —2D **71**
Windsor Pl. *Bris* —4B **68**
Windsor Pl. *Mang* —2C **62**
Windsor Rd. *Bris* —5A **58**
Windsor Rd. *L Grn* —3B **84**
Windsor Rd. *Whit B*
    —3F **155**
Windsor Rd. *W Mare*
    —3A **128**
Windsor Ter. *Clif* —4B **68**
Windsor Ter. *Paul* —4B **146**
Windsor Ter. *Tot* —1B **80**
Windsor Vs. *Bath* —2D **105**
Windwhistle Circ. *W Mare*
    —5D **133**
Windwhistle La. *W Mare*
(in three parts) —5C **132**
Windwhistle Rd. *W Mare*
    —5B **132**
Wineberry Clo. *Bris* —1F **71**
Wine St. *Bath*
    —3B **106** (4C **96**)
Wine St. *Brad A* —2D **115**
Wine St. *Bris* —3F **69** (2C **4**)
Wine St. Ter. *Brad A*
    —3D **115**
Winfield Rd. *Bris* —3E **75**
Winford Clo. *P'head* —4A **50**
Winford Gro. *Bris* —5C **78**
Wingard Clo. *Uph* —1B **138**
Wingfield Rd. *Bris* —3A **80**
Wingfield Rd. *Trow*
    —3A **118**
Winifred's La. *Bath* —5F **99**
Winkworth Pl. *Bris* —1B **70**
Winsbury Way. *Pat* —5E **11**
Winscombe Clo. *Key*
    —2F **91**
Winscombe Rd. *W Mare*
    —1E **133**
Winsford St. *Bris* —2C **70**
Winsham Clo. *Bris* —3D **89**
Winsley By-Pass. *Brad A*
    —2E **113**
Winsley Hill. *Lim S*
    —2B **112**
Winsley Rd. *Brad A*
    —2B **114**
Winsley Rd. *Bris* —1F **69**
Winterbourne Hill. *Wint*
    —4F **29**
Winterbourne Rd. *Stok G*
    —3A **28**
Winterfield Pk. *Paul*
    —4B **146**
Winterfield Rd. *Paul*
    —4B **146**
Winterslow Rd. *Trow*
    —5B **118**
Winterstoke Clo. *Bris*
    —3D **79**
Winterstoke Ho. *Bris*
    —1C **78**
Winterstoke Rd. *Bris*
    —2B **78**
Winterstoke Rd. *W Mare*
    —2D **133**
Winterstoke Underpass. *Bris*
    —1B **78**
Winton St. *Bris* —1B **80**

Wintour Ho. *Bris* —4C **38**
Wisteria Av. *Chip S* —5C **18**
Wisteria Av. *Hut* —1B **140**
Witchell Rd. *Bris* —3E **71**
Witch Hazel Rd. *Bris*
    —5A **88**
Witcombe. *Yate* —2E **33**
Witcombe Clo. *Bris* —1B **74**
Witham Rd. *Key* —5C **92**
Withey Clo. E. *Bris* —1B **56**
Withey Clo. W. *Bris* —2B **56**
Witheys, The. *Bris* —4E **89**
Withies La. *Mid N* —5C **150**
Withies Pk. *Mid N* —4C **150**
Withington Clo. *Bit* —3E **85**
Withleigh Rd. *Bris* —3D **81**
Withy Clo. *Trow* —4E **117**
Withypool Gdns. *Bris*
    —3D **89**
Withys, The. *Pill* —4F **53**
Withywood Gdns. *Bris*
    —3B **86**
Withywood Rd. *Bris* —4B **86**
Witney Clo. *Salt* —5F **93**
Woburn Clo. *Bar C* —5B **74**
Woburn Clo. *Trow* —2A **118**
Woburn Rd. *Bris* —4D **59**
Wolferton Rd. *Bris* —5B **58**
Wolfridge Gdns. *Bris*
    —5C **24**
Wolfridge La. *Alv* —3A **8**
Wolfridge Ride. *Alv* —3A **8**
Wolseley Rd. *Bris* —4F **57**
Woltson Ter. *Bath* —3F **107**
Wolvershill Pk. *Ban*
    —5E **137**
Wolvershill Rd. *Ban*
    —5A **130**
Woodbine Rd. *Bris* —2F **71**
Woodborough Clo. *Trow*
    —5D **119**
Woodborough Cres. *Wins*
    —5B **156**
Woodborough Dri. *Wins*
    —4B **156**
Woodborough La. *Rads*
    —5D **149**
Woodborough Rd. *Rads*
    —1D **153**
Woodborough Rd. *Wins*
    —4A **156**
Woodborough St. *Bris*
    —1D **71**
Woodbridge Rd. *Bris*
    —3C **80**
Woodbury La. *Bris* —5C **56**
Woodchester. *Bris* —4A **62**
Woodchester. *Yate* —3A **34**
Woodchester Rd. *Bris*
    —5E **41**
Woodcliff Av. *W Mare*
    —4A **128**
Woodcliff Rd. *W Mare*
    —4A **128**
Woodcote. *Bris* —4F **73**
Woodcote Rd. *Bris* —4D **61**
Woodcote Wlk. *Bris* —5D **61**
Woodcroft Av. *Bris* —1F **71**
Woodcroft Clo. *Bris* —1A **82**
Woodcroft Rd. *Bris* —1A **82**
Woodend. *Bris* —4F **73**
Woodend Rd. *Fram C*
    —2D **31**
Wood End Wlk. *Bris*
    —1E **55**
Woodfield Rd. *Bris* —5D **57**
Woodford Clo. *Nail* —4F **123**
Woodgrove Rd. *Bris* —2F **39**

Woodhall Clo. *Bris* —1B **62**
Wood Hill. *Cong* —5D **143**
Woodhill Av. *P'head* —1F **49**
Wood Hill Pk. *P'head*
    —1F **49**
Wood Hill Pl. *Bath* —4E **107**
Woodhill Rd. *P'head*
    —2F **49**
Woodhill Views. *Nail*
    —2E **123**
Woodhouse Gro. *Bris*
    —1A **58**
Woodhouse Rd. *Bath*
    —3B **104**
Woodhurst Rd. *W Mare*
    —1E **133**
Woodington Ct. *Bar C*
    —1B **84**
Woodington Rd. *Clev*
    —5C **120**
Wood Kilns, The. *Yat*
    —2A **142**
Woodland Av. *Bris* —5F **61**
Woodland Clo. *Bris* —5E **61**
Woodland Ct. *Bris* —4E **55**
Woodland Glade. *Clev*
    —1E **121**
Woodland Gro. *Bath*
    —4F **107**
Woodland Gro. *Bris* —1F **55**
Woodland La. *Bris* —5F **89**
Woodland Pl. *Bath* —4E **107**
Woodland Rise. *Bris*
    —3E **69** (2A **4**)
Woodland Rd. *Clif & Bris*
(in two parts) —2E **69**
Woodland Rd. *Nail*
    —2D **123**
Woodland Rd. *W Mare*
    —4B **132**
Woodlands. *Alm* —3F **11**
Woodlands *Down* —1A **62**
Woodlands Cvn. Pk. *Brad S*
    —3E **11**
Woodlands Ct. *Alm* —3D **11**
Woodlands Dri. *Mid N*
    —3C **112**
Woodlands Edge. *Trow*
    —3F **119**
Woodlands La. *Alm* —4D **11**
(in two parts)
Woodlands Pk. *Bath*
    —4D **101**
Woodlands Pk. Cvn. Site.
    Brad S —3E **11**
Woodlands Rise. *Bris*
    —1F **61**
Woodlands Rd. *Clev*
    —2C **120**
Woodlands Rd. *P'head*
    —1F **49**
Woodland Ter. *K'wd*
    —2A **74**
Woodland Ter. *Redl* —5D **57**
Woodland Way. *Bris*
    —5E **61**
Wood La. *Clav* —4E **143**
Wood La. *W Mare* —4D **127**
Woodleaze. *Bris* —1D **55**
Wood Leaze. *Chip S*
    —5B **18**
Woodleigh. *T'bry* —3D **7**
Woodleigh Gdns. *Bris*
    —2E **89**
Woodmancote. *Yate* —1F **33**
Woodmancote Rd. *Bris*
    —1A **70**
Woodmand. *Holt* —2F **155**

INDEX TO PLACES OF INTEREST

with their map square reference

HOSPITALS and HEALTH CENTRES
covered by this atlas.

N.B. Where Hospitals and Health Centres are not named on the map, the reference
given is for the road in which they are situated.

BLACKBERRY HILL HOSPITAL —2B **60**
Manor Rd., Fishponds,
Bristol, BS16 2EW
Tel: (0117) 9656061

BRADFORD-ON-AVON COMMUNITY
HOSPITAL —1E **115**
Berryfields, Berryfield Rd.,
Bradford on Avon, BA15 1TA
Tel: (01225) 862975

Bradford-on-Avon Family Health Centre
—3D **115**
Station App.,
Bradford on Avon,
BA15 1DQ
Tel: (01225) 865660

BRENTRY HOSPITAL —2D **41**
Charlton Rd., Brentry,
Bristol, BS10 6JA
Tel: (0117) 9500500

BRISTOL BUPA HOSPITAL —5C **56**
The Glen, Redland Hill,
Durdham Down,
Bristol, BS6 6UT
Tel: (0117) 9732562

BRISTOL DENTAL HOSPITAL
—3F **69** (1B **4**)
Lower Maudlin St.,
Bristol, BS1 2LY
Tel: (0117) 9230050

BRISTOL EYE HOSPITAL —3F **69** (1B **4**)
Lower Maudlin St.,
Bristol, BS1 2LX
Tel: (0117) 9230060

BRISTOL GENERAL HOSPITAL —5F **69**
Guinea St.,
Bristol, BS1 6SY
Tel: (0117) 9265001

BRISTOL ONCOLOGY CENTRE
—3F **69** (1B **4**)
Horfield Rd.,
Bristol, BS2 8ED
Tel: (0117) 9230000

BRISTOL ROYAL HOSPITAL FOR
SICK CHILDREN —3E **69**
St Michael's Hill,
Bristol, BS2 8BJ
Tel: (0117) 9215411

BRISTOL ROYAL INFIRMARY —3F **69**
Marlborough St.,
Bristol, BS2 8H
Tel: (0117) 9230000

Brooklea Health Centre —5A **72**
Wick Rd., Brislington,
Bristol, BS4 4HU
Tel: (0117) 9711211

BURDEN HOSPITAL —4A **44**
Stoke La., Stapleton,
Bristol, BS16 1QT
Tel: (0117) 9701212

Cadbury Heath Health Centre —5C **74**
Parkwall Rd., Cadbury Heath,
Bristol, BS30 8HS
Tel: (0117) 9600129

Charlotte Keel Health Centre —1C **70**
Seymour Rd., Easton,
Bristol, BS5 0UA
Tel: (0117) 9512244

CHESTERFIELD HOSPITAL, THE —4C **68**
3 Clifton Hill,
Bristol, BS8 1BP
Tel: (0117) 9467424

Clevedon Health Centre —3E **121**
Old St.,
Clevedon,
BS21 6DG
Tel: (01275) 871454

CLEVEDON HOSPITAL —3E **121**
Old Street, Clevedon,
BS21 6BS
Tel: (01275) 872212

COSSHAM HOSPITAL —5E **61**
Lodge Rd., Kingswood,
Bristol, BS15 1LF
Tel: (0117) 9671661

DROVE ROAD HOSPITAL —3D **133**
Drove Rd.,
Weston-Super-Mare,
BS23 3NT
Tel: (01934) 636363

Eastville Health Centre —5E **59**
East Pk., Eastville,
Bristol, BS5 6YA
Tel: (0117) 9511261

Fairfield Park Health Centre —5C **100**
Tyning La., Camden Rd.,
Bath, BA1 6EA
Tel: (01225) 331616

Fishponds Health Centre —3D **61**
Beechwood Rd., Fishponds,
Bristol, BS16 3TD
Tel: (0117) 9656281

FRENCHAY HOSPITAL —4D **45**
Frenchay Park Rd., Frenchay,
Bristol, BS16 1LE
Tel: (0117) 9701212

GROVE ROAD DAY HOSPITAL —5C **56**
Grove Rd., Redland,
Bristol, BS6 6UJ
Tel: (0117) 9730225

HANHAM HALL HOSPITAL —1F **83**
Whittucks Rd., Hanham,
Bristol, BS15 3PU
Tel: (0117) 9085000

Hartcliffe Health Centre —4E **87**
Hareclive Rd., Hartcliffe,
Bristol, BS13 0JP
Tel: (0117) 941020

HEATH HOUSE PRIORY HOSPITAL
—3D **59**
Heath House La., off Bell Hill,
Stapleton, Bristol,
BS16 1EQ
Tel: (0117) 9525255

Horfield Health Centre —1C **58**
Lockleaze Rd., Horfield,
Bristol, BS7 9RR
Tel: (0117) 9695391

KEYNSHAM HOSPITAL —4B **92**
St Clement's Rd., Keynsham,
Bristol, BS31 1AG
Tel: (0117) 9862356

Kingswood Health Centre —2A **74**
Alma Rd.,
Kingswood,
Bristol, BS15 4EJ
Tel: (0117) 9677191

Lawrence Hill Health Centre —3C **70**
Hassell Dri.,
Lawrence Hill,
Bristol, Avon, BS2 0AN
Tel: (0117) 9555241

Montpelier Health Centre —1A **70**
Bath Buildings, Montpelier,
Bristol, BS6 5PT
Tel: (0117) 9426811

Nailsea Health Centre —3D **123**
Somerset Sq.,
Nailsea, BS19 2EY
Tel: (01275) 856611

PAULTON HOSPITAL —5C **146**
Salisbury Rd.,
Paulton, BS39 7SB
Tel: (01761) 412315

Portishead Health Centre —3F **49**
Victoria Sq., Portishead,
Bristol, BS20 9AQ
Tel: (01275) 847474

ROBERT SMITH UNIT DAY HOSPITAL
—3C **68**
Mortimer Rd.,
Bristol, BS8 4EX
Tel: (0117) 9735004

ROYAL NATIONAL HOSPITAL FOR
RHEUMATIC DISEASES
—3A **106** (3B **96**)
Upper Borough Walls,
Bath, BA1 1RL
Tel: (01225) 465941

ROYAL UNITED HOSPITAL —1C **104**
Combe Pk., Bath,
Avon, BA1 3NG
Tel: (01225) 428331

St George Health Centre —2C **72**
Bellevue Rd., St George,
Bristol, BS5 7PH
Tel: (0117) 9612161

Hospitals and Health Centres

St Johns Lane Health Centre —3A **80**
St Johns La., Bedminster,
Bristol, BS14 8PT
Tel: (0117) 667681

ST MARTIN'S HOSPITAL —3F **109**
Midford Rd., Bath,
BA2 5RP
Tel: (01225) 832383

ST MARY'S HOSPITAL —3D **69**
Upper Byron Pl., Clifton,
Bristol, BS8 1JU
Tel: (0117) 9872727

ST MICHAEL'S HOSPITAL —2E **69**
Southwell St., St Michael's Hill,
Bristol, BS2 8EG
Tel: (0117) 9215411

St Peter's Hospice —3B **80**
St Agnes Av., Knowle,
Bristol, BS4 2DU
Tel: (0117) 9774605

Shirehampton Health Centre —1A **54**
Pembroke Rd., Shirehampton,
Bristol, BS11 0QE
Tel: (0117) 9828181

Southmead Health Centre —2E **41**
Ullswater Rd., Southmead,
Bristol, BS10 6DF
Tel: (0117) 9507000

SOUTHMEAD HOSPITAL —4A **42**
Westbury-on-Trym,
Bristol, BS10 5NB
Tel: (0117) 9505050

Stockwood Health Centre —3A **90**
Hollway Rd.,
Stockwood,
Bristol, BS14 8PT
Tel: (01275) 833103

Thornbury Health Centre —3D **7**
Eastland Rd.,
Thornbury,
BS35 1DP
Tel: (01454) 414477

THORNBURY HOSPITAL —3D **7**
Eastland Rd.,
Thornbury,
BS35 1DN
Tel: (01454) 412636

TROWBRIDGE COMMUNITY HOSPITAL
—1C **118**
Adcroft St., Trowbridge,
BA14 8PH
Tel: (01225) 752558

Trowbridge Family Health Centre
—1D **119**
The Halve, Trowbridge,
BA14 8SA
Tel: (01225) 766161

WESTON GENERAL HOSPITAL —2C **138**
Grange Rd., Uphill,
Weston-Super-Mare,
BS23 4TQ
Tel: (01934) 636363

Whitchurch Health Centre —3C **88**
Armada Rd.,
Whitchurch,
Bristol BS8 2PU
Tel: (01275) 839421

Whiteladies Health Centre —1D **69**
Whatley Rd., Clifton,
Bristol, BS8 1NL
Tel: (0117) 9731201

William Bud Health Centre —5F **79**
Leinster Av., Knowle,
Bristol, BS4 1NL
Tel: (0117) 9633152

Worle Health Centre —3C **128**
125 High St., Worle,
Weston-Super-Mare,
BS22 0HB
Tel: (01934) 510510

Yate Health Centre —5A **18**
21 West Wlk., Yate,
Bristol, BS37 4AX
Tel: (01454) 313374